JAMES ROLLINS

James Rollins, de son vrai nom Jim Czajkowski, est né en 1961 à Chicago. Auteur de nombreux romans à succès, il a fermé son cabinet de vétérinaire à Sacramento pour se consacrer entièrement à l'écriture et satisfaire pleinement son penchant pour l'aventure. Spéléologue amateur et plongeur confirmé, il parcourt le globe, plus souvent sous l'eau ou sous terre que sur la terre ferme.

L'Ordre du Dragon met en scène les aventures de l'équipe Sigma Force que l'on retrouve dans *La Bible de Darwin*, *La Malédiction de Marco Polo* et *Le Dernier Oracle* et, plus récemment, dans *La clé de l'apocalypse* (2012). Après *Amazonia*, *Mission Iceberg* paraît en 2011. Tous ces ouvrages ont paru au Fleuve Noir et ont été repris chez Pocket.

James Rollins est aussi l'auteur de la novélisation du dernier volet des aventures d'Indiana Jones : *Indiana Jones et le royaume du crâne de cristal*.

Retrouvez l'actualité de l'auteur sur son site :
www.jamesrollins.fr

D1218456

AMAZONIA

JAMES ROLLINS

AMAZONIA

Traduit de l'anglais (États-Unis)
par Leslie Boitelle

Fleuve Noir

Titre original :
AMAZONIA

Pocket, une marque d'Univers Poche,
est un éditeur qui s'engage pour la préservation
de son environnement et qui utilise du papier fabriqué
à partir de bois provenant de forêts gérées
de manière responsable.

© 2002 by James Czajkowski
© 2011, Fleuve Noir, département d'Univers Poche,
pour la traduction française.

ISBN : 978-2-266-22037-8

À John Petty et Rick Hourigan,
amis et coconspirateurs

AMAZONIE

São Gabriel

Solimões
Rio Negro
Amazone

Manaus

Madeira

Wauwai

N

Porto Velho

Rio Branco

0 Miles 200 300
0 Kilomètres 300

AMÉRIQUE DU SUD

mer des Antilles

Barranquilla
Cartagena
Panamá
PANAMÁ
Maracaibo
Caracas
TRINITE-ET-TOBAGO
Port of Spain
océan Atlantique
San Cristóbal
Orénoque
Georgetown
Paramaribo
GUYANE (FR.)
Cayenne
Medellín
Cúcuta
VENEZUELA
PLATEAU DES GUYANES
GUYANA
SURINAM
Cali
Bogotá
île de Malpelo
COLOMBIE
Boa Vista
Quito
ÉQUATEUR
Guayaquil
ÉQUATEUR
Iquitos
Macapá
Rio Negro
Amazone
Manaus
Santarém
ÉQUATEUR
Belém
São Luís
Fortaleza
Piura
AMAZONIE
Amazone
Madeira
BRÉSIL
Trujillo
Huánuco
Rio Branco
Porto Velho
Xingu
Singu
Teresina
Natal
Recife
PÉROU
ANDES
Lima
Cuzco
Rio Branco
PLATEAU DU
MATO GROSSO
PLATEAU
Maceió
Salvador
Lac Titicaca
Madre de Dios
La Paz
Trinidad
Cuiabá
Brasília
Goiânia
BRÉSILIEN
océan
Pacifique
Arequipa
Arica
Iquique
ALTIPLANO
Cochabamba
BOLIVIE
Santa Cruz
Sucre
Potosí
Paraná
Uberlândia
Campo
Grande
Belo Horizonte
TROPIQUE DU CAPRICORNE
île San Ambrosio
île San Félix
Antofagasta
DÉSERT D'ATACAMA
PARAGUAY
Asunción
São Paulo
Curitiba
Santos
Rio de Janeiro
Vitória
Florianópolis
Salta
San Miguel
de Tucumán
Resistencia
Paraná
Porto Alegre
CHILI
Aconcagua (point culminant
de l'Amérique du Sud, 6 962 m)
Córdoba
Mendoza
Santa Fé
Rosario
Salto
URUGUAY
archipel
Juan Fernández
Valparaíso
Santiago
Concepción
ARGENTINE
PAMPA
Buenos Aires
La Plata
Montevideo

0 Miles 400 600 800 1000
0 Kilomètres 1000

© 2002 Jeffrey L. Ward

PROLOGUE

25 juillet, 18 h 24
Un village missionnaire amérindien
Amazonas, Brésil

Bêche en main, le padre Garcia Luiz Batista s'échinait à arracher les mauvaises herbes du jardin de la mission lorsqu'un étranger surgit de la jungle. L'inconnu n'avait pour tout vêtement qu'un pantalon de toile noire déchiré. Torse nu et sans chaussures, il tomba à genoux entre les rangées de manioc. Sa peau, tannée par le soleil, était ornée de tatouages aux teintes bleues et pourpres.

Le prenant par erreur pour un Indien yanomami, le padre Batista releva son chapeau de paille à larges bords et accueillit le nouvel arrivant dans la langue indigène de la région :

— *Eou, shori* ! Bienvenue à la mission de Wauwai, mon ami.

Quand le type releva la tête, Garcia comprit son erreur : l'inconnu avait les yeux d'un bleu profond, couleur peu répandue chez les tribus amazoniennes. Il arborait aussi une longue barbe noire hirsute.

Bref, ce n'était pas un Indien mais un Blanc.

— *Bemvindo !* tenta-t-il alors en portugais, imaginant qu'il devait s'agir d'un paysan d'une ville côtière qui, comme beaucoup d'autres, s'aventuraient dans la forêt tropicale pour coloniser les terres vierges et y trouver une vie meilleure.

— Sois le bienvenu ici, mon ami.

Le malheureux semblait avoir longtemps erré dans la jungle. Les cheveux bruns en bataille, il n'avait plus que la peau sur les os, ses côtes saillaient douloureusement et son corps était recouvert de cicatrices purulentes ou de plaies. Des mouches voletaient autour de lui pour se nourrir de ses blessures.

Quand il tenta de parler, ses lèvres desséchées se fendirent et une perle de sang frais coula sur son menton. Il tenta de lever un bras implorant, puis, d'une voix inintelligible, bredouilla des sons proches de grognements animaux.

Le premier réflexe du missionnaire fut de battre en retraite, mais son serment envers Dieu lui imposa le contraire : un bon Samaritain ne laissait jamais le voyageur égaré dans la peine. Il se pencha donc pour l'aider à se remettre debout. Le pauvre hère était si décharné qu'entre les bras du religieux, il ne pesait pas plus qu'un enfant. Même à travers sa chemise, on sentait la chaleur de sa peau. Il était brûlant de fièvre.

— Venez, je vous emmène à l'abri du soleil.

Garcia le conduisit jusqu'à la chapelle de la mission, dont le clocher d'un blanc éclatant pointait vers le ciel. Derrière, un hameau de paillotes et de maisons en bois s'étendait dans une clairière gagnée sur la jungle.

La mission de Wauwai existait depuis à peine cinq ans mais, déjà, le nombre de villageois avait gonflé jusqu'à atteindre presque quatre-vingts personnes issues de diverses tribus indigènes. Conformément à l'habitat traditionnel des Indiens Apalai, certaines maisons étaient bâties sur pilotis. D'autres, faites uniquement de chaume de palme, étaient plus typiques des Waiwai et des Tiriós. Enfin, la mission était surtout habitée par des Yanomami, dont on reconnaissait les grandes maisons communes circulaires.

De son bras libre, Garcia apostropha justement l'un d'eux au bord du jardin. Vêtu d'un pantalon et d'une chemise à manches longues boutonnée jusqu'en haut, son assistant, prénommé Henaowe, s'empressa de le rejoindre.

— Aide-moi à le porter à la maison.

Le petit Indien approuva d'un vigoureux coup de tête et passa aussitôt de l'autre côté pour soutenir l'homme bouillant de fièvre. Ensemble, ils quittèrent le jardin, puis contournèrent la chapelle jusqu'au bâtiment bardé de bois qui dépassait de la façade sud. Seule la maison du missionnaire possédait un générateur à gaz qui alimentait les lumières de la chapelle, le réfrigérateur et l'unique système d'air conditionné du village. Garcia se demandait même parfois si son succès n'était pas dû à la température agréable qui régnait à l'intérieur de l'église plutôt qu'à une foi sincère dans le salut du Christ.

Henaowe se pencha comme il put et, d'un coup sec, ouvrit la porte de derrière. Ils traversèrent la salle à manger en ahanant et transportèrent l'étranger jusqu'à une pièce du fond. Prévue pour accueillir les acolytes de la mission, la petite chambre était actuellement inoccupée, car, deux jours plus tôt, les plus jeunes étaient partis évangéliser un village voisin. Certes, elle offrait à peine plus de confort qu'une cellule mais, au moins, elle était fraîche et protégée du soleil.

D'un signe de tête, Garcia demanda à Henaowe d'allumer la lanterne. Ils ne s'étaient pas donné la peine de faire venir l'électricité jusque-là. Blattes et araignées fuirent la lumière de la flamme dans un glissement silencieux.

D'un même effort, les deux hommes hissèrent l'inconnu sur le lit.

— Aide-moi à le déshabiller. Je dois nettoyer ses plaies avant de les soigner.

Obéissant, Henaowe tendit la main vers le bouton du pantalon mais, soudain, il se raidit, poussa un cri et bondit en arrière comme s'il avait vu un scorpion.

— *Weti kete ?* s'étonna Garcia. Qu'y a-t-il ?

Le jeune Indien paraissait horrifié. L'index pointé sur le torse nu, il se mit à parler à toute vitesse dans sa langue natale.

— Quoi, le tatouage ? Que se passe-t-il ?

Les teintes rouges et bleues représentaient surtout des formes géométriques – cercles pourpres, gribouillis, triangles irréguliers – mais, au centre, on apercevait une spirale rouge, pareille à du sang s'écoulant d'un drain. En plein milieu, une empreinte de main figurait juste au-dessus du nombril.

— *Shawara !* s'exclama Henaowe en reculant vers la porte.

Les esprits maléfiques.

Garcia le scruta longuement. Il aurait cru que le jeune indigène avait dépassé depuis longtemps le stade des superstitions.

— Bon, ça suffit ! C'est juste un peu de peinture. Rien à voir avec l'œuvre du Malin ! Maintenant, viens m'aider.

Terrorisé, Henaowe tremblait et refusait d'approcher.

Alors que le padre commençait à s'agacer, l'inconnu poussa un grognement. Les yeux vitreux à cause de la fièvre, le pauvre homme se débattait faiblement au-dessus des draps. Après avoir touché son front brûlant, Garcia lâcha :

— Va au moins me chercher la trousse de premiers secours et la pénicilline au frigo.

L'Indien s'éclipsa, visiblement soulagé.

Garcia soupira. Voilà dix ans qu'il vivait en pleine forêt amazonienne et il avait dû apprendre des rudiments de médecine indispensables là-bas : poser une attelle, nettoyer et appliquer des onguents sur une blessure, traiter la fièvre. Il pratiquait même des opérations chirurgicales simples, tels que des points de suture, ou aidait lors des accouchements difficiles. En tant que padre de la mission, il n'était pas seulement le gardien de leurs âmes : il était aussi leur conseiller, leur chef et leur docteur.

Après avoir déshabillé son nouveau patient, Garcia mit ses vêtements souillés de côté, puis contempla un corps ravagé par la cruauté impitoyable de la jungle. Des vers, qui s'étaient insinués dans les plaies profondes, rampaient sous la peau. Une mycose lui avait rongé les ongles des orteils et une cicatrice au talon trahissait une vieille morsure de serpent.

Tout en s'activant, le religieux se demanda à qui il pouvait bien avoir affaire. Quelle était son histoire ? Avait-il une famille quelque part ? Hélas, chaque tentative de communication se soldait par un échec : l'homme n'éructait rien d'autre que des sons confus, fruits du délire provoqué par la fièvre.

Nombreux étaient les paysans qui, venus gagner quatre sous dans la jungle, tombaient aux mains d'Indiens hostiles, de voleurs, de narcotrafiquants, voire de grands prédateurs. Cependant, les colons mouraient surtout de maladie. Comme le dispensaire le plus proche se trouvait parfois à des semaines de marche, une simple grippe pouvait se révéler fatale.

Des pas traînants ramenèrent Garcia à la réalité. Henaowe revenait avec la trousse de secours et un seau d'eau propre, mais il n'était pas seul. Voilà donc pourquoi il avait mis tant de temps ! Il ramenait Kamala, petit homme aux cheveux blancs, le *shapori*, ou chaman de la tribu, qu'il avait sans doute sollicité avant même d'aller chercher les médicaments.

Garcia salua le vieux médecin :

— *Haya*, grand-père.

La tradition voulait qu'on s'adresse ainsi aux anciens de la tribu yanomami.

Sans répondre, Kamala rejoignit le lit à grandes enjambées pour examiner le malade avec attention. Ses pupilles s'étrécirent. Après avoir fait signe à Henaowe de poser la trousse et le seau, il leva les bras et commença à psalmodier au-dessus du lit. Garcia avait beau maîtriser de nombreux dialectes indigènes, il n'en comprit pas un traître mot.

Quand il eut terminé, le chaman annonça en portugais :

— Ton *nabe* a été touché par les *shawara*, les dangereux esprits de la jungle. Il rendra l'âme cette nuit. Son corps doit être brûlé avant le lever du soleil.

Sur ces mots, il tourna les talons.

— Attendez ! Expliquez-moi la signification des symboles.

— C'est la marque de la tribu ban-ali, répondit Kamala, la mine sombre. Les Jaguars de Sang. Il est l'un d'eux. Personne ne doit aider un *Ban-yi*, un esclave du jaguar. C'est la mort assurée.

Il souffla entre ses doigts pour écarter les mauvais esprits, puis quitta la pièce, accompagné d'Henaowe.

Resté seul dans la semi-obscurité, Garcia frissonna, mais cela ne venait pas de l'air conditionné. Il avait entendu des rumeurs sur les Ban-ali : comptant parmi les tribus fantômes mythiques de la jungle, l'effrayant peuple était censé s'accoupler avec les jaguars et posséder d'indicibles pouvoirs.

Le missionnaire embrassa son crucifix, décida d'oublier des superstitions aussi absurdes et, après avoir plongé une éponge dans l'eau tiède, il la porta à la bouche du malade :

— Buvez.

En forêt, la déshydratation pouvait, plus que tout autre facteur, décider de la vie ou de la mort. Il pressa l'éponge et fit couler un mince filet d'eau sur les lèvres craquelées de l'homme.

Comme un bébé tétant le sein de sa mère, le malheureux réagit au contact de l'eau. Il aspira bruyamment, haletant, et faillit s'étouffer. Garcia lui releva la tête pour l'aider à boire. Au bout de quelques minutes, l'homme afficha un regard moins halluciné. Toujours assoiffé, il chercha l'éponge avec la bouche, mais le missionnaire ne lui en donna pas davantage, car il était dangereux de boire trop après une déshydratation aussi sévère.

— Reposez-vous, *senhor*. Laissez-moi nettoyer vos plaies et vous donner quelques antibiotiques.

Son interlocuteur ne semblait pas comprendre. De toutes ses forces, il tenta de s'asseoir et chercha l'éponge en poussant de petits cris bizarres. Quand Garcia le prit par les épaules pour le remettre sur l'oreiller, l'homme haleta de nouveau et, là, le padre comprit enfin pourquoi il ne parlait pas.

Il n'avait plus de langue. Elle avait été coupée.

Écœuré, Garcia prépara une seringue d'ampicilline et pria pour l'âme des monstres capables d'infliger une telle torture à un de leurs semblables. Le médicament était périmé mais, comme ils n'avaient rien d'autre, c'était tout ce que l'apprenti docteur pouvait faire. Il lui injecta l'antibiotique dans la fesse gauche, puis s'occupa de ses plaies avec l'éponge et les onguents.

L'inconnu basculait sans cesse de la lucidité au délire. Quand il était conscient, il se débattait violemment pour récupérer sa pile de vêtements. On aurait dit qu'il voulait se rhabiller et continuer sa marche dans la jungle, mais Garcia le repoussait à chaque fois et l'enveloppait dans la couverture.

Comme le soleil se couchait, il s'assit, prit sa bible et pria. Au fond de son cœur, hélas, il savait que ses suppliques seraient vaines. Kamala, le chaman, avait raison : le pauvre ne passerait pas la nuit.

Par précaution, au cas où il s'agirait d'un chrétien, Garcia lui avait administré les derniers sacrements une heure plus tôt. L'homme avait tremblé quand on lui avait oint le front, mais il ne s'était pas réveillé, toujours aussi bouillant de fièvre. Les antibiotiques n'avaient pas réussi à combattre l'infection sanguine.

Résigné à le voir mourir, Garcia continua de le veiller. C'était le minimum qu'il pouvait faire pour cette pauvre âme. Alors que minuit approchait et que la jungle s'éveillait au son plaintif des sauterelles et aux coassements des innombrables grenouilles, il s'assoupit peu à peu, son texte sacré sur les genoux.

Quelques heures plus tard, il fut tiré de son sommeil par un cri étranglé. Persuadé que son patient rendait le dernier souffle, il se leva d'un bond, fit bruyamment tomber sa bible par terre et, alors qu'il se penchait pour la ramasser, il vit l'homme le fixer. Malgré son regard voilé, l'étranger ne délirait plus. Il leva une main tremblante et montra de nouveau ses habits en tas.

— Vous ne pouvez pas partir, monsieur.

Le malade ferma les yeux un instant, remua la tête, puis, d'un regard suppliant, désigna son pantalon.

Garcia finit par céder. Comment refuser une dernière volonté à un mourant ? Il récupéra le pantalon froissé au pied du lit et le lui tendit.

Aussitôt, l'inconnu tâtonna le long de la couture intérieure. Il s'arrêta enfin, désigna une partie du tissu et, les mains tremblantes, rendit le pantalon.

Le padre pensa un instant que son délire l'avait repris. Le souffle du pauvre homme était devenu lourd, irrégulier. Histoire de l'apaiser en lui faisant plaisir, Garcia toucha le morceau de pantalon indiqué.

À sa grande surprise, il y sentit quelque chose de dur caché sous la couture, dans une espèce de poche secrète.

Curieux, il sortit les ciseaux de la trousse de secours. L'homme retomba lourdement sur son oreiller en soupirant, visiblement soulagé d'avoir été compris.

Le religieux trancha les fils, fouilla dans le tissu et en extirpa une petite pièce de bronze. À la lumière de la lanterne, on y apercevait un nom gravé.

— Gerald Wallace Clark, lut-il à voix haute.

Était-ce le nom de l'étranger ?

— Est-ce vous, *senhor* ?

Il se tourna vers le lit et murmura :

— Doux Jésus.

Son protégé contemplait le plafond d'un œil vide, bouche ouverte, poitrine immobile. À présent qu'on connaissait son identité, il avait laissé son âme le quitter.

— Reposez en paix, *senhor* Clark.

Le padre Batista examina la petite plaque, la retourna et, lorsqu'il vit les mots inscrits au dos, sa gorge s'assécha d'angoisse.

Armée des États-Unis... Groupe des Forces spéciales.

1er août, 10 h 45
CIA, quartier général
Langley, Virginie

George Fielding avait été étonné de l'appel. Directeur adjoint de la CIA, il était souvent convoqué à des réunions urgentes par des responsables de services, mais il n'avait pas l'habitude que le patron du DEC, Marshall O'Brien, lui transmette un appel prioritaire de niveau 1. Créé en 1997, le DEC (ou *Directorate Environmental Center*) était une branche de l'Intelligence Community[1] dédiée aux problèmes environnementaux. Depuis sa naissance, le département n'avait jamais émis aucun appel prioritaire, procédure d'ordinaire réservée aux affaires pressantes de sécurité nationale. Qu'est-ce qui avait donc bien pu pousser le Vieil Oiseau, comme on surnommait Marshall O'Brien, à lancer une telle alerte ?

Fielding se dépêcha de traverser le hall reliant leur QG historique aux nouveaux bureaux. Construits à la fin des années 1980, ils abritaient les nombreuses divisions encore embryonnaires que comportait l'Agence, parmi lesquelles le DEC.

En chemin, il contempla les tableaux ornant les murs : tous les anciens directeurs de la CIA y étaient représentés depuis le *Major General* Donovan qui, pendant la Seconde Guerre mondiale, gérait les Services stratégiques, équivalent de la CIA à l'époque. Un jour ou l'autre, le patron de Fielding viendrait

---

1. Communauté créée par Ronald Reagan en 1981 et regroupant dix-sept services de renseignements des États-Unis appartenant à plusieurs ministères. (*Toutes les notes sont du traducteur.*)

compléter la galerie de portraits et, si George la jouait finement, il deviendrait peut-être lui-même directeur.

Fort de telles pensées, il pénétra dans les récents bâtiments du siège et emprunta un dédale de couloirs jusqu'aux bureaux du DEC, où il fut accueilli par une secrétaire :

— M. O'Brien vous attend.

Elle lui fit franchir plusieurs portes en acajou, toqua pour la forme, ouvrit et lui céda le passage.

— Merci.

Une grosse voix bourrue l'accueillit :

— Je vous sais gré de vous être déplacé en personne, monsieur Fielding.

Marshall O'Brien se leva. Il était grand et, avec ses tempes argentées, il dégageait beaucoup de charisme. D'ailleurs, son bureau disparaissait presque sous son imposante stature.

— Asseyez-vous, je vous en prie. Je suis conscient que votre temps est précieux, j'irai donc droit au but.

Comme d'habitude, songea Fielding. Quatre ans plus tôt, le nom de Marshall O'Brien avait circulé pour le poste de nouveau patron de la CIA. En fait, l'homme en avait été le directeur adjoint avant Fielding, mais il avait agacé trop de sénateurs. Son franc-parler, sa conception rigide du bien et du mal l'avaient largement desservi. Ce n'était pas la manière dont on concevait la politique à Washington. En lieu et place de sa promotion, le vieux O'Brien avait donc été mis au placard dans un service de second ordre, le DEC. Son appel prioritaire était sans doute une tentative désespérée pour attirer l'attention et rester dans le jeu.

Fielding prit place :

— Alors, de quoi est-il question ? Pourquoi ce ramdam ?

O'Brien se rassit et ouvrit la chemise grise devant lui.

Un dossier sur quelqu'un, nota intérieurement Fielding.

— Il y a deux jours au Brésil, la dépouille d'un Américain a été signalée à l'Agence consulaire de Manaus. Le défunt a été reconnu grâce à son ancienne plaque des Forces spéciales.

Fielding fronça les sourcils. De nombreux militaires en portaient une, plus par tradition que comme réel moyen d'identification. En fait, qu'il soit encore actif ou pas, le soldat pris en défaut sans sa plaque devait surtout payer une tournée à ses congénères.

— Quel rapport avec nous ?

— Après avoir quitté les Forces spéciales, Gerald Clark était devenu un de mes agents de terrain.

D'un clignement d'yeux, Fielding trahit sa surprise.

— Sous couvert d'identité, Clark accompagnait des chercheurs partis enquêter sur des plaintes concernant des dégâts écologiques imputés aux mines d'or. Ils rassemblaient aussi des données sur le transport fluvial de la cocaïne bolivienne et colombienne en Amazonie.

Fielding se redressa sur son siège :

— Et il a été assassiné ? C'est ça le problème ?

— Non. Il y a six jours, Clark a fait irruption dans un village de missionnaires au fin fond de la jungle. Il était déjà à moitié mort, rongé par la fièvre et une surexposition au soleil. Malgré les soins du prêtre pour tenter de le sauver, il est décédé quelques heures plus tard.

— Sa mort est tragique, je vous l'accorde, mais pourquoi est-ce une affaire de sécurité nationale ?

— Parce que Clark était porté disparu depuis quatre ans.

O'Brien lui tendit le fax d'un article de presse.

— Quatre ans ? répéta Fielding, interloqué.

UNE EXPÉDITION S'ÉVANOUIT
DANS LA JUNGLE AMAZONIENNE

Associated Press

MANAUS, BRÉSIL, 20 mars – Les recherches pour retrouver le Dr Carl Rand, industriel millionnaire, et son équipe de trente chercheurs internationaux et guides ont finalement été abandonnées après trois mois d'efforts intenses. L'expédition émanait d'un partenariat entre l'Institut national américain contre le cancer et la Fondation pour les Indiens du Brésil. L'équipe a disparu dans la forêt tropicale sans qu'on ait la moindre idée de ce qui lui était arrivé.

Le but de son voyage, censé durer un an, était de recenser le nombre exact d'Indiens et de tribus vivant en Amazonie. Hélas, trois petits mois après leur départ de Manaus, les explorateurs ont brusquement interrompu leurs liaisons radio quotidiennes. Toutes les tentatives mises en œuvre pour reprendre contact ont échoué.

Les secours ont envoyé des hélicoptères et des équipes au sol sur leur dernière localisation connue. Quinze jours plus tard, un message désespéré parvenait à Manaus : « *Envoyez-nous de l'aide… On ne tiendra pas longtemps. Oh, mon Dieu, ils sont tout autour de nous.* » Et puis, plus rien. Ces hommes et ces femmes ont été comme avalés par l'immensité de la jungle.

Aujourd'hui, après trois mois de recherches médiatiques impliquant plusieurs pays, le commandant Ferdinand Gonzales, coordinateur des secours, vient de déclarer que les membres de l'expédition étaient « perdus et très probablement morts ». Les recherches ont alors été abandonnées.

Les enquêteurs s'accordent à penser que l'équipe a sans doute été décimée par une tribu hostile ou qu'elle est tombée sur une base secrète de narcotrafiquants.

Quoi qu'il en soit, l'espoir de retrouver des survivants s'éteint aujourd'hui avec le rapatriement des sauveteurs. Pour mémoire, chaque année, des centaines de chercheurs, explorateurs et autres missionnaires disparaissent en Amazonie sans laisser de trace.

— Seigneur...

O'Brien récupéra l'article entre les doigts crispés de Fielding :

— Depuis que l'équipe s'est volatilisée, nous n'avons reçu aucune nouvelle d'eux ni de notre agent. Clark a été déclaré mort.

— On est bien sûr qu'il s'agit du même homme ?

— Oui. Les relevés dentaires et les empreintes digitales correspondent à son dossier.

Le choc initial passé, Fielding secoua la tête :

— C'est dramatique, j'en conviens, et la paperasserie va être un vrai foutoir, mais je ne vois toujours pas en quoi cela touche la sécurité nationale.

— En temps normal, je serais d'accord avec vous, sauf qu'il y a une bizarrerie supplémentaire.

O'Brien feuilleta le dossier, dont il sortit deux photos :

— Ce premier cliché a été pris quelques jours avant le départ.

Fielding l'observa attentivement. On y voyait un homme en jean Levi's, chemise hawaïenne et chapeau de brousse. Radieux, il brandissait un verre contenant sans doute quelque cocktail exotique.

— C'est l'agent Clark ?

— Oui. Un chercheur l'a pris en photo au cours de leur fête d'adieu.

O'Brien tendit l'autre photo.

— Celle-ci vient de la morgue de Manaus. Le corps s'y trouve encore.

Le n° 2 de la CIA la prit du bout des doigts. Il n'avait aucune envie de contempler un mort, mais il n'avait pas le choix. Le cadavre décharné était nu, étendu sur une table en inox : un squelette enveloppé dans une peau parsemée d'étranges tatouages. À ses traits, on reconnaissait bien l'agent Clark, mais il y avait une différence notable.

Fielding reprit le premier portrait, compara les deux et blêmit, comme si le sang avait brusquement reflué de son visage.

O'Brien enchaîna :

— Deux ans avant sa disparition, Clark s'est fait canarder par un sniper au cours d'une mission de reconnaissance en Irak. La gangrène s'est déclarée avant qu'il atteigne un camp américain et on a dû lui amputer le bras gauche. C'en était alors fini de sa carrière militaire au sein des Forces spéciales.

— Mais le corps à la morgue possède deux bras...

— Exact. Même les empreintes digitales du nouveau membre correspondent à celles consignées dans son dossier, avant l'accident. Conclusion : il semble que l'agent Clark soit parti dans la jungle amazonienne avec un seul bras et en soit ressorti avec deux.

— Impossible ! Que s'est-il passé dans cette saleté de jungle ?

Marshall O'Brien observa son interlocuteur avec le regard d'aigle qui lui avait valu son surnom de Vieil Oiseau. Aussitôt, Fielding se sentit comme une petite souris face à un rapace.

— C'est bien ce que j'ai l'intention de découvrir, souffla le directeur d'une voix plus grave.

ACTE UN

LA MISSION

CURARE

ESPÈCE : *Tomentosum*
GENRE : Chondrodendron
FAMILLE : Ménispermacées
NOM USUEL : Curare
PARTIES UTILISÉES : Feuille, racine
PROPRIÉTÉS/ACTIONS : Diurétique, antipyrétique, relaxant musculaire, tonique, poison

Chapitre 1

L'élixir du charlatan

6 août, 10 h 11
Amazonas, Brésil

L'anaconda qui serrait la jeune Indienne dans ses lourds anneaux entraînait le petit corps hurlant vers la rivière.

Aussitôt, Nathan Rand lâcha son sac à spécimens et courut porter secours à la fillette. Il avait entendu ses cris alors qu'il regagnait le village yanomami après avoir passé la matinée à glaner des plantes médicinales. D'un coup d'épaule, il fit tomber entre ses mains son fusil à canon court. Dans la jungle, le port d'une arme était une question de vie ou de mort.

Une fois sorti des broussailles touffues, il repéra l'enfant prisonnière du serpent qui glissait déjà dans l'eau. Il n'en avait jamais vu d'aussi long. Plus de douze mètres ! La grande queue de l'anaconda se trouvait encore sur la berge boueuse. Ses écailles noires luisaient. Sans doute rôdait-il dans la rivière quand son innocente proie était venue remplir son seau. Les serpents géants s'en prenaient souvent aux animaux en train de se désaltérer : pécaris sauvages, capybaras, cervidés. En revanche, ils s'attaquaient rarement à l'homme.

Fort de ses années d'ethnobotaniste en Amazonie, Nathan avait néanmoins appris une règle essentielle : une bête vraiment affamée transgressait toutes les règles. Au pays de l'infiniment vert, c'était manger ou être mangé.

Il épaula son fusil, visa et, d'emblée, reconnut la petite victime :

— Oh, non, Tama !

Nièce du chef du village, la fillette de neuf ans, souriante et heureuse, avait offert à Nathan un bouquet de fleurs exotiques à son arrivée un mois plus tôt. Depuis, elle adorait lui tirer les poils des bras. La pilosité était une chose rare chez les Yanomami, généralement glabres, si bien que Tama l'avait surnommé *Jako Basho*, « Frère Singe ».

Il se mordit la lèvre inférieure. Son champ de vision n'était pas assez dégagé pour tirer sans risque, car l'enfant était coincée dans les puissants anneaux du prédateur.

— Merde !

Il jeta son fusil, détacha la machette qui pendait à sa ceinture et avança prudemment. Soudain, le serpent roula et entraîna la fillette dans les tréfonds noirs de la rivière. Les cris cessèrent. Quelques bulles d'air remontèrent à la surface.

Sans réfléchir, Nathan plongea.

Les cours d'eau figuraient sans doute parmi les pires dangers d'Amazonie, car leur surface étale dissimulait toujours d'innombrables menaces : des bancs de piranhas affamés hantaient les eaux sombres, des raies pastenagues se terraient dans la vase, des anguilles électriques se nichaient entre les souches immergées…

sans oublier les redoutables caïmans noirs, les plus grands des crocodiles. Autant de pièges connus des Indiens, qui évitaient de s'aventurer trop loin dans les rivières.

Nathan, lui, n'était pas indien.

En apnée, il fouilla du regard les eaux troubles et boueuses, puis finit par voir le serpent remonter vers lui. Un membre tout blanc remuait faiblement, enserré dans ses anneaux noirs. D'un battement de jambes, Nathan atteignit une main, qu'il agrippa de toutes ses forces. Les petits doigts le serrèrent désespérément.

Tama était en vie, toujours consciente !

Tout en tenant fermement l'enfant, il flanqua un coup de machette à l'animal, mais l'arme rebondit sur les écailles sans y causer le moindre dégât. Après une journée entière à taillader lianes et branchages, le tranchant s'était émoussé.

Pas question de renoncer pour autant ! Nathan brandit de nouveau sa machette, remua les jambes afin de se maintenir en place et serra la main de Tama.

Soudain, un remous découvrit les yeux rouges du serpent. La bête avait senti qu'on en voulait à son repas. Elle ouvrit largement la gueule et attaqua.

Nate parvint à s'écarter sans lâcher la petite. Il ne voulait pas laisser Tama imaginer qu'il allait renoncer.

Les mâchoires de l'anaconda se refermèrent alors sur son propre bras au risque de lui briser le poignet. Ignorant la douleur et la panique qui s'emparaient de lui, Nathan tenta encore de blesser le serpent au niveau des yeux.

D'un énième enroulement sur lui-même, l'animal le plaqua contre le fond limoneux. Nate sentit l'air s'échapper de ses poumons, tandis que deux cents kilos de muscles couverts d'écailles le tenaient prisonnier. Quelques bulles d'air s'échappèrent. Même s'il se battait courageusement, il ne cessait de s'enfoncer dans la vase. Les doigts de l'enfant lui échappèrent, alors que les anneaux du serpent s'agitaient en tous sens.

Non... Tama !

Il jeta sa machette et poussa désespérément l'imposante masse. Au lycée, il avait fait de la lutte mais, là, le combat semblait disproportionné. Chaque anneau dont il parvenait à se dégager laissait place à un autre.

Nathan sentit ses bras faiblir, ses poumons manquer d'oxygène et il comprit qu'il avait perdu. De toute manière, il fallait bien que cela arrive un jour. C'était son destin, la malédiction familiale. La forêt amazonienne lui avait déjà ravi ses deux parents : quand il avait onze ans, sa mère avait succombé à une fièvre inconnue dans un petit hôpital de missionnaires et, quelques années plus tard, son père s'était carrément évanoui dans la jungle.

Accablé par son chagrin d'orphelin, Nate sentit alors une rage folle lui emplir sa poitrine. Maudit ou pas, il ne suivrait pas les traces de son géniteur ! Il ne permettrait pas à la forêt tropicale de l'avaler tout cru et, plus important encore, il ne perdrait pas Tama !

Ses derniers atomes d'oxygène, il les utilisa pour repousser le serpent et se dégager les jambes. Libre de ses mouvements un court instant, il passa les pieds sous l'animal, s'enfonça dans la vase jusqu'aux chevilles et appuya comme un fou.

D'un bref retour à la surface, il avala une goulée d'air avant de replonger dans les eaux noires, entraîné par le serpent qui lui tenait encore fermement le poignet.

Cette fois-là, il ne combattit pas l'anaconda par la force. Ramenant vers sa poitrine son bras prisonnier des mâchoires du serpent, il attira la bête à lui, puis, de son bras libre, lui entoura le cou en serrant très fort. Une fois la bête coincée, il lui enfonça le pouce gauche dans l'œil.

Le monstre se contorsionna, projeta Nate hors de l'eau et, d'un mouvement sec, l'immergea de nouveau. Le corps du jeune homme tournait comme une toupie, tandis que le serpent l'entourait de ses anneaux épais.

Ballotté de tous côtés, Nate eut la vision fugitive de la fillette, toujours prise dans les boucles inférieures.

Allez, salopard, laisse tomber !

Au prix d'un effort surhumain, il approcha son pouce droit de l'autre œil du serpent et l'y écrasa de toutes ses forces dans l'espoir que ses connaissances en herpétologie se révéleraient exactes. En théorie, effectuer une pression sur les yeux d'un reptile déclenchait un réflexe vomitif *via* le nerf optique. Le cœur battant, il pressa encore davantage.

Soudain, l'étau sur son poignet se desserra et Nathan fut éjecté si violemment que son épaule heurta la berge. Derrière lui, une forme pâle flottait à la surface de l'eau.

Tama !

Comme escompté, le réflexe viscéral du serpent les avait libérés tous les deux. Nathan replongea dans le fleuve, attrapa l'enfant par le bras et tira vers lui le petit corps amorphe.

Après avoir hissé la fillette sur son épaule, il regagna vite le rivage et la coucha sur le sol. Les lèvres violettes, elle ne respirait pas. Il vérifia son pouls. Presque rien !

Nathan chercha désespérément de l'aide à la ronde, mais il était seul. Il tenta de ranimer Tama. Certes, il avait suivi des cours de secourisme et de réanimation cardio-pulmonaire avant de s'aventurer dans la jungle, mais il n'avait rien d'un médecin. Il s'agenouilla, mit la petite à plat ventre et appuya sur son dos. Un peu d'eau s'écoula du nez et de la gorge.

Satisfait, il la retourna et entama le bouche-à-bouche.

Au même instant, une femme d'âge mûr émergea de la jungle. Comme tous les Indiens, elle était petite (à peine plus d'un mètre cinquante), brune et arborait la traditionnelle coupe au bol. Ses oreilles étaient percées de plumes et d'éclats de bambou. Lorsqu'elle vit l'homme blanc penché au-dessus de l'enfant, ses yeux s'écarquillèrent.

Nathan comprit aussitôt l'ambiguïté de la scène, mais il avait une vie à sauver et ne se redressa qu'au moment où Tama reprit connaissance. Elle toussa, cracha l'eau du fleuve, se débattit en hurlant et frappa Nate de ses petits poings, visiblement encore hantée par l'attaque du serpent.

— Du calme, tu es sauvée, la rassura-t-il en yanomami.

Il se tourna alors vers la femme pour lui expliquer la situation, mais elle avait abandonné son panier et s'était évaporée dans la nature, happée par le feuillage dense qui bordait la rivière. Dès qu'il entendit ses cris, il comprit qu'il était en mauvaise posture : elle venait de signaler qu'un villageois était en danger.

— Génial. *Gé-nial !* soupira-t-il, les paupières closes.

Quand Nathan était arrivé au village un mois plus tôt pour compiler les recettes médicinales du vieux chaman, le chef lui avait défendu d'approcher les femmes de la tribu. Par le passé, des étrangers avaient abusé des Indiennes. Nathan avait promis et honoré sa promesse, même si elles avaient été nombreuses à vouloir partager son hamac : son mètre quatre-vingts, ses prunelles bleues, ses cheveux blond-roux représentaient une nouveauté attrayante pour les filles d'un clan aussi isolé.

Au loin, l'appel de détresse trouva écho, beaucoup d'échos. Sachant que le terme *Yanomami* se traduisait plus ou moins par « peuple féroce », ces tribus-là avaient une réputation de guerriers impitoyables. Les jeunes gens du village, surnommés *huyas*, se disputaient sans cesse pour des questions d'honneur, de malédiction ou n'importe quel autre prétexte leur offrant l'occasion de se battre. Une remarque désobligeante, et ils étaient capables de raser un village entier.

Nathan regarda avec effroi le visage de la fillette. Comment les *huyas* allaient-ils réagir ? Un Blanc attaquant un de leurs enfants, qui plus est, la nièce du chef de clan...

De son côté, Tama s'était calmée et sombrait peu à peu dans un sommeil agité. Son souffle était régulier, mais elle avait le front chaud. La fièvre commençait à grimper. Nate s'aperçut aussi qu'elle souffrait d'un méchant hématome au côté droit. Il effleura la blessure : l'étreinte puissante de l'anaconda lui avait brisé deux côtes. Assis sur les talons, il se mordit la lèvre. Tama devait vite être soignée, sinon elle allait mourir.

Il la prit délicatement dans ses bras. L'hôpital le plus proche se trouvait sept kilomètres en aval de la rivière, à São Gabriel. Il fallait l'emmener là-bas.

Problème : Nathan ne parviendrait jamais à déjouer la vigilance des Yanomami. Il se trouvait en territoire indien et, même s'il connaissait très bien la région, ce n'était pas un natif. *Na boesi, ingi sabe ala sani*, disait un proverbe amazonien. « De la jungle, l'Indien connaît tout. » Chasseurs hors pair, les Yanomami maniaient arcs, sarbacanes, lances et massues avec une habileté incroyable.

Aucune chance de leur échapper.

Nathan s'éloigna de la berge, mit son fusil en bandoulière et, la petite blessée blottie contre lui, se dirigea vers le village. Il allait falloir qu'ils l'écoutent. Pour son bien à lui et celui de l'enfant.

Au loin, le village où il logeait depuis un mois paraissait désert. Nathan grimaça. Les piaillements des oiseaux et les cris des singes, d'ordinaire incessants, s'étaient tus.

Il retint son souffle. Soudain, au détour de la piste, un mur d'Indiens lui barra la route, flèches sorties, lances hérissées. Derrière lui, il sentit un mouvement plus qu'il ne l'entendit : d'autres Yanomami étaient déjà en position, grimés de pourpre.

S'il voulait sauver Tama, il ne restait qu'une solution. Ce n'était vraiment pas sa tasse de thé, mais il n'avait pas le choix.

— *Nabrushi yi yi* ! annonça-t-il avec assurance. « Je veux être jugé par le combat ! »

6 août, 11 h 38
aux abords de São Gabriel da Cachoeira

Manuel Azevedo était pourchassé. Tandis qu'il cavalait sur le sentier, il entendit le jaguar grogner et rugir en bordure de forêt. Éreinté, trempé de sueur, il trébucha sur la pente escarpée qui menait au Mont du Chemin Sacré. Un peu plus loin, un trou dans le feuillage laissa apparaître São Gabriel. La ville était nichée dans une boucle du Rio Negro, affluent nord du grand fleuve Amazone.

Si près. Peut-être suffisamment.

Manny s'autorisa un arrêt et fit volte-face, histoire de chercher un signe du jaguar : un craquement de brindille, un bruissement de feuilles… Hélas, rien. Rien qui pût lui permettre de localiser le fauve. Même son grognement de chasseur avait cessé. L'animal savait qu'il avait épuisé sa proie et, désormais, il avançait à pas de loup, prêt à la tuer.

Aux aguets, Manny dressa l'oreille. On n'entendait que la stridulation des sauterelles et les lointains trilles des oiseaux. Un frisson lui parcourut l'échine, un filet de sueur coula sur sa nuque. Il écoutait, tendu, avec toute l'attention dont il était capable. D'instinct, ses doigts se crispèrent sur le couteau qu'il portait à la ceinture. Son autre main attrapa le manche d'un petit fouet.

Il scruta les environs. Des lianes et des fourrés obstruaient le chemin des deux côtés. Par où l'animal arriverait-il ?

Des ombres se déplacèrent.

Manny s'accroupit. Son regard tenta de percer l'épais feuillage. *Rien.*

Un peu plus bas, une silhouette rampa vers lui. Mirage de fourrure tachetée de noir et d'orange, le grand félin se trouvait à peine à trois mètres, tapi au sol, les pattes arrière ramassées sous son corps puissant, prêt à bondir. C'était un jeune mâle de deux ans.

Dès qu'il se sentit repéré, il remua méchamment la queue, gratta le sol et ratissa les feuilles.

Manny se recroquevilla, paré pour l'attaque.

Avec un rugissement terrible, le jaguar lui bondit dessus, tous crocs dehors.

L'homme grogna, car il eut l'impression de recevoir un rocher en pleine poitrine. Les deux combattants roulèrent sur la piste. Autour de Manny, le monde se fondit en espèces de flashes multicolores. Du vert, des flaques de soleil… et un vague mélange de crocs et de fourrure.

D'un coup de griffe, la bête lui déchira une poche de son treillis, puis les crocs se refermèrent sur son épaule. Le jaguar possédait des mâchoires parmi les plus puissantes au monde. Or, là, ses dents pressaient à peine la chair.

La boule informe homme-animal fut enfin arrêtée, quelques mètres plus loin, par une remontée du chemin. Manny se trouva pris sous le jaguar, les jambes enroulées autour de lui, et regarda dans les yeux l'animal féroce qui tentait de mordre sa chemise en rugissant tout ce qu'il savait.

— Tu as fini, Tor-tor ? haleta-t-il.

Il avait appelé le jaguar par le nom que les Indiens arawak donnaient aux fantômes. Un terme guère approprié à l'énorme masse installée sur son torse.

Au son de sa voix, le fauve lâcha la chemise de son maître, le fixa longuement et, de sa grosse langue tiède, lui lécha la sueur sur le front.

— Moi aussi, je t'aime. Maintenant vire tes fesses poilues !

Manny fit claquer sa langue. Dès que la bête eut rentré les griffes, il s'assit au milieu du sentier et contempla ses vêtements d'un air désabusé : entraîner le jeune jaguar à la chasse allait vite lui coûter sa garde-robe.

Il se leva en geignant, le dos meurtri. À trente-deux ans, il commençait à se faire trop vieux pour ce petit jeu-là.

Le jaguar se remit sur ses pattes, s'étira en imitant son maître et, avec un mouvement élégant de la queue, il huma l'atmosphère.

— La chasse est terminée pour aujourd'hui, gloussa Manny. Il se fait tard et une pile de rapports m'attend au bureau.

Tor-tor grogna, visiblement déçu, mais il suivit.

Deux ans plus tôt, l'homme avait sauvé le bébé jaguar d'une mort certaine. Sa mère avait été tuée par des braconniers, car son beau pelage valait encore une coquette somme au marché noir. Selon les estimations, la vaste jungle amazonienne ne comptait plus que mille cinq cents jaguars sauvages. Les tentatives de préservation de l'espèce n'avaient que peu d'effet sur les paysans, qui essayaient de gagner leur vie en les chassant pour leur fourrure.

Manny connaissait le problème par cœur. Moitié Indien lui-même, l'orphelin avait grandi dans les rues de Barcellos, sur les rives de l'Amazone. Il avait vécu de mendicité, quémandant une pièce aux touristes qui descendaient le cours d'eau en bateau, les volant quand ils ne donnaient rien. Finalement, un missionnaire salésien l'avait pris sous son aile et poussé à travailler dur jusqu'à obtenir un diplôme de biologie à l'université de São Paulo. La scolarité de Manny avait été financée par la FUNAI, Fondation nationale de l'Indien. En retour, il travaillait avec les tribus locales, défendait leurs intérêts, tentait de protéger leur mode de vie et les aidait à récupérer légalement leurs terres. Résultat : depuis l'âge de trente ans, il dirigeait l'antenne locale de la FUNAI à São Gabriel.

Au cours d'une enquête sur l'incursion de braconniers en territoire yanomami, Manny avait découvert Tor-tor, la patte arrière droite fracturée. Comme il ne pouvait pas l'abandonner sur place, il avait enveloppé dans une couverture le bébé animal miaulant et sifflant, l'avait ramené chez lui et s'en était ensuite occupé jusqu'à ce que l'orphelin recouvre la santé.

Il regarda Tor-tor marcher lentement devant lui. On remarquait encore un léger déhanchement dû à son ancienne blessure. D'ici à moins d'un an, le jaguar aurait atteint sa maturité sexuelle. Sa nature sauvage commencerait à poindre et il serait temps de le libérer dans la jungle. Auparavant, Manny voulait qu'il soit capable de se débrouiller seul : la jungle n'était pas un lieu sûr pour les non-initiés.

Un peu plus loin, la piste sinuait vers le Mont du Chemin Sacré. Devant Manny s'étendait la bourgade de São Gabriel, mélange de taudis et de bâtiments administratifs grisâtres agglutinés le long du Rio Negro. Les quelques immeubles et hôtels récents qui émaillaient le paysage avaient été construits afin d'accueillir un nombre croissant de touristes qui affluaient dans la région. À l'horizon, on apercevait une piste d'atterrissage flambant neuve. Véritable cicatrice noire en travers de la jungle, le tarmac donnait l'impression que, même dans les endroits les plus reculés, le progrès refusait obstinément de s'arrêter.

Manny s'épongea le front et trébucha contre Tor-tor quand le félin pila devant lui en rugissant.

— Qu'y a-t-il ?

Puis il entendit, lui aussi.

Un bruit sourd et profond résonna de plus en plus fort au cœur de la jungle. Manny plissa les paupières. Il reconnut un hélicoptère, bien qu'on en entendît rarement dans le secteur. La plupart des voyageurs se rendaient à São Gabriel par bateau ou petit avion privé, car les distances étaient souvent trop grandes pour affréter un tel appareil. Même l'armée brésilienne installée sur place n'en possédait qu'un seul, réservé aux missions d'évacuation et de secours.

Abasourdi par le vacarme, Manny prit conscience d'autre chose : c'était bien plus qu'un hélicoptère.

Il observa le ciel. En vain.

Soudain, Tor-tor se raidit et bondit dans les fourrés.

Trois engins aériens survolèrent en douceur le Mont du Chemin Sacré et virèrent en direction du village comme un essaim de guêpes.

Des guêpes en tenue de camouflage.

Aucun doute, les Bell UH-1 Huey appartenaient à des militaires.

Le cou tendu, Manny vit passer un quatrième engin mince et noir qui, au contraire de ses compagnons, semblait murmurer au-dessus de la jungle.

Grâce à son bref passage dans l'armée, il identifia aussitôt un RAH-66 Comanche, spécialisé dans l'attaque et la reconnaissance.

L'appareil volait assez bas pour qu'on distingue le petit drapeau américain sur la carlingue. Au-dessus de lui, le feuillage dense de la jungle frissonnait sous l'action du rotor de queue. Tandis que les singes fuyaient en hurlant de peur, un vol d'aras écarlates fendit le ciel bleu comme une traînée de feu.

Puis l'hélicoptère s'éloigna à son tour. Il descendit jusqu'au terrain qui entourait la base militaire brésilienne et vola en cercle, le temps de rejoindre ses frères.

Perplexe, Manny siffla Tor-tor. Aux abois, l'énorme félin quitta furtivement sa cachette.

— Tout va bien, mon grand.

Dès qu'ils eurent atterri, les hélicoptères se turent. Manny s'approcha de son félin et lui caressa le dos. Apparemment fébrile, la bête lui communiqua sa nervosité.

Il descendit la colline, une main posée sur son fouet :

— Putain ! Qu'est-ce que l'armée américaine peut bien fabriquer à São Gabriel ?

Nate se retrouva en caleçon sur la place du village. Autour de lui se dressait le *shabono* yanomami, rotonde occupant la moitié d'un terrain de football et dont le toit, troué en son centre, laissait entrevoir le ciel. Les femmes et les vieillards étaient allongés sur des hamacs sous le plafond en feuilles de bananier, tandis que les *huyas*, debout et armés jusqu'aux dents, veillaient à ce que Nathan ne s'enfuie pas.

Un peu plus tôt, alors qu'on l'avait ramené au camp à la pointe des lances, le jeune Blanc avait tenté de raconter l'attaque de l'anaconda, exhibant pour preuve ses morsures au poignet. Hélas, personne n'avait voulu l'écouter. Même le chef du village, qui lui avait repris l'enfant, avait repoussé ses explications, comme si elles l'offensaient.

Nathan savait que, chez les Yanomami, on ne le laisserait pas s'exprimer avant la fin de son procès. Il avait réclamé le combat pour gagner du temps et ne serait entendu que si les dieux lui accordaient la victoire.

Il attendait donc, pieds nus dans la poussière. À l'écart, plusieurs *huyas* discutaient pour savoir qui accepterait le défi et quelles seraient les armes choisies. Traditionnellement, le duel se faisait au *nabrushi*, fine matraque en bois de deux mètres cinquante de long, mais, dans les affrontements plus sérieux, on utilisait des armes mortelles, lances ou machettes.

Sur la place, la foule s'écarta au passage d'un Indien. Pour un Yanomami, il était grand – presque autant que Nathan –, sec et musclé. C'était le père de Tama, Takaho, frère du chef. En guise de vêtement, il ne portait qu'un pagne en corde tressée, bref, le costume typique des hommes de la tribu. Des traits dessinés à la cendre bardaient son torse, telles des lacérations et, sous son bandeau en queue de singe, il s'était badigeonné le visage de peinture rouge. Sa lèvre inférieure boursouflée lui donnait un air belliqueux.

Un *huya* s'empressa de déposer une longue hache dans la main qu'il lui tendait. Le manche sculpté en bois d'amourette violet se terminait par une pointe de fer. L'outil effrayant figurait parmi les armes de duel les plus meurtrières.

On remit le même genre de hache à Nate.

D'un pas rapide, un autre *huya* apporta un pot en argile rempli d'un liquide huileux. Takaho y plongea la lame de sa hache.

Nate reconnut la mixture. Il avait assisté le chaman lors de la préparation du *woorari*, le curare, poison mortel issu de lianes de la famille des ménispermes. Capable de paralyser le système nerveux, le produit servait à chasser le singe mais, ce jour-là, son utilisation serait beaucoup plus sinistre.

Nathan regarda autour de lui. Personne ne vint lui en apporter pour qu'il en enduise sa lame. *A priori*, l'affrontement ne s'annonçait pas totalement équitable.

D'un signe de son arc, le chef du village ouvrit le combat.

Takaho traversa la place à grandes enjambées et fit tourner son arme avec une dextérité née d'un entraînement assidu.

Nathan brandit sa hache. Comment pouvait-il espérer remporter la victoire ? La moindre égratignure était synonyme de mort. D'ailleurs, que gagnerait-il à être déclaré vainqueur ? S'il voulait sauver Tama, il allait devoir tuer le père.

Il prit son courage à deux mains et posa la hache contre son torse. Ses yeux croisèrent le regard haineux de son adversaire.

— Je n'ai pas fait de mal à ta fille ! hurla-t-il.

Takaho fronça les sourcils. Il avait entendu mais, incrédule, lorgna l'endroit où le chaman tentait de sauver sa progéniture.

Penché au-dessus de la fillette, le vieillard décharné agitait une botte d'herbes sèches enfumées et récitait des incantations. Une odeur d'encens amer dérivé du chanvre chatouilla les narines de Nathan. La petite, en revanche, resta inerte.

Takaho dévisagea son ennemi, puis rugit bruyamment et lui bondit dessus en agitant son arme empoisonnée.

Grâce à sa pratique de la lutte, Nate sut esquiver. Il se laissa tomber, évita la hache en roulant sur le flanc, puis, d'un geste ample, fit tournoyer sa lame et faucha son adversaire.

Takaho s'écroula lourdement dans la poussière. Il se cogna l'épaule, perdit son bandeau en queue de singe mais n'était pas blessé. Nate, qui refusait de l'estropier, l'avait frappé du plat de sa hache.

Une fois l'homme à terre, il se jeta sur lui afin de le coincer sous sa carrure plus imposante.

Si seulement j'arrivais à l'immobiliser...

Pas de chance, Takaho s'écarta à la vitesse d'un chat et assena un violent coup de hache.

Nate réussit à éviter l'assaut mortel. La lame empoisonnée lui siffla sous le nez et s'enfonça dans la terre, entre ses mains. Soulagé, il se déconcentra une fraction de seconde et ne put éviter un coup de pied au visage dont la violence lui fit bourdonner les oreilles. Il tomba à terre. Sa hache lui échappa des mains et ricocha vers la foule des spectateurs.

La lèvre en sang, Nathan se releva aussitôt.

Takaho, lui, était déjà debout.

Tandis que l'Indien extirpait sa hache du sol, Nate remarqua le chaman derrière son épaule : accroupi près de Tama, le vieil homme exhalait de la fumée entre ses lèvres de manière à chasser les mauvais esprits avant la mort.

Autour de Nate, les *huyas* débitaient des incantations pour qu'il perde le combat et soit tué.

Le visage de Takaho n'était plus qu'un masque de rage pourpre. Fou furieux, le père outragé se rua sur le jeune Blanc en faisant tournoyer sa hache.

Impuissant, Nate recula.

Alors, c'est comme ça que je vais mourir...

Il se trouva acculé contre un mur de lances.

Il n'y avait plus d'échappatoire. Takaho ralentit et leva son arme au-dessus de la tête.

Nathan eut le réflexe de se pencher en arrière, mais il sentit la morsure des javelots contre son dos nu.

L'Indien abattit son arme de toutes ses forces.

— *Yulo !*

Stop ! Le cri strident avait jailli au milieu des incantations des *huyas*.

Nathan eut un mouvement de recul, mais le coup ne vint pas. Il redressa la tête : la hache s'était arrêtée à dix centimètres de son visage. Quelques gouttes de poison coulèrent sur sa joue.

Pendant ce temps-là, le chaman, auteur du cri, se fraya un chemin jusqu'à la place :

— Ta fille se réveille !

Il montra Nate du doigt.

— Elle parle d'un serpent géant et de son sauvetage par l'homme blanc.

Tous les visages se braquèrent vers Tama, qui buvait de l'eau dans une gourde tenue par une femme de la tribu.

Nathan regarda Takaho droit dans les yeux. L'Indien, au visage jusque-là si dur, se détendit, soulagé. Il jeta son arme, saisit son adversaire par l'épaule et le serra dans ses bras :

— *Jako*. Frère.

Fin du duel, tout simplement.

Le chef de la tribu s'avança en bombant le torse.

— Tu as combattu le grand *susuri*, l'anaconda, et tu as sorti notre fille de son ventre.

Il ôta une longue plume de son oreille et la posa dans les cheveux de Nate. La plume d'aigle harpie était une précieuse récompense.

— Tu n'es plus un *nabe*, un étranger, mais un *jako*, le frère de mon frère. Tu fais partie des Yanomami.

Une clameur immense s'éleva autour de la place centrale du *shabono*.

Nathan savait qu'on lui faisait là un immense honneur, mais quelque chose d'autrement plus important le préoccupait.

Il montra Tama, qui gémissait doucement par terre :

— Ma sœur…

Il était tabou d'appeler un Yanomami par son nom. On désignait les gens par un terme familial, réel ou non.

— Ma sœur est toujours malade. Seuls les guérisseurs de São Gabriel peuvent soigner ses graves blessures. Accordez-moi la permission de l'emmener à l'hôpital de la ville.

Le chaman avança d'un pas. Connaissant l'orgueil légendaire des sorciers indiens, Nathan craignit qu'il ne dise que sa médecine pourrait rétablir la fillette, mais le vieil homme acquiesça :

— Notre petite sœur a été arrachée au *susuri* par notre nouveau *jako*. Nous devons écouter les dieux qui l'ont désigné pour être son sauveur. Je ne peux rien faire de plus pour elle.

Nathan essuya le poison sur sa joue et remercia l'ancien. Le chaman en avait déjà fait plus qu'assez. Ses médecines naturelles avaient ranimé l'enfant assez longtemps pour le sauver lui. Le jeune botaniste se tourna vers Takaho :

— Prête-moi ton canoë pour le voyage.

— Ce qui est à moi est à toi. Je t'accompagne à São Gabriel.

— D'accord, mais il faut agir vite.

En un temps record, Tama fut installée sur un brancard en bambou et feuilles de palme, puis hissée dans l'embarcation. Vêtu à présent d'un short Nike et d'un débardeur, Takaho dit à Nathan de se placer à la proue, puis il s'engagea dans le flot du Rio Negro, direction São Gabriel.

Le voyage, long de quinze kilomètres, se déroula en silence. Nathan auscultait très souvent Tama et voyait son père s'inquiéter de plus en plus. Retombée dans une espèce de catatonie, la fillette tremblait et gémissant parfois doucement. Il l'enveloppa dans une couverture.

De son côté, Takaho dirigeait habilement le canoë dans le fouillis d'arbres morts et semblait très doué pour dénicher les courants les plus rapides.

Tandis qu'ils naviguaient à vive allure, ils croisèrent un groupe d'Indiens qui pêchaient à la lance. Depuis un canoë situé en amont, une femme jetait une poudre noire dans l'eau de la rivière. Nate comprit son manège. C'était de la vigne *ayaeya* pulvérisée. En se dispersant vers l'aval, le produit estourbissait les poissons, qui remontaient à la surface où ils étaient harponnés à coups de javelots.

Cette méthode-là de pêche à l'ancienne était très répandue à travers l'Amazonie, mais combien de temps la tradition durerait-elle encore ? Une génération ? Deux peut-être ? Après quoi, son art serait perdu à jamais.

Résigné, Nathan se rassit sur son siège. En bien ou en mal, la civilisation ne cessait d'étendre son emprise sur la jungle.

Au fil de l'eau, il contempla les remparts de feuillages qui encadraient les berges. Autour de lui, la vie bourdonnait, pépiait, gloussait, hululait ou encore grognait.

De chaque côté, des singes hurleurs rouges criaient en chœur et s'agitaient sur leurs branches, l'air agressif. Le long des eaux peu profondes, des butors blancs attrapaient du poisson avec leur long bec orange, tandis que les gueules plates des caïmans signalaient le territoire de nidification des crocodiles amazoniens. Plus près encore, des nuées de moucherons et de moustiques harcelaient chaque centimètre carré de peau nue.

Là-bas, la jungle faisait la loi. Infinie, impénétrable et mystérieuse, elle était l'une des dernières régions du globe à n'avoir pas encore été explorée entièrement. De vastes étendues n'avaient même jamais été foulées par l'homme. C'était son mystère et ses merveilles qui avaient fasciné les parents de Nathan, les poussant à y consacrer leur vie et à transmettre l'amour de l'immense forêt à leur fils unique.

Peu à peu, certains signes de civilisation indiquèrent qu'on approchait de São Gabriel. Aux abords de la rivière, de maigres clairières avaient été défrichées par les fermiers du coin. Depuis la berge, des enfants gesticulaient et appelaient le frêle esquif qui filait devant eux. Même les bruits de la vie sauvage étaient assourdis par le chahut du monde moderne : grondements de tracteurs, gémissement de bateaux à moteur qui dépassaient le canoë à toute allure, hurlement d'une radio depuis une ferme.

Un dernier virage, et la jungle se termina de manière très abrupte. São Gabriel ressemblait à un cancer qui aurait dévoré le ventre de la forêt. Près de la rivière, la ville était un mélange de cabanes délabrées et de bâtisses administratives en ciment. Sur les hauteurs, des maisons de toutes tailles semblaient grimper le long de la colline voisine. Plus près, les jetées étaient encombrées de bateaux de tourisme et de barges à fond plat.

Nathan aiguilla Takaho vers un coin plus tranquille du port. Les rames serrées contre le torse, l'Indien regarda la ville avec horreur :

— Ça envahit le monde.

Nathan scruta la petite ville. Il y avait seulement quinze jours qu'il était venu s'y approvisionner, pourtant le bruit et l'agitation lui faisaient aussi l'effet d'un choc.

Qu'est-ce que cela doit être pour quelqu'un qui n'a jamais quitté sa jungle ?

Il désigna un emplacement où amarrer le canoë :

— Il n'y a rien ici que puisse craindre un grand guerrier. On doit emmener ta fille à l'hôpital.

Takaho approuva. Il redevint stoïque, mais ses yeux continuèrent d'épier les étrangetés du monde moderne. Après avoir guidé le canoë à l'endroit indiqué, il aida Nathan à tirer le brancard où gisait la silhouette amorphe de son enfant.

Pendant le trajet, Tama, devenue toute pâle, avait gémi et cligné des paupières, les yeux révulsés.

— Il faut se dépêcher.

Ensemble, ils traversèrent le village sous le regard ahuri des habitants et les quelques flashes de touristes curieux. Malgré ses vêtements « civilisés », le bandeau en queue de singe, les boucles d'oreilles en plumes et la coupe au bol indiquaient clairement que Takaho était un Indien d'Amazonie.

Par chance, le petit hôpital se situait à deux pas de la rivière. Seul signe distinctif : une croix rouge écaillée peinte au-dessus du seuil. Nathan était déjà venu y consulter un médecin de Manaus. Ils débarquèrent avec le brancard. Le dispensaire avait beau empester l'ammoniaque et l'eau de Javel, la climatisation produisait une sensation délicieuse. L'air frais les frappa en plein visage comme une serviette mouillée.

Dès qu'il entra, le jeune Blanc se mit à parler très vite. Perplexe, l'infirmière sembla ne rien comprendre, jusqu'à ce qu'il s'aperçoive qu'il parlait yanomami. Aussitôt, il redit en portugais :

— La petite s'est fait attaquer par un anaconda. Elle a des côtes cassées mais, à mon avis, ses blessures internes pourraient être plus graves.

— Suivez-moi.

Son interlocutrice indiqua une porte à deux battants. Lorsqu'il la vit dévisager Takaho d'un air suspicieux, Nate expliqua :

— C'est son père.

— D'accord. Le docteur est en visite à l'extérieur, mais je peux le contacter en cas d'urgence.

— Appelez-le.

— Je peux peut-être vous aider ! lança une voix derrière eux.

Nathan se retourna.

Une jeune femme grande et mince aux cheveux auburn se leva de sa chaise pliante dans la salle d'attente, à moitié cachée par une pile de caisses estampillées de la sempiternelle croix rouge. Elle s'approcha d'eux avec une calme assurance et les fixa intensément. Sous le feu d'un regard aussi pénétrant,

Nathan eut soudain envie de rentrer sa chemise dans son pantalon.

Au lieu de quoi, il se redressa.

Elle arriva à leur hauteur.

— Je m'appelle Kelly O'Brien, annonça-t-elle dans un portugais parfait mâtiné d'un infime accent bostonien.

Elle sortit sa carte professionnelle frappée du caducée.

— Je suis médecin.

En jean Levi's et corsage fleuri, elle ne ressemblait guère à un praticien ordinaire mais, vu les circonstances, Nathan n'allait pas faire le difficile. Il passa à l'anglais :

— Vous pouvez certainement nous aider, docteur O'Brien. Cette petite a été attaquée...

Soudain, Tama s'arc-bouta sur la civière. Ses pieds martelèrent les feuilles de palme, puis les spasmes envahirent tout son corps.

— Elle convulse ! s'écria le médecin. Emmenez-la en salle !

L'infirmière grassouillette montra le chemin et leur tint la porte grande ouverte. Tandis que Kelly O'Brien courait à côté de la fillette, les deux hommes posèrent le brancard sur un des quatre lits d'urgence. Après avoir enfilé rapidement des gants chirurgicaux, elle lança :

— Il me faut dix milligrammes de diazépam !

L'infirmière fonça vers l'armoire à pharmacie et, en quelques secondes, elle brandit une seringue remplie d'un liquide ambré. De son côté, Kelly avait déjà posé un garrot en caoutchouc.

— Tenez-la sur le dos, ordonna-t-elle à Nate et Takaho.

Une autre infirmière et une grosse aide-soignante avaient surgi : l'hôpital sortait de sa torpeur.

— Préparez-moi une perfusion et une poche de solution de Ringer, réclama Kelly.

Elle chercha une veine utilisable sur le bras de la fillette puis, sans hésiter, d'un geste assuré, elle injecta le médicament :

— Le Valium devrait calmer l'attaque le temps que j'établisse le diagnostic.

Aussitôt dit, aussitôt fait : Tama cessa de convulser. Ses membres ne tremblèrent plus et se relâchèrent. Seules ses paupières et les commissures de ses lèvres frémissaient encore. Kelly examina ses pupilles à l'aide d'une lampe-stylo.

Pendant que l'aide-soignante préparait un cathéter et une intraveineuse pour l'autre bras de la patiente, Nate croisa le regard épouvanté de Takaho.

— Que lui est-il arrivé ? se renseigna le Dr O'Brien.

Nathan décrivit l'attaque du serpent :

— Elle oscille entre conscience et inconscience. Le chaman du village a réussi à lui faire reprendre ses esprits un bref instant.

— Comme blessures, je ne constate que quelques bleus et deux côtes brisées mais, pour les convulsions ou la catatonie, je ne peux rien dire. Elle a convulsé pendant son transfert ici ?

— Non.

— Des antécédents familiaux d'épilepsie ?

Nate se retourna vers le père de Tama et traduisit la question en yanomami.

L'Indien hocha la tête :

— *Ah-de-me-nah gunti.*

Nate fronça les sourcils.

— Qu'a-t-il dit ? demanda Kelly.

— *Ah-de-me-nah* désigne l'anguille électrique. *Gunti* signifie « maladie » ou « nausée ».

— La maladie de l'anguille électrique ?

— C'est ce que son père a déclaré, confirma-t-il, perplexe. D'accord, la victime d'une attaque d'anguille électrique convulse souvent, mais la réaction est immédiate. Or, Tama est sortie de l'eau depuis des heures. Je ne sais pas... Peut-être que la *maladie de l'anguille électrique* est le terme yanomami pour désigner l'épilepsie.

— A-t-elle reçu des soins adaptés ?

Takaho répondit à Nate, qui traduisit :

— Le chaman la traite une fois par semaine avec de la fumée de chanvre.

Kelly poussa un soupir exaspéré :

— En d'autres termes, elle n'est pas médicamentée. Pas étonnant que le stress de sa quasi-noyade ait provoqué une attaque aussi virulente ! Pourquoi n'emmèneriez-vous pas son père en salle d'attente ? Je vais voir si je peux arrêter les convulsions en utilisant des remèdes plus forts.

Nate observa le lit. Tama était étendue, calme.

— Vous pensez qu'elle en aura d'autres ?

Kelly le regarda droit dans les yeux :

— Elle en a en ce moment même.

Elle montra du doigt les tressaillements qui agitaient le visage de l'enfant.

— Elle est en phase épileptique, une convulsion perpétuelle. La plupart des patients qui souffrent d'attaques aussi prolongées se réveillent catatoniques, gémissants et incapables de coordonner leurs mouvements. Les symptômes du « haut mal », tels qu'ils se sont manifestés tout à l'heure, vont s'espacer un peu mais, si on ne réussit pas à les enrayer, elle mourra.

— Vous voulez dire qu'elle convulse depuis le début ?

— D'après ce que vous m'avez décrit, plus ou moins.

— Pourtant, le chaman l'a sortie quelques minutes de son état de stupeur.

— J'ai du mal à le croire. Ses potions ne sont pas assez puissantes pour briser le cycle.

Nate se rappela que Tama avait bu de petites gorgées à même la gourde :

— Sauf qu'il l'a fait. Ne réduisez pas les chamans à de simples sorciers guérisseurs. Je travaille avec eux depuis des années et, connaissant les ressources qu'ils ont à portée de main, leurs remèdes sont finalement très élaborés.

— Possible. Quoi qu'il en soit, nous avons ici des médicaments plus efficaces. De la vraie médecine.

Kelly indiqua de nouveau le père.

— Emmenez-le en salle d'attente.

Elle se retourna vers l'aide-soignante et les infirmières, signe que Nate pouvait partir.

Bien qu'agacé, le jeune homme obéit. Depuis des siècles, les praticiens occidentaux méprisaient la médecine chamanique. Il conduisit gentiment Takaho en salle d'attente, lui demanda de s'asseoir et se dirigea vers la sortie.

Dès qu'il claqua la porte, il retrouva l'atmosphère étouffante de l'Amazonie. Que le Dr O'Brien le croie ou non, il avait vu le chaman ranimer Tama et connaissait quelqu'un qui en saurait plus sur la mystérieuse maladie de la fillette.

D'un pas pressé, il traversa la chaleur de l'après-midi vers les faubourgs sud de la ville. Dix pâtés de maisons plus tard, il arriva au siège de l'armée brésilienne. La base, d'ordinaire endormie, bourdonnait d'activité. Il nota la présence de quatre hélicoptères aux couleurs des États-Unis. Derrière la clôture, des villageois surexcités appréciaient la modernité des appareils militaires étrangers.

Sans s'en émouvoir, Nate se dépêcha de rejoindre le bâtiment grisâtre posé au milieu de baraquements délabrés. Les lettres « FUNAI » étaient peintes sur la façade. C'était le bureau de la Fondation nationale de l'Indien, unique source d'aide, d'éducation et de représentation légale pour les tribus locales : les Baniwa et les Yanomami. Le petit immeuble accueillait aussi les sans-abri indiens venus chercher la prospérité des Blancs.

La FUNAI disposait de son propre conseiller médical, vieil intime de la famille et mentor du père de Nate dans la jungle amazonienne.

Nate franchit le vestibule, traversa le hall et gravit l'escalier en espérant que son ami soit là. Soudain, des accords du Cinquième Concerto pour violon de Mozart s'échappèrent d'une pièce.

Dieu merci !

Il s'annonça en tapotant le chambranle de la porte :

— Professeur Kouwe ?

Derrière un bureau minuscule, un petit Indien au teint café au lait détacha le regard d'une pile de papiers. Âgé d'une cinquantaine d'années, les cheveux grisonnants aux épaules, il portait désormais des lunettes cerclées d'écaille. Dès qu'il reconnut son visiteur, il les ôta et se fendit d'un large sourire :

— Nathan !

Quand il vint prendre le jeune homme dans ses bras, il serra si fort qu'il aurait pu rivaliser avec le monstrueux anaconda. Malgré sa petite taille, il était fort comme un bœuf. Ancien chaman d'une tribu Tirió du sud du Venezuela, il avait rencontré le père de Nate trente ans plus tôt et ils étaient devenus amis. Grâce à son aide, Kouwe avait pu quitter la jungle et suivre des études à Oxford, où il avait obtenu un double diplôme en linguistique et paléoanthropologie. C'était aussi l'un des plus éminents experts en botanique traditionnelle de la région.

— Je n'en reviens pas que tu sois là, mon garçon. C'est Manny qui t'a contacté ?

— Non. Que voulez-vous dire ? s'étonna Nate.

— Il te cherche. Il y a une heure, il est passé me demander dans quel village tu faisais actuellement tes recherches.

Une ride inquiète apparut sur le front du jeune homme :

— Pourquoi ?

— Il ne m'a rien dit, mais il était accompagné d'un gros bonnet de chez Tellux.

Nathan leva les yeux au ciel. Tellux Pharmaceuticals était l'entreprise internationale qui finançait son travail chez les chamans d'Amazonie.

Kouwe reconnut son expression amère :

— Tu as fait un pacte avec le diable.

— Comme si j'avais eu le choix après la mort de papa.

— Tu n'aurais pas dû renoncer si vite. Tu as toujours été…

Nathan l'interrompit, car il ne voulait pas qu'on lui rappelle une période noire de son existence et devait à présent s'accommoder de son chagrin :

— Écoutez, j'ai un problème qui n'a rien à voir avec Tellux.

Il résuma l'histoire de Tama et de sa maladie.

— Son traitement m'inquiète. J'ai pensé que vous pourriez peut-être parler au médecin.

Kouwe attrapa sur une étagère une musette de pêche et se dirigea vers la porte :

— Ridicule, ridicule, ridicule.

Au trot, Nathan avait du mal à le suivre et, en moins de trois minutes, ils débarquèrent à l'hôpital.

Lorsqu'il aperçut le jeune Blanc, Takaho se leva d'un bond :

— *Jako*... Frère.

— Assieds-toi. J'ai amené quelqu'un qui devrait aider ta fille.

Sans attendre, Kouwe poussa la porte des urgences. Nathan se précipita derrière lui.

À l'intérieur, c'était le chaos total. En sueur, le Dr O'Brien était penchée au-dessus de Tama, toujours aux prises avec les convulsions du « haut mal ». Quant aux infirmières, elles couraient partout, exécutant ses ordres.

Affolée, Kelly fixa le corps parcouru de convulsions :

— On est en train de la perdre.

— Je peux vous donner un coup de main, proposa Kouwe. Quels médicaments lui avez-vous administrés ?

Écartant une mèche de cheveux de son front humide, Kelly lui en dressa la liste rapide.

La mine approbatrice, Kouwe sortit un petit étui situé dans un des nombreux compartiments de sa musette :

— J'ai besoin d'une paille.

En voyant l'infirmière obéir au quart de tour, Nathan comprit que son ami était déjà souvent venu à l'hôpital. Personne d'autre que lui n'était plus au fait des maladies indigènes et de la façon de les soigner.

— Que faites-vous ? demanda Kelly, le rouge aux joues.

Elle avait remonté ses cheveux auburn en queue de cheval.

— Vous êtes partie d'un diagnostic erroné, annonça-t-il en remplissant de poudre la paille en plastique.

Les convulsions liées à la maladie de l'anguille élec-trique ne sont pas symptomatiques d'un désordre du système nerveux central comme l'épilepsie. Elle vient d'un déséquilibre chimique héréditaire dans le liquide cérébro-spinal. La maladie n'existe que chez quelques tribus yanomami.

— Un désordre métabolique héréditaire ?

— Oui, à l'image du favisme dans certaines familles méditerranéennes ou de la maladie de la graisse froide chez les Marrons du Venezuela.

Kouwe s'approcha de la fillette :

— Tiens-la bien, Nate.

Tandis que le jeune homme appuyait la tête de Tama contre l'oreiller, le chaman enfonça sa paille dans une narine de la petite et lui souffla la poudre dans le nez.

Le Dr O'Brien rôdait derrière lui :

— Vous êtes le médecin-chef de l'hôpital ?

— Non, ma chère. Juste le guérisseur local.

Kelly l'observa, à la fois horrifiée et incrédule, mais, avant qu'elle ait le temps d'émettre la moindre objection, les tremblements de Tama se calmèrent, d'abord un peu, puis de plus en plus vite.

Kouwe vérifia les paupières de la fillette, qui commença doucement à reprendre des couleurs :

— J'ai découvert que l'absorption de certaines drogues par les sinus était presque aussi efficace qu'une intraveineuse.

— Ça fonctionne, constata Kelly, abasourdie.

Kouwe tendit l'étui à une infirmière :

— Le Dr Rodriguez arrive bientôt ?

— Je l'ai appelé. Il devrait être là d'ici dix minutes.

— Assurez-vous que l'enfant reçoive la moitié d'une paille de poudre toutes les trois heures pendant les prochaines vingt-quatre heures et, après, une toutes les vingt-quatre heures. Une fois que son état se sera stabilisé, on pourra mieux traiter ses blessures.

— Bien, professeur.

Sur le lit, Tama cligna des paupières. Visiblement apeurée et hébétée, elle regarda les étrangers qui l'entouraient, puis ses yeux fixèrent Nathan.

— *Jako Basho*, bredouilla-t-elle faiblement.

Il lui caressa la main et répondit en yanomami :

— Oui, Frère Singe est ici. Tu es sauvée. Ton papa est là aussi.

Une infirmière alla chercher Takaho. Quand il vit sa fille éveillée en train de parler, il tomba à genoux. Oubliée, l'attitude stoïque ! Soulagé, il éclata en sanglots.

— Elle va aller bien maintenant, le rassura Nate.

Kouwe récupéra sa musette et quitta la pièce, suivi par Nathan et le Dr O'Brien.

— C'était quoi votre poudre ? se renseigna Kelly.

— De la liane de *ku-nah-nemah* séchée.

Devant la mine étonnée du médecin, Nate précisa :

— Du chanvre grimpant. Au village, le chaman en avait déjà fait brûler pour ranimer la petite, comme je vous l'avais dit.

La jeune Américaine piqua un fard :

— Je vous dois des excuses. Je ne pensais pas… Je veux dire, je n'imaginais pas…

Kouwe vint à son secours en lui tapotant gentiment le bras :

— L'ethnocentrisme occidental est une impolitesse plutôt courante par ici. Vous n'avez aucune raison d'être gênée.

Et il ponctua sa remarque d'un clin d'œil.

Nate, en revanche, n'était pas d'humeur aussi tolérante :

— La prochaine fois, écoutez et ayez l'esprit plus ouvert.

Kelly se mordit la lèvre et tourna les talons.

Aussitôt, il eut le sentiment de s'être comporté en goujat. Sa longue journée d'angoisse avait entamé sa patience. La jeune femme avait simplement fait de son mieux. Il n'aurait pas dû se montrer si dur.

Alors qu'il ouvrait la bouche pour s'excuser, un grand roux en treillis coiffé d'une casquette de base-ball aux couleurs des Red Sox apparut sur le seuil et interpella le docteur :

— Kelly, si tu as fini avec les fournitures, il faut qu'on parte. Le bateau est prêt à nous faire remonter la rivière.

— Oui, j'ai terminé. (À Nathan et Kouwe :) Merci.

La demoiselle ressemblait beaucoup au nouvel arrivant : mêmes taches de rousseur, mêmes plis au coin des yeux, voire un même accent léger de Boston. *Son frère sans doute.*

Nathan les suivit dehors mais, effaré par le spectacle qu'il y découvrit, il eut un mouvement de recul et se cogna contre Kouwe.

Une dizaine de soldats avaient débarqué, équipés de M-16 à crosse escamotable, de revolvers et d'un lourd paquetage. Des Rangers, à en croire l'insigne qu'ils portaient tous à l'épaule. L'un d'eux parlait dans une radio en faisant signe au groupe de gagner la berge. Les deux Américains leur emboîtèrent le pas.

— Attendez !

Le mur de militaires s'ouvrit sur un visage familier : Manny Azevedo. Le petit brun trapu avait son pantalon déchiré et la poche de sa chemise pendouillait. Son éternel fouet à longue mèche tressée était enroulé à sa ceinture.

Tout sourire, Nathan l'enlaça brièvement en lui tapant dans le dos, puis il donna une chiquenaude au lambeau de chemise :

— Tu as joué avec Tor-tor à ce que je vois.

— Mon petit monstre a encore pris dix kilos depuis la dernière fois que tu l'as vu, gloussa l'apprenti dompteur.

Nathan se mit à rire :

— Génial ! Comme s'il n'était pas déjà assez gros.

Les Rangers s'étaient arrêtés, tout comme Kelly O'Brien et son frère. D'un coup de menton, Nate désigna les militaires :

— C'est quoi ce cirque ? Où vont-ils tous ?

Une foule importante de badauds s'était peu à peu rassemblée pour détailler, sidérée, les Rangers.

— Il semblerait que le gouvernement américain finance une nouvelle expédition de reconnaissance dans la jungle, répondit Manny.

— Pour y trouver quoi ? Des trafiquants de drogue ?

Kelly O'Brien revenue sur ses pas, le Brésilien la salua :

— Puis-je vous présenter le Dr Rand ? Nathan Rand.

— Nous nous sommes déjà rencontrés, sourit-elle, gênée, mais je n'ai pas eu le temps de lui demander son nom.

Le botaniste perçut un échange tacite entre Kelly et Manny :

— Que se passe-t-il ? Qu'alliez-vous faire ?

Elle le fixa de ses étincelantes prunelles vert émeraude :

— Nous partions vous chercher, docteur Rand.

Chapitre 2

Débriefing

6 août, 21 h 15
São Gabriel da Cachoeira

Nathan sortit du bureau de Manny à la FUNAI et rejoignit la base de l'armée brésilienne, accompagné de son ami brésilien et de Kouwe. De la bouche du professeur, qui rentrait de l'hôpital, il fut soulagé d'apprendre que Tama se remettait bien.

Fraîchement douché, rasé et habillé de propre, il n'était plus l'homme arrivé là-bas quelques heures plus tôt avec la fillette. Il avait l'impression de s'être débarrassé de la jungle en même temps que de la poussière et de la transpiration, troquant son statut de nouveau membre de la tribu yanomami contre celui de citoyen américain. Comme quoi, un simple déodorant avait un pouvoir incroyable de transformation !

Tandis que Nate reniflait son aisselle parfumée, Kouwe tira sur sa pipe :

— Après avoir passé tant de temps en forêt, ça flanque la nausée, non ? Moi, quand j'ai quitté la jungle vénézuélienne, mes sens ont été bombardés par les odeurs, les bruits et le mouvement incessant de la civilisation. J'ai mis un temps fou à m'adapter.

Nathan laissa retomber son bras :

— C'est étrange la vitesse à laquelle on s'habitue à une vie sauvage plus fruste, mais je peux vous dire qu'une petite chose rend supportable tous les tracas du monde moderne.

— Laquelle ? demanda Manny.

— Le papier toilette.

— Pourquoi crois-tu que j'ai quitté la jungle ? s'esclaffa Kouwe.

Le rendez-vous était prévu d'ici à dix minutes. Peut-être obtiendraient-ils des réponses à leurs questions.

En chemin, Nathan observa l'îlot de civilisation. La pleine lune accrochée au-dessus de la rivière se reflétait sur les eaux miroitantes, à peine troublées par la brume vespérale qui envahissait la ville. À la nuit tombée, la jungle reconquérait enfin São Gabriel. Les bruits s'amenuisaient, remplacés par le chant de l'engoulevent dans les arbres, le coassement des grenouilles et le vibrato des sauterelles ou des criquets. Même dans la rue, les battements d'ailes des chauves-souris et le bourdonnement des moustiques assoiffés de sang remplaçaient les klaxons et le brouhaha de la foule. Pour que la vie humaine se signale de nouveau, il fallait longer une gargote, d'où s'échappaient parfois les rires de clients tardifs.

Sinon, la nuit, la jungle dominait.

— Que peut bien me vouloir le gouvernement américain ? réfléchit Nathan.

— Je te répète que je ne suis sûr de rien, répondit Manny, mais, d'une manière ou d'une autre, tes financiers sont impliqués.

— Tellux Pharmaceuticals ?

— Oui. Ils sont venus avec plusieurs hommes d'affaires qui m'ont tout l'air d'être avocats.

— Quand il est question de Tellux, ils ne sont jamais loin, grimaça Nate.

Toujours sa pipe à la bouche, Kouwe intervint :

— Il ne fallait pas leur vendre Eco-tek.

— Professeur…, soupira son jeune ami.

Le chaman joignit les mains en signe d'excuse :

— Désolé. Je sais… Sujet douloureux.

Douloureux n'était pas le terme que Nathan aurait utilisé. Fondée douze ans plus tôt par son père, Eco-tek était une petite société pharmaceutique qui exploitait les connaissances chamaniques pour découvrir de nouveaux médicaments à base de plantes. But de la manœuvre : préserver l'expertise en botanique des guérisseurs amazoniens menacés de disparition et s'assurer que les tribus locales profiteraient de leur propre savoir. C'était non simplement le rêve de son père, l'ambition de sa vie mais aussi la matérialisation ultime d'une promesse faite à la mère de Nate, Sarah. Médecin au sein des Peace Corps, elle avait consacré son existence aux peuples indigènes et sa passion était devenue contagieuse. À sa mort, son mari avait promis de reprendre le flambeau et, quelques années plus tard, Eco-tek en avait été le fruit, fusion d'un modèle économique pointu et d'une fondation à but non lucratif.

À présent, hélas, tout était fini : l'héritage du couple Rand avait été démantelé et avalé par Tellux.

Manny tira Nate de sa réflexion :

— J'ai l'impression qu'on va nous flanquer une escorte.

Au poste de garde, deux Rangers coiffés d'un béret fauve se tenaient au garde-à-vous derrière un soldat brésilien plutôt tendu.

Au vu des armes qui pendaient à leur ceinture, Nathan se demanda encore ce que le rendez-vous leur réservait.

Lorsqu'ils arrivèrent à la barrière, le militaire brésilien vérifia leur identité, puis un Ranger approcha :

— Nous devons vous conduire au débriefing. Si vous voulez bien nous suivre.

Il pivota brusquement sur ses talons et s'éloigna à grands pas.

Après avoir lorgné ses amis, Nathan pénétra dans l'enceinte et, dès que le second Ranger se posta derrière eux, il eut le sentiment d'être un soldat capturé par l'ennemi. Au loin, les quatre hélicoptères étaient posés sur le terrain de football de la base. Un sentiment de frayeur lui tordit les tripes.

Imperturbable, le professeur Kouwe tirait sur sa pipe et avançait tranquillement derrière l'escorte armée. Manny aussi semblait plus amusé qu'inquiet.

Ils longèrent des préfabriqués en piteux état qui servaient de baraquements aux troupes brésiliennes, puis rejoignirent, au bout du camp, un entrepôt délabré aux fenêtres peintes en noir.

Le Ranger de tête poussa la porte rouillée. Premier à entrer, Nathan s'attendait à trouver un intérieur sombre infesté d'araignées, mais il fut surpris de découvrir une grande salle illuminée par une batterie d'halogènes et de néons. Le sol en ciment était parcouru de câbles emmêlés dont certains étaient aussi larges que le poignet. Depuis un des trois bureaux situés au bout de l'entrepôt, on entendait ronfler un générateur.

Nathan resta bouche bée devant la sophistication du matériel technique : ordinateurs, radios, télévisions, moniteurs…

Au milieu du chantier organisé, une longue table de conférence était jonchée de papiers imprimés, de cartes, de graphiques et d'une pile de journaux. Des hommes et des femmes, en civil ou en uniforme, s'affairaient. Plusieurs d'entre eux étaient plongés dans leur lecture, y compris Kelly O'Brien, la jeune Américaine aux cheveux auburn.

Que se passait-il ?

L'escorte désigna la pipe allumée de Kouwe :

— Je crains qu'il ne soit interdit de fumer à l'intérieur.

— Bien sûr.

Le professeur vida sa pipe sur le seuil poussiéreux et, d'un coup de talon, le Ranger écrasa le tabac encore incandescent.

— Merci.

La porte d'un bureau s'ouvrit sur le grand roux que Nate pensait être le frère du Dr O'Brien. À ses côtés : un homme que le botaniste connaissait très bien et qu'il détestait encore plus. Sa veste de costume bleu marine pendue au bras, il arborait – c'était certain – le logo de Tellux. Plus petit que Nate, il était corpulent. Une bedaine naissante pointait même sous sa chemise. Comme d'habitude, ses cheveux noirs étaient bien peignés et gominés, son bouc savamment taillé. Son sourire de façade était tout aussi lisse.

Rien à voir avec le rouquin qui traversa la pièce avec la main tendue, avec une expression de bienvenue nettement plus authentique :

— Merci d'être venu, docteur Rand. Je pense que vous connaissez le Dr Richard Zane.

— Nous nous sommes rencontrés, confirma-t-il froidement, en serrant la main de l'Américain.

L'homme avait une poigne à broyer des cailloux :

— Frank O'Brien. C'est moi qui dirige les opérations ici. Vous avez déjà croisé ma sœur.

Kelly releva la tête de ses papiers et le salua d'un geste.

— Maintenant que vous êtes là, on va pouvoir commencer la réunion.

Frank conduisit Nate, Kouwe et Manny à la table, puis il invita les autres à regagner leurs sièges.

Un homme au visage dur, la gorge barrée d'une longue cicatrice pâle, s'assit. À ses côtés, un Ranger au regard glacé exhibait deux barrettes argentées de capitaine sur son uniforme, preuve qu'il était chargé de commander les militaires.

En bout de table, Richard Zane s'assit entre Kelly et Frank qui, eux, restèrent debout. À gauche se tenait une autre employée de Tellux, petite Asiatique silencieuse vêtue d'un tailleur-pantalon strict. Ses yeux brillants d'intelligence semblaient s'imprégner de tout ce qui l'entourait. Nate croisa son regard. Elle lui répondit d'un petit sourire.

Une fois tout le monde installé, Frank se racla la gorge :

— Docteur Rand, laissez-moi d'abord vous souhaiter la bienvenue au QG de l'opération Amazonia, programme conjoint de la direction environnementale de la CIA et du commandement des Forces spéciales.

Il hocha la tête vers le capitaine aux barrettes argentées.

— Nous sommes aussi soutenus par le gouvernement brésilien et le département de recherche de Tellux Pharmaceuticals.

Devant la perplexité manifeste de Nathan, Kelly intervint :

— Je parie que vous vous posez de nombreuses questions, docteur Rand. Déjà, vous aimeriez connaître la raison pour laquelle nous sollicitons votre participation à cette entreprise.

L'intéressé jeta un coup d'œil à Manny et confirma en silence.

— L'objectif n° 1 de l'opération Amazonia est de découvrir ce qui est arrivé à l'expédition disparue de votre père, lâcha-t-elle.

Le jeune homme resta sans voix, comme s'il avait reçu un direct à l'estomac. Il sentit sa vision se brouiller et bafouilla un instant avant de retrouver sa contenance :

— Mais… mais ça fait plus de quatre ans !

— Nous comprenons bien, seulement…

— Non !

En se relevant d'un bond, il renversa sa chaise.

— Ils sont morts. Tous morts !

Kouwe l'attrapa par le bras, histoire de le calmer :

— Nathan…

Son ami se dégagea de son étreinte. Il se souvenait de l'appel comme si c'était hier. Alors qu'à l'époque il terminait sa thèse de doctorat à Harvard, il avait pris le premier avion pour le Brésil et rejoint les équipes de secours. Au beau milieu de l'entrepôt, les souvenirs commencèrent à affluer : la peur aveuglante, la colère, la frustration. Après la cessation des recherches, impossible de jeter l'éponge ! Il avait supplié Tellux Pharmaceuticals, son cosponsor avec Ecotek, de l'aider à continuer sur des fonds privés. Leur projet sur dix ans ? Recenser la population des ethnies indigènes actuelles et établir un catalogue systématique de leurs connaissances médicales avant qu'elles ne soient perdues à jamais. Hélas, les dirigeants de Tellux avaient refusé de financer Nate, persuadés que l'équipe de son père avait été tuée par une tribu

66

d'Indiens hostile ou qu'elle était tombée sur un repaire de narcotrafiquants.

Nate, lui, n'y avait pas cru une seconde. L'année suivante, il avait dépensé des millions à poursuivre les recherches, s'acharnant sur chaque signe, indice ou hypothèse de ce qui était advenu de son père. Résultat : le gouffre financier dans lequel il avait englouti toutes les ressources d'Eco-tek avait encore déstabilisé davantage la société. Après la disparition de son PDG dans la jungle, Eco-tek avait déjà vu ses actions dégringoler à Wall Street et, une fois les caisses vides, Tellux avait lancé une OPA hostile contre elle. Comme Nate était trop blessé, trop fatigué pour se battre, Eco-tek et l'ensemble de ses ressources, y compris le jeune héritier lui-même, étaient alors devenus propriété de la multinationale.

Il s'en était suivi une période encore plus noire, espèce d'errance dans un brouillard d'alcool, de drogue et de désillusions. Heureusement, grâce à des amis comme le professeur Kouwe et Manny Azevedo, Nate avait fini par se ressaisir. En pleine jungle, la douleur s'était émoussée. Il y avait découvert qu'il réussissait à vivre un jour, puis un autre, et, du mieux qu'il pouvait, grâce aux misérables subsides de Tellux, il avait lentement poursuivi l'œuvre de son père auprès des Indiens.

Jusqu'à ce jour-là...

— Ils sont morts ! répéta-t-il en s'appuyant sur la table. Après tant d'années, il n'y a plus aucun espoir de découvrir ce qui est arrivé à mon père !

Le temps qu'il se calme, Kelly l'observa de ses yeux vert émeraude et reprit à mi-voix :

— Connaissez-vous Gerald Wallace Clark ?

Alors que Nathan s'apprêtait à dire non, le nom lui revint en mémoire : l'homme faisait partie de l'équipe de son père. Il s'humecta les lèvres :

— Oui. Cet ancien soldat dirigeait le groupe de cinq hommes armés qui accompagnait l'expédition.

Kelly inspira profondément :

— Eh bien, il y a douze jours, Gerald Wallace Clark est ressorti de la jungle.

Nate n'en croyait pas ses oreilles.

— Merde…, murmura Manny.

Kouwe redressa la chaise de Nate et l'aida à se rasseoir.

Kelly enchaîna :

— Hélas, Gerald Clark est mort dans une mission catholique avant d'expliquer ce qui lui était arrivé et d'où il venait. Le but de notre opération est donc de remonter sa piste pour découvrir la vérité. En tant que fils de Carl Rand, nous avons pensé que vous souhaiteriez participer aux recherches.

Un lourd silence s'abattit sur l'assemblée.

— Docteur Rand, votre connaissance parfaite de la jungle et des tribus indigènes pourrait nous être utile, renchérit Frank. Autre atout indéniable : vous étiez très proche de votre père et de son équipe.

Alors que Nathan restait muet de stupeur, Kouwe prit calmement la parole :

— Je crois comprendre pourquoi Tellux Pharmaceuticals se montre aussi intéressé par le sujet.

Il hocha la tête vers Richard Zane, qui lui répondit d'un sourire.

— Quand l'occasion se présente, ils ne sont pas du genre à ne pas profiter du malheur des autres.

Aussitôt, Zane se rembrunit.

Kouwe se tourna vers Frank et Kelly :

— En revanche, quel intérêt la direction environnementale de la CIA a-t-elle dans cette affaire, qui plus est soutenue par un bataillon de Rangers ? L'un de vous, ou le capitaine ici présent, pourrait-il nous l'expliquer ?

Le front de Frank se rida devant l'assertion rapide et incisive du professeur. Les yeux brillants, Kelly répondit :

— Gerald Clark n'était pas qu'un ancien soldat et un expert en armement. C'était aussi un agent de la CIA. Il s'était greffé à l'expédition pour récolter des renseignements sur les itinéraires des chargements de cocaïne qui transitent par l'Amazonie.

D'un regard, Frank sembla reprocher à sa sœur d'être trop bavarde mais, imperturbable, elle continua :

— Tant que le Dr Rand n'aura pas accepté de se joindre à l'opération, vous n'en saurez pas plus. S'il refuse, les autres détails resteront confidentiels.

En silence, Kouwe parut exhorter Nathan à la prudence, mais le jeune homme inspira à fond et annonça :

— S'il existe un espoir d'élucider la disparition mystérieuse de mon père, je ne peux pas le laisser passer. (À ses deux amis :) Vous savez bien que j'en serais incapable.

Il se leva face à l'assemblée.

— Je viens.

Manny repoussa sa chaise :

— Alors, je l'accompagne.

Sans laisser quiconque émettre d'objection, il ajouta :

— J'en ai déjà informé mes supérieurs à Brasilia. Au titre de représentant local de la FUNAI, je dispose d'un pouvoir discrétionnaire pour restreindre et modifier votre mission.

— Nous en avons été informés il y a une heure, acquiesça Frank. C'est votre choix. Votre formation de biologiste pourra d'ailleurs nous être utile.

Kouwe se leva à son tour :

— Vous aurez peut-être aussi besoin d'un expert en linguistique.

Le doigt pointé sur la petite Asiatique, Frank répliqua :

— J'apprécie votre offre, mais nous y avons déjà pensé. Le Dr Anna Fong, anthropologue spécialiste des tribus indigènes, maîtrise une douzaine de dialectes différents.

— Ne vous offusquez pas, docteur Fong, mais mon ami parle plus de cent cinquante langues ! ironisa Nathan. Il n'existe pas de meilleur spécialiste en la matière.

— Le Dr Rand a raison, souffla Anna d'une voix douce. Il est de renommée internationale que le professeur Kouwe connaît sur le bout des doigts les tribus indigènes d'Amazonie. Sa coopération serait un véritable honneur.

Kelly salua Kouwe d'un respectueux signe de tête :

— Il semblerait aussi qu'il soit expert en médecine botanique et maladies de la jungle. (À son frère :) En tant que médecin de l'expédition, je serais ravie de l'avoir dans notre équipe.

Frank haussa les épaules :

— On n'est plus à un près. Cela vous convient-il, docteur Rand ?

Nathan jeta un coup d'œil à droite puis à gauche :

— Absolument.

— Alors, au travail ! Nous avons gagné du temps en vous retrouvant ici mais, si on veut partir demain à l'aube, on a encore du pain sur la planche.

Tandis que les gens se dispersaient, il s'adressa à Nathan :

— Voyons maintenant si on peut répondre à vos questions.

Nate et ses amis le suivirent lorsqu'il se dirigea avec sa sœur vers les bureaux du fond.

Manny jaugea un instant la pièce où chacun s'agitait :

— Dans quelle galère nous sommes-nous embarqués ?

— Dans un truc formidable, le rassura Kelly en lui tenant la porte du bureau. Entrez, je vais vous montrer.

Nathan brandit la photo de l'agent Clark :

— Et vous prétendez que le bras de ce type a repoussé ?

Frank prit place de l'autre côté du bureau :

— Apparemment. Ses empreintes digitales ont été vérifiées. Le corps a quitté la morgue de Manaus aujourd'hui pour être rapatrié par bateau aux États-Unis. Sa dépouille sera examinée par un laboratoire de recherche privé sponsorisé par MEDEA.

— MEDEA ? répéta Manny. Pourquoi ce nom m'est-il familier ?

Penchée sur une carte topographique épinglée au mur, Kelly expliqua :

— Depuis sa naissance en 1992, MEDEA se charge de préserver la forêt tropicale.

Nathan reposa les photos sur la table :

— De quoi s'agit-il au juste ?

— En 1989, le Congrès américain a voulu savoir si les données recueillies par les systèmes de surveillance satellite de la CIA pouvaient nous aider à étudier et à surveiller les changements climatiques mondiaux. D'où la création de MEDEA en 1992. La CIA a recruté plus de soixante chercheurs de divers horizons écologiques et les a rassemblés dans une seule et même

organisation afin d'analyser des données météorologiques classées *top secret*.

— Je vois.

— Notre mère en est l'une des principales fonda-
trices, renchérit Frank. D'abord spécialisée en médecine des risques liés aux déchets toxiques, elle a été
embauchée par notre père lorsqu'il était directeur
adjoint de la CIA. C'est elle qui supervisera l'autopsie
de Clark.

— Votre père est le directeur adjoint de la CIA ?
s'étonna Manny.

— *Était*, rectifia Frank avec amertume.

Kelly se détacha un moment des cartes :

— Aujourd'hui, il pilote le DEC, service de la CIA
fondé par Al Gore en 1997 à la demande expresse de
MEDEA. Frank y travaille également.

— Et vous ? lança Nathan. Vous êtes aussi de la
CIA ?

La jeune femme éluda la question d'un geste évasif.

— Ma sœur est la benjamine de MEDEA, annonça
Frank avec fierté. Un sacré honneur ! Voilà pourquoi
nous avons été choisis pour gérer l'opération. Je suis
l'envoyé de la CIA. Elle représente MEDEA.

— Autant que ça ne sorte pas de la famille, grogna
Kouwe.

— Moins il y aura de personnes au courant de la
mission, mieux ce sera, souligna Frank.

— Quel rôle joue donc Tellux là-dedans ? s'enquit
Nathan.

Kouwe devança la réponse des O'Brien :

— Ça ne te paraît pas évident ? L'expédition de ton
père a été financée par Eco-tek et Tellux, qui consti-
tuent maintenant une seule et même entreprise. Ils sont
propriétaires de toutes les découvertes potentielles des
explorateurs disparus. À supposer que l'équipe ait mis

la main sur un composé chimique régénérateur, Tellux possède la majeure partie des droits qui y sont liés.

Intimidée par le regard insistant de Nathan, Kelly lorgna ses pieds.

— Il a raison, confirma Frank, mais, même chez Tellux, seules quelques personnes connaissent le but réel de notre mission.

— Génial, vraiment génial…, marmonna le botaniste.

Kouwe posa une main compatissante sur son épaule.

— Bon, quelle est la première étape ? lança Manny.

— Laissez-moi vous montrer.

Kelly pivota vers les cartes affichées au mur et indiqua le centre de l'une d'elles.

— Je suis sûre que le Dr Rand connaît déjà la région.

En effet, le jeune homme identifia l'endroit comme s'il s'agissait de la paume de sa main.

— C'est l'itinéraire emprunté par l'expédition de mon père il y a quatre ans.

— Exact, confirma Kelly.

Elle suivit du doigt les pointillés qui descendaient de façon peu logique vers le sud, reliaient Manaus à Porto Velho *via* le Madeira, puis formaient un coude vers le haut en direction du bassin amazonien.

À partir de là, l'équipe du Dr Rand avait sillonné la zone jusqu'à gagner une région peu explorée entre les affluents nord et sud du fleuve. Kelly s'arrêta sur la petite croix à la fin des pointillés :

— C'est ici qu'on a perdu le contact radio. Toutes les recherches, financées par le gouvernement brésilien ou des fonds privés, sont donc parties de là.

Elle adressa un regard appuyé à Nathan.

— Que pouvez-vous nous dire de ces recherches ?

Avec un désespoir très familier qui lui étreignait la poitrine, Nate s'approcha de la carte et soupira :

— C'était en décembre, au plus fort de la saison des pluies. Deux violentes tempêtes avaient traversé la région, ce qui explique, entre autres, pourquoi personne ne s'est vraiment inquiété au début. Ces Indiana Jones passaient leur vie dans la jungle. Qu'aurait-il pu leur arriver ? Au début des recherches, les équipes de secours se sont néanmoins aperçues que toutes les traces de l'expédition avaient été emportées par les pluies et les inondations.

Nathan posa l'index sur le « X » noir.

— Ce point se trouvait immergé quand le premier groupe est arrivé sur place. Une semaine s'est écoulée, puis une autre. Rien. Aucun indice, plus un mot... jusqu'à un dernier message désespéré : « *Envoyez-nous de l'aide... On ne tiendra pas longtemps... Oh, mon Dieu, ils sont tout autour de nous !* »

Il était encore hanté par le souvenir de ces mots-là.

— À cause des puissantes interférences, impossible de distinguer qui parlait. C'était peut-être l'agent Clark.

Sauf qu'au fond de lui-même, Nate avait reconnu son père. Des milliers des fois, il avait écouté et réécouté son ultime message. Ses derniers mots.

Il contempla les photos et les documents étalés sur le bureau.

— Les sauveteurs ont passé trois mois à ratisser la région, mais les orages et les inondations entravaient leur progression. Aucun moyen de savoir dans quelle direction l'équipe de mon père était partie. Est, ouest, nord, sud ? Autant chercher une aiguille dans une meule de foin ! Comme les recherches s'étendaient sur une région encore plus vaste que le Texas, ils ont fini par abandonner.

— Tout le monde sauf vous, précisa Kelly à mi-voix.

Il serra le poing :

— La belle affaire ! On n'a plus jamais eu aucun contact.

— Jusqu'à aujourd'hui.

Elle pointa sur la carte un petit cercle rouge qu'il n'avait pas vu jusque-là. Situé à trois cents kilomètres au sud de São Gabriel, il jouxtait la rivière Japurá, parallèle à la Solimões qui était le plus puissant affluent sud de l'Amazone.

— Voici la mission de Wauwai, où Clark est décédé. C'est là qu'on se rend demain.

— Et après ? demanda Manny.

— On suivra la piste de Gerald Clark, mais on jouit d'un avantage sur les expéditions précédentes.

— Lequel ?

Nathan s'approcha de la carte punaisée au mur :

— Nous sommes en fin de saison sèche. Il n'y a pas eu d'orage là-bas depuis un mois, ce qui devrait nous aider à remonter la piste.

— D'où l'urgence avec laquelle notre mission a été organisée.

L'air approbateur, Frank alla poser une main sur la carte :

— Nous espérons trouver des indices avant que la saison humide ne commence et que les traces ne soient effacées par la pluie. Avec un peu de chance, l'agent Clark aura eu la présence d'esprit de nous laisser des signes sur sa route : encoches sur un arbre, empilement de cailloux… Bref, quelque chose qui nous permette de localiser l'endroit où il a été détenu ces quatre dernières années.

Il sortit de son bureau un grand papier plié.

— Anna Fong nous aidera aussi à demander aux natifs de la région – paysans, Indiens, trappeurs et autres – si quelqu'un a vu passer un homme porteur de la marque suivante.

Il lissa sa feuille, où figurait un dessin réalisé à la main.

— Ce motif était tatoué sur la poitrine et l'abdomen de Clark. Nous espérons découvrir des gens susceptibles de l'avoir remarqué.

Kouwe tressaillit, sans que personne dans la pièce ne remarque son trouble.

— De quoi s'agit-il ? demanda Nathan.

Le papier qu'O'Brien lui montra représentait un dessin sinueux, une spirale qui, dans le sens des aiguilles d'une montre, partait d'une paume de main stylisée.

— C'est mauvais, très mauvais, commenta Kouwe.

Tandis qu'il cherchait sa pipe au fond de sa poche, il lança un regard interrogateur à Frank, qui lui donna le feu vert.

Le professeur sortit alors un étui, bourra sa pipe de tabac local et l'alluma. Ses doigts tremblaient. Nathan n'avait jamais vu son ami aussi déstabilisé :

— Qu'est-ce que c'est ?

— Le symbole des Ban-ali, les Jaguars de Sang.

— Vous connaissez cette tribu ? intervint Kelly.

Après avoir exhalé une longue bouffée de fumée, le chaman soupira :

— Non, personne ne la connaît. C'est une légende que les vieux villageois se transmettent d'une génération à l'autre. On raconte que les membres du clan s'accoupleraient avec des jaguars, puis se volatiliseraient. En plus d'apporter la mort à ceux qui les rencontrent et la malédiction à ceux qui les défient, ils seraient aussi anciens que la forêt. Même la jungle se plierait à leur volonté.

— Jamais entendu parler, lâcha Nathan. Pourtant, j'ai côtoyé des tribus à travers toute l'Amazonie.

— Le Dr Fong, l'anthropologue de Tellux, n'a pas non plus reconnu les marques, précisa Frank.

— Ça ne m'étonne pas. Même très bien acceptée, une personne qui n'est pas membre d'une tribu sera toujours considérée comme un *pananakiri*, un étranger aux yeux des Indiens de la région. Ils ne vous parleront jamais des Ban-ali.

Malgré lui, Nate se sentit vaguement insulté :

— Mais je…

— Je ne remets en question ni ton travail ni tes compétences, fiston, mais de nombreuses ethnies attribuent un pouvoir magique aux mots. Elles craignent de prononcer le nom *Ban-ali*, de peur d'attirer l'attention des Jaguars de Sang.

Kouwe montra le dessin.

— Si vous l'emportez, montrez-le avec une extrême prudence. Beaucoup d'Indiens peuvent vous tuer pour la simple raison que vous avez le papier sur vous. Il n'y a pas de plus grand tabou que de laisser entrer ce symbole dans un village.

Kelly fronça les sourcils :

— On peut donc douter que Clark ait jamais traversé le moindre hameau.

— Il n'en serait pas ressorti vivant.

Kelly et Frank se regardèrent, inquiets, puis la jeune femme s'adressa à Nathan :

— Votre père recensait les tribus amazoniennes. S'il avait eu vent des mystérieux Ban-ali ou détenu un indice quelconque de leur existence, il serait sans doute parti à leur recherche.

Manny replia le dessin :

— Et il les a peut-être trouvés.

Kouwe étudia l'embout luisant de sa pipe :

— Priez le Seigneur pour que ce ne soit pas le cas.

Un peu plus tard, une fois les détails réglés, Kelly suivit le trio des yeux. Ils sortirent de l'entrepôt, escortés par un Ranger.

Tandis que Frank communiquait par liaison satellite pour relater les progrès du jour à ses supérieurs, y compris à son propre père, elle se rendit compte qu'elle regardait Nathan Rand malgré elle. Elle ne savait pas ce qu'il lui inspirait. Après l'incident à l'hôpital, elle avait été décontenancée par son comportement, mais il n'avait plus rien du pauvre type aux cheveux gras et à l'odeur répugnante qui lui avait amené la fillette sur son brancard. Rasé et habillé proprement, c'était un très bel homme : cheveux blond-roux, teint hâlé, prunelles bleu acier. Même sa façon de hausser le sourcil quand il était intrigué avait un charme fou.

— Kelly ! appela Frank. Quelqu'un aimerait te dire bonjour.

Elle le rejoignit avec un soupir de lassitude. Partout dans la pièce, on bouclait les derniers préparatifs. Elle posa les mains à plat sur la table et fixa l'écran à cristaux liquides de l'ordinateur : dès qu'elle y reconnut deux visages familiers, un grand sourire éclaira son visage.

— Jessie ne devrait pas veiller si tard, maman.

D'un coup d'œil à sa montre, elle effectua un rapide calcul.

— Il ne doit pas être loin de minuit.

— En fait, il est un peu plus de minuit, ma chérie.

Avec ses beaux cheveux auburn, la mère de Kelly aurait pu aisément passer pour sa sœur. Seuls signes révélateurs de son âge ? Ses lunettes et les rides un peu plus profondes au coin des yeux. Lorsqu'elle avait accouché de Kelly et Frank à vingt-deux ans, elle était encore étudiante en médecine. Donner naissance à des jumeaux lui avait suffi autant qu'à son mari, ingénieur de la Navy. Ils n'avaient pas eu d'autres enfants.

Cela n'avait pas empêché Kelly d'imiter sa mère et de tomber enceinte alors qu'elle était en quatrième année de médecine à Georgetown mais, contrairement au couple solide formé par ses parents, elle avait divorcé de Daniel Nickerson après l'avoir trouvé au lit avec une amie. Au moins avait-il eu la décence de ne pas lui contester la garde de leur bébé d'un an, Jessica.

La fillette avait à présent six ans. Blottie contre sa grand-mère, elle portait une chemise de nuit en flanelle jaune à l'effigie de Pocahontas et ses cheveux ébouriffés donnaient l'impression qu'elle venait de sortir du lit. Elle agita la main en direction de l'écran :

— Coucou, maman !

— Coucou, ma puce. Tu t'amuses avec papy et mamie ?

— Oh, oui ! On est allés au Buffalo Grill aujourd'hui !

Le sourire de Kelly s'élargit :

— Ça devait être sympa. J'aurais aimé y être.

— On t'a gardé une part de travers de porc caramélisé.

Derrière elle, Mme O'Brien leva les yeux au ciel avec toute l'exaspération des grands-parents confrontés au décor western ultrakitsch de la célèbre chaîne de restaurants.

— Tu as vu des lions, maman ?

Kelly gloussa malgré elle :

— Non, trésor, il n'y en a pas ici. Ils sont en Afrique.

— Et des gorilles ?

— Non, c'est aussi en Afrique, mais on a vu des singes.

Les yeux de Jessica s'arrondirent :

— Tu peux m'en attraper un et le ramener à la maison ? J'ai toujours voulu un singe.

— Je ne pense pas qu'il serait très content. Il a sa maman ici, tu sais.

Sa mère passa le bras autour de Jessica :

— Je crois qu'il est temps de dire au revoir à maman. Demain, elle doit se lever tôt, comme toi.

En voyant Jessica faire la moue, Kelly se pencha :

— Je t'aime, mon cœur.

— Au revoir, maman.

— Fais attention à toi, chérie, souffla Mme O'Brien. J'aimerais tant être là-bas à tes côtés.

— Tu as ton propre travail. Est-ce que le... hum... Son regard se posa sur Jessie.

— Le... paquet est arrivé sans problème ?

Soudain, le visage de sa mère devint plus grave :

— Il a passé la douane de Miami vers 6 heures. Il est arrivé ici en Virginie sur les coups de 10 heures et on l'a transféré à l'Institut Instar. En fait, ton père est encore là-bas : il s'assure que tout est en ordre pour l'expertise de demain.

Kelly hocha la tête, soulagée que le corps de Clark soit parvenu aux États-Unis sans difficulté.

— Il faut vraiment que j'aille coucher Jessie, mais je te tiens au courant demain soir, pendant la liaison satellite. Sois prudente.

— Ne t'inquiète pas. Avec dix Rangers de choc comme gardes du corps, je suis plus en sécurité ici qu'à Washington.

— Tout de même, faites attention l'un à l'autre.

Kelly jeta un coup d'œil à son frère, qui discutait avec Richard Zane.

— Promis.

Mme O'Brien lui envoya un baiser :

— Je t'aime.

— Moi aussi, maman.

Fin de la connexion.

Après avoir refermé l'ordinateur portable, Kelly s'écroula sur un siège, épuisée. Pendant quelques instants, elle étudia les autres avec attention. Son matériel était déjà empaqueté et stocké dans l'hélicoptère. Elle n'avait plus de responsabilités pour le moment et laissa son esprit divaguer, s'arrêtant sur la spirale rouge tatouée autour de la paume bleue, symbole des Ban-ali, la tribu fantôme de l'Amazonie.

Deux questions la taraudaient. Une tribu auréolée de pouvoirs aussi mythiques existait-elle vraiment ? Si oui, les dix Rangers armés suffiraient-ils à les protéger ?

Chapitre 3

Le médecin et la sorcière

6 août, 23 h 45
Cayenne, Guyane française

Louis Favre était souvent décrit comme un salaud, un ivrogne, mais personne ne le lui disait jamais en face. Jamais. Le dernier infortuné à avoir osé le faire gisait actuellement les quatre fers en l'air, dans une ruelle derrière l'hôtel Seine, grand édifice décati posé sur une colline surplombant la capitale guyanaise.

Un instant plus tôt, dans la pénombre du bar, l'abruti avait enquiquiné un habitué octogénaire, rescapé des terribles colonies pénitentiaires de l'Île du Diable. Louis n'avait jamais parlé au vieillard, mais il connaissait son histoire par le tenancier de l'établissement. À l'instar de nombreux prisonniers amenés de France par bateau, le bagnard avait écopé d'une double peine : pour chaque année passée dans l'horrible bouge à quinze kilomètres des côtes, il avait dû rester le même nombre d'années en Guyane à sa sortie. C'était une façon de maintenir une présence française au sein de la nouvelle colonie et, comme le gouvernement l'avait espéré, la plupart des pauvres hères n'étaient jamais repartis. Quelle vie auraient-ils bien pu mener en France après un si long exil ?

Louis avait souvent étudié le vieil homme, un genre d'âme sœur, un autre exilé. Il le regardait siroter son bourbon sec et lisait entre les rides de son visage désespéré. Quels délicieux moments de quiétude !

Ainsi donc, quand l'Anglais à moitié soûl avait trébuché, heurté le coude de l'ex-détenu, renversé son verre et continué à tituber sans même s'excuser, Louis Favre s'était levé et planté en travers de sa route.

— Va te faire foutre, *Frenchie*, avait marmonné le gosse d'un air crâne.

L'empêchant de sortir, Favre avait alors répondu en français :

— Vous payez un autre verre à mon ami, *monsieur**[1], sinon on va s'expliquer dehors.

— Casse-toi, pauvre alcoolo !

Soupir aux lèvres, Louis lui avait explosé le nez d'un coup de poing, l'avait attrapé par les pans de la veste et, tandis que les autres clients retournaient à leurs affaires, il avait sorti le gamin encore groggy par la porte de derrière.

L'Anglais tenta de présenter ses excuses, même s'il n'était pas simple d'articuler avec des dents en moins. À présent qu'il était étendu dans une mare de sang et d'urine au milieu des ordures, Louis avait cessé de frapper, puis il se ravisa et lui flanqua un coup de pied bien vicieux qui eut le bonheur de briser quelques côtes. Satisfait, il récupéra le panama blanc qu'il avait posé sur une poubelle et lissa son costume en lin. Il contempla ses chaussures de cuir verni ivoire, sortit

1. Les mots en italique suivis d'un astérisque sont en français dans le texte.

un mouchoir immaculé et essuya le sang qui en avait éclaboussé la pointe. Après quoi, il fixa l'Anglais d'un air menaçant, pensa le cogner une dernière fois, puis observa ses chaussures récemment cirées et préféra s'abstenir.

Après avoir remis son chapeau, il regagna le bar enfumé, héla le barman et désigna le vieil homme :

— S'il vous plaît, rafraîchissez le verre de mon ami.

Le serveur espagnol tendit la main vers le bourbon mais, quand il vit son client remuer l'index d'un air mécontent, il s'en voulut d'avoir commis un tel impair. Louis ne voulait que le meilleur, même quand il s'agissait de payer des verres aux copains. Dûment prévenu, le barman prit donc une bouteille de Glenlivet d'âge respectable, un *must*.

— Merci.

À présent que les choses étaient rentrées dans l'ordre, Louis se dirigea vers le hall, où il faillit percuter le réceptionniste.

Le petit bonhomme s'inclina et s'excusa avec véhémence.

— Ah ! Docteur Favre ! haleta-t-il. Je venais justement vous chercher. Un appel de l'étranger pour vous.

Il lui transmit un morceau de papier plié.

— Ils ont refusé de me laisser un message et ont insisté sur le fait que c'était urgent.

Sur la feuille, un nom était écrit très lisiblement : *Compagnie biochimique St Savin*. Une entreprise pharmaceutique française. Favre rangea la note dans sa poche de veste :

— Je prends l'appel.

— Il y a un salon privé qui…

— Oui, je sais.

Le réceptionniste sur ses talons, il rejoignit la modeste cabine à gauche du comptoir. Il laissa l'homme à la porte, s'assit sur un siège rembourré qui sentait le moisi mélangé à l'eau de Cologne et à la transpiration, puis il s'empara du téléphone :

— Docteur Louis Favre.

— *Bonjour**, docteur. Nous aurions besoin de vos services.

— Si vous avez ce numéro, je suppose que vous connaissez mes tarifs.

— En effet.

— Puis-je savoir de quel type de service il s'agit ?

— *Première**.

Ses doigts se crispèrent autour du combiné. *Première classe*. Autrement dit, une somme supérieure à six chiffres.

— Lieu ?

— La forêt tropicale brésilienne.

— Objectif ?

L'homme parla rapidement. Louis écouta sans prendre de notes. Chaque chiffre se gravait aussitôt dans son esprit, tout comme les noms, un en particulier. Tandis qu'il se redressait intrigué, son interlocuteur termina son laïus :

— Nous vous demandons de suivre l'équipe américaine et, quoi qu'elle découvre, de vous en emparer.

— Et l'autre équipe ?

Pas de réponse, juste quelques parasites sur la ligne.

— Je comprends et j'accepte, annonça Louis. Je veux la moitié de l'argent sur mon compte demain avant la fermeture des bureaux. Sinon, tous les détails concernant les Américains et leurs moyens doivent m'être faxés sur ma ligne privée au plus vite.

Il communiqua le numéro.

— Ce sera fait dans l'heure.

— *Très bien**.

Affaire conclue.

Louis raccrocha et s'affala sur le siège. Il oublia un instant la somme qu'il allait engranger et les milliers de détails à régler pour monter sa propre brigade. À cet instant-là, un nom brillait dans son esprit comme un feu follet. Le type de St Savin, qui n'avait pas conscience de son importance à ses yeux, ne s'était pas attardé dessus. S'il l'avait su, il aurait révisé son offre d'emploi à la baisse. En fait, Louis aurait accepté le contrat pour le prix d'une bouteille de piquette. Il prononça le nom dans un soupir, goûtant les sonorités sur sa langue :

— *Carl Rand.*

Sept ans plus tôt, Louis Favre était biologiste au sein de la *Base biologique nationale de recherche**, première fondation scientifique française. Spécialisé dans les écosystèmes de la forêt tropicale, il avait travaillé aux quatre coins de la planète : Australie, Bornéo, Madagascar, Congo… mais il avait surtout passé quinze ans à étudier la jungle amazonienne. Il avait sillonné la région de long en large, s'y était fait un nom et avait vu sa réputation grandir à travers le monde.

Jusqu'à ce qu'il croise la route du satané Dr Carl Rand.

L'industriel avait jugé ses méthodes de travail douteuses lorsqu'il était tombé par hasard sur le traitement que Favre avait infligé à un chaman local. D'après le Dr Rand, couper les doigts d'un homme un par un n'était pas la meilleure méthode pour obtenir des informations et aucune somme d'argent n'avait pu le convaincre du contraire. Évidemment, la découverte chez Favre de carcasses de caïmans noirs, une espèce menacée, et de fourrures de jaguars n'avait pas aidé non plus. L'Américain ne semblait pas comprendre que compléter ses revenus grâce au marché noir était un simple choix de vie.

Hélas pour Favre, Carl et ses collègues brésiliens étaient plus nombreux. Le Français avait été incarcéré mais, heureusement, comme il avait beaucoup d'appuis à Paris et assez d'argent pour corrompre quelques officiels locaux, il avait pu s'évaporer sans autre punition qu'une tape sur la main.

En revanche, la véritable claque, celle qui lui avait fait le plus mal, c'était que l'incident avait définitivement sali sa réputation. Ruiné, il avait dû fuir le Brésil pour la Guyane française. Toujours plein de ressources et fort de ses contacts au marché noir, il y avait créé une équipe de mercenaires aguerris aux dangers de la jungle. En cinq ans, son groupe avait escorté des convois de drogue en provenance de Colombie, chassé plusieurs espèces menacées pour des collectionneurs privés, éliminé un émissaire gênant du gouvernement brésilien lors d'une opération dans une mine d'or et même rasé un village de paysans opposés à l'installation d'une entreprise d'abattage d'arbres sur leur territoire. Bref, que des affaires juteuses !

La dernière offre venait de tomber : traquer dans la jungle une expédition militaire américaine partie à la recherche de Carl Rand et leur dérober ce qu'ils pourraient découvrir, le tout pour obtenir avant les autres un composé régénérateur qu'auraient peut-être trouvé les explorateurs.

Ce genre-là de requête n'était pas une première. Depuis quelques années, la course aux nouveaux médicaments issus de la forêt tropicale devenait effrénée, car ils représentaient une industrie de plusieurs milliards de dollars. On parlait même d'*or vert*. La recherche de produits miracles avait déclenché une nouvelle « ruée vers l'or » en Amazonie et, dans une forêt impénétrable où des sommes colossales alimentaient une économie de fermiers misérables et d'Indiens illettrés, trahisons et atrocités étaient monnaie courante. Il n'y avait personne pour espionner, personne pour raconter ce qui s'y déroulait. Chaque année, la jungle avalait des milliers d'entre eux, tués par des animaux sauvages, des maladies ou des blessures. Que valaient quelques morts de plus ou de moins ? Un biologiste par-ci, un ethnobotaniste ou un chercheur en pharmacie par-là ?

Eh bien ! Louis Favre était sur le point de rejoindre la mêlée, financé par une compagnie pharmaceutique française. Il se leva, guilleret. Quatre ans plus tôt, il avait été ravi d'entendre que Carl Rand avait disparu. Il s'était soûlé, buvant à la malchance de son rival, et voilà qu'à présent on lui offrait l'occasion de planter le dernier clou dans le cercueil du salaud, de lui voler ce qu'il avait découvert et d'entasser quelques cadavres sur sa tombe.

Louis sortit par la porte du petit salon.

— J'espère que tout s'est bien passé, docteur Favre ! lança poliment le concierge depuis son guichet.

— Impeccable, Claude. Vraiment parfait.

Il rejoignit le vieil ascenseur en fer forgé et en bois qui ne pouvait pas accueillir plus de deux personnes. Impatient de partager la nouvelle, il appuya sur le bouton du sixième étage, où se trouvaient ses appartements.

Après une montée tout en cliquetis et en grincements, il longea l'étroit couloir d'un pas rapide. Comme plusieurs clients qui avaient pris pension permanente à l'hôtel Seine, Louis bénéficiait d'une suite : deux chambres, une cuisine, un vaste salon ouvrant sur un balcon ouvragé et même un petit bureau doté d'une bibliothèque. L'endroit n'était guère luxueux, mais il faisait l'affaire. Le personnel de l'hôtel, discret, était habitué aux excentricités de ce couple un peu particulier.

Dès que Louis introduisit la clé dans la serrure et entra, deux choses le frappèrent. D'abord, une odeur familière emplissait la pièce. Posé sur la modeste cuisinière à gaz, un récipient contenait une décoction de feuilles d'ayahuasca qui produisait une puissante tisane hallucinogène baptisée *natem* ou « liane des esprits ».

L'homme entendit aussi crisser le fax du petit bureau. Ses nouveaux employeurs étaient vraiment efficaces.

— Tshui !

Il n'attendait aucune réponse mais, chez les Indiens Shuar, une personne annonçait toujours sa présence en pénétrant dans une hutte. La porte de la chambre était entrebâillée.

Souriant, il vit une nouvelle feuille tomber du fax sur la pile grandissante. Les détails de sa mission à venir.

— Tshui, j'ai des nouvelles formidables !

La page qui venait d'atterrir sur le dessus recensait la liste des personnes composant l'équipe américaine de recherche.

```
22 h 45 NOTE DE MISE A JOUR
De : Station de Base Alpha

I. Opération AMAZONIA : Liste des civils

   (1) Kelly O'Brien, médecin - MEDEA
   (2) Francis J. O'Brien - Centre envi-
   ronnemental, CIA
```

(3) Olin Pasternak, Direction des sciences et technologies, CIA
(4) Dr Richard Zane — Directeur de recherche chez Tellux Pharmaceuticals
(5) Dr Anna Fong — Tellux Pharmaceuticals

II. Opération AMAZONIA : Soutien militaire — 75ᵉ Unité de Rangers de l'armée US

CAPITAINE : Craig Waxman
SERGENT-CHEF : Alberto Kostos
CAPORAUX : Brian Conger, James DeMartini, Rodney Graves, Thomas Graves, Dennis Jorgensen, Kenneth Okamoto, Nolan Warczak, Samad Yamir

III. Opération AMAZONIA : Équipe locale

(1) Manuel Azevedo — FUNAI, Ressortissant brésilien
(2) Dr Resh Kouwe — FUNAI, Représentant des peuples indigènes
(3) Dr Nathan Rand — Ethnobotaniste, Ressortissant américain

Louis faillit rater le dernier nom. Il serra le fax dans son poing. *Nathan Rand*, le fils de Carl Rand. Logique ! Le garçon n'aurait jamais laissé partir une équipe pour retrouver son père sans l'accompagner. Ravi de l'aubaine, Louis ferma les yeux. Comme si les dieux de la jungle avaient agi en sa faveur, la vengeance qui n'avait pu s'abattre sur le père allait frapper le fils. C'était presque biblique.

Lorsqu'il entendit un léger froissement dans la chambre voisine, il lâcha sa feuille. Il aurait bientôt tout le loisir d'éplucher les détails pour échafauder un plan mais, là, tout de suite, il voulait jouir de l'instant et de l'heureux hasard.

— Tshui !

Il poussa doucement la porte et entra. Entourée de bougies et d'encens, sa maîtresse était étendue, nue, sur le grand lit à baldaquin drapé de soie blanche, la moustiquaire relevée. La peau cuivrée de la petite Shuar brillait à la lueur des chandelles. Ses longs cheveux noirs formaient un halo autour d'elle, tandis que ses paupières lourdes trahissaient à la fois son désir et les effets du *natem*. Deux tasses trônaient sur la table de nuit, l'une vide, l'autre pleine.

Comme toujours, Louis fut époustouflé par la beauté de la femme qu'il aimait. Il l'avait rencontrée trois ans plus tôt en Équateur. Épouse d'un chef Shuar, exaspérée par ses infidélités, elle l'avait tué à coups de machette. Bien que l'adultère et le meurtre soient très répandus chez les rudes Shuar, Tshui avait néanmoins été bannie de sa tribu et envoyée nue dans la jungle. Personne, pas même la famille du chef, n'aurait osé la toucher. Dans la région, elle avait la réputation d'être une des rares femmes chamanes qui, de plus, pratiquait le *wawek*, la sorcellerie maléfique. Sa connaissance des poisons, de la torture et de l'art perdu du *tsantsa*, la réduction de tête, était à la fois crainte et respectée. En fait, le seul ornement qu'elle avait porté à son départ du village était la tête réduite de son mari, pendant entre ses seins au bout d'un cordon tressé.

C'était dans le plus simple appareil que Louis l'avait donc rencontrée, créature sauvage et magnifique. Il avait beau avoir une femme en France dont il était séparé, il avait choisi Tshui comme épouse. Elle avait accepté, d'autant que les mercenaires de

Favre avaient massacré les hommes, les femmes et les enfants de son village, assouvissant ainsi sa vengeance.

Depuis lors, le couple était inséparable. Tshui, qui l'accompagnait dans toutes ses missions, maîtrisait l'art de l'interrogatoire, connaissait la jungle sur le bout des doigts et continuait à collecter ses trophées au fil des expéditions.

Tout autour de la pièce se trouvaient quarante-trois *tsantsa*, pas plus gros qu'une pomme flétrie, les paupières et les lèvres cousues, les cheveux dégoulinant sur le rebord des étagères comme des tillandsias auraient pendu d'un arbre. Son habileté à réduire les têtes était incroyable. Louis l'avait déjà vue faire.

Une fois lui avait suffi.

Avec une dextérité chirurgicale, elle écorchait le crâne de son sujet en un seul morceau, parfois quand il était encore vivant et qu'il hurlait à la mort. Quelle artiste ! Après avoir fait bouillir la peau avec les cheveux et l'avoir fait sécher au-dessus de cendres brûlantes, elle cousait la bouche et les yeux à l'aide d'une aiguille en os, puis remplissait la tête de sable et de cailloux chauds. À mesure que la peau commençait à rétrécir, elle modelait sa forme avec les doigts. Tshui avait un talent diabolique pour sculpter des têtes qui ressemblaient de manière saisissante au visage initial.

Louis regarda son dernier chef-d'œuvre posé sur la table de chevet. C'était un officier de l'armée bolivienne qui avait eu la mauvaise idée de vouloir faire chanter un passeur de cocaïne. De la moustache taillée à la frange sur le front, les détails étaient hallucinants. La collection n'aurait pas dépareillé dans les plus grands musées. D'ailleurs, le personnel de l'hôtel Seine pensait que Louis était un anthropologue universitaire qui réunissait justement les spécimens pour un musée et, à supposer qu'une femme de chambre ait eu d'autres idées en tête, elle savait se montrer discrète.

— *Ma chérie**, souffla-t-il. J'ai de merveilleuses nouvelles.

Tshui roula sur le lit et, d'un petit bruit, l'encouragea à la rejoindre. Elle parlait peu. Un mot ici ou là. Le plus souvent, comme certains félins sauvages, elle n'était que regards, mouvements et doux ronronnements.

Louis ne put résister. Il se débarrassa de son chapeau, ôta sa veste et se retrouva vite aussi nu qu'elle. Son corps était mince, musclé et couvert de balafres. Il avala la dose de *natem* qu'elle avait laissé à son intention et, tandis qu'elle caressait paresseusement une cicatrice qui partait de son ventre jusqu'à l'aine, il sentit un frisson lui parcourir l'échine.

Le temps que la drogue envahisse son corps et exacerbe ses sens, il se laissa tomber sur sa femme. Elle s'ouvrit à lui et il se glissa dans sa chaleur, heureux. Il l'embrassa fougueusement, pendant qu'elle lui griffait le dos de ses ongles acérés.

Très vite, il vit les couleurs et les lumières danser devant lui. La chambre se mit à tourner sous l'effet des alcaloïdes de la tisane. Un bref instant, il eut l'impression que les dizaines de têtes réduites observaient leur jeu, les yeux des morts posés sur lui tandis qu'il la pénétrait. La présence d'un public l'excita d'autant plus. Il plaqua Tshui sous ses reins, arquant le dos comme il entrait en elle encore et encore, puis il étouffa un cri.

Tout autour, des yeux aveugles contemplaient leurs ébats.

Louis eut une dernière pensée avant d'être entièrement consumé par son désir et l'exquise douleur qui le submergeait. Un dernier trophée à ajouter sur l'étagère, souvenir du fils de l'homme qui l'avait ruiné : *la tête de Nathan Rand*.

ACTE DEUX

SOUS LA CANOPÉE

PERVENCHE

ESPÈCES : Mineure, majeure
GENRE : *Vinca*
FAMILLE : Apocynacées
NOMS USUELS : Pervenche, violette des morts, herbe à la capucine, *Vincapervinca*
PARTIES UTILISÉES : Toute la plante
PROPRIÉTÉS/ACTIONS : Analgésique, antibactérien, antimicrobien, anti-inflammatoire, antipyrétique, astringent, cardiotonique, carminatif, dépuratif, diurétique, emménagogue, hémostatique, hypotenseur, lactagogue, hépatoprotecteur, sédatif, sialagogue, spasmolytique, stomachique, tonique, vulnéraire

Chapitre 4

Wauwai

7 août, 8 h 12
Quelque part au-dessus de la jungle amazonienne

Nathan regarda au carreau de l'hélicoptère. Malgré les casques censés atténuer le bruit, le grondement assourdissant des pales isolait chaque passager dans son cocon.

En contrebas, une vaste mer verte s'étendait à perte de vue, comme si le monde entier était recouvert de forêts. Seuls points de rupture dans l'immensité uniforme de la canopée ? Les *émergents*, arbres gigantesques pointant leurs couronnes feuillues au-dessus de leurs congénères, des monstres des bois où nichaient toucans et autres aigles harpies. Parfois aussi, le manteau de chlorophylle était troublé par une vague rivière sombre qui sinuait paresseusement à travers la forêt.

En dehors de quoi, la jungle restait majestueuse, impénétrable, infinie.

Nathan cala son front contre la vitre. Allait-il retrouver son père en bas, quelque part ? Sinon, obtiendrait-il au moins des réponses à ses questions ?

Le jeune homme sentit le germe amer et aigre de l'angoisse tapi au fond de lui. Pourrait-il supporter ce qu'il allait découvrir ? Au bout de quatre ans d'ignorance totale, il avait appris une chose : certes, le temps guérissait les blessures, mais il laissait de vilaines cicatrices.

Après la disparition de son père, Nate s'était isolé du monde, d'abord dans le fond d'une bouteille de Jack Daniel's, puis sous l'emprise de drogues plus puissantes. De retour aux États-Unis, il avait entendu ses médecins user de périphrases telles que *sentiment d'abandon*, *désinvestissement*, *dépression nerveuse*, alors que pour le jeune orphelin, ce n'était qu'une perte de confiance en la vie. Hormis Manny et Kouwe, il n'avait plus tissé d'amitiés réelles. Il était devenu trop dur, trop insensible, trop marqué.

En fait, il avait dû regagner la jungle pour retrouver un semblant de paix et voilà qu'à présent…

Était-il disposé à rouvrir de vieilles plaies ? À affronter une telle douleur ?

Ses écouteurs radio grésillèrent, puis la voix du pilote couvrit le mugissement des rotors :

— On est à vingt kilomètres de Wauwai ! Mais il y a de la fumée à l'horizon !

Malgré ses efforts, Nathan n'aperçut que les terres en dessous. QG secondaire à l'équipe de recherche, Wauwai servirait de base arrière, où ils pourraient préparer leurs marches en forêt et se ravitailler. Deux heures plus tôt, les trois hélicoptères Huey et le Comanche noir avaient décollé de São Gabriel, transportant les provisions, le matériel, l'armement et le personnel nécessaires. Dès que l'expédition s'enfoncerait dans la jungle, les Huey assureraient la liaison Wauwai/São Gabriel pour apporter des vivres supplémentaires, des hommes et du carburant. Pendant ce temps-là, le Comanche resterait stationné à la mission : en cas d'urgence, l'arsenal et l'autonomie du bel oiseau noir protégeraient ainsi l'équipe depuis les airs.

Tel était le plan.

— La fumée semble venir de notre destination, précisa le pilote. Le village brûle.

Nathan se redressa. *Il brûle ?* Il promena son regard à la ronde. En plus des deux O'Brien, il partageait l'habitacle avec le professeur Kouwe, Richard Zane et Anna Fong. Le septième et dernier passager était l'homme fermé qui avait assisté au débriefing, celui qui avait une horrible cicatrice en travers du cou. Agent de la CIA détaché au département science et technologie, Olin Pasternak, qui leur avait été présenté dans la matinée, fixait Nate de ses prunelles bleu glacier, la mine impassible.

Frank porta le micro à ses lèvres :

— On peut atterrir quand même ?

— D'ici, je ne peux pas vous l'assurer, monsieur. Le capitaine Waxman part devant afin d'analyser la situation.

Un hélicoptère rompit la formation et accéléra, tandis que le leur ralentissait. Au moment où ils virèrent de bord, Nathan constata qu'une colonne de fumée s'élevait du tapis de verdure à l'horizon et montait très haut dans le ciel bleu. Les autres passagers se déplacèrent pour s'approcher de la fenêtre.

Kelly O'Brien se pencha par-dessus l'épaule de Nathan, le regard perdu dans la fumée. Il vit ses lèvres bouger. Le bruit et les casques l'empêchaient d'entendre mais, devant sa bouche pincée et ses yeux plissés, il comprit qu'elle n'était pas ravie.

Lorsqu'elle se sentit dévisagée, elle détourna la tête et rougit légèrement.

— On a le feu vert du capitaine, les amis, annonça le pilote. La piste n'est pas sous le vent. Préparez-vous, s'il vous plaît.

Chacun revint boucler sa ceinture de sécurité. Bientôt, l'essaim d'hélicoptères décrivit des cercles autour du village. Les pilotes veillaient à ne pas envoyer de fumée vers le terrain d'atterrissage en déplaçant l'air avec leurs rotors. Nathan ignorait d'où provenaient les flammes. Alors que les appareils se plaçaient en file indienne, il ne distingua que la chaîne humaine occupée à transmettre les seaux d'eau depuis la rivière.

Apparut alors une église en bois dont le clocher était blanchi à la chaux. L'origine du feu se situait à l'autre bout du bâtiment. Posté sur le toit, quelqu'un tentait d'humidifier les bardeaux.

Au moment de se poser, les patins de l'hélicoptère tressaillirent légèrement, puis la porte latérale s'ouvrit et Frank fit signe à tout le monde de débarquer.

Dès qu'il ôta son casque, Nathan fut agressé par le bruit des pales. Il déboucla son harnais et se dépêcha de descendre. Une fois à l'abri des rotors, il s'étira et scruta la zone. Le dernier Huey avait atterri en bout de piste. À en juger par le sol labouré et les sillons vides, l'ancien potager du village servait à présent de tarmac.

Les Rangers s'affairaient déjà. Une poignée d'entre eux sortit le matériel et les provisions, tandis que d'autres rejoignaient l'église à petites foulées afin d'aider les habitants à maîtriser l'incendie.

À mesure que le vacarme des hélicoptères diminua, on entendit de nouveau des voix : des ordres criés par-delà l'église, des discussions de soldats déchargeant les caisses.

Kelly émergea de l'hélicoptère :

— On doit trouver le padre qui a découvert l'agent Clark. Il faut l'interroger si on veut partir rapidement.

Sur ses talons, son frère acquiesça et ils partirent du côté de l'église.

Quelqu'un tapa sur l'épaule de Nate. C'était le professeur Kouwe qui, le doigt pointé vers la fumée, lâcha :

— Allons leur donner un coup de main.

Ce qu'ils découvrirent derrière l'église relevait du pur chaos : des gens chargés de seaux et de pelles couraient partout, les flammes dévoraient le village, des tourbillons de fumée rendaient l'atmosphère irrespirable.

— Mon Dieu !

Entre l'église et la rivière s'élevaient une centaine de maisons, dont les trois quarts étaient en train de flamber.

Les deux hommes coururent offrir leur aide pour tirer de l'eau. Autour d'eux s'activaient des Indiens à la peau cuivrée, des missionnaires blancs et des Rangers en uniforme mais, après une heure de labeur, ils finirent tous par se ressembler : ce n'étaient plus que des sauveteurs couverts de suie, suffoquant et toussant à cause de la fumée.

Nathan portait des seaux, étouffait les flammes et cherchait à contenir le feu autour du quartier incendié. À l'intérieur de la zone, il suffisait de quelques secondes pour que les cabanes au toit de palmes se transforment en énormes torches. Grâce à l'arrivée des renforts, le feu s'éteignit rapidement à mesure que les maisons terminaient de se consumer. Seules quelques braises rougeoyantes parsemaient encore le paysage enfumé et désolé.

Dans la cohue, Nate avait perdu la trace du professeur mais, plutôt que de le chercher, il se laissa tomber aux côtés d'un grand Brésilien baraqué. Au bord des larmes, l'homme marmonnait une espèce de prière en portugais. Sans doute s'agissait-il d'un missionnaire.

Nate retira le linge qui lui couvrait le nez et la bouche, puis souffla en portugais :

— Je suis désolé. Il y a des morts ?

— Cinq. Tous des enfants.

La voix du religieux se brisa.

— Hélas, la fumée a dû en intoxiquer beaucoup d'autres.

— Que s'est-il passé ?

L'homme nettoya la suie sur son visage avec un mouchoir :

— C'est m… ma faute. J'aurais dû le prévoir.

Il contempla l'église et son clocher derrière lui : hormis quelques traces de fumée et de cendres, elle avait été épargnée. Les épaules secouées de sanglots, le missionnaire mit un moment à se reprendre :

— C'est moi qui ai décidé d'envoyer la dépouille à Manaus.

Nathan comprit soudain à qui il s'adressait :

— Padre Batista ?

L'homme qui avait découvert Gerald Clark.

— Puisse Dieu me pardonner, confirma le grand Brésilien.

Nathan l'éloigna des ruines calcinées du village pour le conduire à travers les champs verdoyants demeurés intacts. Tandis qu'il se présentait rapidement, il croisa un Ranger couvert de suie et de sueur auquel il demanda d'aller chercher les O'Brien.

Avec un bref signe de tête, le soldat s'exécuta.

Nate guida le padre vers le perron en bois de son église. La nef était sombre et fraîche. Des rangées de bancs vernis se dressaient jusqu'à l'autel et son immense crucifix en acajou. L'endroit était quasi désert, à l'exception de quelques Indiens étendus à même le sol, épuisés. Nathan installa le padre sur la première travée de sièges.

L'homme s'y effondra, les yeux rivés au crucifix :

— Tout est ma faute...

Tête basse, il joignit ses mains pour prier.

En silence, Nathan le laissa se recueillir. Soudain, la porte à deux battants s'ouvrit sur Frank et Kelly, le professeur Kouwe sur leurs talons. Tous les trois étaient noirs de cendres.

Leur arrivée déconcentra le padre Batista de sa prière. Après avoir fait les présentations, Nathan s'assit à côté du prêtre :

— Racontez-moi comment le feu a démarré.

Garcia regarda à la ronde, poussa un soupir lourd et lorgna ses pieds :

— C'est ma vision étroite des choses.

Kelly s'installa auprès du religieux :

— Que voulez-vous dire ?

— La nuit où le malheureux a surgi de la forêt, un chaman yanomami m'a reproché de l'avoir amené à la mission. Il m'a même sommé de brûler le corps. (À Nathan :) Comment aurais-je pu faire une chose pareille ? Il avait sans doute une famille. Peut-être même était-il chrétien.

Son jeune interlocuteur lui prit la main :

— Bien sûr.

— Je n'aurais pas dû prendre les superstitions indiennes autant à la légère. J'ai trop cru en la conversion de mes ouailles au catholicisme. Il y a même eu des baptêmes.

Il secoua tristement la tête. Nate comprit :

— Ce n'est pas votre faute. Certaines croyances sont trop ancrées pour être balayées d'un simple sacrement.

Le padre Batista s'affaissa encore un peu :

— Au début, tout allait bien. Le chaman était furieux que je refuse de brûler le corps, mais il avait accepté ma décision et, au moins, le cadavre avait quitté le village, ce qui semblait l'avoir apaisé.

— Qu'est-ce qui l'a fait changer d'avis ? demanda Kelly.

— Une semaine plus tard, deux enfants de la mission ont attrapé de la fièvre. Rien d'exceptionnel... Sauf qu'à entendre le chaman, c'était le signe d'une malédiction venue du cadavre.

Nate acquiesça. Il avait été témoin de telles croyances. Dans la plupart des tribus, la maladie était considérée comme liée à un sort lancé par le sorcier d'un autre village. Des guerres avaient même éclaté sur de telles accusations.

— Il n'y avait rien à faire pour l'en dissuader. Les jours suivants, trois autres enfants sont tombés malades. L'un d'eux venait du *shabono* yanomami et la tension a alors commencé à monter. Effrayées, des familles ont plié bagage. Chaque nuit, on entendait les roulements de tambours et les clameurs des incantations.

Garcia ferma les yeux.

— Par radio, j'ai demandé une assistance sanitaire. Quand un médecin est arrivé de Junta quatre jours plus tard, les Indiens ont refusé de le laisser examiner leurs enfants : le chaman yanomami les avait convaincus. J'ai plaidé en faveur du docteur, mais ils n'ont rien voulu savoir, préférant confier leur progéniture au sorcier guérisseur.

Nathan frémit. Il jeta un coup d'œil à Kouwe qui, d'un signe de tête, lui conseilla de ne pas broncher.

Le padre continua :

— La nuit dernière, au grand désespoir de la population indienne, un enfant est mort. Pour couvrir son échec, le chaman a déclaré que le village était maudit et que tout le monde devait partir. J'ai essayé d'enrayer la panique, mais il les avait sous sa coupe. Juste avant l'aurore, d'autres Yanomami et lui ont mis le feu à leur propre hutte, puis ils se sont sauvés dans la jungle.

Garcia sanglota de plus belle.

— Ce... ce monstre a abandonné les gosses malades à l'intérieur. Il les a brûlés vifs !

Il s'enfouit le visage entre les mains.

— Avec si peu de bras disponibles pour combattre l'incendie, les flammes se sont vite propagées. Si vous n'étiez pas arrivés, on aurait tout perdu. Mon église, mon troupeau...

Nathan posa la main sur son épaule :

— Ne désespérez pas. On peut vous aider à reconstruire.

Du regard, il chercha l'assentiment de Kelly et de son frère.

Frank se racla la gorge :

— Bien entendu. Un contingent de Rangers et de chercheurs restera ici après le départ de notre expédition. Je parie qu'ils n'hésiteront pas à vous apporter du matériel en hélicoptère et à vous prêter main-forte pour rebâtir le village.

Le prêtre parut reprendre courage :

— Dieu vous bénisse.

— Nous ferons notre possible, renchérit Kelly, mais le temps nous est aussi compté, padre. Nous espérons suivre rapidement la piste de cet homme avant qu'elle ne s'évanouisse.

Après s'être essuyé les yeux et le nez, Garcia répondit d'une voix lasse :

— Bien sûr, bien sûr. Je vous dirai tout ce que je sais.

Son récit fut bref. Le prêtre leur raconta l'histoire du mourant pendant qu'il les conduisait derrière l'autel, vers les parties communes de l'église. La salle à manger avait été transformée en hôpital improvisé pour les villageois intoxiqués par la fumée, mais personne n'avait l'air grièvement blessé. Garcia expliqua qu'il avait convaincu quelques Indiens de remonter la piste de Clark, au cas où il aurait eu un compagnon avec lui. Elle les avait menés jusqu'à un affluent de la Japurá. Aucun bateau n'y avait été découvert et, si les traces paraissaient longer la rivière vers l'ouest dans les parties les plus reculées de la forêt, les Indiens avaient eu trop peur de s'aventurer au-delà.

Kelly se pencha vers la fenêtre qui donnait sur le jardin :

— Quelqu'un pourrait-il nous montrer cet affluent ?

Le padre Batista acquiesça. Il s'était lavé le visage et semblait avoir récupéré un peu. D'après sa voix et son comportement, il était en train de surmonter le choc :

— Je peux demander à Henaowe de vous y conduire.

Il désigna un petit Indien.

Nathan s'étonna de découvrir un Yanomami.

— C'est le seul de la tribu à être resté, soupira Garcia. L'amour de notre Seigneur Jésus-Christ en aura au moins sauvé un.

Il lui fit signe d'approcher et s'adressa à lui dans son dialecte avec une rapidité et une aisance surprenantes.

Henaowe acquiesça, mais Nathan vit une lueur d'effroi briller au fond de ses yeux. Rescapé ou pas, l'Indien était encore imprégné de vieilles superstitions.

Au moment où ils sortirent par l'arrière, la chaleur tropicale leur tomba dessus comme une couverture de laine mouillée. Ils contournèrent les hélicoptères et constatèrent alors l'efficacité des Rangers : des sacs à dos bien empaquetés étaient alignés par terre, un soldat derrière chacun d'eux.

Le capitaine Waxman procédait à l'inspection des hommes et du matériel :

— On peut partir dès que vous nous donnerez le feu vert.

Le quadragénaire était l'archétype du militaire : visage de marbre, épaules larges, treillis impeccable. Même ses cheveux bruns étaient coupés très ras.

— Nous sommes prêts, annonça Frank. Quelqu'un va nous conduire sur la piste.

D'un coup de menton, il indiqua le petit Indien. L'air approbateur, Waxman fit volte-face et lança à ses troupes :

— Sacs sur le dos !

Kelly conduisit leur groupe vers une autre rangée de sacs à dos moitié moins gros. Nathan y retrouva les derniers membres de l'expédition. Tous deux vêtus de tenues kaki avec le logo de Tellux sur l'épaule, Anna Fong et Richard Zane étaient en grande conversation. À leurs côtés, Olin Pasternak – l'homme à la cicatrice – portait une combinaison grise, propre mais élimée, et des bottes noires. Il s'empara du paquetage le plus imposant qui, Nate le savait, contenait le matériel de communication par satellite. Pourtant, loin de faire spécialement attention à un équipement si fragile, le Russe s'intéressait surtout au dernier membre de l'expédition... ou plutôt *aux derniers membres*.

Nate sourit. Il n'avait pas vu Manny depuis leur départ de São Gabriel. Le biologiste brésilien avait voyagé seul à bord de son Huey pour une raison très évidente. Son fouet dans une main et une laisse en cuir dans l'autre, il salua son ami.

— Comment Tor-tor a-t-il supporté le vol ?

Manny tapota le flanc de son jaguar de cent kilos :

— Comme un chaton. Rien de tel que les merveilles de la chimie moderne.

L'animal chancelait encore sous les derniers effets du tranquillisant. Tout en muscles, sa fourrure orangée brillant au soleil, il renifla le pantalon de Nate, sembla en reconnaître l'odeur et y fourra son museau, à moitié engourdi.

— Ce grand garçon a toujours eu un faible pour toi, gloussa Manny.

Nate s'agenouilla et grattouilla le fauve sous la gueule, ce qui lui valut un ronronnement de satisfaction :

— Mon Dieu, il est tellement plus gros que la dernière fois.

Olin Pasternak observa l'animal d'un air bougon, puis grommela dans sa barbe avant de se retourner, *a priori* peu impressionné par le nouveau membre de l'équipe.

Nathan se releva. Ils avaient eu du mal à intégrer Tor-tor à l'expédition, mais Manny avait insisté. À l'approche de sa maturité sexuelle, le félin avait besoin de se frotter à la jungle le plus souvent possible. L'expédition lui serait donc très profitable et, comme il avait été bien dressé, il pourrait se montrer utile pour les protéger ou les aider à retrouver une piste.

Nathan avait soutenu la demande de son ami : si l'équipe voulait obtenir la coopération des Indiens, la présence de Tor-tor serait un gage de confiance. Les jaguars étant vénérés par les indigènes, l'animal donnerait aussitôt du crédit aux explorateurs.

Anna Fong avait accepté.

Peu à peu, Frank et le capitaine Waxman s'étaient laissé convaincre et Tor-tor avait été autorisé à se joindre au groupe.

Restée à distance raisonnable du jaguar, Kelly souffla :

— Il est temps de lever le camp.

Nathan ramassa son sac garni du strict nécessaire : hamac, moustiquaire, aliments lyophilisés, vêtements de rechange, machette, gourde et filtre. Voilà ce qui lui suffisait pour tenir des mois entiers en pleine jungle. Les richesses de la forêt étaient à portée de main, depuis les fruits et les baies jusqu'aux racines et aux plantes comestibles en passant par du gibier et du poisson en abondance. Inutile donc de se charger avec de la nourriture.

Autre élément essentiel de son équipement : un fusil à canon court, qu'il mit en bandoulière. Malgré la protection des Rangers, Nate préférait avoir une arme sur lui.

— Allez, go ! lança Kelly. On a déjà perdu la matinée à éteindre le feu.

Lorsque la jeune femme svelte enfila son sac à dos, il ne put s'empêcher de fixer ses longues jambes, puis s'obligea à regarder plus haut : la grande croix rouge imprimée sur son paquetage signalait qu'il s'agissait de fournitures médicales.

Frank passa rapidement les civils de l'équipe en revue. Arrivé devant Nate, il sortit de sa poche une casquette de base-ball délavée et la vissa sur sa tête.

La même qu'il portait déjà à l'hôpital de São Gabriel.

Le jeune botaniste montra le logo des Red Sox de Boston :

— Vous êtes fan ?

— C'est aussi mon porte-bonheur. En route !

Sur quoi, un cortège de dix-huit personnes s'enfonça au cœur de la forêt tropicale, conduit par un petit Indien aux yeux écarquillés.

Kelly ne s'était jamais aventurée dans la jungle. Pour préparer son voyage, elle avait scanné des livres, des articles, mais sa plongée dans le vif du sujet contredit bientôt ce qu'elle avait imaginé.

Derrière les quatre hommes de tête, elle était émerveillée par la nature. Rien à voir avec une masse impénétrable de plantes poisseuses et surdimensionnées ! On avait plutôt l'impression de traverser une cathédrale de végétation. Le toit de branches entremêlées qui formait une arche au-dessus de leurs têtes absorbait la majeure partie des rayons solaires et enveloppait tout d'un halo vert. Kelly avait lu que moins de 10 % de la lumière du jour réussissait à percer le couvercle émeraude. Voilà pourquoi le sol était étonnamment dénué de plantes. On avait plutôt affaire à un monde d'ombres et de décomposition, domaine réservé des insectes, des champignons et des racines.

La quasi-absence de végétation ne facilitait pourtant pas la marche. La terre était jonchée de souches ou de branches putréfiées, couvertes de moisissures jaunes. Kelly sentait qu'à tout moment, ses bottes pouvaient déraper sur l'épais tapis noir de feuilles pourries, tandis que les racines contreforts des arbres géants serpentaient sous les feuilles, augmentant ainsi le risque de se tordre la cheville.

Bien que la flore fût peu abondante à ce niveau-là, elle n'était pas non plus inexistante : le sol était festonné de fougères, de bromelias épineux, de gracieuses orchidées, de minces palmiers et, tout autour, de plantes semblables à des cordes, qu'on appelait *lianes*.

Le bruit d'une claque attira son attention.

Son frère se frictionna le cou :

— Satanées mouches !

Kelly lui tendit un flacon de répulsif anti-insectes :

— Mets-en plus.

Il enduisit ses bras, ses jambes et s'en tartina un peu la nuque.

À côté de la jeune femme, Nathan portait un chapeau de brousse qui lui donnait un faux air de Crocodile Dundee et d'Indiana Jones réunis. Ses yeux bleus brillèrent malicieusement dans l'obscurité de la jungle :

— Vous perdez votre temps, Frank. Quoi que vous mettiez, ce sera parti avec la transpiration en dix minutes.

Kelly ne put qu'admettre la triste réalité. Après un quart d'heure de marche dans la jungle, elle était déjà en nage. Le taux d'humidité sous l'épais feuillage devait avoisiner les 100 %.

— Alors, que suggérez-vous contre les insectes ?

Un sourire narquois aux lèvres, il haussa les épaules :

— Rendez-vous, ignorez-les. Votre bataille est perdue d'avance. Ici, c'est manger ou être mangé et, parfois, il faut accepter d'en payer le prix.

— Avec mon propre sang ? grogna Frank.

— Ne vous plaignez pas, vous vous en tirez à bon compte. Il y a des insectes bien pires là-dedans... et je ne parle pas des grosses bestioles comme les araignées dévoreuses d'oiseaux ou les scorpions noirs de trente centimètres de long. Ce sont les plus petits qui vous auront. Avez-vous entendu parler de l'insecte assassin ?

— Non, je ne crois pas, avoua Frank.

Kelly secoua aussi la tête.

— Il a la fâcheuse habitude de piquer et de déféquer en même temps. Du coup, quand la victime gratte sa plaie, les excréments bourrés de *Trypanosoma cruzi* infiltrent le système sanguin. Après quoi, vous mettez entre un et vingt ans à mourir de lésions cardiaques ou cérébrales.

Frank blêmit et cessa de gratter sa piqûre au cou.

— Il y a aussi les mouches noires qui vous pondent des vers dans les globes oculaires, provoquant la cécité des rivières, ou encore les mouches des sables qui propagent la leishmaniose, une maladie proche de la lèpre.

Kelly fit les gros yeux au botaniste qui tentait d'effrayer son frère :

— Je connais bien les pathologies transmissibles de la région. Fièvre jaune, dengue, malaria, choléra, typhoïde.

D'un coup d'épaule, elle rehaussa son sac bourré de médicaments.

— Je suis préparée au pire.

— Y compris au candiru ?

— De quel genre de maladie s'agit-il ?

— Ce n'est pas une maladie mais un poisson très répandu par ici qu'on appelle parfois « poisson curedent ». Ce petit machin, d'environ six centimètres de long, vit en parasite dans les ouïes de plus gros poissons. Il a la désagréable habitude de remonter l'urètre des hommes et d'y loger.

— D'y loger ? grimaça Frank.

— Il déploie ses piques, s'enfonce dans les chairs, bloque la vessie et vous tue après vingt-quatre heures d'atroces souffrances.

— Comment s'en débarrasse-t-on ?

Kelly, qui se rappelait avoir lu des articles consacrés à la méchante petite bête, répondit sur un ton détaché :

— Le seul moyen est de couper le pénis de la victime pour extraire l'animal.

Frank tressaillit et, d'instinct, se couvrit le bas-ventre :

— Couper le pénis ?

— Bienvenue dans la jungle ! lâcha Nathan.

Kelly savait bien qu'il essayait de leur ficher la trouille et, à son sourire, elle comprit qu'il s'amusait beaucoup.

— Il y a aussi les serpents…

Kouwe décida d'abréger la leçon du Dr Rand :

— Je pense que ça suffit. Comme Nate vous l'a expliqué de manière pour le moins éloquente, la jungle doit être respectée, mais sa beauté le dispute au danger. Elle a autant la capacité de guérir que de rendre malade.

— Et c'est ce qui nous amène ici ! dit une voix masculine.

Kelly se retourna. C'était le Dr Richard Zane. Derrière lui, Anna Fong et Olin Pasternak étaient en grande discussion. Plus loin, Manuel Azevedo et son jaguar suivaient à côté des Rangers, qui assuraient les arrières.

À l'approche du représentant de Tellux, Nate perdit le sourire. Son expression se durcit :

— Que savez-vous de la jungle ? Vous n'avez pas quitté votre bureau de Chicago depuis quatre ans… Si je me souviens bien, à peu près à l'époque où mon père a disparu.

Zane frotta son petit bouc bien taillé et garda sa contenance, mais l'éclair dans ses yeux n'échappa pas à Kelly.

— Je sais ce que vous pensez de moi, docteur Rand. C'est pour ça que je me suis porté volontaire sur cette expédition. Vous savez, j'étais un ami de votre…

— Oh ! Taisez-vous ! lui cracha Nate au visage, le poing serré. Ne dites pas que vous étiez un ami de mon père ! Je suis venu vous voir, je vous ai supplié de continuer les recherches après le renoncement du gouvernement. Et vous avez refusé ! J'ai lu le rapport que vous avez envoyé aux États-Unis depuis Brasilia : *« Je pense que Tellux ne tirera aucun bénéfice à s'acharner à retrouver le Dr Carl Rand. Notre argent sera mieux employé dans d'autres entreprises. »* Vous vous rappelez ? Votre compte rendu a condamné mon père ! Si vous aviez fait pression auprès de la direction…

— Le résultat aurait été le même, siffla Zane entre ses dents. Quelle naïveté ! La décision était prise bien avant que je ne remette mes conclusions.

— Arrêtez de débiter des conneries !

— Après la disparition de l'expédition, Tellux a dû affronter plus de trois cents procès. Familles, assurances, gouvernement brésilien, NSF[1]… Nous étions attaqués de toutes parts. C'est l'une des raisons pour lesquelles il nous a fallu absorber les avoirs d'Ecotek. Nous avons ainsi conservé notre indépendance vis-à-vis des autres compagnies pharmaceutiques voraces. Elles nous rôdaient autour comme des requins attirés par notre carcasse financièrement exsangue. Impossible de continuer à investir dans des recherches *a priori* sans espoir. Nous avions un plus grand combat à mener.

---

1. *National Science Foundation*, agence gouvernementale indépendante américaine qui soutient financièrement la recherche scientifique fondamentale.

Nathan le fusilla en silence.

— La décision *avait* déjà été prise.

— Pardon de ne pas verser ma petite larme sur Tellux.

— Si nous avions perdu la bataille, des milliers de familles se seraient retrouvées sans emploi. Il a fallu faire des choix très durs et je refuse de m'en excuser.

Alors que Nate et Zane continuaient de se défier du regard, Kouwe tenta une médiation :

— Laissons le passé où il est. Si on veut réussir, on va devoir travailler tous ensemble. Je suggère une trêve.

Au bout d'un moment, Zane tendit la main.

Nathan considéra un instant la paume ouverte de son adversaire, puis tourna les talons :

— Allons-y !

Dépité, l'autre laissa retomber sa main :

— Merci d'avoir essayé, professeur.

— Donnez-lui du temps. Même s'il s'en cache, Nathan souffre beaucoup. Il est encore chamboulé par ce qu'il a appris hier.

Le jeune homme marchait d'un pas raide, les épaules en arrière. Kelly s'imagina perdant sa mère, puis son père. C'était un puits de douleur duquel elle ne savait pas si elle serait sortie vivante, surtout si elle avait été seule.

Elle observa son frère, soudain ravie de sa présence.

Un appel retentit en tête du cortège.

— On a atteint la rivière ! lança un Ranger.

Tandis que l'équipe longeait la berge, Nathan dériva en queue de peloton. De temps à autre, derrière le fouillis de végétation à sa droite, il apercevait furtivement le petit affluent aux eaux marronnasses. Depuis quatre heures qu'ils le suivaient, ils avaient dû parcourir environ dix-huit kilomètres. Leur progression était lente et le caporal Nolan Warczak, pisteur expérimenté, tentait de maintenir le cap.

Un guide indien aurait avancé plus vite, d'un pas mieux assuré mais, après avoir atteint l'affluent, le petit Yanomami de Wauwai avait refusé d'aller au-delà. L'index pointé sur des traces de pas qui s'enfonçaient au cœur de la jungle, il avait expliqué dans un portugais maladroit :

— Vous aller. Moi rester ici avec padre Garcia.

Ils avaient donc continué, déterminés à couvrir la plus grande distance possible avant la tombée de la nuit. Par prudence, le caporal Warczak se déplaçait à une allure d'escargot, ce qui laissa à Nathan le temps de repenser à son altercation avec Richard Zane, de se calmer un peu et de considérer ce qu'il avait dit. Peut-être avait-il eu une vision trop étroite des choses, sans prendre en compte tous les facteurs.

À gauche, le craquement d'une brindille annonça l'arrivée de Manny. Tor-tor et lui gardaient leurs distances avec le reste du groupe. Le doigt sur la détente de leur M-16, les Rangers se sentaient nerveux en présence du fauve. Seul à avoir témoigné une certaine curiosité envers le jaguar, le caporal Dennis Jorgensen posait des questions à Manny :

— C'est quoi sa ration quotidienne ?

Le grand soldat souleva son chapeau à larges bords et s'essuya le front. Avec ses cheveux terriblement blancs et ses yeux bleu très pâle, on voyait bien qu'il était d'origine nordique.

Manny donna une bourrade au félin :

— Environ cinq kilos de viande mais, avec moi, il mène une vie plutôt sédentaire. Dans la nature, il faut doubler la quantité.

— Comment allez-vous le nourrir ici ?

— Il devra chasser. C'est pour ça que je l'ai amené.

— Et s'il échoue ?

Manny lorgna les soldats derrière eux :

— Il y aura toujours d'autres sources de chair fraîche.

Jorgensen pâlit légèrement, puis comprit la plaisanterie :

— Très drôle.

Tandis que le caporal rejoignait les hommes de son unité, Manny se tourna vers Nate :

— Tu tiens le coup ? J'ai entendu parler de ta dispute avec Zane.

— Je vais bien.

Lorsque Tor-tor frotta son museau duveteux contre sa jambe, Nate le gratta derrière l'oreille.

— Je me sens juste stupide, soupira-t-il.

— Il n'y a pas de raison. Moi, je n'ai aucune confiance en ce type. Tu as vu ses habits de dandy ? Est-ce qu'il a jamais mis les pieds dans la jungle ?

Nate sourit, réconforté par son ami.

— En revanche, le Dr Fong n'est pas mal du tout. Elle laisserait des miettes dans mon hamac que je la garderais quand même. Et cette Kelly O'Brien…

Un grand vacarme interrompit Manny. Des voix s'élevèrent du groupe de tête arrêté près d'un méandre de la rivière.

Nate se fraya vite un chemin vers l'avant : Kouwe et le Dr Fong étaient penchés au-dessus d'un canoë qu'on avait tiré sur la rive et recouvert de feuilles de palme.

— La piste conduisait ici, annonça Kelly.

Le visage luisant de sueur, elle avait plaqué ses cheveux en arrière à l'aide d'un mouchoir vert qui lui servait de bandeau.

Kouwe brandit une fronde :

— Elles ont été arrachées à un palmier *mwapu*. Pas coupées, arrachées.

— Clark n'avait pas de couteau sur lui, confirma Kelly.

Le professeur effleura l'extrémité jaunissante des palmes :

— Vu le degré de moisissure, on peut supposer que les faits remontent à une quinzaine de jours.

— À peu près au moment où Gerald Clark est apparu au village, lâcha Frank.

— Exact.

La voix de Kelly, surexcitée, monta d'un cran :

— Pas de doute, il a dû arriver ici à bord de cette embarcation.

Nathan scruta le cours d'eau. Les berges disparaissaient sous une végétation très dense : plantes grimpantes, palmiers, buissons, mousses, épiphytes et fougères. La rivière, sombre et limoneuse, devait mesurer dix mètres de large. Près des berges, les eaux claires laissaient apparaître son lit boueux et caillouteux mais, après quelques dizaines de centimètres, la visibilité s'estompait.

N'importe quel animal pouvait y guetter : serpents, caïmans, piranhas… Il existait même des poissons-chats si gros qu'ils mordaient parfois le pied d'un nageur imprudent.

— On va où maintenant ? lança Waxman. On peut se faire larguer des bateaux par hélico et ensuite ? Quelle distance l'agent Clark a-t-il parcourue en amont ?

— Je pense être en mesure de répondre, dit Anna Fong.

Après avoir ôté quelques palmes supplémentaires, elle palpa l'embarcation du bout de ses petits doigts.

— Étant donné la forme du canoë et les bords peints en rouge, j'en déduis qu'il vient d'une tribu yanomami. Ils sont les seuls à en construire de pareils.

Nate passa lui aussi la main à l'intérieur :

— Si on remonte la rivière, on pourra demander à chaque Yanomami qu'on rencontrera s'il a vu passer un Blanc ou s'ils ont perdu un canoë. (Aux deux O'Brien :) Je suggère qu'on continue à suivre la piste.

— D'accord, approuva Frank. Vous avez parlé de bateaux, capitaine Waxman ?

— Oui, je vais signaler notre position par radio et demander que les Huey nous larguent des canots gonflables. Il est encore tôt mais, comme ça va prendre le reste de la journée, on ferait mieux de s'arrêter et de camper ici.

Chacun s'affaira donc à installer son abri près de la rivière. Tandis qu'on allumait un feu, Kouwe glana quelques prunes mombin et des noix de sawari. Après avoir envoyé Tor-tor chasser, Manny, lui, utilisa une perche et un filet pour attraper des truites.

Une heure plus tard, affolés par le vrombissement des hélicoptères, les oiseaux et les singes se mirent à hurler en bondissant à travers l'épais feuillage. Trois caissons furent largués dans l'eau, puis hissés sur la berge au moyen de cordes. À l'intérieur : des « pneumatiques », comme disaient les Rangers, à savoir des bateaux gonflables équipés de petits moteurs de horsbord. À l'heure où le soleil déclinait, trois canots noirs furent bientôt amarrés aux arbres en prévision du lendemain.

Pendant ce temps-là, Nathan installa son hamac et déploya habilement sa moustiquaire autour. Devant la maladresse de Kelly, il proposa son aide :

— Assurez-vous que le filet soit bien tendu et ne touchez pas le hamac, sinon les prédateurs nocturnes vous attaqueront au travers.

— Je peux me débrouiller seule, rétorqua-t-elle, agacée.

— Laissez-moi vous montrer.

À l'aide de cailloux et de bouts de bois, il planta la moustiquaire à bonne distance du hamac, ce qui créa une espèce de baldaquin soyeux.

À côté, Frank avait aussi du mal à arranger son lit :

— Pourquoi ne pas se contenter d'un sac de couchage ? Ça m'allait très bien pour camper.

— On est dans la jungle, expliqua Nate. Si vous dormez à même le sol, vous retrouverez un tas de sales bestioles près de vous au matin. Serpents, lézards, scorpions, araignées… Enfin, faites à votre guise.

Grincheux, Frank continua de se débattre avec ses piquets :

— D'accord pour votre saleté de hamac, mais on a vraiment besoin de la moustiquaire ? On s'est fait dévorer toute la journée.

— La nuit, c'est mille fois pire et, si les insectes ne vous saignent pas, vous aurez affaire aux chauves-souris vampires.

— Des chauves-souris vampires ? s'exclama Kelly.

— La région en regorge. Il faut être très prudent, même quand on va juste pisser en vitesse : elles attaquent tout ce qui a le sang chaud.

Kelly écarquilla les yeux.

— Vous êtes vaccinée contre la rage, non ?

Elle acquiesça doucement.

— Bien.

Elle jeta un coup d'œil au lit qu'il l'avait aidée à monter et, en se retournant, son visage se retrouva à quelques centimètres de celui de Nate.

— Merci.

Une fois encore, le botaniste fut frappé par les paillettes d'or qui étincelaient au fond de ses prunelles émeraude.

— De... De rien.

Les autres s'étaient réunis autour du feu pour le dîner.

— Allons voir ce qu'il y a de bon à manger.

Entre Manny et Richard Zane, l'ambiance était électrique.

— Comment pouvez-vous contester les restrictions antidéforestation ? s'indignait le Brésilien en remuant son poisson dans la poêle. L'abattage commercial est l'élément le plus destructeur de jungle à travers le monde. Ici, en Amazonie, on perd quatre mille mètres carrés de forêt par seconde.

Assis sur une souche, Zane avait délaissé sa veste kaki et retroussé ses manches de chemise, comme prêt à se battre :

— Vos statistiques sont gonflées par les écologistes. Fondées sur des chiffres erronés, elles ont plus pour but de faire peur que d'informer ou d'éduquer. Des images satellites prouvent au contraire que 90 % de la forêt brésilienne est toujours intacte.

Manny était au bord de l'explosion :

— Même si, comme vous le prétendez, le taux de déforestation est exagéré, ce qui est perdu l'est pour toujours. On perd plus d'une centaine d'espèces animales et végétales chaque jour. Disparues à jamais.

— C'est vous qui le dites, répondit calmement Zane. L'idée qu'une fois ses arbres abattus, une forêt tropicale ne pourrait pas repousser est un mythe dépassé. Après huit ans d'exploitation commerciale en Indonésie, le taux de rétablissement des plantes locales et des animaux a dépassé de loin toutes les attentes. Il en est de même ici. En 1982, des mineurs avaient déboisé un pan de l'ouest du Brésil. Quinze ans plus tard, des scientifiques sont retournés sur place : la forêt qui s'était régénérée était impossible à distinguer du reste de la végétation. Voilà qui tend à prouver que l'abattage durable est possible et que l'homme et la nature peuvent coexister ici aussi.

Comment cet abruti pouvait-il défendre la destruction de la jungle ? Presque malgré lui, Nate s'immisça dans la conversation :

— Et les paysans qui brûlent des arbres pour le pâturage et l'agriculture ? Je suppose que vous les soutenez aussi.

— Évidemment. En Amérique du Nord, nous pensons qu'il est sain qu'un feu ravage de temps à autre une forêt ancienne. Cela réorganise un peu les choses. Pourquoi en serait-il autrement ici ? Quand les espèces dominantes sont éliminées soit du fait de l'abattage, soit par un incendie, les espèces dites « supprimées », petits arbustes ou plantes, peuvent grandir et ce sont justement les plus précieuses au niveau médicinal. Alors, pourquoi ne pas autoriser un petit feu ou un abattage épisodique ? C'est bon à tous points de vue.

Kelly rompit le silence de mort qui régnait sur le groupe :

— Vous ignorez complètement les implications mondiales ! L'effet de serre ! Sources majeures d'oxygène, les forêts ne sont-elles pas les proverbiaux « poumons de la planète » ?

— *Proverbiaux* est le terme exact, j'en ai bien peur, lâcha tristement Zane. Les nouvelles recherches menées *via* des satellites météorologiques montrent que les forêts contribuent très peu, voire pas du tout à notre approvisionnement en oxygène. Le système fonctionne en vase clos. Bien que la canopée produise de l'oxygène en abondance, il est totalement consumé par l'oxyde de carbone généré par la décomposition au sol. Résultat : aucun excédent. Encore une fois, les vraies zones de production sont les régions de régénération, où les jeunes arbres fabriquent beaucoup d'oxygène. La déforestation contrôlée profite donc à l'atmosphère mondiale.

Nathan oscillait entre colère et incrédulité :

— Et les habitants des forêts ? En cinq siècles, le nombre d'indigènes a chuté de plus de dix millions à moins de deux cent mille. Je suppose que ça aussi, vous le cautionnez.

— Bien sûr que non. C'est la seule vraie tragédie ici. Quand un guérisseur meurt sans transmettre son savoir, le monde perd une mine de connaissances irremplaçables. Voilà pourquoi j'ai insisté pour que nous continuions à financer vos recherches chez les tribus en voie de disparition. Votre travail est inestimable.

Nathan fronça les sourcils d'un air suspicieux :

— Sauf que les Indiens sont indissociables de leur milieu naturel ! Même si vous dites vrai, la déforestation détruit des espèces. Vous n'avez aucun argument contre ça.

— Exact, mais les mouvements écologistes exagèrent toujours les pertes réelles.

— La disparition d'une seule et unique espèce peut avoir son importance. Songez à la pervenche de Madagascar.

Zane s'empourpra :

— Vous me parlez d'une exception. On imagine difficilement qu'une telle découverte puisse être monnaie courante.

— La pervenche de Madagascar ? répéta Kelly.

— Elle permet de fabriquer deux remèdes puissants contre le cancer : la vinblastine et la vincristine.

— Utilisées pour traiter la maladie de Hodgkin, les lymphomes et de nombreux cancers de l'enfant, compléta-t-elle.

— En effet. Chaque année, elles sauvent des milliers de gosses. Or, la plante à l'origine de ces médicaments miraculeux est à présent éteinte sur l'île de Madagascar. Que serait-il arrivé si ses propriétés n'avaient pas été découvertes à temps ? Combien d'enfants seraient morts inutilement ?

— Je vous garantis que la pervenche rose est un cas exceptionnel, insista Zane.

— Qu'en savez-vous ? Malgré vos belles statistiques et vos photos satellites, vous devez accepter le fait que chaque végétal a un potentiel curatif. Chaque espèce est précieuse. Quel médicament pourrait ne pas voir le jour à cause d'une déforestation sauvage ? Quelle plante rare guérirait le sida ? Le diabète ? Les milliers de cancers qui rongent l'humanité ?

— Ou permettrait à des membres de se régénérer ? ajouta Kelly à dessein.

— Qui peut le dire ? murmura Zane, hypnotisé par le brasier.

— Exactement, conclut Nate.

Sans avoir *a priori* conscience du débat houleux qui venait d'avoir lieu, Frank débarqua et montra la fumée noire qui s'élevait de la poêle oubliée par tous :

— Vous êtes en train de faire cramer le poisson.

Manny s'esclaffa et retira l'ustensile :

— Merci pour votre esprit pratique, monsieur O'Brien. Un peu plus et nous mangions des plats lyophilisés.

Frank donna un petit coup de coude à sa sœur :

— Olin a presque fini de raccorder l'alimentation satellite sur l'ordinateur portable. On devrait pouvoir contacter les États-Unis d'ici une heure.

Kelly regarda le Russe s'affairer sur l'antenne parabolique et le matériel informatique :

— Parfait. L'autopsie du corps de Gerald Clark va peut-être nous apporter des réponses. Quelque chose à nous mettre sous la dent.

Nate dressa l'oreille. Était-ce parce qu'il contemplait les flammes, mais il avait l'étrange pressentiment qu'on aurait dû écouter le chaman yanomami et brûler le corps. Comme il venait de l'affirmer avec force à Richard Zane, les tribus locales maîtrisaient les coutumes et les règles de l'Amazonie mieux que quiconque. *Na boesi, ingi sabe ala sani.* De la jungle, l'Indien connaît tout.

Le jeune homme observa un instant la forêt qui s'assombrissait avec le crépuscule.

À mesure que la jungle s'éveillait dans un chœur de cris vibrants et d'appels solitaires, ses mythes prenaient forme et épaisseur. Tout était possible dans ses étendues perdues.

Même la malédiction des Ban-ali.

Chapitre 5

Recherches sur les cellules souches

7 août, 17 h 32
Institut Instar, Langley, Virginie

Lauren O'Brien était penchée sur son microscope quand elle reçut un appel de la morgue.

— Merde, marmonna-t-elle, interrompue par la sonnerie.

Elle se redressa, fit glisser ses lunettes jusqu'à l'arête de son nez et appuya sur le bouton du haut-parleur :

— Histologie.

— Docteur O'Brien, vous devriez venir voir.

C'était la voix de Stanley Hibbert, médecin légiste du John Hopkins Hospital et membre de MEDEA. On l'avait appelé pour apporter son avis sur l'autopsie de Gerald Clark.

— Les échantillons de tissus me prennent pas mal de temps, Stanley. Je commence à peine à les examiner.

— Et j'avais raison à propos de lésions orales ?

— Hélas, oui, soupira Lauren. Carcinome épidermoïde. Vu le degré élevé de mitose et la perte de différentiation, je tablerais sur une malignité de niveau 1, une des pires que j'ai jamais rencontrées.

— La langue de notre victime n'a donc pas été coupée : elle a pourri sous l'effet du cancer.

Lauren réprima un frisson peu professionnel. La langue de Clark, infestée de tumeurs, n'était plus qu'un moignon friable, dévoré par le carcinome. Et que dire du reste de la maladie ? L'examen *post mortem* avait révélé qu'une foule de cancers à divers degrés d'avancement avait envahi le corps : poumons, reins, foie, rate, pancréas... Elle contempla les lamelles que le laboratoire d'histologie lui avait préparées et qui contenaient, chacune, un échantillon de tumeur ou de moelle osseuse.

— Une estimation de la date de déclenchement du cancer de la bouche ? s'enquit le légiste.

— Difficile de se prononcer avec certitude, mais je dirais six à huit semaines.

— Waouh ! Sacrément rapide !

— Je sais. Jusqu'à maintenant, la plupart des autres lamelles montrent un niveau de malignité similaire. Je ne constate aucun cancer antérieur à trois mois.

Elle effleura la petite pile installée devant elle.

— Mais j'ai encore pas mal de plaques à regarder.

— Et les tératomes ?

— Pareil. Tous entre un et trois mois. Sauf que...

— Mon Dieu, ça n'a pas de sens ! l'interrompit le Dr Hibbert. Je n'ai jamais vu autant de cancers chez un seul et même individu. Surtout des tératomes.

Lauren comprenait sa consternation. Les tératomes étaient des tumeurs touchant les cellules souches embryonnaires, autrement dit les rares cellules qui pouvaient se transformer indifféremment en muscles, cheveux ou os. Ces tumeurs-là n'affectaient en général que certains organes comme le thymus et les testicules.

Or, le corps de Gerald Clark en était bourré... et il y avait encore plus étrange.

— Il ne s'agit pas de simples tératomes, Stanley. Ce sont des tératocarcinomes.

— Quoi ? Tous ?

Lauren acquiesça, puis se rappela qu'elle était au téléphone :

— Tous sans exception.

Forme maligne du tératome, le tératocarcinome était un cancer débridé qui faisait germer un mélange de muscles, cheveux, dents, os et nerfs.

— Je n'ai jamais vu d'échantillons pareils. À certains endroits, j'ai trouvé des foies pratiquement formés, des tissus testiculaires et même des fuseaux ganglionnaires.

— Voilà qui pourrait expliquer ce qu'on a trouvé ici.

— Je vous demande pardon ?

— Comme je vous l'ai indiqué au début de mon appel, vous devriez vraiment venir voir de vos propres yeux.

— D'accord, soupira-t-elle, exaspérée. Je descends.

Lauren raccrocha, s'écarta de son microscope et s'étira, histoire de dénouer son dos meurtri par deux longues heures passées au-dessus des lamelles. Elle pensa un instant appeler son mari mais, au quartier général de la CIA, il était sans doute aussi occupé qu'elle. De plus, elle le verrait d'ici à une heure, lors de leur téléconférence avec Frank et Kelly.

Après avoir attrapé sa blouse, elle descendit l'escalier de la morgue avec une légère appréhension. Bien qu'elle ait exercé aux urgences pendant dix ans, les autopsies la mettaient toujours mal à l'aise. Elle préférait de loin la propreté d'une salle d'histologie aux scies à os, tables en inox et autres balances suspendues. Ce jour-là, hélas, elle n'avait pas le choix.

Le temps de remonter le long couloir jusqu'à la double porte, elle laissa son esprit vagabonder sur l'étrange cas de Clark. Porté disparu pendant quatre ans, l'homme était sorti de la jungle avec un nouveau bras, guérison miraculeuse s'il en était, mais, en contrepartie, son corps était dévasté par de méchantes tumeurs d'à peine trois mois. Quelle était la raison de ses cancers fulgurants ? Comment expliquer l'invasion des monstrueux tératocarcinomes ? Et, enfin, où diable Gerald Clark avait-il pu passer quatre ans ?

Lauren secoua la tête. Il était trop tôt pour répondre, mais elle avait foi en la science moderne : entre ses propres recherches et l'expédition de ses enfants sur le terrain, le mystère serait résolu.

Au vestiaire, elle enfila des surchaussures en papier bleu, étala du baume mentholé sous son nez pour atténuer l'odeur, mit un masque chirurgical et, une fois prête, elle pénétra dans le laboratoire.

On aurait dit un mauvais film d'horreur ! Le corps de Clark était étendu, écartelé comme une grenouille en cours de biologie. La moitié du contenu de ses cavités était soit enveloppée dans des sacs rouge orangé habituellement dévolus aux déchets toxiques, soit posée sur des balances en acier. Au fond de la pièce, des échantillons baignaient dans une solution de formaldéhyde et d'azote liquide. Au final, Lauren verrait le résultat de l'autopsie sous forme de lamelles proprement étiquetées, vernies et prêtes à être observées, et c'était ce qu'elle préférait.

Dès qu'elle entra, les odeurs les plus fortes eurent raison du baume mentholé : eau de Javel, sang, intestins, gaz nécrotiques… Elle tenta de se concentrer en respirant par la bouche.

Des hommes et des femmes vêtus de tabliers ensanglantés s'affairaient, insensibles à l'horreur. Avec leurs gestes efficaces, les professionnels de la médecine semblaient se livrer à une danse macabre.

Un grand type décharné salua Lauren d'un geste et lui fit signe d'approcher. Elle hocha la tête, puis croisa une femme qui inclinait un plateau suspendu pour faire glisser le foie de Gerald Clark dans un sac-poubelle.

— Qu'avez-vous donc trouvé, Stanley ?

La voix assourdie par le masque chirurgical, le Dr Hibbert désigna le plateau d'autopsie :

— Je voulais que vous voyiez ça avant que je ne le découpe.

Ils se tenaient à l'avant de la table oblique qui supportait le corps de Clark. Bile, sang et autres fluides corporels coulaient en filet jusqu'au seau qui les recueillait à l'autre bout. Plus près, le haut du crâne avait été scié, exposant ainsi le cerveau. L'outil souillé et la calotte osseuse trônaient sur le plan de travail.

Stanley s'approcha du cerveau violacé :

— Regardez-moi ça.

À l'aide de petits forceps, il retira les membranes méningées comme s'il tirait un simple rideau. Dessous, les circonvolutions et les plis du cortex, parfaitement visibles, étaient parcourus d'artères et de veines sombres.

— Voilà ce qu'on a découvert pendant la dissection du cerveau.

Le légiste sépara les deux hémisphères. Dans le sillon du milieu se trouvait une masse de la taille d'une noisette. Elle semblait s'être nichée au sommet du corps calleux, canal blanchâtre de nerfs et de vaisseaux qui connectait les deux lobes.

— Un autre tératome, annonça-t-il. Ou peut-être un tératocarcinome, s'il est comme les autres. Sauf que là, je n'ai jamais rien vu de pareil.

De la pointe de ses forceps, il toucha la masse.

— Mon Dieu ! bondit Lauren en voyant la tumeur palpiter. Ça... Ça bouge !

— Incroyable, non ? C'est pour ça que je vous ai fait venir. Dans un article consacré aux propriétés des masses tératomiques, j'ai lu que certaines auraient la capacité de réagir à des stimuli extérieurs. On a déjà observé un cas de tératome bien différencié qui avait assez de muscle cardiaque pour battre comme un cœur.

Lauren finit par retrouver sa langue :

— Mais Gerald Clark est mort depuis des semaines !

Stanley haussa les épaules :

— Placé dans le cerveau, ce machin doit être truffé de cellules nerveuses, dont une bonne partie est encore assez viable pour répondre faiblement à une stimulation. Enfin, j'imagine que cette capacité s'évanouira vite à mesure que les nerfs perdront du jus et que les muscles minuscules auront épuisé leur réserve de calcium.

Sa collègue inspira plusieurs fois à fond, histoire de reprendre ses esprits :

— Cette tumeur doit quand même être très organisée pour développer un réflexe de tressaillement.

— Et comment ! Je vais la faire découper et mettre sur lamelles au plus tôt, mais je me suis dit que vous alliez aussi aimer la voir en action.

Lauren hocha la tête. Quand ses yeux se posèrent ensuite sur le bras du cadavre, une pensée lui vint à l'esprit :

— Je me demande...

— Quoi ?

Elle essaya de se figurer comment la masse avait sursauté :

— Si on considère le nombre de tératomes et la maturité de cette tumeur en particulier, c'est peut-être

133

la clé du mécanisme qui a fait repousser le bras de Clark.

— Je ne vous suis pas, bredouilla le légiste, perplexe.

Soulagée de pouvoir contempler autre chose qu'un cadavre dévasté, elle se tourna vers lui :

— Ce n'est qu'une conjecture, bien entendu, mais son bras ne serait-il pas un tératome qui aurait grandi et se serait transformé en un membre digne de ce nom ?

Stanley n'en croyait pas ses oreilles :

— Comme un genre d'excroissance cancéreuse contrôlée ? Une tumeur vivante et fonctionnelle ?

— Pourquoi pas ? C'est à peu près ainsi que nous nous sommes tous développés. Depuis une simple cellule fertilisée, nos corps se sont formés grâce à une prolifération cellulaire très rapide, comparable au cancer. Sauf que la profusion de cellules s'est différenciée en créant les tissus appropriés. N'est-ce pas le but de toutes nos recherches sur les cellules souches ? Découvrir le mécanisme de la croissance contrôlée ? Pourquoi une cellule lambda devient-elle une cellule d'os, sa voisine une cellule musculaire et la suivante une cellule nerveuse ?

Fixant de nouveau le corps écartelé de Clark, Lauren n'éprouva plus un sentiment d'horreur. Plutôt de l'émerveillement.

— Nous sommes peut-être sur la voie qui nous permettra d'élucider le mystère.

— Et si on en découvrait le mécanisme...

— Ce serait la fin du cancer et le monde de la médecine serait révolutionné.

Ébahi, Stanley se réattela à sa tâche sanguinolente :

— Prions donc pour que vos enfants aboutissent dans leurs travaux.

La mine approbatrice, elle prit congé et consulta sa montre. En parlant de Frank et Kelly, l'heure de la téléconférence approchait. Juste le temps de comparer quelques notes. Lauren jeta un dernier regard à ce qui restait de Gerald Wallace Clark.

— Il y a quelque chose là-bas dans la jungle, se murmura-t-elle à elle-même. Mais quoi ?

7 août, 20 h 32
Jungle amazonienne

À l'écart des autres, Kelly tenta d'assimiler les nouvelles que sa mère venait de lui donner. Autour d'elle, sauterelles et grenouilles semblaient jouer une sérénade infinie. Le feu éclairait à peine à quelques mètres. Au-delà, la forêt préservait ses mystères.

Quelques Rangers étaient en train d'installer le détecteur de mouvement délimitant le périmètre du camp. À un mètre du sol, le quadrillage laser avait pour but de garder les gros prédateurs à distance.

Kelly sonda les ténèbres.

Qu'est-ce qui avait bien pu arriver à Clark ?

Une voix la fit sursauter :

— Vous parlez d'une nouvelle effroyable !

C'était le professeur Kouwe. Depuis combien de temps se tenait-il tranquillement derrière elle ? Elle ne l'avait pas entendu approcher, preuve que le chaman n'avait pas perdu sa capacité à se mouvoir sans bruit sur le tapis de mousse.

— Ou… oui, bégaya-t-elle. Très étrange.

Il bourra sa pipe, qu'il alluma d'un geste théâtral. Une odeur âcre de tabac se mit à flotter dans l'atmosphère.

— Comment trouvez-vous l'hypothèse de votre mère sur un lien entre les cancers et le bras régénéré ?

— Fascinante... et peut-être pas idiote.

— À quel titre ?

Kelly se frotta le nez et rassembla ses pensées :

— Avant de quitter les États-Unis, je me suis beaucoup renseignée sur la régénération, histoire d'être préparée à ce qu'on allait trouver ici.

— Sage décision. Dans la jungle, préparation et connaissance font souvent la différence entre la vie et la mort.

Ravie d'exprimer enfin ses réflexions à voix haute et de les confronter avec quelqu'un, Kelly poursuivit :

— Je suis tombée sur un article intéressant publié dans les *Actes de l'Académie nationale des sciences*. En 1999, des chercheurs de Philadelphie ont étudié un groupe de souris au système immunitaire déficient. Les petites bêtes servaient de cobayes dans leurs travaux sur la sclérose en plaques et le sida mais, tout à coup, un phénomène étrange et inattendu s'est produit.

— Lequel ? demanda Kouwe, intrigué.

— Les scientifiques leur avaient percé les oreilles comme ils en ont l'habitude pour marquer leurs animaux de laboratoire et, en fait, les trous ont guéri à une vitesse prodigieuse sans laisser de cicatrice. Ils ne se sont pas rebouchés : le cartilage s'était carrément régénéré ainsi que la peau, les vaisseaux sanguins et même les nerfs.

Kelly le laissa digérer l'information, puis enchaîna :

— La directrice de recherche, le Dr Ellen Heber-Katz, a ensuite tenté plusieurs expériences. Elle a amputé les queues de quelques souris et elles ont repoussé. Elle a endommagé leurs nerfs optiques et ils ont guéri. Même quand elle a sectionné une partie de la moelle épinière, celle-ci s'est régénérée en moins d'un mois. Du jamais vu chez des mammifères !

Le professeur sortit sa pipe de sa bouche, les yeux ronds :

— Et quelle en était la cause ?

— Elles ne se différenciaient des souris normales que par leur système immunitaire défectueux.

— Autrement dit ?

Kelly réprima un sourire. Elle s'emballait, surtout en présence d'un interlocuteur aussi malin :

— Les animaux capables de régénérer leurs membres – étoiles de mer, amphibiens, reptiles – possèdent un système immunitaire très rudimentaire. Le Dr Heber-Katz a donc émis l'hypothèse qu'à l'origine, les mammifères avaient conclu un marché avec la nature concernant leur évolution. Pour lutter contre les cancers, nous avons renoncé à notre capacité de régénération des membres. En fait, notre système immunitaire complexe est censé éliminer les proliférations cellulaires inappropriées, tels que les cancers. Certes, il nous est très utile, mais il empêche aussi toute tentative du corps de se reconstituer. Traitant comme cancéreuse la production de cellules peu différenciées nécessaires pour faire repousser un bras, il l'enraye aussitôt.

— La sophistication de notre système immunitaire serait donc une bénédiction, car il nous protège, mais aussi une malédiction.

Plus Kelly se concentrait, plus elle fronçait les sourcils :

— À moins qu'un élément ne parvienne, sans danger, à le juguler. Comme chez ces souris.

— Ou chez Gerald Clark ? lâcha Kouwe. Vous êtes en train de suggérer que quelque chose a bloqué son système immunitaire, permis à son bras de se régénérer mais aussi provoqué une rafale de cancers dévastateurs.

— Peut-être, mais c'est sans doute encore plus compliqué. Quel en est le mécanisme ? Pourquoi les tumeurs ont-elles surgi si vite ? Et, point capital, qu'est-ce qui a causé un tel changement ?

Kouwe hocha la tête vers la jungle :

— S'il existe un principe déclencheur, on devrait le trouver ici. Aujourd'hui, les trois quarts des médicaments anticancéreux sont issus de la flore tropicale. Pourquoi n'existerait-il pas une plante qui aurait l'effet inverse et favoriserait les tumeurs ?

— Un carcinogène ?

— Oui. Sauf qu'il aurait des effets secondaires bénéfiques, comme la régénération.

— Cela paraît improbable mais, vu l'état de Clark, tout est possible. À ma demande, les chercheurs de MEDEA vont entreprendre des recherches sur son système immunitaire et étudier ses cancers de plus près. Ils découvriront peut-être un truc.

Kouwe exhala une longue volute de fumée :

— La réponse finale, quelle qu'elle soit, ne viendra pas d'un laboratoire. J'en mets ma main à couper.

— D'où alors ?

En silence, il pointa sa pipe rougeoyante vers la forêt.

Dans les ténèbres de la jungle, la silhouette nue était accroupie, immobile, hors de portée de la clarté du feu de camp. Son corps svelte était peint d'un mélange de cendres et de fruits de *meh-nu* qui, recouvrant son corps de subtils dessins bleu et noir, le transformait en ombre vivante.

Depuis le crépuscule, il épiait la troupe. La forêt lui avait enseigné la patience. Tous les *teshari-rin*, les pisteurs de la tribu, savaient que la réussite d'une mission dépendait moins des actions entreprises que du silence entre chaque pas.

Sombre sentinelle veillant sur le campement, il avait monté la garde toute la nuit. Accroupi, il avait observé le manège des géants aux puissants relents d'étrangeté : les Blancs ne cessaient de tourner autour du site, parlaient des langues bizarres et portaient de curieux vêtements.

Lui, de son côté, se contentait de regarder, d'espionner et d'analyser les habitudes de l'ennemi.

Une sauterelle se posa sur le dos de sa main plaquée au sol. D'un œil, il observait le bivouac. De l'autre, il vit l'insecte frotter ses pattes arrière l'une contre l'autre avant d'amorcer ses stridulations caractéristiques.

La promesse de l'aube.

Fort de toutes les informations glanées jusque-là, il n'osa pas rester plus longtemps et se redressa avec souplesse. Son mouvement fut si prompt et silencieux que la sauterelle continua de murmurer sur sa main. Il l'approcha de ses lèvres et souffla sur l'animal qui, surpris, tomba de son perchoir.

Après avoir jeté un dernier regard au campement, il s'enfuit dans la jungle. Il était entraîné à courir dans la forêt sans déranger la moindre feuille. Personne ne saurait qu'il était passé par là.

Le pisteur connaissait à présent son devoir suprême.

La mort devait les prendre tous, sauf l'Élu.

Chapitre 6

Le facteur amazonien

11 août, 15 h 12
Jungle amazonienne

Nate gardait le doigt sur la détente de son fusil, prêt à tirer. L'animal devait mesurer presque six mètres de long. C'était un énorme spécimen de *Melanosuchus niger*, le caïman noir, roi des crocodiles géants en Amazonie. Étendu sur la berge boueuse, il paressait au chaud soleil de l'après-midi. Son armure d'écailles noires luisait d'un éclat terne. Entre ses mâchoires entrebâillées, ses crocs jaunes et irréguliers, chacun plus grand qu'une paume de main, s'alignaient dangereusement. D'un noir profond, ses yeux exorbités, froids et morts, étaient dignes d'un monstre préhistorique. À le voir figé comme une pierre, impossible de dire s'il avait même repéré les trois embarcations.

— Vous pensez qu'il va attaquer ? murmura Kelly.

— Les caïmans sont imprévisibles, répondit Nate, mais si on le laisse tranquille, il devrait nous rendre la pareille.

Il s'accroupit à l'avant du bateau, qu'il partageait avec les deux O'Brien, Richard Zane et Anna Fong. Seul soldat à bord, le caporal Okamoto maniait le petit moteur de hors-bord à la poupe. L'Asiatique trapu avait pris la fâcheuse habitude de siffler presque en permanence, ce qui, après quatre jours passés à remonter le gros affluent, finissait par taper sérieusement sur les nerfs de ses compagnons. Seule l'apparition du monstre aquatique avait réussi à lui faire cesser l'insupportable son monocorde.

Collé à l'autre berge et hérissé de M-16 braqués vers le crocodile, le bateau de tête glissa lentement à hauteur de l'animal.

Chaque pneumatique transportait six membres de l'équipe. Dans le premier, on distinguait trois soldats et le reste des civils : le professeur Kouwe, Olin Pasternak et Manny, qui lézardait avec son jaguar au milieu du bateau. Familier des transports par voie fluviale, Tor-tor semblait apprécier le trajet : il remuait mollement la queue et écoutait les bruits de la forêt, les paupières mi-closes.

En queue de cortège, les six autres Rangers naviguaient sous la férule du capitaine Waxman.

— Pourquoi ne pas se contenter de tuer cette cochonnerie ? s'étonna Frank.

— Il s'agit d'une espèce menacée, répliqua Nate. Au siècle dernier, ils ont été chassés pratiquement jusqu'à l'extinction. Il y a très peu de temps que leur population a recommencé à augmenter.

— Et la nouvelle est censée me réjouir ?

Les yeux rivés au fleuve, Frank abaissa la visière de sa casquette, comme s'il cherchait à se cacher derrière.

— Chaque année, les caïmans tuent des centaines de personnes, marmonna Zane, recroquevillé sur le côté. Ils coulent des bateaux, attaquent n'importe quoi. J'ai lu qu'un jour, on avait retrouvé un cadavre de caïman noir avec deux moteurs de hors-bord dans l'estomac, avalés tout entiers. Je suis d'accord avec M. O'Brien. Quelques tirs bien placés...

À présent que le premier bateau était passé au large de la bête, celui de Nate avança lentement contre le courant vaseux en ronronnant.

— Merveilleux ! s'extasia le jeune homme.

À trente mètres d'eux à peine, le colosse était une créature d'un autre âge.

— Quel spectacle magnifique !

Anna Fong observa le caïman avec avidité :

— C'est un mâle, non ?

— D'après l'arête et la forme des naseaux, je dirais oui.

— Chut ! siffla Frank entre ses dents.

— Il bouge ! glapit Kelly.

Elle bondit de son siège pour s'installer de l'autre côté du bateau, aussitôt imitée par Richard Zane.

La tête cuirassée commença à les suivre lentement.

— Il se réveille ! s'exclama Frank.

À présent qu'ils avaient dépassé la bête et se trouvaient donc en sécurité, Nate rétorqua :

— Il ne dormait pas. Il est juste aussi curieux que nous.

— Oh ! Je ne suis pas curieux pour deux sous. En fait, il n'a qu'à aller se faire f...

Soudain, le crocodile géant s'ébranla et, à la vitesse de l'éclair, il disparut sous l'eau marron. Le troisième bateau arrivait juste à sa hauteur. À bord, les soldats tirèrent quelques coups de feu, mais la vivacité de l'animal les avait pris de court. Il avait plongé avant que les premières balles n'atteignent la berge.

— Arrêtez ! Il se sauve ! cria Nate. S'ils n'ont rien à protéger, les caïmans ont le réflexe de fuir ce qu'ils ne connaissent pas, sauf si on les excite… ou qu'ils se sentent menacés.

Un grand caporal noir dénommé Rodney Graves s'était à moitié redressé et scrutait l'eau, fusil au poing :

— Je ne vois r…

Ce fut rapide. Le pneumatique bondit d'un mètre. Pendant une fraction de seconde, Nate aperçut la grosse queue écailleuse de l'animal. Le Ranger imprudent bascula à l'eau la tête la première. Aussitôt, ses équipiers agrippèrent les poignées en caoutchouc pour ne pas subir le même sort.

Une fois l'embarcation retombée à plat sur la rivière, le capitaine Waxman s'accroupit près du moteur :

— Graves !

Le caporal resurgit dix mètres en aval, emporté par le courant. Il avait perdu son chapeau mais, toujours armé, il se mit à nager de toutes ses forces vers le bateau le plus proche.

Derrière lui, tel un sous-marin en cours d'émersion, la tête du caïman dépassait à peine de la surface, ses yeux pareils à deux périscopes.

Les Rangers se bousculèrent mais, avant qu'ils puissent tirer le moindre coup de feu, le caïman avait replongé.

Attiré par les gesticulations affolées du soldat en perdition, il devait glisser vers lui en remuant sa queue épaisse dans les profondeurs boueuses.

Merde, songea Nate.

— Caporal Graves ! s'égosilla-t-il. *Ne bougez plus !* Cessez de battre des pieds !

Le malheureux n'entendit pas. Tout le monde lui hurlait de se dépêcher. Terrorisé, il s'agitait de plus en plus. Waxman demanda à son barreur de faire demi-tour pour récupérer le nageur désespéré.

Nate continua de crier :

— Arrêtez de nager !

Au bout d'un moment, plus par frustration de ne pas être écouté que par véritable courage, il lâcha son arme et se jeta dans la rivière. Les yeux ouverts, il avança lentement en apnée. Hélas, les eaux limoneuses empêchaient toute visibilité à plus d'un mètre. D'une puissante brasse, il se laissa donc porter par le courant.

Après avoir entendu le moteur du dernier bateau passer à gauche, il se cambra d'un coup sec et resurgit des flots : Rodney Graves n'était plus qu'à un mètre à droite.

— Cessez de remuer les jambes, caporal ! Il va vous tuer.

De son côté, Nate, immobile, se laissait flotter sur le dos.

— Putain… de merde ! haleta le soldat, épouvanté.

Il continua à se démener comme un beau diable. Le bateau n'était plus qu'à trois mètres. Ses occupants allongeaient déjà le bras pour tenter de le tirer de là.

Nate sentit du mouvement tout près, un brusque remous qui se faufila entre le Ranger et lui. Quelque chose de gros et rapide.

Oh, mon Dieu…

— Graves ! brailla-t-il une dernière fois.

Le frère du caporal, Thomas, s'étira au maximum au-dessus de l'eau. Retenu à la ceinture par deux collègues, il déploya les deux bras et tendit tous les muscles de son corps, le visage déformé par la peur.

Rodney battit des jambes. Ses doigts cherchèrent désespérément à atteindre la main de son frère, qui, enfin, l'attrapa :

— Je l'ai !

Ses biceps saillaient douloureusement.

Les deux Rangers qui maintenaient Tom le tirèrent d'un coup sec, tandis qu'il remontait Rodney. De son bras libre, il agrippa un pan de la veste de son frère pour avoir une meilleure prise, puis il tomba en arrière, arrachant Rodney au fleuve.

Le rescapé vola littéralement hors de l'eau et atterrit à plat ventre sur le rebord du pneumatique.

— Saleté de crocodile ! gloussa-t-il, soulagé.

Alors qu'il se tortillait pour sortir les jambes de l'eau, une gueule béante les lui avala jusqu'aux cuisses, puis les mâchoires se refermèrent sur leur proie et disparurent dans la rivière. Impossible de résister au colosse d'une tonne en armure ! Un hurlement aux lèvres, Rodney échappa des mains de son frère.

L'homme sombra, mais son dernier cri résonna longtemps à la ronde. Les soldats, à genoux, pointaient leurs fusils vers l'eau, mais aucun n'osa presser la détente. Un tir à l'aveugle pouvait aussi bien tuer leur compagnon que le caïman. À voir leur mine atterrée, ils avaient tous compris. Le caporal Rodney Graves était parti. Ils avaient vu la taille du monstre et le terrible étau de ses mâchoires.

Nate savait qu'ils avaient raison.

Le caïman entraînerait sa victime par le fond, la retiendrait jusqu'à ce qu'elle se noie, puis la dévorerait ou irait la stocker entre les racines immergées des mangroves, où elle pourrirait et serait ensuite plus facile à dépecer.

Il n'y avait plus aucune chance de sauver le Ranger.

Nate resta un instant dans l'eau, immobile. Le caïman était sans doute repu, mais il pouvait y avoir d'autres crocodiles, surtout que la rivière charriait à présent le sang du caporal. L'Américain ne prit aucun risque. Il se mit sur le dos et se laissa flotter jusqu'à ce que des mains l'empoignent et le hissent à bord.

Accablé, stupéfait, Tom Graves fixait ses mains, comme s'il les accusait de n'avoir pas su retenir son frère.

— Je suis désolé, soupira doucement Nate.

Le caporal releva la tête. Nate fut choqué par la colère qu'il vit dans son regard, parce que le civil avait survécu et que son frère, lui, était mort.

Graves lui tourna le dos, mais tous les membres de l'unité ne furent pas aussi silencieux.

— Qu'avez-vous tenté de faire au juste ? beugla Waxman, rouge de colère. C'était quoi votre manœuvre idiote ? Vous aussi, vous vouliez crever ?

Nate repoussa les mèches mouillées qui lui retombaient sur les yeux. Pour la deuxième fois en huit jours, il avait plongé dans le fleuve au secours de quelqu'un. Cela devenait une mauvaise habitude.

— J'essayais d'aider, marmonna-t-il.

— Nous sommes là pour VOUS protéger ! s'enflamma le chef des soldats. Pas l'inverse !

Le bateau qui transportait Nate au départ arriva à hauteur des Rangers. Dès que le jeune homme eut retrouvé sa place initiale, Waxman fit signe de reprendre la route et les moteurs vrombirent de nouveau.

— Capitaine… mon frère… son corps, protesta Tom Graves.

— Il est parti, caporal. Parti.

Les trois bateaux continuèrent leur chemin. Au loin, Nate croisa le regard du professeur Kouwe, qui secoua tristement la tête. Là-bas, les armes ou l'entraînement militaire ne suffisaient pas à vous prémunir totalement. Si la jungle vous voulait, elle vous prenait. On parlait de « facteur amazonien » : tous les voyageurs qui traversaient la jungle souveraine étaient à la merci de ses caprices.

Nate sentit une main sur son genou. C'était Kelly, assise à côté de lui. Elle soupira, le regard perdu à l'horizon :

— C'était stupide de faire ça. Vraiment stupide, mais je suis heureuse que vous ayez essayé.

Si, bouleversé par la tragédie, il ne répondit que d'un vague signe de tête, les mots de la jeune femme réchauffèrent quelque peu le vide glacé de son âme. Elle lui prit la main.

Le reste de la journée se déroula en silence. Le caporal Okamoto ne sifflait plus. Ils naviguèrent pratiquement jusqu'au coucher du soleil, histoire de mettre le plus de distance possible entre la mort de Rodney Graves et eux.

Le temps de monter le camp, on annonça la triste nouvelle à la base arrière de Wauwai. L'humeur sombre se prolongea pendant le dîner composé de poisson, de riz et d'un plat de patates douces que Kouwe avait ramassées dans les parages.

Unique sujet de conversation : les patates douces. Nate demanda à son ami où il en avait trouvé de telles quantités :

— Autant de plants, c'est très inhabituel.

Pendant sa cueillette, le professeur avait rempli à ras bord le sac à dos qu'il s'était fabriqué à l'aide de feuilles de palme.

— Je pense avoir découvert un ancien jardin potager indien, expliqua Kouwe. Dans le coin, j'ai aussi aperçu des avocatiers et de petits plants d'ananas.

— Un jardin potager indien ? s'étonna Kelly, la fourchette en suspens.

Depuis quatre jours, ils n'avaient pas rencontré âme qui vive. Si Gerald Clark avait pris son canoë dans un village yanomami, ils n'avaient aucune idée de l'endroit où le fameux hameau se trouvait.

Kouwe s'empressa de refroidir les illusions de la jeune femme :

— Ce jardin est abandonné depuis longtemps. Il en existe partout de semblables le long des rivières amazoniennes. Les Indiens sont nomades, notamment les Yanomami : ils plantent des potagers, restent un an ou deux, puis s'en vont. J'ai bien peur qu'il ne faille y voir aucune signification particulière.

Soucieuse de se raccrocher à la moindre parcelle d'espoir, elle insista :

— C'est quand même quelque chose. Ça veut dire que d'autres gens vivent ici.

— En plus, vos patates douces sont super bonnes, ajouta Frank, la bouche pleine. Je commençais à en avoir marre du riz.

Manny sourit et caressa la fourrure de son jaguar. Après s'être régalé d'un gros poisson-chat, Tor-tor s'étirait désormais près du feu.

Les Rangers avaient allumé un second brasier, pas très loin. À la nuit tombée, ils improvisèrent un court service religieux en mémoire de leur camarade. Tout comme le groupe de Nate, les soldats s'étaient rembrunis et n'échangeaient plus que de rares mots à voix basse. Rien à voir avec les soirs précédents, où ils se racontaient des blagues salaces en s'esclaffant bruyamment avant d'installer leurs hamacs et de prendre leurs postes. Cette nuit-là s'annonçait beaucoup plus morose.

— On devrait tous aller dormir, lâcha Kelly. Une longue journée nous attend demain.

Avec des murmures d'approbation et quelques grognements, le groupe se dispersa vers les couchages. Au retour des latrines, Nate trouva Kouwe en train de fumer près de son hamac et sentit qu'il voulait lui parler en privé :

— Professeur.

— Allons nous balader avant que les Rangers installent leurs détecteurs de mouvement.

Le chaman l'entraîna à l'orée de la forêt.

— Qu'y a-t-il ? demanda Nate.

Kouwe continua de marcher jusqu'à ce qu'ils se soient enfoncés dans l'obscurité de la jungle. Quand les deux feux de camp ne furent plus que de vagues lueurs verdâtres derrière les buissons, il s'arrêta et tira vivement sur sa pipe.

— Pourquoi m'avez-vous amené ici ? insista Nate.

Son vieil ami alluma une lampe torche.

Le botaniste regarda autour de lui. La jungle avait disparu à l'exception de quelques petits arbres à pain, orangers et autres figuiers. En revanche, des buissons et des plantes basses recouvraient le sol avec une densité inhabituelle. Le potager indien ! Deux perches de bambou à l'extrémité calcinée se dressaient même au milieu des cultures. D'ordinaire, les flambeaux remplis de poudre de *tok-tok* étaient allumés en période de récolte pour repousser les insectes affamés. Aucun doute : des Indiens avaient bien travaillé là.

Nate avait déjà remarqué de telles zones agricoles pendant ses voyages en Amazonie mais, de nuit, devant un potager retourné à l'état sauvage, il se crut dans un endroit hanté et eut l'étrange sensation que les yeux des Indiens défunts l'observaient.

— Nous sommes suivis, affirma Kouwe.

Nate sursauta :

— Qu'est-ce que vous racontez ?

Le professeur pointa sa lampe vers un arbre à mara-
cujas et tira à lui une branche basse :

— Tous les fruits de la passion ont été cueillis.

Il se tourna vers Nathan.

— Je dirais à peu près au moment où on sortait les
bateaux de l'eau. Certaines tiges sont encore humides
de sève.

— Et vous vous en êtes aperçu ?

— Je le cherchais. Ces deux derniers jours, en partant ramasser des fruits le matin, je me suis aperçu
que plusieurs endroits où j'avais marché la veille
avaient été dérangés. Des branches étaient cassées, la
moitié des fruits d'un prunier mombin avaient disparu.

— Des animaux sont peut-être venus s'y nourrir la
nuit.

— Oui, j'y ai pensé au début et, donc, j'ai préféré
ne rien dire. Je n'avais trouvé ni trace de pas ni preuve
tangible. En fait, c'est la régularité du phénomène qui
m'a convaincu. Quelqu'un nous suit.

— Qui ?

— Des Indiens, j'imagine. Nous sommes sur leur
territoire. Ils n'auraient aucun mal à nous filer en
douce.

— Des Yanomami ?

— Il y a de fortes chances.

Nate décela un doute dans la voix du professeur :

— Qui d'autre, sinon ?

— Je ne sais pas, mais leur imprudence m'intrigue.
Un vrai pisteur fait en sorte d'être indétectable. Ici,
ça manque de discrétion.

— Mais vous êtes vous-même Indien ! Aucun Blanc
n'aurait remarqué ces indices, pas même les Rangers.

— Peut-être, lâcha-t-il sans conviction.

— Il faut alerter le capitaine Waxman.

— Voilà pourquoi je t'ai pris à l'écart. Crois-tu que ce soit vraiment nécessaire ?

— Que voulez-vous dire ?

— S'il s'agit d'Indiens, on ne devrait pas forcer les choses en envoyant des militaires fouiller chaque buisson à leur recherche. Nos espions s'évanouiraient aussitôt dans la nature. Si on veut entrer en contact avec eux, il vaut mieux attendre. Laissons-les s'habituer à notre étrangeté et faire le premier pas.

Nate eut d'abord envie de contredire la prudence préconisée par Kouwe. Il était pressé d'accélérer le mouvement et de répondre aux questions sur la disparition de son père. Difficile d'accepter d'être patient ! La saison humide allait bientôt commencer. Des pluies diluviennes s'abattraient alors sur la forêt, ruinant les espoirs de remonter la piste de Gerald Clark.

Cependant, comme l'attaque du caïman le lui avait rappelé, l'Amazonie était toute-puissante. Elle devait être suivie à son propre rythme. Se battre, s'agiter ne pouvait conduire qu'à la défaite. La meilleure façon d'y survivre était de se laisser porter par le courant.

— Attendons quelques jours de plus, reprit Kouwe. Déjà pour s'assurer que je ne me trompe pas. Tu as peut-être raison : il pourrait s'agir d'animaux. Et, si tu as tort, j'aimerais donner aux Indiens l'occasion de se manifester d'eux-mêmes plutôt que de les effrayer ou les forcer à parler sous la menace d'une arme. Auquel cas, on n'obtiendra aucune information.

Nate accepta à une condition :

— On s'accorde deux jours avant d'en parler à quelqu'un.

Kouwe éteignit sa lampe torche :

— D'accord. Allons nous coucher maintenant.

Les deux hommes couvrirent rapidement la courte distance qui les séparait du bivouac. Nate médita un instant les mots du chaman. Il se rappela son curieux regard quand il lui avait demandé si leurs poursuivants étaient bien des Indiens. Qui d'autre cela pouvait-il bien être ?

Au camp, la plupart des membres de l'équipe s'étaient retirés dans leurs hamacs. Quelques patrouilles de Rangers sécurisaient le périmètre. Kouwe souhaita bonne nuit à son jeune ami, puis se dirigea à grands pas vers son lit surmonté d'une moustiquaire. En enlevant ses bottes, Nate entendit son voisin Frank O'Brien gémir et marmonner. Après le drame de la journée, ils allaient sans doute tous passer une nuit agitée.

Il grimpa dans son hamac et se cacha le visage avec le bras pour ne pas être dérangé par la lumière du feu. Qu'on l'accepte ou non, il ne servait à rien de lutter contre l'Amazonie. Elle avait son propre rythme, sa propre faim. La seule chose à faire ? Prier pour ne pas être la prochaine victime. Assailli de telles pensées, il mit longtemps à s'endormir. Sa dernière question avant d'être happé par le sommeil : *Qui serait le suivant ?*

Le caporal Jim DeMartini commençait à haïr la jungle. Après quatre jours de trajet sur la rivière, il ne supportait plus l'endroit : l'éternelle moiteur, les mouches piqueuses, les moustiques, les cris continuels des singes et des oiseaux… sans parler de la moisissure qui s'emparait de tout, vêtements, hamac, sac à dos. Son matériel empestait la vieille chaussette de sportif. Et ils n'étaient là que depuis quatre malheureux jours !

Alors en patrouille, il s'était adossé à un arbre près des toilettes, un M-16 posé confortablement entre les bras. Son collègue Jorgensen s'était arrêté afin de soulager un besoin pressant et, quelques mètres plus loin, DeMartini l'entendait siffloter tandis qu'il baissait son pantalon.

— Tu choisis vraiment ton moment pour aller chier, ronchonna-t-il.

— C'est cette foutue flotte…

— Grouille-toi un peu, point.

Cigarette aux lèvres, DeMartini repensa au terrible sort de son compagnon d'unité, Rodney Graves. Installé dans le bateau de tête avec les civils, il avait vu le monstrueux caïman jaillir de l'eau et arracher le Ranger aux mains de son frère. Il frémit. Loin d'être un bleu, il avait déjà été témoin de morts violentes – par balle, crash d'hélicoptère ou noyade – mais, jusque-là, rien ne lui avait paru aussi cauchemardesque.

D'un coup d'œil par-dessus son épaule, il commença à maudire Jorgensen. *Pourquoi ce connard mettait-il tant de temps ?* Il inhala une longue bouffée de tabac. *Il devait être en train de se branler.* Enfin, bon, comment l'en blâmer ? Avec deux belles filles dans l'équipe… Après avoir installé le camp, il avait espionné la jeune chercheuse asiatique pendant qu'elle ôtait sa veste kaki : le fin chemisier, trempé de sueur, collait à sa petite poitrine appétissante.

Il chassa ses pensées coquines, écrasa sa cigarette et se redressa. Seule source de lumière dans la nuit ? La lampe scotchée sous son fusil, qu'il braquait sur la rivière voisine.

Au-delà du détecteur de mouvement, de petites lumières clignotaient et voletaient. En Californie du Sud, où DeMartini avait grandi, ces insectes-là n'existaient pas. Le scintillement des bestioles attira son regard, tandis qu'autour de lui, la forêt tropicale semblait soupirer sous le bruissement des feuilles. De grosses branches craquaient comme les articulations d'un vieillard. Un bref instant, il eut l'impression que la jungle était une créature vivante et qu'elle l'avait avalé.

DeMartini balaya le faisceau de sa torche à la ronde. Il croyait fermement aux valeurs de la camaraderie, d'autant plus à présent qu'il avait rejoint la maudite Amazonie. Les Rangers avaient un vieil adage : *la camaraderie est essentielle pour survivre, elle donne à l'ennemi quelqu'un d'autre sur qui tirer*.

Un peu inquiet, il appela son collègue toujours aux toilettes :

— Active, Jorgensen !

— Oh, lâche-moi les baskets !

DeMartini sentit quelque chose lui piquer la joue. Il se mit une claque et écrasa l'insecte. Une piqûre encore plus douloureuse le frappa alors au cou, sous la mâchoire. Grimaçant, il voulut se débarrasser de la mouche ou du moustique responsable, mais un truc était resté planté dans sa peau. Le soldat s'escrima dessus, horrifié :

— Putain de merde ! Saloperie de suceurs de sang !

— Au moins, toi, tu n'es pas cul nu ! gloussa Jorgensen.

DeMartini scruta la jungle avec dégoût et remonta le col de sa veste, histoire de se protéger au mieux des insectes vampires. Soudain, sa lampe révéla un objet brillant à ses pieds, dans la boue. Il le ramassa.

Des plumes accrochées entre elles enserraient un dard. Le bout était humide de sang, *son* sang.

Merde !

Il tomba accroupi et ouvrit la bouche pour crier à Jorgensen de se méfier mais n'émit qu'un vague gargouillis. Malgré ses efforts, il n'arrivait même plus à gonfler la poitrine. Ses membres s'engourdirent. Soudain très faible, il s'écroula sur le côté.

Empoisonné… paralysé, comprit-il, affolé.

Il contrôlait encore assez ses mains pour chercher à tâtons la crosse de son M-16. S'il pouvait tirer un coup de feu… avertir son équipier…

Puis il se sentit observé par quelqu'un au-dessus de lui. Il ne pouvait pas tourner la tête, mais un instinct primaire lui envoya des signaux de détresse à travers tout le corps.

Terrifié, il étira la main vers son fusil, priant, suppliant en silence. Du bout du doigt, il atteignit la détente. S'il avait pu aspirer un peu d'air, cela l'aurait soulagé. Malgré son champ de vision qui s'assombrissait, il concentra dans son index toute l'énergie qui lui restait et pressa la détente.

Rien.

La sécurité était enclenchée ! Une larme de désespoir coula sur sa joue. Étendu dans la boue, paralysé, il ne pouvait même plus fermer les paupières.

Le rôdeur s'approcha enfin de son corps prostré et, à la lueur de sa torche, il crut rêver.

C'était une femme… une femme nue, créature svelte d'une beauté merveilleuse avec de longues jambes, de douces courbes menant à des hanches généreuses, des seins ronds et fermes. Ce furent pourtant ses grands yeux noirs, mystérieux, affamés, qui retinrent l'attention de DeMartini alors qu'il suffoquait lentement. Quand elle se pencha vers lui, ses longs cheveux bruns dégringolèrent en cascade sur le visage inerte du caporal.

Un instant, il eut l'impression qu'elle lui soufflait de l'air dans la bouche. Il sentit quelque chose de tiède l'envahir, comme de la fumée.

Et il sombra au plus profond des ténèbres.

Kelly se réveilla en sursaut. Des gens hurlaient autour d'elle. En se redressant trop vite, elle chuta lourdement de son hamac et se fit mal aux genoux :

— Merde !

On avait rajouté du bois dans les deux feux de camp. Entre deux tourbillons de fumée, les hautes flammes diffusaient une lumière intense. Au loin, les faisceaux des torches signalaient que des hommes cherchaient quelque chose à travers bois. Des cris et des ordres résonnaient dans la jungle.

Kelly se débattit pour trouver la sortie de sa moustiquaire. Juste à côté, Nate et Manny, pieds nus, ne portaient qu'un simple caleçon et un T-shirt. Le grand jaguar était assis entre eux deux.

— Que se passe-t-il ? s'inquiéta-t-elle, une fois libérée de sa prison de toile.

Les autres civils se rassemblaient, tous à divers états de nudité et de confusion. Kelly s'aperçut vite que les hamacs verts des Rangers étaient vides. Seul un caporal montait la garde entre les deux feux de camp, son arme en joue.

Nate se pencha pour remettre ses bottes :

— Un patrouilleur a disparu. On doit rester ici jusqu'à ce que le périmètre soit sécurisé.

— Disparu ? Qui ? Comment ?

— Le caporal DeMartini.

Kelly se souvenait de lui : cheveux noirs et lissés, nez large, regard méfiant.

— Que lui est-il arrivé ?

— Personne ne le sait. Il s'est évanoui dans la nature.

Un cri perçant s'éleva de la rivière. Aussitôt, la plupart des lampes convérgèrent là-bas.

Le professeur Kouwe les rejoignit. Kelly nota l'étrange regard échangé entre les deux hommes, qui semblaient partager tacitement la même pensée.

Frank surgit de l'autre côté du camp. Torche en main, il se précipita vers eux. Ses taches de rousseur ressortaient encore davantage sur son teint blême.

— On a récupéré son arme ! haleta-t-il avant de dévisager Nate, Manny et Kouwe. Vous en savez plus sur la jungle que n'importe qui. J'ai vraiment besoin de votre avis. Le capitaine Waxman a demandé que vous veniez voir.

Alors que tous les civils s'apprêtaient à le suivre, il objecta :

— Seulement vous trois.

— Si l'homme est blessé, je pourrais être utile, insista Kelly.

Son frère hésita, puis donna son assentiment.

Alors que le vindicatif Richard Zane leur emboîtait le pas, Frank secoua la tête :

— On veut le moins de traces de pas possibles sur le site.

Une fois l'affaire réglée, ils foncèrent vers la rivière. Le jaguar avançait en silence auprès de son maître. Ils traversèrent la végétation dense qui bordait l'affluent. Voilà à quoi ressemblait la vraie jungle mythique : un enchevêtrement de plantes grimpantes, de buissons et d'arbres. En file indienne, ils s'approchèrent des lueurs émises par le chapelet lointain des torches.

Kelly suivait Nate. Pour la première fois, elle remarqua sa belle carrure et l'aisance avec laquelle il fendait les bois. Pour un homme si grand, il avait une facilité déconcertante à se glisser sous les lianes et à contourner les buissons. La jeune femme s'efforçait de l'imiter mais, dans le noir, elle trébuchait sans arrêt.

Son talon dérapa sur quelque chose de glissant. Ses pieds se dérobèrent, elle perdit l'équilibre et tendit les mains en avant pour amortir sa chute.

D'un bras solide, Nate la rattrapa par la taille avant qu'elle n'atteigne le sol :

— Attention !

— Me… Merci.

Rougissante, elle voulut attraper une liane mais, comme il l'avait relevée d'un coup sec, elle ne fit que frôler la plante :

— Qu'est-ce que vous… *Aïe !*

La pulpe de ses doigts commença à la brûler. Dès qu'elle s'essuya sur son chemisier, la douleur s'intensifia et, soudain, Kelly crut avoir la main en feu.

— Restez tranquille, conseilla Kouwe. Plus vous frotterez, plus vous aurez mal.

Il arracha une poignée de feuilles à un arbre squelettique, les broya dans son poing, puis étala la mixture oléagineuse sur les doigts et la main de la jeune femme.

Émerveillée, Kelly sentit la brûlure s'atténuer aussitôt.

— *Ku-run-yeh*, commenta Nate. Un puissant analgésique de la famille des violettes.

Kouwe poursuivit jusqu'à disparition totale de la douleur.

Sous la lampe de son frère, Kelly constata que des cloques s'étaient formées.

— Ça va ? demanda Frank.

Elle acquiesça. Elle se sentait un peu idiote, mais le professeur lui serra paternellement le bras :

— Continuez à appliquer le *ku-run-yeh* et vous guérirez plus vite.

— Vous venez d'effleurer une « liane de feu », précisa Nate. Et sa réputation n'est pas usurpée.

La plante grisâtre, qui dégringolait le long d'un arbre, s'enchevêtrait à la base du tronc. Si le jeune botaniste ne l'avait pas rattrapée, Kelly serait tombée pile dessus.

— Elle exsude un puissant irritant pour éloigner les insectes.

— Une forme de guerre chimique, ajouta Kouwe.

— Exact.

D'un signe de tête, Nate incita Frank à reprendre la route, puis il indiqua la forêt tropicale alentour :

— Vous assistez ici à un combat perpétuel. C'est ce qui fait de la jungle une pharmacie si puissante. L'ingéniosité et la variété des composants chimiques utilisés dépassent de loin tout ce qu'un scientifique fabriquerait dans son laboratoire.

Kelly, victime collatérale à son corps défendant, écouta ses explications.

Quelques mètres plus loin, ils rejoignirent les Rangers réunis en cercle autour d'un pan de forêt. Deux hommes équipés de lunettes de vision nocturne restaient en retrait, arme à l'épaule.

Le caporal Jorgensen raconta les faits à son capitaine :

— Comme je vous l'ai dit, j'étais aux toilettes. DeMartini faisait le guet adossé à un arbre voisin.

Waxman lui fourra un mégot de cigarette sous le nez :

— Et ça ?

— Bon, je l'ai entendu s'en griller une, mais je ne pensais pas qu'il s'était éloigné. Quand je me suis rhabillé, il n'était plus là. Il n'a pas précisé qu'il allait traîner du côté de la rivière.

— Tout ça pour une fichue clope, marmonna Waxman. Rompez, caporal.

— À vos ordres, chef.

Après avoir inspiré à fond, le capitaine des Rangers s'approcha des civils, les yeux encore exorbités de rage :

— J'ai besoin de votre expertise là-dessus.

Il braqua sa torche vers un carré d'herbes piétinées.

— On y a retrouvé l'arme de DeMartini et son mégot mais aucun indice sur ce qui a pu lui arriver. Le caporal Warczak a cherché des empreintes qui mèneraient jusqu'ici. Sans résultat. On n'a que quelques herbes écrasées menant à la rivière.

Kelly vit que le chemin conduisait en effet au bord de l'eau. Sur la berge, les grands roseaux avaient été écartés et aplatis.

— J'aimerais y regarder de plus près, demanda le professeur.

Consentant, Waxman lui tendit sa lampe.

Nate et Kouwe avancèrent. Manny leur emboîta le pas, mais son jaguar se figea et renifla les herbes en rugissant profondément.

La main sur son fouet, le maître insista :

— Allez, Tor-tor !

Peine perdue. Le fauve recula même de quelques pas.

Pendant ce temps-là, Kouwe s'était accroupi près des roseaux et humait ses doigts.

— Qu'avez-vous repéré ?

— Des excréments de caïman, Nate.

Il s'essuya la main dans l'herbe et désigna le jaguar :

— Je pense que Tor-tor est d'accord avec moi.

— Que voulez-vous dire ? lança Kelly.

Manny se chargea de répondre :

— À l'état sauvage, les félins peuvent estimer la taille d'un animal à la simple odeur de son urine ou de ses excréments. Aux États-Unis, on vend d'ailleurs de l'urine d'éléphant comme répulsif contre les pumas et les lynx. Effrayés par les effluves d'une bête aussi colossale, ils n'osent pas s'approcher.

Kouwe se faufila entre les roseaux, écarta avec soin quelques tiges cassées, puis fit signe à Waxman de le rejoindre sur la rive. Kelly suivit.

Il dirigea sa lampe vers des empreintes de griffes très visibles dans la boue.

— Un caïman.

Kelly crut percevoir une étrange note de soulagement dans sa voix. Une fois encore, il échangea un regard mystérieux avec Nate, puis se redressa :

— Les caïmans chassent souvent la nuit le long des berges pour attraper des tapirs ou des cochons sauvages venus s'abreuver. Votre caporal a dû s'approcher trop près de la rivière et le prédateur l'aura attaqué.

— Serait-ce le même animal qui a tué Graves ?

Kouwe haussa les épaules :

— Les caïmans noirs sont très intelligents. Celui-ci a compris que les bateaux représentaient une source de nourriture. Il a pu suivre le grondement des moteurs, puis se cacher en attendant la nuit.

— Sale fils de pute ! cracha Waxman, le poing serré. Deux hommes en une seule journée !

Le sergent Kostos s'approcha. Grand gaillard au teint basané, il paraissait tendu :

— J'appelle des renforts, chef ? Les Huey pourraient être là demain matin avec deux hommes supplémentaires.

— Allez-y ! Dorénavant, je veux deux patrouilles à chaque tour de garde. Et deux hommes par patrouille ! Que personne, civil ou militaire, ne s'aventure seul dans la jungle. Jamais ! Et installez-moi des détecteurs de mouvement près de la rivière. Pas uniquement côté jungle.

— Oui, chef.

Waxman s'adressa aux civils :

— Merci pour votre aide.

Congédié sans autre ménagement, le groupe rebroussa chemin à travers bois. Kelly se sentait hébétée. Encore un disparu... Et si vite ! Au passage, elle observa les lianes de feu. Non seulement la région était en proie à une guerre chimique mais aussi à une frénésie sauvage de nourriture, où les forts dévoraient les faibles.

L'Américaine se réjouit de retrouver le bivouac avec ses doux brasiers – la chaleur, la lumière. En un sens, les flammes rassurantes repoussaient provisoirement le cœur sombre de la forêt.

Elle sentit alors les regards des autres membres de l'équipe se poser sur eux. Anna Fong se tenait à côté de Richard Zane. Le collègue de Frank, Olin Pasternak, était resté près du feu.

Manny leur résuma la situation. À mesure qu'il parlait, Anna se couvrit la bouche et détourna les yeux. Richard hocha la tête. Quant à Pasternak, il resta fidèle à lui-même, stoïque, le regard rivé aux flammes.

Kelly s'aperçut à peine de leurs réactions, car elle préférait espionner Nate, qui s'était isolé près de son hamac avec Kouwe. Ils n'échangèrent pas un mot, mais elle saisit la question tacite sur le visage du professeur.

Son jeune ami acquiesça en silence.

Une fois leur conversation muette terminée, Kouwe attrapa sa pipe et s'éloigna de quelques pas, histoire de savourer un bref moment de solitude.

Soucieuse de lui laisser un peu d'intimité, Kelly pivota et s'aperçut que Nate l'observait.

Elle évita de croiser ses yeux et se concentra sur le feu. Elle se sentait idiote, bizarrement effrayée. Au souvenir de ses bras puissants, elle se mordilla la lèvre inférieure. Elle devinait son regard toujours posé sur elle, comme le soleil sur sa peau. Chaud, profond, piquant.

Peu à peu, l'impression s'estompa.

Que cachait-il ?

Chapitre 7

Rassemblement des données

12 août, 6 h 20
Langley, Virginie

Lauren O'Brien allait être en retard au travail.
— Jessie !
Elle plaça une orange dans le panier-repas, à côté du sandwich au beurre de cacahuète.
— Chérie, il faut que tu descendes… *maintenant*.
Emmener sa petite-fille au centre aéré l'obligeait à faire un détour de vingt minutes avant d'affronter les traditionnels embouteillages matinaux jusqu'à Langley.
Elle consulta sa montre, exaspérée :
— Marshall !
— On arrive ! répondit une voix grave.
Elle jeta un coup d'œil à la cage d'escalier. Son mari descendait avec Jessie. Au moins, elle était habillée, même si ses chaussettes étaient dépareillées. *On y est presque*, songea Lauren. Elle avait oublié qu'avoir un enfant à la maison, cela bouleversait l'emploi du temps et les habitudes de vie.

— Je peux la conduire à la garderie, annonça Marshall. Je n'ai pas de rendez-vous avant 9 heures.

— Non, j'y vais.

— Lauren…

Il déposa un rapide baiser sur sa joue.

— Laisse-moi t'aider.

Elle repartit en cuisine et ferma le panier d'un coup sec :

— Tu devrais aller au bureau le plus tôt possible.

Elle avait tenté de masquer son inquiétude, mais Marshall n'était pas dupe :

— Va chercher ton sweat-shirt, Jessie.

— D'accord, papy.

Tandis qu'elle sautillait vers la porte d'entrée, il souffla :

— Frank et Kelly vont bien. S'il arrive quelque chose, on le saura très vite.

Lauren acquiesça mais lui tourna le dos : elle ne voulait pas que son mari la voie émue aux larmes. La veille au soir, ils avaient appris qu'un Ranger s'était fait dévorer par un crocodile, puis, quelques heures après minuit, le téléphone avait sonné. Marshall avait décroché et, au ton de sa voix, Lauren avait d'emblée deviné la mauvaise nouvelle. Un appel aussi tardif ne pouvait avoir qu'une signification : il était arrivé un truc horrible à Frank ou à Kelly. Elle en était sûre. Lorsque son mari lui avait raconté qu'un autre soldat était mort, elle avait pleuré, égoïstement soulagée, mais, au fond de ses tripes, elle avait senti poindre une peur dont, depuis, elle ne pouvait plus se défaire. *Deux morts… et combien à venir ?* Elle n'avait pas réussi à se rendormir.

— On est en train d'héliporter deux autres Rangers vers leur campement. Ils sont bien protégés.

Lauren acquiesça et ravala son chagrin. La veille, elle avait parlé avec Frank et Kelly : bien que secoués par la tragédie, ils paraissaient déterminés à continuer. Marshall insista :

— Nos enfants sont coriaces, prudents et bourrés de ressources. Ils ne prendront aucun risque inconsidéré.

— Ils sont là-bas, non ? Ça ne te suffit pas comme *risque inconsidéré* ?

Marshall posa les mains sur les épaules de son épouse, lui dégagea la nuque et l'embrassa tendrement :

— Ils vont s'en sortir.

À cinquante-quatre ans, c'était encore un très bel homme. Ses cheveux noirs d'Irlandais grisonnaient aux tempes. Sa mâchoire volontaire était adoucie par des lèvres pulpeuses. Ses yeux noisette tirant sur le bleu l'avaient toujours séduite et la séduisaient encore.

— Kelly et Frank vont s'en sortir, répéta-t-il. Je veux t'entendre le dire.

Lauren baissa les yeux, mais un doigt lui remonta le menton.

— Dis-le, s'il te plaît. Pour moi. J'ai aussi besoin de l'entendre.

Elle aperçut une lueur de détresse dans son regard.

— Kelly et Frank… vont bien s'en sortir.

Même susurrés dans un souffle, elle fut soulagée d'avoir énoncé les mots à haute voix.

Marshall retrouva aussitôt le sourire :

— Et comment ! C'est nous qui les avons élevés, non ?

— Nous les avons bien élevés.

— Absolument.

Tandis qu'elle le serrait fort dans ses bras, il planta un baiser sur son front :

— J'emmène Jessica à la garderie.

Lauren ne broncha pas, embrassa longuement leur petite-fille sur le seuil et prit sa BMW. Les quarante minutes de trajet jusqu'à l'Institut Instar s'égrenèrent dans une sorte de brouillard. Une fois arrivée, elle attrapa sa mallette et franchit les portiques de sécurité. Après une nuit pareille, elle se réjouissait de s'occuper à nouveau l'esprit, d'avoir quelque chose qui l'arrachât à ses inquiétudes personnelles.

En chemin, elle salua quelques visages familiers. Ce jour-là, elle devait recevoir le rapport complet des tests éprouvant la théorie de Kelly sur une éventuelle altération du statut immunitaire de Gerald Clark. Les premiers résultats partiels ne s'étaient pas révélés d'un grand secours : vu le degré avancé des cancers qui avaient ravagé le corps, il était difficile d'affirmer quoi que ce soit.

Un visiteur attendait Lauren à la porte de son bureau. Âgé d'à peine vingt-cinq ans, le jeune homme, mince, avait le crâne rasé et portait une blouse bleue.

La directrice du projet MEDEA pensait connaître tous les salariés de l'institut, pourtant elle ne l'avait jamais vu :

— Oui ?

— Je m'appelle Hank Alvisio.

Le nom lui dit quelque chose. Tout en serrant la main de son interlocuteur, elle fouilla sa mémoire.

Comme il décelait son léger embarras, il précisa :

— Épidémiologie.

— Mais bien sûr ! Je vous demande pardon, docteur Alvisio.

L'homme était un épidémiologiste frais émoulu de Stanford qu'elle n'avait encore jamais rencontré personnellement. Son domaine de prédilection : l'étude de la transmission des maladies.

— En quoi puis-je vous aider ?

Il brandit un dossier :

— J'aimerais vous montrer quelque chose.

— J'ai rendez-vous avec l'immunologie dans dix minutes.

— Raison de plus pour que vous m'accordiez du temps.

Après avoir ouvert sa porte à l'aide d'une clé magnétique, Lauren invita le Dr Alvisio à entrer, alluma la lumière, rejoignit son bureau et le pria de s'asseoir en face d'elle :

— Que voulez-vous me montrer au juste ?

— Une chose sur laquelle je travaille. (Il tripota son dossier.) D'étranges données que je voudrais partager avec vous.

— Lesquelles ?

— J'ai épluché les archives médicales brésiliennes à la recherche de cas semblables à celui de Gerald Clark.

— D'autres exemples de mystérieuse régénération ?

— Non, bien sûr, sourit-il timidement. En fait, j'ai étudié les formes de cancers les plus répandues chez les habitants de la forêt tropicale en me concentrant sur la région où Clark est mort. Je pensais que, peut-être, grâce au taux de certaines affections, on pourrait remonter indirectement sa piste.

Lauren se leva. L'angle était intéressant, voire ingénieux, et elle comprenait pourquoi le Dr Alvisio avait été recruté. S'il découvrait un groupe de cancers similaires, on pourrait restreindre les paramètres de recherche, ce qui, au final, abrégerait l'expédition de Frank et Kelly en Amazonie.

— Qu'avez-vous découvert ?

— Pas ce que j'attendais, frémit-il. J'ai contacté tous les hôpitaux des villes ainsi que les dispensaires et cliniques isolés du secteur. Ils m'ont envoyé leurs dossiers des dix dernières années et j'ai mis presque autant de temps à analyser les données *via* mes modèles d'analyse informatique.

— Avez-vous mis au jour des tendances fortes ? demanda Lauren, pleine d'espoir.

— Hélas, non. Rien de ce qu'on a pu trouver chez Gerald Clark. Le cas paraît unique en son genre.

Il tendit une feuille à Lauren, qui chaussa ses lunettes.

C'était une carte du nord-ouest du Brésil. Les rivières qui sillonnaient la région confluaient toutes vers un seul et même fleuve : l'Amazone. Villes et villages étaient éparpillés le long du chemin, la plupart adossés aux cours d'eau. La carte en noir et blanc était parsemée de petites croix rouges.

Alvisio en tapota quelques-unes du bout de son stylo :

— Voici les dispensaires qui m'ont fourni des informations. Pendant que je travaillais avec eux, le médecin-chef d'un hôpital de Barcelos m'a contacté.

Il indiqua une commune à trois cents kilomètres en amont de Manaus, le long de l'Amazone.

— Ils sont confrontés à un virus qui affecte les enfants et les personnes âgées. Une espèce de fièvre hémorragique : températures très élevées, jaunisse, vomissements, ulcérations orales. La maladie a déjà emporté une douzaine de gosses. Le médecin de Barcelos m'a raconté qu'il n'avait jamais vu une chose pareille et a sollicité mon aide. J'ai accepté.

Lauren fronça les sourcils, agacée : l'épidémiologiste avait été recruté pour travailler à plein temps sur MEDEA. Elle garda néanmoins le silence et le laissa continuer.

— Grâce à mon réseau de contacts locaux, j'ai envoyé une demande urgente de rapports concernant l'étrange maladie.

Le Dr Alvisio sortit un deuxième document. C'était la même carte, avec ses rivières et ses croix rouges, sauf que plusieurs croix entourées en bleu étaient accompagnées de dates.

— Voici les sites qui m'ont rapporté des cas similaires.

Lauren écarquilla les yeux. Il y en avait tellement ! Au moins une douzaine de dispensaires.

— Vous voyez la tendance maintenant ?

Lauren approuva doucement en silence.

Il posa le doigt sur une croix cerclée de bleu :

— J'ai daté chaque cas recensé et celui-là est le dernier : la mission de Wauwai.

— Où Gerald Clark a été retrouvé ?

L'épidémiologiste confirma d'un signe de tête.

Lauren se rappela un rapport récent de l'expédition : la mission de Wauwai avait été rasée par des Indiens superstitieux, terrorisés après que plusieurs enfants du village étaient tombés malades de manière inexpliquée.

Le Dr Alvisio suivit la ligne de croix entourées de bleu :

— J'ai vérifié avec les autorités locales. Le bateau à vapeur qui rapatriait le corps de Clark s'est arrêté dans tous ces ports.

Il posa son stylo sur les hameaux en bordure de rivière.

— La maladie est apparue partout où la victime a transité.

— Mon Dieu…, bredouilla Lauren. Vous pensez que le corps véhiculait un élément pathogène ?

— Pas forcément. Du moins, je l'ai pensé au début. La fièvre aurait pu très bien se propager depuis Wauwai par une multitude de vecteurs. Presque tous les transports de la région se font par rivière, donc une affection contagieuse aurait suivi le même chemin : le modèle de propagation ne prouve pas que le corps soit la source du mal.

Lauren soupira, rassérénée :

— Le cadavre ne pouvait pas être en cause. Avant qu'il soit ramené par bateau depuis le Brésil, ma fille a supervisé l'examen de la dépouille. On a recherché une foule de facteurs pathogènes potentiels : choléra, fièvre jaune, dengue, malaria, typhoïde, tuberculose… Par souci de minutie, on a pratiqué tous les tests imaginables. Le corps était sain.

— Je crains fort que vous ne vous trompiez, murmura le Dr Alvisio. Voici ce qu'on m'a faxé ce matin.

Il sortit une dernière feuille de son dossier : un rapport en provenance de Floride.

— Le corps de Clark a été inspecté par les douanes de l'aéroport international de Miami. Or, à ce jour, trois cas nous ont été signalés touchant des gamins de la ville. Tous des enfants d'employés de l'aéroport.

Lauren s'affaissa sur sa chaise, horrifiée :

— Quelle que soit la maladie, elle est donc ici. Nous l'avons amenée. C'est ce que vous êtes en train de me dire ?

Elle dévisagea l'épidémiologiste, qui confirma en silence.

— Est-elle très contagieuse ? Très virulente ?

— Difficile de se prononcer avec certitude, bredouilla-t-il.

Lauren savait que, malgré son jeune âge, le chercheur était un des meilleurs de sa discipline :

— D'après vos premières estimations ? Vous avez bien un avis, j'imagine ?

Il déglutit bruyamment :

— Selon les études concernant son niveau de transmission et sa période d'incubation, la maladie serait mille fois plus contagieuse que le rhume… et aussi agressive que le virus Ebola.

Lauren se décomposa :

— Et le taux de mortalité ?

Le Dr Alvisio baissa les yeux et secoua tristement la tête.

— Hank ? insista-t-elle d'une voix étranglée par la peur.

Il releva les yeux :

— Jusqu'à maintenant, personne n'a survécu.

12 août, 6 h 22
Jungle amazonienne

À l'entrée de son campement, Louis Favre profitait du beau lever de soleil sur la rivière. Enfin un peu de calme après une longue nuit de labeur ! Kidnapper le caporal au nez et à la barbe des Américains avait nécessité des heures de préparation, une exécution minutieuse mais, comme d'habitude, son équipe s'était acquittée de la tâche avec brio.

Après quatre jours passés à suivre l'autre équipe comme son ombre, ils commençaient à s'ennuyer. Chaque nuit, des espions partaient en éclaireurs sur la route que les Rangers emprunteraient le lendemain et dissimulaient des postes d'observation dans les grands arbres qui surplombaient la canopée. Ensuite, ils maintenaient une liaison radio permanente avec la base arrière. Durant la journée, Louis et le gros de ses forces suivaient en convoi dans des canoës, à dix kilomètres derrière les Rangers. Ce n'était qu'à la nuit tombée qu'ils s'approchaient réellement.

Favre tourna le dos à la rivière, s'enfonça dans les bois et balaya du regard la quarantaine d'hommes en train de lever le camp. Son groupe de mercenaires était très hétéroclite : Indiens à la peau cuivrée issus de diverses tribus, grands échalas noirs du Suriname, Colombiens basanés débauchés des cartels de la drogue… Malgré leurs différences, ils avaient tous un point commun : ils étaient marqués par la jungle et s'étaient considérablement endurcis à son contact, comme modelés par l'impitoyable végétation.

Dans leur écrin de toile, les armes de guerre étaient alignées au sol près des couchages. L'arsenal aussi était varié : MP5 Heckler & Koch allemands, Skorpions tchèques, mitraillettes Ingram, Uzi de fabrication israélienne et même quelques vieux pistolets-mitrailleurs britanniques de marque Sten. Chaque homme avait sa préférence. Le choix de Louis s'était porté sur un mini-Uzi compact : même puissance de feu que son grand frère dans à peine trente-cinq centimètres. Une conception parfaite ! Il était petit et mortel, comme son propriétaire.

En plus des armes à feu, quelques types aiguisaient leur machette. Le raclement de la pierre contre l'acier se mêlait à l'appel matinal des oiseaux et aux cris des singes. Dans un combat au corps à corps, une lame bien utilisée s'avérait plus efficace qu'un pistolet.

Alors que Favre inspectait le camp, son second, grand Noir descendant d'esclaves, approcha. À treize ans, le dénommé Jacques avait dû s'exiler de son village pour avoir violé une fille de la tribu voisine. Il portait encore les stigmates de sa longue errance de jeunesse à travers la jungle et avait, par exemple, perdu une partie de son nez lors d'une attaque de piranhas.

Il inclina la tête avec respect :
— Docteur.
— Oui, Jacques.

— Maîtresse Tshui vous fait savoir qu'elle est prête et qu'elle vous attend.

Louis soupira. *Enfin !* Le prisonnier s'était montré coriace.

Il sortit de sa poche les plaques d'identification du pauvre homme, les fit sauter dans sa main, puis rejoignit une tente isolée à l'orée du camp. D'habitude, il la partageait avec Tshui mais, la nuit précédente, sa compagne s'était occupée du nouvel invité.

Louis s'annonça :

— Tshui, ma chérie, notre visiteur est-il prêt à recevoir un peu de compagnie ?

Il remonta la toile vert camouflage et se baissa pour entrer.

Une chaleur insupportable régnait à l'intérieur, sans doute à cause du petit brasero qui brûlait dans un coin. Agenouillée nue devant le poêle, sa maîtresse y brûlait une botte de feuilles séchées. Tandis qu'une fumée aromatisée s'élevait dans la tente, l'Indienne se releva. Sa peau café au lait luisait de sueur.

Louis la dévora du regard. Il eut envie de la prendre là, sur-le-champ, mais se retint à cause de leur invité.

L'homme était attaché au sol, les bras en croix, et ne portait pour tout vêtement qu'un simple bâillon.

D'un air amusé, Louis observa son corps ravagé, puis, soupesant toujours les plaques en métal, il alla s'asseoir et contempla le nom gravé dessus.

— Caporal James DeMartini, lut-il dans un anglais très clair, j'ai entendu dire de bonne source que vous étiez prêt à coopérer.

En larmes, l'homme gémit.

— Ça veut dire oui ?

Le Ranger, atrocement battu et torturé, acquiesça en tressaillant de douleur. *Qu'est-ce qui était le plus pénible ?* se demanda Louis. *La torture ou le moment où on finissait par craquer ?*

Avec un soupir de lassitude, le Français lui ôta son bâillon. L'expérience lui avait appris que certains détails pouvaient décider du succès ou de l'échec d'une mission. Il avait déjà recueilli une foule de renseignements sur l'équipe adverse, fournis non seulement par St Savin mais aussi par un informateur plus proche, mais il n'était toujours pas satisfait.

Il avait donc kidnappé le jeune caporal pour obtenir des détails inédits sur l'unité de Rangers : puissance de feu, codes radio, planning... sans compter les objectifs stratégiques inavoués, ordres secrets que les militaires ne partageaient pas avec les civils. Louis avait également considéré l'enlèvement comme un défi, un premier test de ses forces.

La manœuvre s'était déroulée sans accroc. Équipés de lunettes infrarouges, les mercenaires s'étaient approchés du campement. Dès que l'occasion s'était présentée, ils avaient empoisonné un Ranger avec un curare spécial préparé par Tshui, puis brouillé les pistes en déposant de la bouse de caïman et de fausses empreintes de pas le long de la rivière. L'Indienne avait alors gardé DeMartini en vie en lui soufflant un antidote à effet lent dans les poumons.

Néanmoins, c'était pendant la nuit que Tshui avait prouvé l'étendue de ses talents. Son art de la torture était sans égal, alternant douleur et plaisir à un rythme étrange, hypnotique, jusqu'à ce que le sujet finisse par craquer.

— Je vous en prie, tuez-moi, balbutia le caporal d'une voix rauque, les lèvres en sang.

— Bientôt, *mon ami**... mais d'abord, quelques questions.

Louis se renfonça sur sa chaise pliante, tandis que Tshui agitait la botte de feuilles séchées autour du soldat et en répandait la fumée à travers la tente. Chaque fois qu'elle approchait, DeMartini tressaillait et, le regard terrifié, il suivait ses moindres mouvements.

Malgré une situation qu'il trouvait des plus excitantes, Louis resta concentré :

— Commençons par examiner les chiffres.

En quelques minutes, il obtint tous les codes et le planning de ses adversaires. Inutile de prendre des notes : les fréquences et les combinaisons, qui allaient grandement faciliter les écoutes, se gravèrent illico dans sa mémoire. Il récupéra ensuite des informations sur la puissance de feu des Rangers : type d'armes et quantité, niveaux de compétences, faiblesses, soutien aérien.

L'homme se révéla particulièrement bavard et, à force de babiller, il donna à son tortionnaire plus de renseignements qu'il n'en réclamait :

— Le sergent Kostos a une poche secrète dans son sac à dos... il y cache du whisky... deux bouteilles... et dans le bateau du capitaine Waxman, il y a une caisse de mini-bombes au napalm... et le caporal Conger a un numéro de *Penthouse*...

Louis se redressa :

— Un instant, *monsieur**. Revenons un peu en arrière. Des bombes au napalm ?

— Des mini-bombes... deux douzaines...

— Pour quoi faire ?

Le caporal parut embarrassé.

— James, gronda Favre.

— Je... Je l'ignore. Sans doute au cas où on aurait besoin de raser un pan de la jungle. Si un truc nous bloque le passage.

176

— Quelle puissance de destruction ?

— Je... (Il retint un sanglot.) Je ne suis pas sûr... peut-être un demi-hectare... je ne sais pas.

Louis posa les coudes sur les genoux :

— Êtes-vous en train de me dire la vérité, James ?

Il remua le doigt vers Tshui, que la conversation commençait à ennuyer. Assise en tailleur, elle étalait devant elle tout un éventail d'outils.

Au signal de Favre, elle rampa, tel un félin, vers le soldat nu.

— Non ! miaula le caporal en larmes. Je ne sais rien de plus.

— Est-ce que je vous crois ? ironisa Louis.

— S'il vous plaît...

— Je pense que je vais vous croire.

Il se leva et se tourna vers sa maîtresse :

— Nous avons terminé, *ma chérie**. Il est à toi.

Elle se remit doucement debout et tendit une joue pour qu'il l'embrasse au passage.

— Non ! supplia le prisonnier au sol.

— Ne traîne pas, Tshui. Le soleil est presque levé et nous devons partir bientôt.

Elle sourit, le visage noirci de fumée et emplie de désirs cachés. Au moment de sortir, Louis la vit ramasser du fil et une aiguille en os. Récemment, elle avait testé une nouvelle technique de préparation à la réduction de tête : elle cousait les paupières de ses victimes encore vivantes. *Pour mieux en saisir l'essence*, supposait-il. Les chamans Shuar accordaient une signification particulière aux yeux, qui étaient le chemin vers l'âme.

Un cri perçant s'éleva derrière lui.

— N'oublie pas le bâillon ! grogna Louis.

Il commit l'erreur de jeter un dernier regard en arrière.

Assise au-dessus du caporal qui se tortillait dans tous les sens, l'Indienne lui maintenait fermement la tête entre ses cuisses, son aiguille à la main. Il haussa le sourcil, surpris : Tshui était en train d'innover.

— *Pardon, ma chérie**, souffla-t-il en quittant la tente.

Apparemment, il l'avait réprimandée trop vite. Le bâillon n'avait plus de réelle nécessité.

Tshui était déjà en train de coudre la bouche du caporal.

ACTE TROIS

LA LOI DU PLUS FORT

NOIX DU BRÉSIL

ESPÈCE : *Excelsa*
GENRE : *Bertholletia*
FAMILLE : Lécythidacées
NOMS USUELS : Noix du Brésil, castanheiro do pará, noix du pará, noix d'Amazonie, castanha do pará, castanha do Brasil
PARTIES UTILISÉES : Noix, huile de la graine
PROPRIÉTÉS/ACTIONS : Émollient, nutritif, antioxydant, insecticide

Chapitre 8

Le village

13 août, midi
Jungle amazonienne

Nate accrocha l'amarre du bateau à un arbre tropical :

— Attention, ça glisse ! Regardez où vous mettez les pieds.

De la boue jusqu'aux genoux, totalement trempé, il aida Kelly à retrouver la terre ferme.

Les yeux tournés vers le ciel nuageux, il offrit son visage à la pluie. Un orage avait éclaté durant la nuit : d'abord véritable déluge, il s'était calmé pour se transformer en bruine persistante au cours de la dernière heure. Le trajet de la journée avait été morne. Les explorateurs avaient passé la matinée à se relayer auprès de la pompe manuelle pour écoper. C'était donc avec joie que Nate avait accueilli l'appel de Waxman à faire une pause déjeuner.

Après avoir aidé tout le monde à descendre, il quitta enfin la berge limoneuse. Comme de minces filets d'eau ruisselaient de la canopée, la jungle semblait pleurnicher.

Imperturbable, le professeur Kouwe se fabriqua à la hâte un panier en feuilles de palme et, escorté par un caporal Jorgensen dégoulinant, il partit chercher de quoi manger. À voir sa mine renfrognée, le grand Suédois n'avait guère envie de crapahuter en forêt, mais Waxman avait insisté sur le fait que personne, pas même l'expérimenté chaman, ne devait se hasarder seul dans la jungle.

Autour du camp, l'ambiance était morose. La veille, ils avaient appris que le corps de Clark était peut-être la source d'une dangereuse contagion. Une quarantaine avait été décidée à Miami et autour de l'institut où les légistes avaient pratiqué l'autopsie. Une fois le gouvernement brésilien informé de la situation, des centres d'isolement avaient fleuri dans toute l'Amazonie. Jusqu'à présent, seuls les enfants, les personnes âgées et les sujets immunodéprimés couraient un risque. Les adultes en bonne santé paraissaient plus résistants mais, de la maladie, on ne connaissait encore ni l'agent déclencheur, ni le mode de transmission, ni le protocole de traitement. Aux États-Unis, l'Institut Instar devait se plier à un confinement de niveau 4, le temps d'effectuer des recherches sur la question.

Nate observa les O'Brien. Frank avait le bras enroulé autour des épaules de sa sœur, très pâle. Tous leurs proches, de même que les familles des autres scientifiques de l'institut, avaient été placés en quarantaine. Personne ne semblait développer de symptômes, mais l'inquiétude se lisait sur le visage de Kelly.

Nate les laissa tranquilles et poursuivit son travail.

Seul point positif des quarante-huit dernières heures ? Aucun autre membre de l'équipe n'avait été victime de la jungle. Après avoir perdu le caporal

DeMartini deux jours plus tôt, tous les explorateurs étaient en alerte : ils écoutaient les avertissements de Nate et Kouwe sur les dangers de l'Amazonie, respectaient leurs connaissances traditionnelles et, avant de débarquer d'un bateau ou de se baigner, ils scrutaient l'eau à la recherche d'une raie pastenague ou d'une anguille électrique. Kouwe leur avait aussi expliqué comment éviter les scorpions et les serpents : le matin, personne n'enfilait plus une botte sans l'avoir d'abord secouée vigoureusement.

Nate vérifiait à présent l'existence de dangers potentiels aux abords du camp : lianes de feu, nids de fourmis, reptiles cachés… La routine, quoi !

Les deux nouveaux qui remplaçaient les militaires dévorés par les caïmans se chargeaient de ramasser du bois. Tous deux soldats de première classe, ils venaient d'intégrer le corps des Rangers : il y avait, d'une part, un homme qui ressemblait à un char d'assaut avec un accent du Bronx très prononcé, Eddie Jones, et, de l'autre, curieusement, une des premières filles à avoir intégré les Forces spéciales, Maria Carrera. Les Rangers ne permettaient aux femmes de postuler que depuis six mois, après un amendement du Congrès modifiant le code des armées, mais elles étaient encore tenues à l'écart des zones de combat et se voyaient plutôt assigner des missions de protection.

Arrivés le lendemain de l'attaque de DeMartini, les deux recrues étaient descendues en rappel depuis un Huey en vol stationnaire. On avait ensuite débarqué quelques bidons d'essence et un supplément de provisions.

Il s'agissait de l'ultime déchargement. À présent, les explorateurs se trouvaient hors de portée d'hélicoptère et, donc, de tout secours aérien. Depuis leur départ, ils avaient effectué près de six cents kilomètres. Le seul appareil ayant assez d'autonomie pour les rejoindre était le Comanche noir, mais on ne l'utiliserait qu'en cas d'urgence, s'il fallait évacuer un blessé ou lancer impérativement l'assaut. Conclusion : ils ne pouvaient plus compter que sur eux-mêmes.

Après son inspection, Nate regagna le centre du camp. Le caporal Conger tentait d'embraser des feuilles mortes placées sous une pyramide de brindilles. Soudain, un arbre ruissela et éteignit sa flamme.

Écœuré, le jeune Texan jeta son allumette :

— Bordel de merde ! Tout est foutrement détrempé. Si j'essayais avec une fusée éclairante ?

— Il vaut mieux les garder, répondit Waxman. On se passera de feu.

Trempé jusqu'aux os, Manny grogna de déception. Seul Tor-tor paraissait encore plus découragé que lui. Le jaguar rôdait autour de son maître, l'air maussade, le pelage gorgé d'eau, les oreilles basses. Il n'y avait rien de plus pitoyable qu'un chat mouillé, même quand il pesait cent kilos.

— Je devrais pouvoir vous aider, intervint Nathan.

Tous les yeux se braquèrent sur lui.

— Je connais un vieux truc indien.

Accompagné de Manny et Waxman, il retourna dans la forêt en quête d'un grand arbre qu'il avait repéré lors de son inspection. Après avoir rapidement localisé le spécimen, il sortit sa machette et entailla l'écorce grise irrégulière. Une résine épaisse de couleur rouille en jaillit. Il recueillit un peu de sève entre ses doigts et la fourra sous le nez du capitaine.

— Ça sent la térébenthine, constata le militaire.

Nate caressa le tronc :

— Cet arbre, le *copal*, a un nom dérivé d'un mot aztèque signifiant « résine ». On en trouve de la même famille partout en Amérique centrale et en Amérique du Sud. Ses propriétés sont multiples : il soigne les plaies, traite la diarrhée, soulage le rhume. On l'utilise même en industrie dentaire moderne.

— En industrie dentaire ? répéta Manny.

Le botaniste montra son doigt collant :

— Si on t'a déjà enlevé une carie, tu en as dans la bouche.

— En quoi est-il censé nous aider ? demanda Waxman.

Nate fouilla les feuilles en décomposition au pied de l'arbre :

— Le copal est riche en hydrocarbures. On a même tenté de l'utiliser comme combustible. Dans un moteur, il est plus propre et plus efficace que l'essence. Les Indiens, eux, connaissent ses vertus depuis toujours.

Lorsqu'il se redressa, il tenait dans sa main une grosse boule de sève durcie, qu'il enfonça sur un bâton pointu comme une guimauve :

— Je peux vous emprunter une allumette ?

Waxman en sortit une de son étui imperméable.

Nate gratta l'allumette contre l'écorce et l'approcha de la résine qui, aussitôt, produisit une puissante flamme bleue. Son trophée à la main, il rebroussa chemin vers le feu de camp raté :

— Les chasseurs indiens utilisent sa sève depuis des siècles pour allumer des brasiers en période d'orage. Elle brûle des heures et permet à un foyer de démarrer, même avec du bois mouillé.

Sa belle flamme attira l'attention générale. Frank et Kelly les rejoignirent au moment où il plaçait l'amas de résine sous le tas de feuilles. Très vite, les herbes et le bois s'embrasèrent.

— Beau boulot ! apprécia Frank en se réchauffant les mains.

Nate s'aperçut que Kelly le regardait avec un sourire en coin. Son premier sourire depuis vingt-quatre heures.

Il se racla la gorge :

— Ne... ne me remerciez pas. Remerciez plutôt les Indiens.

— On va peut-être en avoir l'occasion ! lança Kouwe derrière eux.

Tout le monde fit volte-face.

— On a découvert un village, annonça Jorgensen.

Encore ébahi, il indiqua la direction que les deux hommes avaient prise à la recherche de nourriture.

— À peine quatre cents mètres en amont. Il est désert.

— Ou il en a l'air, rectifia Kouwe en adressant un regard appuyé à Nate.

Le jeune homme écarquilla les yeux. *S'agissait-il des Indiens qui les suivaient en cachette ?* Il reprit espoir. Avec la pluie, il avait eu peur de perdre la trace de Gerald Clark. L'orage de la nuit était le premier d'une longue série marquant l'arrivée de la saison humide. Il leur restait peu de temps. *Sauf que, là...*

— Il faut vite mener l'enquête, ordonna Waxman, mais d'abord, je veux que trois hommes partent en reconnaissance dans le village.

— Il vaudrait mieux adopter une approche moins agressive, protesta Kouwe. Les Indiens sont maintenant au courant de notre présence. D'où le village désert, à mon avis.

Waxman allait le contredire quand Frank l'arrêta d'un geste :

— Que suggérez-vous ?

Kouwe hocha la tête vers Nate :

— Allons-y d'abord, toi et moi... Seuls.

— Hors de question ! éructa le chef des Rangers. Je ne vous laisse pas partir sans protection.

Frank retira sa casquette des Red Sox et s'épongea le front :

— Je pense qu'on devrait écouter le professeur. Débarquer en masse avec des soldats lourdement armés risque d'effrayer les Indiens. On a besoin de leur coopération. Toutefois, je partage aussi les réticences du capitaine à vous laisser y aller à deux.

— Alors, un soldat vient avec nous, mais un seul. Et il garde son arme à l'épaule. Ces Indiens sont peut-être coupés du monde, mais la plupart d'entre eux savent ce qu'est un fusil.

— Moi aussi, j'aimerais y aller, intervint Anna Fong.

Ses longs cheveux noirs lui collaient au visage et aux épaules.

— Une femme pourrait donner à notre groupe une allure moins hostile. Quand ils partent en raid, les Indiens n'emmènent pas leurs compagnes.

— Le Dr Fong a raison, approuva Nate.

Waxman grimaça, peu emballé à l'idée de laisser des civils mener une mission de reconnaissance.

— Alors, je me propose de les escorter.

Les regards convergèrent vers Carrera, la femme Ranger. Avec sa peau mate de Latino et ses cheveux bruns très courts, elle était tout simplement magnifique.

— Si les femmes sont considérées comme une moindre menace, c'est à moi d'y aller, chef.

Waxman finit par accepter de mauvaise grâce :

— Très bien, pour le moment, faisons confiance au professeur, mais installez le reste des troupes à moins de cent mètres de leur position. Et j'exige un contact radio permanent.

Frank regarda Nate et Kouwe, qui approuvèrent en silence.

Pleinement satisfait, il s'éclaircit la voix :

— Eh bien, en avant !

Les explorateurs se répartirent en plusieurs groupes. Alors que Nate, Kouwe et Anna Fong naviguaient déjà au moteur sur la rivière, Waxman emmena trois hommes vers un autre bateau : ils rameraient à une centaine de mètres derrière la première embarcation afin de rester à distance mais de pouvoir intervenir en cas de besoin. Trois autres Rangers les suivaient par voie terrestre sous l'égide du caporal Jorgensen. L'équipe devait se poster à cent mètres du village. Par précaution, les militaires s'étaient peint le visage aux couleurs de la jungle.

Manny avait voulu se joindre au dernier groupe, mais Waxman l'avait vite rabroué :

— Les autres civils ne bougent pas d'ici.

Kelly ne put donc que regarder ses compagnons partir. Deux Rangers – le nouveau venu, Eddie Jones, et le caporal Tom Graves – restèrent au camp afin de protéger la base arrière.

— Comment se fait-il qu'on se retrouve à garder le foutu troupeau ? grommela Jones.

Graves ne répondit pas. L'air perdu, il contemplait la bruine, visiblement encore accablé par la mort de son frère Rodney.

Seule à présent, Kelly rejoignit Frank. En tant que chef de l'opération, il aurait eu le droit d'intégrer un groupe, mais il avait préféré rester à l'arrière, pas par peur – elle le savait bien – mais pour veiller sur sa sœur jumelle :

— Olin a pratiquement établi la liaison satellite. On peut contacter les États-Unis quand tu veux.

Elle hocha la tête. Sous une bâche près du feu, voûté devant un ordinateur portable et une antenne parabolique, le responsable des transmissions pianotait sur son clavier, la mine très concentrée. Richard Zane se tenait à ses côtés.

Bientôt, Pasternak annonça :

— Nous sommes prêts.

La jeune femme remarqua son léger accent russe mais, pour le déceler, il fallait avoir l'oreille très exercée. Jusqu'à l'effondrement du régime communiste, Olin avait été membre du KGB, affecté au service de surveillance informatique. Il était passé à l'Ouest quelques mois seulement avant la chute du mur de Berlin. Sa formation technique et sa connaissance des systèmes soviétiques lui avaient valu un poste à faible niveau de confidentialité au Département science et technologie de la CIA.

Frank conduisit sa sœur devant l'écran. Depuis qu'elle avait appris l'existence de l'épidémie, Kelly avait réclamé une connexion biquotidienne. Raison invoquée ? Elle souhaitait que les deux parties partagent leurs avancées. En réalité, elle voulait juste avoir des nouvelles de sa famille. Son père, sa mère, sa fille. Tous les trois vivaient dans l'œil du cyclone.

Elle s'assit et, d'un air méfiant, regarda Olin lui céder sa place. Elle ne se sentait jamais très à l'aise en sa présence. Peut-être parce que c'était un ancien du KGB et qu'elle avait grandi auprès d'un père membre de la CIA. À moins qu'elle ne soit effrayée par l'immense cicatrice qui lui barrait la gorge d'une oreille à l'autre ? Olin prétendait qu'il n'était rien d'autre qu'un *geek* ayant jadis travaillé pour le KGB mais, s'il disait vrai, comment expliquer sa balafre ?

Il pointa l'ordinateur du doigt :

— La connexion devrait s'établir d'ici à trente secondes.

Kelly scruta le compte à rebours à l'écran. Quand le zéro s'éteignit, son père apparut. Habillé sans chichis, il avait desserré sa cravate et ne portait pas de veste :

— Tu ressembles à un rat en train de se noyer.

Amusée, la jeune femme se lissa les cheveux :

— Les pluies ont commencé.

— Je vois, sourit Marshall. Comment ça se passe là-bas ?

Frank se pencha pour entrer dans le champ et dressa un rapide compte rendu des dernières découvertes.

Pendant ce temps-là, Kelly écouta le moteur de Nate gémir au fin fond de la jungle. Illusion acoustique créée par l'eau et l'immense dais végétal, on avait l'impression que le bateau était encore tout proche, puis le bruit cessa brusquement. Ils devaient avoir atteint le village.

— Prends soin de ta sœur, Frank, conclut leur père.

— Oui, patron.

Vint alors le tour de Kelly, qui demanda, les poings crispés sur les cuisses :

— Comment vont maman et Jessie ?

Marshall O'Brien la rassura d'un sourire :

— Elles tiennent une forme olympique, comme tout le monde à l'institut. Jusqu'à aujourd'hui, aucun cas n'a été signalé dans le secteur. Grâce aux mesures de quarantaine, la situation reste sous contrôle. On a converti l'aile ouest en pension de famille provisoire et, avec la tripotée de membres de MEDEA ici, on ne manque pas de médecins !

— Comment Jessie le prend-elle ?

— Bah ! Elle a six ans. Au début, elle était un peu perturbée de quitter la maison mais, maintenant elle s'éclate avec les autres enfants de l'équipe. D'ailleurs, pourquoi ne le lui demandes-tu pas toi-même ?

Un petit visage surgit à l'écran :

— Coucou, maman !

En voyant sa fille agiter une main minuscule, Kelly eut les larmes aux yeux :

— Coucou, mon cœur. Tu t'amuses bien ?

Jessie grimpa sur les genoux de son grand-père :

— Oh, oui ! On a mangé du gâteau au chocolat et j'ai fait du poney.

Marshall se retint de rire, puis expliqua :

— Il y a une petite ferme à côté, dans la zone de quarantaine. Ils ont amené un poney pour distraire les gamins.

— Ça a l'air sympa, ma chérie. J'aurais aimé être là.

Jessie se tortilla sur son siège :

— Tu sais quoi ? Un clown va venir nous fabriquer des animaux en ballons.

— Un clown ?

— Je lui demanderai de me faire un singe.

— Fantastique !

Le nez sur l'ordinateur, Kelly s'imprégna de la vision de son père et de sa fille.

Après quelques considérations supplémentaires sur les clowns et les poneys, Marshall annonça :

— C'est l'heure de retourner en classe avec Mme Gramercy.

Jessie descendit de ses genoux en faisant la moue mais obéit.

— Au revoir, ma puce ! lança Kelly. Je t'aime !

La fillette lui adressa un grand signe de la main :

— Au revoir, maman ! Au revoir, tonton Frankie !

Kelly dut se retenir de toucher l'écran.

Après le départ de l'enfant, son père se rembrunit :

— Toutes les nouvelles ne sont pas aussi bonnes.

— Quoi ?

— C'est la raison pour laquelle ta mère n'est pas là. Bien qu'on semble contenir la maladie ici, elle se propage en Floride. Cette nuit, on a rapporté six nouveaux cas dans un hôpital de Miami et une douzaine d'autres dans les comtés voisins. La zone de quarantaine s'étend peu à peu mais, à notre avis, le périmètre n'a pas été sécurisé à temps. Ta mère et ses collègues sont en train d'éplucher des rapports envoyés de tout le pays.

— Seigneur…

— Ces dernières douze heures, le nombre de cas a grimpé à vingt-deux, dont huit mortels. Dans leurs projections, les meilleurs épidémiologistes tablent sur un doublement du nombre de malades toutes les douze heures. Le long de l'Amazone, on dénombre déjà presque cinq cents décès.

Le temps d'effectuer un rapide calcul, Kelly pâlit. La main de Frank posée sur son épaule se crispa. En quelques jours seulement, les États-Unis risquaient d'être confrontés à des dizaines de milliers de cas.

— Par décret, le Président vient de mobiliser la garde nationale en Floride. Version officielle : l'apparition d'une grippe virulente venue d'Amérique du Sud. Les détails concernant son mode d'arrivée jusqu'à nous sont gardés secrets.

Comme si la distance pouvait diminuer l'horreur de la situation, Kelly s'écarta de l'écran :

— On a réussi à établir un protocole de traitement ?

— Pas encore. Les antibiotiques et les antiviraux semblent n'être d'aucun secours. Tout ce qu'on peut faire, c'est combattre les symptômes par des perfusions, des antipyrétiques et des antidouleurs. Jusqu'à ce qu'on connaisse la cause de la maladie, la bataille s'annonce extrêmement compliquée. (Il se pencha vers l'écran.) Voilà pourquoi votre travail sur le terrain est essentiel. En apprenant ce qui est arrivé à l'agent Clark, vous pourriez bien trouver un remède à cette cochonnerie.

Tandis que Kelly acquiesçait en silence, Frank murmura d'une voix rauque :

— On fera de notre mieux.

— Alors, je vous laisse retourner au boulot.

Après un au revoir très sobre, leur père coupa la connexion.

Kelly fixa son frère, planté entre Manny et Richard Zane.

— Qu'avons-nous fait ? soupira le biologiste brésilien. Quelqu'un aurait peut-être dû écouter le chaman de Wauwai et brûler le corps de Clark.

— Peu importe, marmonna Zane. La maladie aurait fini par sortir de la forêt. C'est comme le sida.

— Que voulez-vous dire ? demanda Kelly.

— Le sida est apparu après la construction d'une autoroute dans la jungle africaine. On débarque, on perturbe de vieux écosystèmes et on n'a pas idée de ce qu'on provoque.

— Alors, à nous d'arrêter le massacre ! La jungle a peut-être produit le sida, mais elle a aussi offert les meilleurs moyens de le traiter. 70 % des médicaments antisida sont issus de plantes tropicales. Si la nouvelle maladie vient de la jungle, pourquoi pas le remède ?

— Encore faut-il réussir à le trouver, souffla Zane.

Tor-tor poussa un rugissement. Il se mit à tourner en rond puis s'allongea, les oreilles dressées, les yeux rivés à la forêt derrière eux.

— Qu'est-ce qui lui prend ? s'inquiéta l'émissaire de Tellux.

Pendant que le grand fauve continuait à rugir pour les avertir, Manny scruta la pénombre de la jungle :

— Il a reniflé une odeur… Il y a quelque chose par là.

Nate suivit l'étroite piste d'un village indien qui se résumait à une unique maison circulaire au toit ouvert en son milieu. Il avait beau avancer, il n'entendait aucun bruit typique d'un *shabono* : ni *huyas* en pleine discussion, ni femmes réclamant à cor et à cri davantage de bananes plantains, ni rires d'enfants. L'endroit était d'un calme fantomatique et déroutant.

— Il s'agit bien d'une bâtisse yanomami, annonça Nathan à mi-voix, mais, vu sa taille modeste, elle ne doit pas accueillir plus d'une trentaine de villageois.

Derrière eux, le canon de son M-16 pointé vers le sol, Carrera murmurait dans le micro de sa radio.

Anna contempla le *shabono*, médusée.

Nate l'empêcha de franchir le seuil de la maison circulaire qui symbolisait l'entrée réelle du hameau :

— Avez-vous déjà visité un village yanomami ?

L'anthropologue secoua la tête en silence.

— *Klock, klock, klock !* lança-t-il, les mains en porte-voix avant d'expliquer son geste. Qu'il soit abandonné ou pas, on n'approche jamais d'un village yanomami sans s'annoncer. C'est la meilleure façon de recevoir une flèche dans le dos. Ces Indiens ont une fâcheuse tendance à tirer d'abord et poser les questions ensuite.

— Quel mal y a-t-il ? marmonna Carrera.

Au terme d'une longue minute d'attente, Kouwe conclut :

— Il n'y a personne. Pas de canoës sur la berge, pas de filets ou de matériel de pêche non plus. Et je n'ai entendu aucun *yebi* glousser pour donner l'alerte.

— Un *yebi* ? répéta la jeune militaire.

— Un agami trompette, traduisit Nate. Un genre de poulet vraiment très moche. Les indigènes s'en servent de chiens de garde à plumes. À la moindre visite, ces oiseaux font un raffut terrible.

— Donc, si je comprends bien, pas de poulets, pas d'Indiens.

Carrera pivota lentement sur elle-même et, sans baisser sa garde, elle étudia la forêt alentour.

— Laissez-moi y aller la première.

Elle leva son arme et se voûta pour franchir la porte en bambou encastrée dans le mur en feuilles de bananier. Au bout d'un moment, elle ressortit la tête :

— Rien à signaler, mais restez collés à moi !

Elle avança au centre de la structure circulaire. Elle avait ôté le cran de sûreté de son M-16 mais, suivant la recommandation de Nate, elle gardait le canon rivé au sol. Chez les Yanomami, pointer une flèche sur un membre de la tribu était un *casus belli*. Comme il ignorait si ces villageois-là connaissaient les armes modernes, le jeune homme ne voulait risquer aucun malentendu.

Les trois civils pénétrèrent en groupe dans le *shabono*.

À l'intérieur, les cellules d'habitation familiales étaient séparées par des rideaux en feuilles de tabac, des gourdes et des paniers. Des hamacs tressés totalement vides pendaient aux poutres du toit. Deux bols en pierre gisaient, renversés, à côté d'une pierre à affûter. De la farine de manioc était répandue sur le sol.

Soudain, un éclat de couleur les fit sursauter : juché sur une pile de bananes brunes, un perroquet prit son envol.

— Je n'aime pas ça, murmura Kouwe.

Nate approuva d'un air entendu.

— Pourquoi ? s'étonna Carrera.

— Quand ils migrent, les Yanomami ont coutume de brûler leur ancien *shabono* ou, du moins, d'emporter leurs affaires.

Le professeur balaya la salle d'un geste :

— Regardez les paniers, les hamacs, les plumes… Ils ne les auraient jamais laissés derrière eux.

— Qu'est-ce qui les a fait partir si brusquement ? s'inquiéta Anna.

— Quelque chose a dû les affoler.

— Nous ? demanda la jeune anthropologue. Ils auraient su que nous allions venir ?

— S'ils avaient été là, les Indiens auraient forcément été au courant de nos moindres faits et gestes. Ils gardent toujours un œil sur leur forêt. Toutefois, je ne crois pas qu'ils aient fui leur *shabono* par notre faute.

— Pourquoi donc ? lâcha Nate.

Kouwe contempla les différentes cellules familiales :

— Tous les feux sont froids.

Il tapota la pile de bananes dont le perroquet s'était nourri.

— Elles sont à moitié pourries. Les Yanomami ne gâchent jamais la nourriture.

— Vous pensez donc que le village a été abandonné il y a quelque temps, déduisit Nate.

— Je dirais au moins une semaine.

— Où sont-ils allés ?

— Difficile à deviner, mais un autre détail pourrait être significatif.

Il regarda son jeune ami pour savoir s'il l'avait aussi remarqué. Perplexe, Nate observa les logements et, d'un seul coup, il comprit :

— Toutes les armes ont disparu.

Les Indiens avaient abandonné leurs ustensiles quotidiens, mais il n'y avait plus l'ombre d'une flèche, d'un arc, d'un gourdin ou d'une machette.

— Quelle que soit la raison de leur départ précipité, ils craignaient pour leurs vies, renchérit Kouwe.

Carrera s'approcha :

— Si vous dites vrai… si l'endroit a été déserté, je dois prévenir mon unité.

Dès que le professeur donna son assentiment, elle s'éloigna en marmonnant dans sa radio.

Sans bruit, Kouwe attira Nate à l'écart pour une discussion en privé. Fascinée par l'agencement des habitations individuelles, Anna, de son côté, fouillait les affaires abandonnées par les habitants.

— Ce ne sont pas ces Yanomami-là qui nous suivaient, chuchota Kouwe.

— Alors qui ?

— Un autre groupe. Je doute même qu'il s'agisse d'Indiens. Il serait temps d'en informer Frank et Waxman.

— Croyez-vous que nos poursuivants auraient effrayé la tribu ?

— Je n'en suis pas sûr mais, si quelque chose a terrifié les Yanomami au point de les faire fuir, nous devrions aussi nous en méfier.

La pluie avait cessé et les gros nuages qui se déchiraient peu à peu laissaient percer les rayons du soleil. Après de si longues heures de brouillard et de bruine, la lumière était aveuglante.

Au loin, Nate entendit un ronflement de moteur : le capitaine Waxman et ses Rangers arrivaient.

— Vous êtes sûr qu'on doit leur dire ?

Avant que Kouwe ait eu le temps de répondre, Anna les rejoignit et montra le ciel au sud :

— Regardez tous ces oiseaux.

Avec l'arrêt des pluies, divers volatiles quittaient l'épais feuillage pour sécher leurs plumes et repartir en quête de nourriture mais, à quelques kilomètres de là, une nuée noire de milliers d'oiseaux s'était soudain élevée de la jungle comme une brume sombre.

Oh, mon Dieu..., songea Nate.

— Vite, Carrera. Passez-moi vos jumelles.

La jeune militaire, qui fixait aussi l'étrange ballet aérien, sortit de petites jumelles compactes de sa veste et les tendit à Nate. Haletant, il scruta le ciel : à travers les lentilles grossissantes, le vol se décomposa en un mélange de petits et de grands oiseaux. Ils étaient nombreux à se battre, à se donner des coups de bec et, malgré leurs différences, ils avaient tous un trait commun.

— Des charognards, lâcha Nate.

Kouwe s'approcha :

— Ils sont si nombreux...

— Urubus à tête rouge, urubus à tête jaune et même sarcoramphes rois.

— Il faut aller voir.

Dans les yeux du professeur, Nate lut une angoisse partagée par tous. Les Indiens disparus, les charognards... Rien que d'affreux présages.

— Pas avant que l'unité nous ait rejoints, prévint Carrera.

Derrière eux, le grondement de l'autre bateau parvint à leur hauteur, puis se tut. Quelques minutes plus tard, Waxman et trois autres soldats entrèrent dans le *shabono*. Carrera leur dressa un bilan rapide de la situation.

— J'ai renvoyé au camp les Rangers postés dans les bois, annonça le capitaine. Ils vont rapatrier tout le monde ici. En attendant, on va inspecter les parages.

Il désigna trois militaires de son unité : le soldat Carrera, le caporal Conger et le sergent-chef Kostos.

— J'aimerais les accompagner, demanda Nate. Je connais cette jungle mieux que personne.

Après une brève réflexion, le haut gradé soupira :

— Vous l'avez déjà largement prouvé... Bon, d'accord, mais restez en contact radio.

À son départ, Nate entendit Kouwe s'adresser à Waxman :

— Capitaine, il y a une chose que vous devez savoir...

Ravi d'échapper à la discussion, le jeune botaniste quitta le *shabono*. Il y avait fort à parier que le chef des Rangers serait furieux d'apprendre qu'ils leur avaient caché des informations sur d'éventuels rôdeurs nocturnes. Autant laisser la pénible tâche au professeur Kouwe, beaucoup plus diplomate.

Une fois dans la jungle, Conger et Kostos prirent la tête, laissant Carrera escorter Nate et protéger leurs arrières.

Tout le monde trottinait en veillant à ne pas glisser sur la boue ou sur le tapis moelleux de feuilles détrempées. Un affluent de la rivière semblait suivre le même chemin.

Sur la piste, Nate remarqua des traces de pas. De vieilles empreintes de pieds nus quasi effacées par la pluie. Il en montra une à Carrera :

— Les Indiens ont dû se sauver par là.

La jeune femme acquiesça mais l'incita à avancer.

Nate rumina son étrange découverte. *S'ils étaient affolés, pourquoi avoir fui à pied ? Pourquoi ne pas passer par la rivière ?*

Les hommes de tête remontaient une piste de chasse en suivant le lit du ruisseau. Malgré la cadence soutenue, Nate restait sur leurs talons. Autour d'eux, la jungle était inhabituellement calme, presque silencieuse, comme si elle était en deuil ou qu'elle reprenait son souffle. Nate regretta d'avoir laissé son arme au camp.

Absorbé par sa marche et la recherche d'éventuels dangers invisibles, il faillit le rater.

Lorsqu'il pila net, Carrera manqua de lui rentrer dedans :

— Bon sang ! Prévenez quand vous vous arrêtez !

Les deux premiers Rangers ne s'aperçurent pas de leur halte et continuèrent leur chemin.

— Besoin de repos, docteur Rand ? ironisa la militaire.

— Non, haleta-t-il. Regardez.

Un lambeau d'étoffe jaune délavé et trempé pendait à une petite branche. Vaguement carré, il avait la taille d'une demi-carte à jouer. Nathan le dégagea.

— De quoi s'agit-il ? lança Carrera. Ça vient des Indiens ?

— Il y a peu de chances.

Il palpa la matière.

— C'est du polyester, je pense. Un tissu synthétique.

Il observa de plus près la branche à laquelle le tissu avait été épinglé. Le petit morceau avait été découpé, il ne s'était pas déchiré naturellement. Soudain, des marques grossières sur le tronc attirèrent l'attention du jeune homme :

— C'est quoi ce truc ?

Il passa la main sur le bois pour le débarrasser de l'eau.

— Putain…

— Quoi ?

Il s'écarta : un message codé était gravé dans l'écorce.

Carrera émit un sifflement d'admiration :

— Là en bas, il y a un *G* et un *C*...

— La signature de Gerald Clark, la devança Nathan. La flèche indique sûrement d'où il venait. Ou, du moins, l'emplacement de la prochaine marque.

La Ranger regarda la boussole fixée à son poignet :

— Sud-ouest. Elle pointe dans la bonne direction.

— Et les chiffres ? Dix-sept et cinq.

— Peut-être une date. Le jour suivi du mois.

— Autrement dit, le 17 mai ? Ça fait presque trois mois.

Nate allait creuser son hypothèse mais, d'un geste, elle lui demanda d'attendre.

— Bien reçu, répondit-elle dans sa radio. On arrive.

Il haussa le sourcil d'un air interrogateur.

— Conger et Kostos ont découvert des corps plus loin.

Tout à coup, il eut la nausée.

— Allons-y, grogna Carrera. Ils veulent votre opinion.

Et ils reprirent le chemin de la piste. Derrière lui, la militaire annonçait leur découverte à son supérieur hiérarchique.

En route, Nate s'aperçut qu'il n'avait pas lâché le bout de tissu jaune. Il se rappela que Gerald Clark avait resurgi de la jungle pieds nus, vêtu d'un simple pantalon. L'homme avait-il utilisé sa chemise pour indiquer les endroits où il laissait des inscriptions ? Comme s'il avait semé des miettes de pain afin qu'on le suive à la trace ?

Nate caressa le lambeau d'étoffe. Au bout de quatre ans, c'était la première preuve tangible qu'au moins un membre de l'équipe de Carl Rand avait survécu en pleine jungle. Le garçon ne nourrissait cependant aucun espoir de revoir son père en vie. En fait, il refusait d'en envisager la possibilité, pas après si longtemps, pas après avoir trouvé enfin un semblant de paix. Jamais il ne pourrait supporter de le perdre une seconde fois. Il contempla le carré jaune, puis le fourra dans sa poche.

Existait-il d'autres balises du même acabit quelque part ? Nate n'avait aucun moyen d'en être certain, mais une chose était sûre : il continuerait son enquête jusqu'à ce qu'il découvre ce qui était arrivé à son père.

Derrière lui, Carrera lâcha un juron.

Nathan fit volte-face : d'un bras, elle se couvrait le nez et la bouche. Ce ne fut qu'à ce moment-là qu'il sentit l'atmosphère pestilentielle, mélange d'abats et de viande avariés.

— Par ici ! lança le sergent-chef Kostos.

Dix mètres plus loin, totalement camouflé, le Ranger se fondait à merveille dans la jungle bigarrée.

Dès qu'il approcha, Nate se heurta à une vision d'horreur.

— Nom de Dieu ! s'étouffa Carrera.

Le caporal Conger était planté au milieu de la boucherie, un mouchoir sur le visage. Le jeune Texan chassa les charognards avec son M-16, mais des essaims de mouches lui voletaient autour.

Des cadavres gisaient partout : sur la piste, au fond des bois ou à moitié immergés dans le ruisseau. Hommes, femmes, enfants. À leur allure, ils paraissaient indiens, mais difficile de l'affirmer à coup sûr. Les visages avaient été becquetés, les membres dévorés jusqu'à l'os, les entrailles arrachées. Les vautours s'étaient rapidement occupés des corps, ne laissant que quelques restes aux vers, mouches et autres insectes.

Seule la petite taille des corps semblait indiquer qu'il s'agissait des villageois yanomami disparus. D'après leur nombre, tout le clan avait dû être décimé.

Nathan ferma les yeux. Il repensa aux Indiens auprès desquels il avait travaillé : la petite Tama, le noble Takaho. Soudain, il quitta la piste, se pencha au-dessus du ruisseau et inspira à fond pour réprimer son envie de vomir. Peine perdue ! Son estomac grogna et, après un spasme, la bile se répandit dans l'eau vive, grossie par les pluies récentes. Les mains sur les genoux, Nate resta accroupi, haletant.

— Dites, on n'a pas toute la journée ! aboya Kostos. Qu'a-t-il bien pu se passer ici selon vous ? L'assaut d'une autre tribu ?

Nate, qui ne se fiait plus à son estomac, resta immobile.

Carrera vint poser une main compatissante sur son épaule :

— Plus vite ce sera fait, plus vite on s'en ira.

Il acquiesça, prit une dernière respiration et se força à revenir contempler le massacre, d'abord avec quelques pas de recul, puis il avança.

— Qu'en pensez-vous ? demanda Carrera.

Ravalant sa bile, il expliqua calmement :

— Ils ont dû fuir pendant la nuit.

— Pourquoi dites-vous ça ? intervint Kostos.

Nate le regarda, puis désigna un morceau de bois près d'un cadavre :

— Une torche. Totalement consumée. Les Indiens se sont enfuis dans l'obscurité la plus complète.

Les yeux rivés aux corps, il visualisa la scène, qu'il décrivit ensuite avec force gestes :

— Au moment de l'attaque, les hommes ont tenté de protéger femmes et enfants. Quand ils ont échoué, les épouses se sont postées en deuxième ligne, puis elles ont essayé de se sauver avec leur progéniture.

Il montra le cadavre d'une femme qui, un peu plus loin dans la forêt, serrait un enfant contre elle.

— L'offensive est venue de l'autre berge.

D'une main tremblante, il indiqua les corps des hommes empilés près du mince ruisseau.

— Pris de court, ils n'ont sûrement pas eu le temps d'organiser leur défense.

— Je me fiche de savoir dans quel ordre ils ont été tués, Rand ! Je veux juste l'identité des assassins.

— Aucune idée, sergent. Il n'y a ni flèches ni lances plantées dans les victimes, mais l'ennemi peut très bien avoir récupéré ses armes pour conserver son arsenal et ne laisser aucune preuve derrière lui. Vu l'état des cadavres, comment distinguer l'œuvre des armes et celle des charognards ?

— En d'autres mots, on n'a pas l'ombre d'un indice.

Contrarié, Kostos s'éloigna pour communiquer par radio.

Nathan éponge son front en sueur et frissonna. *Qu'a-t-il bien pu se passer ici ?*

De retour, le sergent-chef annonça d'une voix forte :

— Nouvelle consigne ! On doit récupérer un corps pas trop abîmé et le ramener au village pour que le Dr O'Brien l'examine. Des volontaires ?

Devant le silence général, il ricana :

— Je m'en doutais. Bon, Carrera, raccompagnez le fragile Dr Rand. Le transport de cadavres, c'est un boulot de *mecs*.

— Oui, chef.

Elle invita Nate à rebrousser chemin et, une fois hors de portée de voix, grommela tout bas :

— Quel connard...

Nate approuva même si, au fond, il se réjouissait de quitter le lieu du massacre. Il se fichait éperdument de ce que Kostos pensait. En revanche, il comprenait la colère de Carrera : il ne pouvait qu'imaginer le harcèlement qu'elle devait subir de la part de ses collègues masculins.

Le retour au village se déroula en silence et, à l'approche du *shabono*, ils entendirent des voix. Nathan accéléra le pas. Pressé de retrouver les vivants, il espéra que quelqu'un aurait pensé à allumer un feu.

En contournant le *shabono*, il vit le soldat Eddie Jones monter la garde à l'entrée. Deux autres Rangers patrouillaient le long de la rivière.

Jones accueillit Nate et Carrera avec une grande nouvelle :

— Hé, les gars ! Vous ne croirez jamais ce qu'on a pêché dans la jungle.

— Quoi donc ? demanda la jeune femme.

Il tendit le pouce vers la porte :

— Allez voir par vous-même.

Du canon de son fusil, la militaire fit signe à Nate de passer le premier mais, lorsqu'il se pencha pour franchir le seuil, Jones murmura :

— Les dames d'abord.

— Ta gueule, Jones ! rétorqua Carrera avant d'entrer à son tour.

Une petite assemblée s'était agglutinée au centre du *shabono*. Manny se tenait un peu en retrait avec Tor-tor. Quand il vit Nate, il leva le bras mais ne sourit pas.

Les autres parlaient fort et semblaient se disputer.

— C'est mon prisonnier ! explosa Waxman.

Trois Rangers tenaient quelque chose en joue, un truc que Nate ne pouvait pas voir derrière le groupe de civils.

— Retirez-lui au moins les menottes ! vociféra Kelly. Ses chevilles sont encore attachées. Le pauvre vieillard !

— Si vous voulez qu'il coopère, renchérit Kouwe, ce n'est pas la meilleure façon de procéder.

— Il va répondre à nos questions, gronda Waxman.

Frank se planta devant lui :

— Je dirige encore cette opération, capitaine. Et je ne tolérerai pas que notre prisonnier soit maltraité.

En les rejoignant, Nate remarqua qu'Anna Fong semblait à la fois effrayée et traumatisée. Quant à Richard Zane, il se tenait légèrement de côté, un petit sourire satisfait aux lèvres :

— On l'a chopé alors qu'il rôdait dans la jungle, Rand. Le jaguar de Manny nous a aidés à le capturer. Vous auriez dû l'entendre gueuler quand Tor-tor l'a coincé contre un arbre !

Lorsque Zane s'écarta, Nate vit un petit Indien à terre, pieds et poings liés. À ses cheveux blancs, on voyait que c'était un ancien. Assis devant les autres, il marmonnait dans sa barbe. Ses yeux faisaient des va-et-vient entre les armes pointées sur lui et le jaguar tout proche.

Nate se rendit compte qu'il parlait yanomami. Il s'approcha. L'homme récitait une prière censée chasser les mauvais esprits. *S'agissait-il du chaman du village ? D'un survivant du massacre ?*

Soudain, l'Indien le fixa, ses narines se dilatèrent et il s'adressa directement à lui dans son dialecte :

— La mort s'accroche à vous. Tu le sais. Tu l'as vue.

Il avait dû sentir la puanteur du carnage sur les vêtements et la peau de Nate. Le jeune explorateur s'agenouilla et répondit en yanomami :

— *Haya*, grand-père. Qui es-tu ? Tu viens d'ici ?

— Non, le village est marqué par les *shawari*, les esprits malins, protesta l'Indien, la mine sombre. Je suis venu me livrer aux Ban-ali, mais c'est trop tard.

Autour de Nate, la dispute avait cessé. Tout le monde écoutait. Kelly murmura :

— Il n'a pas voulu dire un mot, même au professeur Kouwe.

— Pourquoi cherches-tu les Jaguars de Sang, les Ban-ali ?

— Pour sauver mon propre village. Nous n'avons pas tenu compte de leurs traditions. Nous n'avons pas brûlé le corps du *nabe*, l'homme blanc marqué du sceau des esclaves ban-ali. Maintenant, tous nos enfants sont malades à cause de la magie maléfique.

Nate comprit. L'homme blanc marqué du sceau des Ban-Ali était sans doute Gerald Clark. Auquel cas, cela signifiait…

— Tu es de Wauwai !

Le vieillard acquiesça et cracha par terre :

— Maudit soit ce nom. Maudit soit le jour où nous avons posé un pied dans le village *nabe*.

En d'autres termes, c'était le chaman qui avait essayé de soigner les enfants de la mission, puis incendié le hameau afin de protéger les autres. Hélas, selon ses propres dires, il avait échoué. La contagion continuait de s'étendre chez les jeunes Yanomami.

— Pourquoi es-tu venu ici ? Comment es-tu arrivé ?

— J'ai suivi les traces du *nabe* jusqu'à son canoë. J'ai vu comment il était peint. J'ai su qu'il venait de ce village et je connais les pistes. Je cherchais les Ban-ali pour me livrer à eux, les supplier de lever la malédiction.

Nate n'en croyait pas ses oreilles. Rongé par la culpabilité, le sorcier voulait se sacrifier.

— C'était trop tard. Je n'ai trouvé qu'une seule rescapée.

Il pointa le doigt vers le lieu du massacre.

— Je lui ai donné de l'eau. Elle m'a raconté l'histoire de son village.

— Qu'est-ce qu'il baragouine ? s'impatienta Waxman.

Nate se redressa et balaya sa question d'un revers de main :

— Que s'est-il passé ?

— L'homme blanc a été trouvé par des chasseurs il y a trois mois, malade et squelettique. Quand ils ont aperçu ses marques, terrifiés, ils l'ont emprisonné de peur que les Ban-ali n'attaquent leur village. Ils lui ont pris tout ce qu'il avait et l'ont enfermé dans une cage, loin dans les bois pour permettre aux Jaguars de Sang de le récupérer. Ils le surveillaient et le nourrissaient. Ils ne voulaient pas causer de tort à ce qui appartenait aux Ban-ali, mais le *nabe* allait toujours aussi mal. Une lune plus tard, le fils d'un chasseur qui le chaperonnait est tombé malade.

Nate hocha la tête. L'épidémie avait commencé à se propager.

— Le chaman d'ici a déclaré qu'ils étaient maudits et a exigé la mort du *nabe* : ils brûleraient son corps pour apaiser la colère des Jaguars de Sang. Seulement, quand ils sont arrivés à la cage, il était parti. Pensant que les Ban-ali étaient venus le chercher, ils se sont sentis soulagés. Plusieurs heures après, ils ont découvert qu'un canoë avait disparu, mais c'était trop tard.

L'Indien se tut un instant.

— Le fils du chasseur est mort au bout de quelques jours, d'autres petits villageois sont tombés malades et, il y a une semaine, une femme qui venait de cueillir des bananes au potager a trouvé une marque sur le mur extérieur du *shabono*.

L'Indien indiqua la partie sud-ouest de la maison circulaire.

— Elle est encore là. La signature des Ban-ali.

Nate l'interrompit, le temps de traduire brièvement aux autres l'histoire du chaman. Tous les yeux s'écarquillèrent et Waxman envoya Jorgensen examiner le pan concerné de la façade.

En attendant le retour du Ranger, Nate convainquit le capitaine de détacher les poignets du prisonnier, puisque ce dernier coopérait pleinement. Le chaman s'assit dans la poussière, une gourde à la main, et but à petites gorgées, l'air reconnaissant.

Kelly rejoignit Nathan :

— Médicalement parlant, sa version tient debout. Lorsqu'elle a isolé Clark dans la jungle, la tribu l'a, pour ainsi dire, placé en quarantaine. Cependant, comme sa maladie progressait, il est devenu de plus en plus contagieux… À moins que le père du premier enfant atteint ne se soit infecté lui-même. Quoi qu'il en soit, la maladie s'est propagée ici.

— Et la tribu s'est affolée.

Derrière eux, Jorgensen regagna le *shabono*, la mine grave :

— Le vieil homme dit vrai. Il y a un dessin griffonné au mur. Identique au tatouage sur le corps de l'agent Clark.

Il retroussa le nez d'un air dégoûté.

— En tout cas, on dirait que ce machin a été peint avec de la merde de porc. Si vous saviez comme ça pue !

Frank fronça les sourcils :

— Voyez si vous pouvez découvrir ce que le chaman sait d'autre, Nate.

Le jeune homme s'exécuta :

— Que s'est-il passé quand ils ont découvert le symbole ?

— La tribu a décampé la nuit même, grimaça l'Indien. Mais… mais quelque chose est venu les chercher.

— Quoi ?

— La femme qui m'a raconté le drame agonisait. Elle a commencé à divaguer. Un délire à propos de la rivière venue les manger. Ils ont détalé, mais ça les a poursuivis le long du ruisseau et ça les a rattrapés.

— Qu'est-ce qui les a rattrapés ? Les Ban-ali ?

Le chaman avala une gorgée :

— Non, ce n'est pas ce qu'elle m'a dit.

— Quoi alors ?

Il fixa Nate dans les yeux pour montrer son honnêteté :

— La jungle. Elle a prétendu que la jungle les avait attaqués.

Il haussa les épaules.

— Je ne sais rien de plus. La femme maudite est morte et son esprit a rejoint sa tribu. Le lendemain, donc aujourd'hui, je vous ai entendu remonter la rivière. Je suis venu voir qui vous étiez.

Il observa le jaguar de Manny.

— Seulement, vous m'avez repéré. L'odeur de la mort me poursuit, comme avec vous.

Nathan s'assit sur ses talons. Son ami biologiste tenait Tor-tor en laisse, mais le félin effrayé tournait en rond, le poil hérissé.

Kouwe finit la traduction à l'intention des autres :

— C'est tout ce qu'il sait.

Waxman fit signe à Jorgensen de libérer les chevilles du chaman.

— Que faire de cette histoire ? demanda Kelly.

Dans son esprit, Nate revit les cadavres éparpillés sur la piste :

— Aucune idée.

Il avait pensé que l'assaut était arrivé de l'autre berge mais, si la femme avait raison, il était venu du ruisseau lui-même.

Kouwe rejoignit les deux jeunes gens :

— Le récit concorde avec la légende des Ban-ali. On dit qu'ils sont capables de plier la jungle à leur volonté.

— Qu'est-ce qui aurait pu venir de la forêt et tuer tous ces indigènes ?

Kouwe secoua doucement sa tête :

— Je n'ose même pas l'imaginer, Kelly.

Près de la porte, un grand vacarme attira leur attention sur l'entrée du sergent-chef Kostos. Le Ranger charriait un travois sur lequel gisait un corps. Une victime du massacre.

— Je leur ai demandé de récupérer une dépouille, expliqua Kelly. Je pensais pouvoir peut-être découvrir la cause de la mort.

Derrière eux, le chaman poussa un cri perçant et, les yeux écarquillés de terreur, il recula :

— Ne faites pas entrer les maudits ici ! Vous allez attirer les Ban-ali sur nous !

Jorgensen tenta de le maîtriser mais, malgré son grand âge, l'Indien était mince et musclé. Il se dégagea de la poigne du Suédois, déguerpit vers une habitation et, se servant d'un hamac comme d'une échelle, il grimpa sur le toit circulaire du *shabono*.

Un soldat prit son fusil.

— Ne tirez pas ! hurla Nathan.

— Baissez votre arme, caporal ! ordonna Waxman.

Réfugié sur le toit, le sorcier glapit :

— Les morts sont la propriété des Ban-ali ! Ils viendront chercher ce qui leur appartient !

Et il bondit vers les arbres alentour.

— Allez le récupérer ! gronda Waxman à deux Rangers.

— Ils ne le retrouveront jamais, rétorqua Kouwe. Affolé comme il est, il va s'évanouir dans la jungle.

Il s'avéra qu'il avait raison : on ne revit plus jamais le chaman yanomami.

En fin d'après-midi, Kelly s'installa confortablement dans un coin du *shabono* et s'attacha à découvrir ce qui avait tué les indigènes. Pendant ce temps-là, Nate conduisit Frank et Waxman devant l'arbre où Gerald Clark avait gravé son inscription.

— Il a dû écrire ça juste avant de se faire prendre, souffla Frank. Quelle horreur ! Alors qu'il était tout près d'atteindre la civilisation, il a été capturé et emprisonné.

Il secoua la tête.

— Pendant presque trois mois.

Lorsqu'ils revinrent au *shabono*, le reste de l'équipe installait le bivouac, allumait les feux, se répartissait les tours de garde ou encore préparait le dîner. Programme du lendemain : quitter la rivière et progresser à pied en suivant la piste de Clark.

Comme la nuit tombait et que certains concoctaient un repas à base de poisson et de riz, Kelly quitta sa morgue improvisée pour livrer son rapport :

— Autant que je puisse en juger, l'Indien a été empoisonné. J'ai décelé des preuves de mort convulsive : langue mordue, crispation des membres et du dos.

— Qu'est-ce qui l'a tué ? s'enquit Frank.

— Là, j'aurais besoin d'analyses toxicologiques. Je ne peux même pas dire comment le poison a été administré. Peut-être par une lance ou une flèche. Les charognards ont trop endommagé le corps pour pouvoir en juger avec certitude.

Nate écoutait la conversation, le regard perdu sur le coucher du soleil. Il se remémora les mots du chaman : *ils viendront chercher ce qui leur appartient.* Il repensa au tragique massacre d'Indiens ainsi qu'à l'étrange maladie qui se répandait en Amérique du Sud et aux États-Unis… et il ne put se débarrasser de l'idée qu'il leur restait peu de temps à tous.

Chapitre 9

Attaque nocturne

14 août, 00 h 18
Jungle amazonienne

Kelly se réveilla d'un cauchemar en sursaut. Sans se rappeler son rêve en détail, elle eut la vague sensation de s'être fait pourchasser et d'avoir vu des cadavres. Elle consulta le cadran rétro-éclairé de sa montre : il était plus de minuit.

Autour du *shabono*, la grande majorité des équipiers dormaient. Un Ranger veillait près du feu, tandis que son collègue gardait la porte. Kelly savait qu'un autre binôme patrouillait à l'extérieur de la maison circulaire. Sinon, les autres étaient engoncés dans leurs hamacs, épuisés par une journée éprouvante.

Rien d'étonnant à ce que la jeune femme fasse des cauchemars : le massacre, le corps en piteux état qu'elle avait dû examiner, la tension perpétuelle… Et encore, ce n'était rien comparé à sa profonde inquiétude pour sa famille en Virginie. Son subconscient avait eu beaucoup de grain à moudre au cours de son sommeil paradoxal.

Le rapport de la veille au soir n'avait été guère plus encourageant que le précédent. Il y avait eu douze autres cas recensés aux États-Unis ainsi que trois nouveaux décès : deux enfants et une vieille infirmière de Palm Beach. La maladie et la mort se répandaient aussi comme une traînée de poudre à travers le bassin amazonien. Les gens se barricadaient chez eux ou quittaient les villes. On brûlait des corps dans les rues de Manaus.

D'après la mère de Kelly, aucun cas ne s'était encore déclaré parmi les chercheurs de l'institut, mais il était trop tôt pour les considérer comme tirés d'affaire. Fondées en priorité sur la situation au Brésil, où la maladie avait un historique plus important, les dernières données suggéraient que la période d'incubation durait entre trois et sept jours. Tout dépendait de la santé initiale de la victime : les enfants souffrant de malnutrition ou d'infections parasitaires tombaient plus vite malades.

En ce qui concernait l'origine de la maladie, le CDC[1] avait écarté l'hypothèse d'une bactérie pathogène, mais plusieurs tests viraux restaient en cours. Jusqu'à présent, le coupable restait inconnu.

Hélas, il y avait des nouvelles encore pires. Sa mère était toute pâle quand elle le lui avait annoncé *via* la liaison satellite :

— On sait maintenant que la maladie peut se transmettre par simple voie aérienne. Elle ne nécessite aucun contact physique.

Kelly avait aussitôt mesuré la gravité de la situation. Extrêmement mobile, le facteur d'infection serait très

---

1. CDC : Center for Disease Control and Prevention. Principale agence gouvernementale américaine en matière de contrôle et prévention des maladies.

difficile à mettre en quarantaine. Et avec un tel taux de mortalité…

— Notre seul espoir est de trouver un remède, avait conclu Lauren.

Kelly attrapa sa gourde et but lentement, à grands traits. Elle s'assit un moment dans son hamac, puis, consciente que le sommeil ne viendrait pas, elle se leva en silence.

Près du feu, le garde se tourna vers elle. Toujours vêtue de son T-shirt gris et de son pantalon marron de la veille, elle n'eut qu'à remettre ses bottes. L'index pointé vers l'entrée de la maison, elle signifia son envie de se dégourdir les jambes sans déranger ses compagnons endormis.

Le Ranger acquiesça.

Elle rejoignit le seuil du *shabono*, y croisa le soldat Carrera en faction et murmura :

— J'ai besoin de prendre le frais.

La militaire braqua son arme en direction de la rivière :

— Vous n'êtes pas la première.

Une silhouette se tenait un peu plus loin sur la berge. D'emblée, Kelly reconnut la carrure de Nathan Rand. Il était seul, à l'exception des deux sentinelles postées en amont et faciles à repérer avec leurs lampes torches.

— Restez à l'écart de l'eau, ajouta Carrera. On n'avait pas assez de détecteurs de mouvement pour sécuriser la rivière au-delà du périmètre.

— D'accord.

Kelly ne se rappelait que trop bien le triste sort du caporal DeMartini.

La jungle bourdonnait du chant des sauterelles et du doux coassement d'innombrables grenouilles. Une rumeur apaisante. Au loin, des lucioles dansaient dans les branches et virevoltaient en de gracieux arcs au-dessus de l'eau.

L'arrivée de Kelly n'échappa pas au promeneur solitaire. Quand Nathan se retourna, le bout d'une cigarette pendue à ses lèvres rougeoyait dans la nuit.

— J'ignorais que vous fumiez.

Amusé, il recracha une longue volute grise :

— Je ne fume pas. Du moins, pas beaucoup. Je l'ai taxée au caporal Conger.

Du pouce, il désigna les hommes en patrouille.

— Je n'en ai pas touché une depuis quatre ou cinq mois mais… je ne sais pas… je devais avoir besoin d'une excuse pour venir ici. Bouger un peu.

— Je vous comprends. Moi, je suis sortie prendre le frais, comme on dit.

Elle tendit la main.

Il lui passa sa cigarette.

Elle aspira une longue bouffée et sentit sa tension s'évacuer un peu avec la fumée qu'elle exhala :

— Rien de tel que le bon air !

Elle lui rendit sa cigarette, sur laquelle il tira une dernière fois avant de l'écraser par terre.

— Ce truc vous tuera, sourit Kelly.

En silence, ils regardèrent la rivière s'écouler calmement. Deux chauves-souris la survolèrent en quête de poisson, tandis qu'au loin, un oiseau poussait une longue note mélancolique.

Au bout d'un moment, Nate finit par articuler :

— Ça va aller.

Kelly le dévisagea :

— Quoi ?

— Jessie, votre fille… ça va aller.

Abasourdie, elle ne sut que répondre.

— Désolé, je me montre indiscret.

Elle lui effleura le bras :

— Non, pas du tout… et je vous en suis très reconnaissante. Je ne pensais simplement pas que mon inquiétude était aussi palpable.

— Vous êtes peut-être un grand médecin mais, avant tout, vous êtes une mère.

Kelly se tut un instant, puis reprit doucement :

— C'est bien plus que ça. Jessie est ma fille unique. Le seul bébé que j'aurai jamais.

— Ah bon ?

Elle n'aurait pas trop su dire pourquoi elle se confiait à Nate, mais elle sentait qu'exprimer tout haut ses angoisses l'aiderait à se soulager.

— À la naissance de Jessie… il y a eu des complications… et une opération d'urgence.

Elle fixa Nate, puis détourna la tête.

— Depuis, je ne peux plus avoir d'enfant.

— Je suis navré.

— C'était il y a longtemps, sourit-elle, l'air las. J'ai digéré la nouvelle mais, maintenant que Jessie est en danger…

Soupir aux lèvres, Nate s'assit sur une souche :

— Comme je vous comprends ! Vous êtes ici en pleine forêt tropicale, à vous inquiéter pour quelqu'un que vous aimez profondément et, en même temps, vous devez poursuivre vos recherches, rester forte.

Kelly se coula à ses côtés :

— Comme vous… quand votre père a disparu.

Les yeux rivés au ruisseau, Nate souffla tout bas :

— Ce n'est pas qu'une question d'inquiétude et de peur. Il y a la culpabilité aussi.

Kelly se sentit parfaitement en phase. Que faisait-elle à traîner dans la jungle alors que Jessie était en danger ? Elle aurait dû prendre le premier avion pour rentrer.

Un silence douloureux s'abattit sur eux.

Soudain, Kelly posa à Nate une question qui la travaillait depuis leur première rencontre :

— Pourquoi êtes-vous ici alors ?

— Que voulez-vous dire ?

— L'Amazonie vous a pris vos parents. Pourquoi revenir ? N'est-ce pas à la limite du supportable ?

Il se frotta les mains, puis lorgna ses pieds en silence.

— Pardon, ce ne sont pas mes affaires.

— Non, je regrettais seulement d'avoir jeté ma cigarette. J'aimerais bien en fumer une, là, maintenant.

— On peut changer de sujet, sourit-elle.

— Non, ça va. Vous m'avez juste pris au dépourvu. Il est très difficile de vous répondre et encore plus ardu de l'exprimer en termes clairs.

Il se pencha en arrière.

— Quand j'ai vraiment abandonné l'idée de retrouver mon père, j'ai quitté la jungle en jurant de ne plus jamais y remettre les pieds mais, en réalité, je n'ai fait que rapporter ma souffrance aux États-Unis. J'ai essayé de la noyer dans l'alcool, de l'assommer à coup de drogues, mais rien ne fonctionnait. Il y a un an, j'ai donc pris un avion jusqu'ici. Je ne saurais dire pourquoi. Je suis entré à l'aéroport, j'ai acheté un billet au guichet de la compagnie Varig et, avant de m'en rendre compte, j'atterrissais à Manaus.

Nathan se tut quelques secondes. Kelly entendait sa respiration lourde et profonde, pleine d'émotion. Elle posa la main sur son genou nu. Sans un mot, il la recouvrit de sa propre main.

— De retour dans la jungle, je me suis aperçu que la douleur était moins vive. Qu'elle me dévorait moins.

— Pourquoi ?

— Aucune idée. Certes, mes parents sont morts dans la jungle, mais ils y ont aussi vécu. C'était leur pays d'adoption.

Nate secoua tristement la tête.

— Mes bavardages n'ont pas de sens.

— Bien sûr que si ! C'est ici que vous vous sentez le plus proche d'eux.

Il se raidit et plongea dans un profond mutisme.

— Nate ?

D'une voix rauque, le jeune homme lâcha :

— Je n'avais pas réussi à mettre des mots là-dessus avant ce soir, mais je pense que vous avez raison. Ici, dans la jungle, ils sont tout autour de moi. C'est là que résident mes meilleurs souvenirs : ma mère me montrant comment transformer le manioc en farine… mon père m'apprenant à reconnaître les arbres d'après leur seul feuillage…

Il se tourna vers elle, les yeux brillants.

— Ici, j'ai retrouvé ma maison.

Le visage du botaniste se teinta d'un mélange de joie et de mélancolie. Presque malgré elle, elle se pencha vers lui, attirée par l'intensité de son émotion :

— Nate.

Soudain, une petite explosion dans l'eau les fit sursauter. Non loin de la rive, un mini-geyser s'éleva à un mètre au-dessus de la surface, quelque chose de massif s'y tortilla, puis disparut.

— C'était quoi ? frémit Kelly, prête à détaler.

Nate passa le bras autour de ses épaules et l'incita à se rasseoir :

— Rien dont vous deviez avoir peur. Il s'agit juste d'un *boto*, un dauphin d'eau douce. Ils pullulent par ici mais sont particulièrement timides. En général, on les voit se déplacer en petits groupes dans des endroits reculés.

Comme pour confirmer ses dires, deux autres geysers vaporisèrent de l'eau à la ronde. Mieux préparée et moins apeurée, Kelly remarqua la nageoire dorsale des cétacés qui s'arquaient à travers les flots, puis replongeaient sous l'eau.

— Ils vont vite, constata-t-elle.

— Ils sont sans doute en train de chasser.

Le temps qu'ils se réinstallent sur leur souche, une procession de dauphins défila devant eux à vive allure. Des claquements frénétiques et d'étranges sifflements résonnèrent. Nate n'avait jamais vu un tel troupeau. On aurait dit que la rivière entière fourmillait de dauphins surexcités.

Il fronça les sourcils et se releva.

— Qu'est-ce qui cloche ? demanda Kelly.

— Je ne sais pas.

Un dauphin sauta vers la berge. Il faillit s'échouer dans la boue, puis, d'un violent coup de queue, retourna à l'eau.

— Quelque chose les terrorise.

— Quoi donc ? s'inquiéta Kelly.

Nate secoua la tête :

— Je ne les ai jamais vus se comporter ainsi.

De leur côté, les deux Rangers de garde observaient aussi la parade des dauphins.

— J'ai besoin de plus de lumière.

Nate courut les rejoindre. Kelly le suivit, le cœur battant. Les deux sentinelles étaient postées près d'un petit affluent secondaire.

— Je peux vous emprunter votre lampe, caporal Conger ? haleta-t-il.

— Ce ne sont que des dauphins, grommela Kostos. Depuis qu'on fait des patrouilles de nuit, on a vu des tonnes de ces satanées bestioles mais, oh ! bien sûr, vous roupilliez dans vos lits, tout bien bordés.

Son jeune collègue se montra plus coopératif :

— Tenez, docteur Rand.

Nathan prit la torche en murmurant un remerciement, puis il regagna la rive et braqua le faisceau lumineux en amont. Les dauphins continuaient à défiler, mais ils n'étaient plus très nombreux. Sous le regard de Kelly, il éclaira ensuite l'ensemble de la rivière :

— Putain !

Tout juste hors de portée de sa lampe, l'eau semblait très agitée. Elle moussait, bouillonnait comme des rapides sur des rochers, sauf que ces rapides-là leur fonçaient droit dessus en suivant le courant.

— Qu'est-ce que c'est ? demanda Kelly.

Un autre dauphin percuta le haut-fond, se retrouva le ventre dans la boue, mais il ne parvint pas à replonger dans l'eau et roula sur la rive en poussant une plainte stridente. Nate orienta la lampe sur lui. Le souffle coupé, Kelly recula de deux pas.

Le dauphin avait perdu sa queue. Son abdomen était ouvert. Ses intestins pendaient.

Lorsque les flots finirent par entraîner la pitoyable bête, Nate éclaira de nouveau le haut de la rivière : les tourbillons écumants s'étaient considérablement rapprochés.

— C'est quoi ce cirque ? lâcha Conger avec un accent de plus en plus traînant. Que se passe-t-il ?

Un peu plus en amont, le cri perçant d'un cochon sauvage perfora la nuit. Des oiseaux s'envolèrent. Des singes, réveillés en sursaut, hurlèrent leur mauvaise humeur.

— Que se passe-t-il, Nate ? répéta le Texan.

— Donnez-moi vos lunettes de vision nocturne.

— Qu'est-ce que c'est ? insista Kelly derrière lui.

Nate attrapa les lunettes du Ranger :

— J'ai déjà vu plusieurs fois des rivières s'agiter ainsi, mais jamais avec une telle ampleur.

— Quelle en est la cause ? se renseigna la jeune femme.

— Des piranhas... à l'appétit particulièrement vorace.

À travers les lunettes de vision nocturne, la nuit s'éclairait et se dissolvait à la fois dans un vert monochrome. Nate mit un moment à faire le point sur l'endroit le plus agité de la rivière. À force de tripoter les molettes pour grossir l'image, il vit jaillir des eaux bouillonnantes le gros aileron de dauphins assaillis par des prédateurs aux dents effilées et, brièvement, le reflet argenté des poissons mortels eux-mêmes, comme ils se battaient pour leur repas.

— Où est le danger ? grogna Kostos avec un dédain manifeste. Laissons ces abrutis bouffer les dauphins ! Ils ne vont quand même pas venir nous choper sur la terre ferme ?

Le sergent avait raison, mais Nate se rappela le massacre des Yanomami... et leur peur panique de la rivière. Le danger venait-il de là ? Les eaux étaient-elles si infestées de piranhas que les Indiens eux-mêmes craignaient de voyager la nuit ? Et le comportement des poissons... attaquer des dauphins d'eau douce... cela n'avait pas de sens. Nate n'avait jamais entendu parler d'une telle boucherie.

Soudain, son attention fut attirée par du mouvement sur le côté. Il se détourna des flots effervescents et remarqua une carcasse étendue le long de la rive. C'était un pécari, un petit porc sauvage. Le même qui avait braillé quelques instants plus tôt ? Plusieurs bestioles sautaient autour de la carcasse. On aurait dit d'énormes grenouilles-taureaux, à la différence près qu'elles semblaient s'attaquer au cochon mort et le tirer vers l'eau.

— Mais qu'est-ce que...

— Que distinguez-vous, Nate ? lança Kelly.

Après avoir fait le point pour obtenir une image plus précise, il vit d'autres mystérieuses grenouilles-taureaux jaillir de la rivière et s'en prendre à la carcasse. D'autres encore bondissaient par-dessus la berge et disparaissaient dans les buissons. Sous le regard stupéfait de Nate, un gros capybara sortit de la forêt en courant. Le cochon d'Inde géant de cinquante kilos s'écroula, comme si ses pattes s'étaient dérobées sous lui, et commença à convulser. Les étranges créatures aquatiques sautillèrent alors hors de l'eau et se jetèrent avec avidité sur leur nouveau repas.

Nate comprit soudain que les villageois avaient dû assister au même spectacle. Il se rappela les mots du chaman. *La jungle est sortie de la rivière et les a attaqués*. Le cadavre que Kelly avait examiné ne montrait-il pas des signes de convulsion ?

Il ôta ses lunettes. La masse d'eau écumeuse était arrivée à moins de trente mètres.

— Que tout le monde s'éloigne de la rivière et des autres cours d'eau !

— Qu'est-ce que vous racontez encore ? s'esclaffa Kostos.

Le caporal Conger récupéra ses lunettes :

— On devrait peut-être écouter le docteur...

Quelque chose s'écrasa sur son casque avec un *ploc* humide.

— Oh, la vache !

Nathan baissa sa lampe. Une bestiole, vaguement assommée, gisait dans la boue. Une espèce de têtard monstrueux aux pattes arrière déjà développées.

Avant que quiconque puisse réagir, la créature bondit de nouveau et mordit Conger à la cuisse. Le caporal hurla de douleur, lui flanqua un coup de crosse pour la faire tomber et recula de quelques pas :

— Bon Dieu, ça a des dents !

Du talon de sa botte, Kostos écrabouilla la bête et éparpilla ses entrailles sur la rive :

— Plus maintenant.

Ils se dépêchèrent tous de quitter la rivière. Clopin-clopant, Conger palpa sa jambe de pantalon. Il y avait un trou dans le tissu et, quand il retira sa main, il avait du sang sur les doigts.

— Il a failli m'arracher un bon bifteck, gloussa nerveusement le militaire.

En un rien de temps, ils étaient de retour au *shabono*.

— Que se passe-t-il ? s'inquiéta Carrera.

Nate montra la rivière :

— Quoi que ça puisse être, ce qui a eu les Indiens arrive vers nous. Il faut vite dégager d'ici.

— Pour l'instant, Carrera, restez à votre poste, ordonna Kostos. Conger, faites-vous examiner la jambe pendant que je transmets mon rapport au capitaine Waxman.

— Ma trousse de secours est à l'intérieur, annonça Kelly.

Conger s'adossa à une poutre en bambou :

— Je ne me sens pas bien, sergent.

Tous les regards convergèrent vers lui.

— Je commence à voir flou.

Le jeune médecin s'approcha de lui pour l'aider. Un filet de bave coula au coin des lèvres du caporal, puis, la tête renversée en arrière, le malheureux fut pris de convulsions.

Le sergent Kostos le rattrapa :

— Conger !

— Emmenez-le à l'intérieur ! vociféra Kelly.

Le Ranger traîna son équipier jusqu'à la porte du *shabono*, mais le corps agité de spasmes était difficile à déplacer. Carrera mit son fusil à l'épaule et se pencha pour aider.

— À votre poste, soldat ! aboya Kostos. Rand, attrapez-moi ces foutues jambes !

Quand il prit les chevilles de Conger sous ses bras, Nate crut tenir un câble électrique, tant l'homme sursautait et se contractait.

— Allez !

Tant bien que mal, ils transportèrent le blessé à l'intérieur.

Réveillés par les cris, les autres arrivèrent précipitamment.

— Que vous est-il arrivé ? s'exclama Zane.

— Dégagez le passage ! beugla Kostos en le repoussant sans ménagement.

— Par ici ! lança Kelly.

Elle avait déjà sa trousse ouverte et une seringue à la main.

Un bref instant, Nate éprouva une impression de déjà-vu et se rappela le jour où il avait amené Tama, alors en pleine crise, à l'hôpital de São Gabriel.

— Allongez-le et tenez-le fermement, ordonna le médecin.

Après avoir posé Conger, Nate fut écarté par deux Rangers qui se chargèrent d'immobiliser leur collègue.

Kostos s'agenouilla sur les épaules du caporal afin de le clouer au sol, mais les soubresauts continuaient comme si le pauvre homme essayait de s'assommer lui-même. Il s'était mordu la lèvre et une mousse écarlate écumait de sa bouche.

— Nom de Dieu ! Conger !

Kelly découpa la manche droite de la veste avec une lame de rasoir, puis enfonça vite une aiguille dans le bras du caporal. Après avoir injecté le contenu de sa seringue, elle recula pour en voir l'effet, les poings serrés :

— Allez… allez…

Soudain, Conger cessa de se contorsionner dans tous les sens.

— Merci, Seigneur, soupira Kostos.

Kelly, hélas, réagit différemment :

— Bordel de merde !

Elle bondit sur le corps amorphe, chercha le pouls carotidien, puis écarta les soldats et entama une réanimation cardio-pulmonaire.

— Que quelqu'un lui fasse du bouche-à-bouche !

Voyant que les Rangers étaient trop sonnés pour intervenir, Nathan repoussa Kostos, essuya la mousse sanguinolente de la bouche de Conger et commença à souffler en cadence avec Kelly. Il tâchait de garder le bon rythme et entendait vaguement les discussions inquiètes des gens à la ronde.

— Une saloperie de grenouille ou de poisson qui a sauté et mordu Conger à la jambe, expliquait Kostos.

— Il a été empoisonné ! ahana Kelly en pleine action. Ces animaux sont sans doute venimeux.

— Je n'ai jamais entendu parler de telles créatures, déclara Kouwe.

Nathan voulut dire que lui non plus n'en avait jamais vu, mais il était accaparé par sa respiration artificielle.

— Il y en avait des milliers, continua Kostos. Ils mangeaient tout sur leur passage.

— Qu'est-ce qu'on fait ? demanda Zane.

De sa voix de stentor, Waxman couvrit le vacarme :

— D'abord, on évite de s'affoler. Caporal Graves, soldat Jones… allez aider Carrera à sécuriser le périmètre.

— Attendez ! cria Nate.

Le chef des Rangers se tourna vers lui :

— Quoi ?

Entre deux expirations pour ramener Conger à la vie, le jeune homme lâcha de manière saccadée :

— On est trop près du ruisseau… Il passe juste à côté du *shabono*.

— Et alors ?

— Ils vont sortir de l'eau… comme ils l'ont fait avec les Indiens.

À force d'hyperventiler, Nate avait des vertiges. Il souffla dans la bouche du caporal et releva la tête :

— Il faut partir sur-le-champ. Nous éloigner des berges jusqu'à demain matin. Les animaux nocturnes…

— Que voulez-vous dire ?

Le professeur Kouwe répondit à sa place :

— Les villageois ont été attaqués de nuit. Et, maintenant, cet assaut… Nathan pense qu'il s'agit de bêtes nocturnes. Si on réussit à les éviter jusqu'au lever du jour, on sera sauvés.

— Sauf qu'ici, on a des abris et un périmètre sécurisé. Ce ne sont que des poissons, des grenouilles ou un truc du genre.

Nate se remémora ce qu'il avait vu aux jumelles infrarouges : les créatures bondissaient de la rivière jusqu'aux arbres.

— On n'est pas en sécurité ici, haleta-t-il.

Il se baissa de nouveau, mais une main se posa sur son épaule et le releva.

— Inutile, murmura Kelly. Il nous a quittés. (Aux autres :) Désolée, le poison s'est répandu trop vite. Sans antivenin…

Elle secoua tristement la tête.

Nate regarda le corps immobile du jeune Texan :

— Merde…

Il se redressa.

— On doit s'éloigner de la rivière. J'ignore jusqu'où ces saloperies peuvent s'enfoncer sur la terre ferme, mais celle que j'ai vue avait des branchies. Elles ne peuvent probablement pas rester trop longtemps hors de l'eau.

— Que suggérez-vous ? demanda Frank.

— On se réfugie sur les hauteurs et on évite les cours d'eau. Les Indiens pensaient n'avoir à se méfier que de la rivière, mais les prédateurs ont remonté le courant et leur ont tendu une embuscade.

— Vous parlez de ces animaux comme s'ils étaient intelligents.

— Non, ce serait dingue.

Nate se rappela la façon dont les dauphins fuyaient alors qu'aucun poisson ne semblait inquiété. Il revit mentalement l'attaque du cochon et du capybara. Peu à peu, une théorie germa dans son esprit :

— Ils sont peut-être attirés par les animaux à sang chaud. Je ne sais pas… Ils repèrent peut-être la chaleur du corps et ratissent l'eau, les berges à la recherche d'une proie.

Frank s'adressa à Waxman :

— À mon avis, il faut écouter le Dr Rand.

Le doigt pointé sur le caporal Conger, Kelly renchérit :

— Je suis d'accord. Si une simple morsure peut être mortelle, on ne doit courir aucun risque.

Le chef des Rangers se tourna vers Frank :

— Vous dirigez peut-être l'expédition mais, en matière de sécurité, c'est moi qui commande.

Carrera réapparut à la porte de la maison :

— Il se passe quelque chose là-bas. La rivière bouillonne terriblement. Un des pontons à bateaux vient de s'effondrer.

À l'extérieur du *shabono*, la jungle s'était réveillée : les singes hurlaient, les oiseaux piaillaient.

— On n'a pas beaucoup d'options, insista le farouche Nate. S'ils arrivent par le ruisseau, ils nous coupent la route vers les hauteurs et beaucoup d'entre nous mourront comme Conger... comme les Indiens.

Le jeune homme bénéficia alors d'un soutien inattendu.

— Rand a raison, affirma Kostos. J'ai vu ces bestioles. Rien ne peut les empêcher d'attaquer.

D'un geste, il balaya l'espace du *shabono*.

— Et certainement pas cet abri précaire. Ici, nous sommes des proies faciles, chef.

Après une brève réflexion, Waxman acquiesça :

— Embarquez le matériel.

— Et les détecteurs de mouvement ? demanda le sergent.

— On les laisse dehors. Que plus personne ne sorte !

Kostos hocha la tête et partit exécuter les ordres.

Deux Rangers creusèrent une tombe de fortune pour enterrer le corps de Conger et, quelques instants plus tard, tout le monde eut son sac sur le dos.

Accroupie près de l'entrée et munie de lunettes de vision nocturne, Carrera scrutait tour à tour la rivière et la jungle :

— L'agitation sur les berges a cessé, mais j'entends du remue-ménage dans les buissons.

Autour du *shabono*, la jungle était redevenue silencieuse.

Nate rejoignit Carrera sur le seuil. Fusil au poing, il était prêt à partir :

— Vous avez remarqué quelque chose ?

Son interlocutrice régla ses lunettes :

— Non, rien, mais les bois sont beaucoup trop denses pour voir au travers.

Nate entendit une branche craquer, puis un petit daim sauvage, un faon moucheté, sortit de la jungle et passa à toute allure devant eux. Ils faillirent se précipiter à l'intérieur avant de s'apercevoir qu'il ne représentait aucun danger.

— Mon Dieu, gloussa Carrera à voix basse.

Le faon s'arrêta au bord de la maison circulaire, les oreilles dressées. La jeune militaire le menaça avec son M-16 :

— Va-t'en !

Soudain, quelque chose tomba sur le dos de l'animal, qui glapit de douleur et de terreur.

— Vite, rentrez ! ordonna Nate.

Carrera roula vers la porte, tandis qu'il la couvrait avec son arme. Une autre bête bondit de la forêt et se jeta sur le jeune cervidé. Une troisième jaillit d'un buisson. Le faon tituba, puis tomba sur le flanc en battant des pattes.

L'alarme d'un détecteur de mouvement posé à côté du ruisseau se déclencha.

— Ils sont là, murmura Nathan.

À côté de lui, Carrera retira ses lunettes infrarouges et alluma sa torche. La lumière éclaira le chemin qui menait à la rivière mais, des deux côtés de la piste, la végétation était si dense que la jungle restait plongée dans les ténèbres.

— Je ne vois pas…

Quelque chose déboula sur le sentier.

Vue sous cet angle-là, la créature tout en pattes traînait derrière elle une longue queue fine. Elle sautilla vers eux, la gueule grande ouverte sur des dents étincelantes. Avec ses yeux globuleux, elle ressemblait à un croisement entre un têtard et un piranha.

— Putain, c'est quoi ce machin ? chuchota Carrera.

L'animal s'élança en direction de la voix.

Nate pressa la détente. La grenaille déchiqueta la bête en mille morceaux. Dans la jungle, ce fusil-là était un vrai bonheur ! Il ne demandait aucune précision, ce qui convenait à merveille aux petites menaces : serpents, scorpions, araignées et, apparemment, amphibiens venimeux aussi.

Nate referma la petite porte du *shabono* derrière eux :

— On se replie.

Le panneau n'était constitué que de feuilles de bananier cousues, mais il bloquerait temporairement les créatures.

— C'est la seule sortie, objecta Carrera.

De la main gauche, Nate détacha sa machette :

— Pas dans un *shabono*.

Il désigna le mur d'en face, à l'opposé des cours d'eau.

— On peut y ouvrir une porte où on veut.

Frank et Waxman, qui repliait une carte, le rejoignirent au milieu de la place centrale.

— Ils sont là, annonça Nate.

Arrivé devant le mur, il brandit sa machette et commença à dépecer les palmes tressées de feuilles de bananier.

— Il faut partir dare-dare.

Waxman acquiesça, puis brailla en agitant le bras :

— On se tire ! Maintenant !

Tandis que Nate taillait un trou grossier dans la cloison et en écartait les débris, le chef des Rangers fit signe au caporal Okamoto de prendre position. Le soldat était équipé d'une arme peu banale :

— C'est un lance-flammes. Au besoin, on se frayera un chemin en carbonisant ces saletés.

Il pressa la détente. Quelques flammes orangées fusèrent du canon comme des langues de serpent.

Nate tapota l'épaule du caporal :

— Splendide !

Après tant de jours de navigation, Nate commençait à apprécier le pilote de son bateau, et ce malgré ses horribles sifflements monocordes.

Okamoto lui adressa un clin d'œil, puis s'engouffra sans hésiter dans la brèche. Au passage, Nate remarqua le petit réservoir d'essence accroché sur son dos.

Après avoir équipé leurs M-16 de lance-grenades, quatre Rangers lui emboîtèrent le pas : Warczak, Graves, Jones et Kostos. Ils se déployèrent à droite et à gauche du caporal. De nouvelles sirènes se déclenchèrent quand ils franchirent les détecteurs de mouvement qui protégeaient le périmètre.

— À présent, les civils ! ordonna Waxman. Restez ensemble et laissez toujours un Ranger entre la forêt et vous.

Richard Zane et Anna Fong se précipitèrent vers l'ouverture. Suivirent Olin et Manny, talonnés par Tortor. Enfin, Kelly, Frank et Kouwe s'engouffrèrent à leur tour.

Nate regarda derrière lui. Waxman distribuait ses consignes aux derniers Rangers surveillant les arrières. Deux soldats étaient penchés au-dessus de quelque chose au milieu de la place.

— Du nerf, mesdemoiselles !

Les militaires se redressèrent. L'un d'eux, un caporal appelé Samad Yamir, leva le pouce. L'homme parlait rarement et, chaque fois, avec un fort accent
pakistanais. Nate savait aussi qu'il était l'artificier du
groupe.

En voyant le jeune civil jeter un regard méfiant au
dispositif qu'ils laissaient derrière eux, Waxman
pointa son fusil vers la brèche :

— Vous attendez quoi, Rand ? Un carton d'invitation ?

Nate s'humecta les lèvres, puis suivit Frank et
Kelly.

De nouveau, Carrera marchait derrière lui, mais
c'était munie d'un lance-flammes qu'elle sondait à
présent la forêt. Après elle, Waxman et Yamir furent
les derniers à quitter le *shabono*.

— Restez groupés ! cria le capitaine. Et faites-moi
griller tout ce qui bouge.

Carrera se pencha vers Nate :

— On se rend sur une petite colline à cinq kilomètres d'ici.

— Comment savez-vous qu'elle est là ?

— Carte topographique, répondit-elle sur un ton peu
assuré.

Intrigué, Nate regarda par-dessus son épaule. Carrera baissa la voix et secoua la tête :

— Le ruisseau ne figurait pas sur nos relevés.

Kelly leur jeta un coup d'œil : elle avait l'air mal
mais ne broncha pas.

Nate soupira. Il n'était pas surpris que la carte
manque de précision. Les cours d'eau de la jungle
étaient imprévisibles : déjà, les limites des lacs et des
marais variaient selon la pluviosité, mais les ruisseaux
étaient encore plus changeants. La plupart d'entre eux

ne portaient pas de nom et n'étaient même pas répertoriés.

— Continuez d'avancer ! aboya Waxman.

Alors que l'équipe se sauvait dans la jungle, Nate regardait autour de lui, à l'affût d'un bruit suspect. La petite rivière gazouillait au loin. Il s'imagina les villageois courant le long du sentier, inconscients du danger qui rôdait si près d'eux, sans songer que la mort les attendait au tournant.

Nate trottait derrière Kelly et Frank. Une flamme éclaira l'avant du groupe, conduit par le caporal Okamoto. Peu bavards, les autres explorateurs se contentaient de grimper la pente douce qui les éloignait de la rivière. Tous surveillaient la jungle alentour.

Après vingt minutes de marche, Waxman s'adressa à son voisin :

— Lancez le feu d'artifice, Yamir.

Le caporal se retourna, mit son M-16 à l'épaule et dégagea un petit appareil.

— Déclenchement à distance, expliqua Carrera.

Yamir pressa un bouton. Lorsqu'une lumière rouge se mit à clignoter rapidement, Nate fronça les sourcils :

— Qu'est-ce que… ?

BOUM ! Un pan entier de végétation se transforma en boule de feu. Des flammes jaillirent haut dans le ciel et arrosèrent les arbres.

Tandis que des cris de surprise s'élevaient du groupe de civils, Nate, abasourdi, faillit tomber en arrière. La sphère enflammée incendia une bonne partie de la forêt. À travers l'infernale lueur écarlate se dessinait un trou noir de jungle calciné, où chaque arbre s'était dénudé de ses feuilles et de ses branches. La bombe avait dévasté au moins quatre mille mètres carrés de terrain. Il n'y avait plus trace du *shabono*.

Même les détecteurs de mouvement s'étaient tus, soufflés par l'explosion.

Nathan était muet de stupeur, mais son regard furieux croisa celui de Waxman.

— Allez, on reprend la marche ! mugit le capitaine.

Carrera exhorta le Dr Rand à avancer :

— Mesure de sécurité. Tout doit brûler derrière nous.

— Qu'est-ce que c'était ? demanda Kouwe.

— Une bombe au napalm, répondit sombrement le caporal. Nouvel arsenal antijungle.

— Pourquoi n'avoir rien dit ? Pourquoi ne nous a-t-on pas au moins prévenus ? s'insurgea Frank en queue de peloton.

Waxman ne s'arrêta pas et, d'un geste brusque, intima aux autres de faire de même :

— C'était ma décision. Mes ordres. Je ne voulais aucune discussion à ce sujet. La sécurité est ma priorité.

— Et je m'en réjouis, capitaine ! lança Zane à l'avant. Pour une fois, je suis entièrement d'accord avec vous. J'espère que vous avez anéanti cette horde venimeuse.

— Il semblerait que non, chuchota Olin, les yeux plissés.

Le Russe indiqua la petite rivière à présent dégagée par l'incendie : à travers les flammes, elle écumait de milliers de petites créatures surexcitées. Dans un sauve-qui-peut général, les sales bestioles remontaient la rivière comme des saumons en période de frai.

— Magnez-vous ! hurla Waxman. Il faut rejoindre une hauteur !

Tous accélérèrent le pas. Obnubilés par leur vitesse de progression, ils gravirent la pente sans plus se préoccuper du spectacle en contrebas. Les créatures se trouvaient sur leur flanc droit.

Des flammes jaillirent à la tête du cortège.

— Il y a de la flotte par ici ! cria Okamoto.

L'ensemble du groupe convergea vers lui.

— Mon Dieu…, balbutia Kelly.

Cinquante mètres plus loin, un cours d'eau leur barrait la route. Malgré ses dix petits mètres de large, il était sombre et calme. Au-delà, le chemin continuait de grimper vers la butte qu'ils cherchaient à atteindre.

— Il s'agit de la même rivière ? s'enquit Frank.

Le Ranger Jorgensen sortit de la forêt, ses lunettes de vision nocturne à la main :

— J'ai effectué une reconnaissance en aval. C'est un petit affluent de l'autre ruisseau.

— Et merde ! jura Waxman. Cet endroit est un putain de labyrinthe fluvial !

— On devrait traverser tant que c'est possible, suggéra Kouwe. Les bestioles ne vont sans doute pas tarder à arriver par là.

Waxman contempla les eaux paisibles avec appréhension, puis il s'approcha d'Okamoto :

— J'ai besoin de lumière.

Le caporal fit cracher son lance-flammes à la surface. Pas suffisant pour savoir ce qui pouvait bien se trouver dans les tréfonds boueux de la rivière.

— Je passe le premier, chef ! lança Okamoto. On va voir s'il y a moyen de traverser en toute sécurité.

— Attention, fiston.

— Toujours, chef.

Le brave Ranger inspira à fond, embrassa le crucifix qu'il portait en pendentif et s'engagea à gué, son arme en l'air :

— Il n'y a presque pas de courant, mais c'est profond.

À mi-chemin, l'eau lui arrivait à la taille.

— Grouillez-vous, marmonna Frank, le poing serré contre son ventre.

Okamoto atteignit l'autre rive et, une fois sur la terre ferme, il se retourna en souriant :

— Ça a l'air sûr.

— Pour l'instant, compléta Kouwe. Il n'y a pas une seconde à perdre.

— Allons-y ! rugit Waxman.

Ils s'enfoncèrent dans l'eau tous ensemble. Frank tenait la main de Kelly. Nate aidait Anna Fong.

— Je ne nage pas très bien, dit l'Asiatique sans s'adresser à quelqu'un en particulier.

Les Rangers suivirent, le fusil au-dessus de la tête.

Arrivés de l'autre côté, les explorateurs reprirent l'ascension. Avec leurs bottes mouillées et la terre encore humide des pluies de la veille, la marche était malaisée. Ils progressaient moins vite. Le groupe parti en ordre serré commença à s'étirer.

Jorgensen sortit à nouveau de l'ombre, lunettes en main :

— J'ai observé l'autre rivière, capitaine. Les eaux sont redevenues calmes. Je ne vois plus aucune créature.

— Elles sont pourtant là, objecta Nate. La crise est juste passée, c'est tout.

— Elles se sont peut-être repliées à présent que le feu s'est éteint, espéra Jorgensen.

— Oh ! Je ne pense pas qu'il faille compter…

Un glapissement interrompit le capitaine Waxman. À sa gauche, un corps glissa sur la pente boueuse. C'était le Ranger Eddie Jones, qui, frustré, agitait les bras et les jambes sans pouvoir enrayer sa chute :

— Bordel de Dieu !

Il essaya d'empoigner un buisson, mais les racines peu profondes s'arrachèrent. Le soldat roula au sol, perdit son arme et atterrit dans le ruisseau.

Warczak et Graves se précipitèrent à son secours.

Jones ressortit la tête de l'eau et toussa tout ce qu'il savait.

— Merde ! dit-il en essayant de regagner la rive. Enfoirée de jungle !

Le temps de redresser son casque, il lâcha une bordée d'obscénités particulièrement imaginatives.

Warczak braqua sa lampe vers son collègue détrempé :

— Du calme, Jones, du calme... Au moins, tu as dix sur dix en slalom jungle.

— Ta note, tu peux te la fourrer au cul ! lâcha l'intéressé en se baissant pour décoller une algue de son pantalon. *Argl...*

Le caporal Graves fut le premier à s'en apercevoir : quelque chose avançait sur le sac à dos de son camarade.

— Jones !

Encore à moitié accroupi, l'homme leva les yeux :

— Quoi ?

La créature bondit et s'accrocha juste sous sa mâchoire.

— Bon Dieu de merde ! hurla Jones.

Il arracha la bête de son cou. Du sang jaillit.

— *Ahhhh !*

La petite rivière se mit soudain à écumer et une douzaine de créatures sautèrent sur les jambes du malheureux. Le soldat trébucha en arrière, le visage tordu de douleur, et atterrit lourdement dans l'eau.

Warczak s'approcha :

— Jones !

Une autre bête jaillit hors de l'eau et atterrit aux pieds du caporal en battant des ouïes. Aussitôt, Warczak et Graves reculèrent d'un bond.

Dans la rivière, Jones se contorsionnait comme si on l'avait précipité dans l'huile bouillante. Son corps tressaillait, parcouru de spasmes.

— Reculez ! cria Waxman. Que tout le monde fonce vers la colline !

Warczak et Graves couraient déjà. D'autres créatures sortirent du ruisseau pour se lancer à leurs trousses.

Le groupe reprit sa folle ascension. Certains rampaient, à moitié à quatre pattes. Soudain, Kelly sentit ses jambes se dérober. Ses doigts boueux échappèrent à la poigne de son frère et elle entama une glissade mortelle.

— Kelly ! hurla Frank.

Par chance, Nate la suivait deux mètres plus bas. Encombré par son fusil, il rattrapa la jeune femme d'une seule main par la taille et s'effondra sur elle. Manny vint les aider à se remettre sur pied. Derrière lui, Tor-tor arpentait le sentier d'un air anxieux.

Le Brésilien chassa son jaguar d'un geste vif :

— Avance tes grosses fesses poilues.

À présent, ils se retrouvaient tous les trois en queue de cortège. Frank les attendait en amont.

Seule Carrera était encore à leur niveau. Elle aspergea de flammes le chemin derrière eux et marmonna, tendue :

— Reprenons notre route.

Kelly balaya le groupe du regard :

— Merci.

Lorsqu'ils rejoignirent Frank, il prit sa sœur par la main :

— Ne me refais jamais un coup pareil.

— Ce n'est pas prévu au programme, frérot.

Nate, qui continuait à surveiller leurs arrières, croisa le regard apeuré de Carrera. Son bref instant d'égarement suffit : réchappée du brasier, une créature bondit d'un sous-bois et se jeta sur la Ranger.

Carrera tomba en arrière en lâchant un jet de flammes.

La bestiole s'était accrochée à sa ceinture mais se tortillait à la recherche de chairs à mordre.

Avant que quelqu'un puisse réagir, un claquement déchira la nuit. Le monstre avait été balayé, coupé en deux. Quand Carrera et Nate se retournèrent, Manny enroulait son fouet :

— Vous avez l'intention de rester là avec vos têtes d'ahuris ?

Carrera reprit sa course, aidée de Nate. À force de se dépêcher, ils atteignirent enfin le sommet. Le jeune homme espéra que la colline serait assez élevée pour les mettre à l'abri.

Il rejoignit les autres, rassemblés en haut :

— On doit continuer à avancer, mettre le plus de terre ferme possible entre ces dangereux animaux et nous.

— En théorie, oui, souffla Kouwe, mais la mise en pratique risque d'être plus compliquée.

Le chaman indiqua l'autre versant de la colline.

Sous la lune, la rivière en contrebas avait de pâles reflets d'argent. Hélas, Nate reconnut le cours d'eau qu'ils essayaient d'éviter depuis le début. Quelle horreur ! Ils venaient de commettre une erreur fatale.

Le cours d'eau qu'ils avaient traversé quelques minutes plus tôt ne se jetait pas dans un autre fleuve plus grand : c'était une section du même affluent !

— Nous sommes sur une île, constata Kelly, désemparée.

Nate regarda en amont : le lit de la rivière se séparait en deux, puis contournait la butte pour reformer ensuite un seul et même cours d'eau. Le groupe s'était réfugié sur une île, entre les deux bras du petit affluent. Ils étaient entourés par les flots.

Nate eut la nausée :

— On est pris au piège.

2 h 12
Aile ouest de l'Institut Instar
Langley, Virginie

Assise à la petite table de la salle commune, Lauren O'Brien fixait son café. Vu l'heure tardive, elle avait la pièce pour elle seule. Tous les autres membres de MEDEA placés en quarantaine étaient soit couchés dans leurs chambres de fortune, soit en plein travail dans les principaux laboratoires.

Même Marshall s'était retiré avec Jessie depuis quelques heures déjà. Le lendemain à l'aube, il avait programmé une téléconférence avec le CDC, deux chefs de cabinet et le directeur de la CIA. Sa réunion, il l'avait présentée de manière éloquente comme une « frappe préventive avant que la politique chie dans la colle ». Il en allait souvent ainsi avec les administrations gouvernementales. Au lieu de saisir le problème à bras-le-corps, on préférait pointer les autres du doigt et chercher à se couvrir. Marshall s'était donc fixé comme objectif de secouer le cocotier. Il leur fallait un plan d'action décisif. Jusqu'à présent, les quinze foyers de contamination avaient été traités de quinze façons différentes. Le chaos total !

Soupir aux lèvres, Lauren contempla les monceaux de paperasse sur la table. Son équipe se colletait encore avec la toute première question : *Quelle était la cause de la maladie ?*

Des batteries de tests étaient en cours aux quatre coins du pays, depuis le CDC d'Atlanta jusqu'au complexe de Salk à San Diego, mais l'Institut Instar restait l'épicentre de la recherche sur l'épidémie.

Lauren écarta un rapport du Dr Shelby sur l'utilisation de cellules rénales de singe comme milieu de culture. Encore raté ! *Réaction négative.* Jusqu'à présent, l'agent infectieux continuait à déjouer tous les moyens d'identification : cultures aérobies et anaérobies, examens fongiques, microscopie électronique, hybridation sur tache, amplification en chaîne par polymérase… Rien n'avait fonctionné. Chaque rapport d'étude s'achevait par les mêmes mots : *réaction négative, croissance zéro, analyse inexploitable.* Autant de manières savantes d'éviter le mot « échec ».

Posé à côté du café désormais froid, son bipeur se mit à ronronner et à vibrer sur la table en formica. Lauren l'attrapa avant qu'il ne tombe :

— Qui peut bien m'appeler à une heure pareille ?

À l'écran, elle ne reconnut pas le numéro qui, apparemment, venait des *Laboratoires biologiques à grande échelle.* Elle n'en avait jamais entendu parler mais, d'après l'indicatif, ils se situaient quelque part en Californie du nord. Elle consulta sa montre et retira trois heures : sur la côte Ouest, il était presque minuit.

Elle pensa un instant ne rappeler que le lendemain matin, car elle avait vraiment besoin de dormir un peu. L'appel émanait sans doute d'un obscur technicien lui réclamant son numéro de fax ou un protocole de présentation. Quoique…

Lauren fourra son appareil dans sa poche et se dirigea vers le téléphone mural. Tandis qu'elle s'emparait du combiné, elle entendit une porte s'ouvrir derrière elle.

Elle regarda par-dessus son épaule et s'étonna de voir Jessie en pyjama frotter ses yeux bouffis de sommeil.

— Mamie…

Lauren raccrocha et s'approcha de la petite :

— Que fabriques-tu encore debout, mon poussin ? Tu devrais être au lit.

— Je ne savais pas où tu étais.

Elle s'agenouilla à hauteur de sa petite-fille :

— Qu'est-ce qui ne va pas ? Tu as encore fait un mauvais rêve ?

Pendant ses premiers jours à l'institut, Jessie s'était souvent réveillée en pleine nuit à cause de cauchemars sans doute déclenchés par la quarantaine et le nouvel environnement. Depuis, elle avait semblé s'adapter rapidement et s'était liée d'amitié avec d'autres enfants confinés dans le bâtiment.

— J'ai mal au ventre, bredouilla-t-elle, les yeux brillants de larmes.

— Oh, mon cœur, voilà ce qui arrive quand on se goinfre de glace si tard.

Sa grand-mère l'attira contre elle pour lui faire un câlin.

— Je vais t'apporter un verre d'eau et, ensuite, je te ramène au…

Sa voix se brisa lorsqu'elle s'aperçut que la petite avait la peau très chaude. Elle posa la main sur son front.

— Oh, mon Dieu, murmura-t-elle tout bas.

Jessie était brûlante.

Debout près de sa tente, Louis vit Jacques débarquer de la rivière à grandes enjambées. Son lieutenant portait sous le bras un paquet à peine plus gros qu'une pastèque et emballé dans une couverture trempée.

— Docteur, lâcha-t-il d'une voix grave.

— Qu'as-tu découvert, Jacques ?

Il l'avait envoyé avec deux autres mercenaires enquêter sur la déflagration qui avait réveillé tout le camp juste après minuit. Un peu plus tôt, au coucher du soleil, la taupe de Louis l'avait informé par radio de la découverte d'un *shabono* et du sort de ses villageois. C'était le dernier contact qu'il avait eu avec elle. Quelques heures plus tard, la fameuse explosion avait retenti...

Que se passait-il là-bas ?

— Monsieur, le village a été incendié... ainsi qu'une bonne partie de la forêt alentour. On n'a pas pu s'approcher à cause des incendies résiduels. Peut-être demain matin...

— Et l'autre équipe ?

Jacques baissa la tête :

— Ils sont partis. J'ai envoyé Malachim et Toady à leur recherche.

Les poings serrés, Louis maudit son excès de confiance. Après l'enlèvement réussi du Ranger DeMartini, il était devenu complaisant avec ses proies... et voilà le résultat ! Un de ses espions avait sans doute été repéré. À présent qu'on avait découvert le renard dans le poulailler, la mission de Louis se compliquait infiniment.

— Rassemble les autres. Si les Rangers tentent de nous échapper, je ne veux pas qu'ils aillent trop loin.

— À vos ordres, docteur, mais je ne suis pas certain que ces gens-là cherchent à nous fuir.

— Qu'est-ce qui te le fait penser ?

— En s'approchant de la zone incendiée en canoë, on a vu un cadavre flotter sur une rivière annexe.

— Un cadavre ?

Louis craignit qu'il ne s'agisse de son informateur, exécuté et jeté à l'eau comme un message à son attention.

Jacques déroula la couverture détrempée et laissa tomber son contenu sur le sol. C'était une tête humaine.

— Elle surnageait à côté du corps mutilé.

Louis s'agenouilla pour examiner le trophée dont il ne restait presque rien. Le visage avait été entièrement dévoré, mais ce n'était pas son espion : le crâne rasé indiquait qu'il s'agissait d'un Ranger.

— Le reste était dans le même état, rongé jusqu'à l'os.

— Que lui est-il arrivé ? demanda Louis.

— Vu les morsures, je dirais une attaque de piranhas.

— Tu en es sûr ?

— Plutôt deux fois qu'une !

Le doigt pointé sur son lambeau de nez, Jacques lui rappela qu'enfant, il avait eu affaire aux terribles prédateurs aquatiques.

— À ton avis, ils l'ont dévoré une fois mort ?

— Si ce n'est pas le cas, je plains le pauvre type.

Louis se redressa et scruta le cours d'eau :

— Que se passe-t-il dans cette foutue rivière ?

Chapitre 10

La fuite

14 août, 3 h 12
Jungle amazonienne

Au sommet de la colline, Nate et les autres civils étaient entourés par les huit Rangers restants. *Un chacun*, songea-t-il. *Comme des gardes du corps personnels.*

— Pourquoi ne pas utiliser vos bombes au napalm pour nous tailler un passage au milieu de ces sales bestioles ? lança Frank. On les jette sur la pente et on se met à couvert.

— Ça nous tuerait tous, rétorqua Waxman. Si la chaleur de l'explosion ne nous fait pas griller, on restera coincés ici, entre une végétation en feu et ces saloperies venimeuses.

Le regard posé sur la forêt impénétrable, Frank soupira :

— Et les grenades ? On pourrait les envoyer par salves et nous frayer un chemin.

— Non seulement il serait dangereux de lancer des grenades si près de nous, mais on n'a aucune garantie qu'elles liquideraient toutes les créatures cachées dans les arbres. À mon avis, il vaut mieux tenir la position et essayer de survivre jusqu'à l'aube.

Frank croisa les bras, visiblement guère emballé par le plan du capitaine.

De temps à autre, une flamme déchirait la nuit, lancée par le caporal Okamoto ou le soldat Carrera en faction des deux côtés de la colline. Ils n'avaient pas vu le moindre signe d'une monstrueuse créature depuis une demi-heure, mais ils les savaient toujours là. La forêt était plongée dans un silence de mort, sans cri de singe ni de chant d'oiseau. Même les insectes s'étaient tus. Hors de portée de leurs lampes, seules les feuilles bruissaient encore des rôdeurs qui traversaient les sous-bois à pas de loup.

Grâce aux lunettes de vision nocturne, on apercevait encore des bêtes sautant de la rivière. Comme elles respiraient avec des branchies, elles avaient besoin d'y retourner régulièrement.

Non loin de là, Manny, agenouillé dans la boue, travaillait à la lueur d'une torche électrique sous le regard attentif de Kelly et Kouwe. Un peu plus tôt, il avait pris le risque d'une incursion en forêt pour ramasser une étrange créature. Quoique partiellement carbonisé, le spécimen était dans un état correct. Il mesurait trente centimètres, depuis le bout de sa queue jusqu'à sa gueule hérissée de dents effilées. Ses grands yeux noirs saillants lui donnaient une vision proche de 360 degrés. Ses puissants membres inférieurs terminés par des pieds palmés à ventouses étaient presque aussi longs que le corps lui-même.

Pour effectuer sa rapide dissection, Manny utilisa un scalpel et de mini-forceps issus de la trousse médicale de Kelly.

— Incroyable…, finit-il par marmonner.

Curieux, Nate se joignit au groupe.

— On a affaire à une sorte de chimère. Un amalgame de plusieurs espèces.

— Comment ça ? demanda Kelly.

Le biologiste s'écarta et, de la pointe des forceps, il désigna les diverses parties de la bête :

— Nathan avait raison. Malgré sa peau dépourvue d'écailles, elle a le système respiratoire d'une espèce aquatique. Des branchies, pas des poumons. En revanche, ses pattes – remarquez l'élasticité de la peau – sont définitivement celles d'un amphibien. Les rayures sont typiques du *Phobobates trivittatus*, la grenouille dendrobate, plus gros membre de la famille des batraciens, et le plus venimeux aussi.

— Tu penses qu'un spécimen de cette espèce aurait muté ?

— Au début, j'y ai pensé, Nate. On dirait un têtard dont le développement se serait arrêté au stade des branchies et dont seules les pattes arrière se seraient formées. J'ai changé d'avis au cours de la dissection. Le truc qui saute d'abord aux yeux, c'est sa taille, totalement disproportionnée. Ce machin doit peser près de trois kilos. Un poids monstrueux, même pour les plus grandes variétés de dendrobates.

Manny retourna l'animal afin de montrer ses yeux et ses dents.

— De plus, le crâne est difforme. Au lieu d'être aplati horizontalement, tel qu'on pourrait s'y attendre pour une grenouille, il est aplati verticalement, comme chez les poissons. En fait, la configuration du crâne, des mâchoires et des dents est presque identique en taille et en forme à celle du prédateur d'eau douce le plus commun d'Amazonie, le *Serrasalmus rhombeus*.

Le Brésilien releva la tête un instant et précisa :

— Le piranha noir.

— Impossible ! s'exclama Kelly.

— Si je ne l'avais pas vu de mes propres yeux, je serais d'accord avec vous. Au cours de ma vie, j'ai travaillé sur une foule d'espèces amazoniennes, mais je n'avais encore jamais croisé un animal pareil. Une véritable chimère ! Une créature qui regroupe à elle seule les caractéristiques biologiques de la grenouille et du poisson.

— Comment est-ce possible ? balbutia Nate.

— Je n'en sais rien, mais comment un homme peut-il régénérer un membre ? À mon avis, la présence de cette chimère indique qu'on est sur la bonne piste. Il y a quelque chose par là-bas, quelque chose que l'expédition de ton père a découvert, un truc doté d'une incroyable capacité de mutation.

Nate étudia attentivement les restes de l'animal disséqué. *Que pouvait-il bien y avoir là-bas ?*

Carrera, en faction du côté nord de la colline, poussa un cri :

— Ils progressent à nouveau !

Nate se redressa. La rumeur s'amplifiait peu à peu, comme si la jungle entière était en train de se réveiller.

Carrera lança ses flammes contre la pente. Le feu éclaira la pénombre. Des centaines d'yeux minuscules se reflétèrent dans la lumière, recouvrant à la fois le sol et les arbres. Une créature sauta de son perchoir sur une feuille de palme et se jeta dans la zone en feu. On entendit une détonation et l'animal fut réduit en bouillie.

— Tout le monde recule ! mugit Carrera. Ils arrivent !

Depuis les arbres et les sous-bois, les petits corps commencèrent à bondir dans leur direction. Ignorant le feu et les tirs, les sales bêtes étaient déterminées à les submerger en nombre.

Nate repensa soudain au massacre des Indiens. L'histoire était en train de se répéter. Il empoigna son fusil, visa et fit exploser une grenouille-piranha alors qu'elle sautait pour attaquer Carrera. Des lambeaux de chair leur tombèrent sur la tête.

Ils étaient à présent obligés d'évacuer le sommet de la colline pour se replier sur le versant méridional. Les jets de flammes et les tirs embrasaient la nuit. À la lueur des torches qui brimbalaient, les ombres étaient particulièrement changeantes.

À l'avant, Okamoto ouvrit le chemin au lance-flammes :

— Ça a l'air dégagé de ce côté !

Nate risqua un regard. Au loin, l'autre bras de la rivière coulait sur le flanc sud de la butte.

— Pourquoi n'y a-t-il aucune bestiole là-bas ? demanda Anna, le visage cramoisi.

Les yeux écarquillés, Zane répondit :

— Elles se sont probablement regroupées pour l'assaut final.

Nate observa la rivière en contrebas. Elle paraissait calme, mais il savait ce qui s'y tramait. Il se rappela le gros capybara qui, chassé de la forêt, avait cavalé sur la berge pour finir assailli par les prédateurs :

— Ils nous conduisent comme si nous étions un troupeau.

— Quoi ? lança Kelly.

— Ils veulent nous obliger à nous rapprocher de la rivière.

— Nate a raison, renchérit Manny. Malgré leur capacité à se mouvoir sur de courtes distances de terre ferme, ce sont principalement des animaux aquatiques. Il faut que leur repas soit localisé le plus près possible de l'eau.

Derrière eux, les Rangers en ligne crachaient des flammes et tiraient à tout va pour couvrir la fuite de l'équipe.

— Quel autre choix avons-nous ? demanda Kelly.

À l'approche de la rivière, Okamoto, qui se méfiait visiblement de l'eau lui aussi, ralentit et annonça :

— Je vais essayer de passer le premier comme à l'aller, chef.

Waxman acquiesça :

— Attention à vous, caporal.

Okamoto se dirigea vers l'eau.

— Non ! cria Nate. Je suis sûr que c'est un piège.

Le Ranger le regarda, puis il se tourna vers son supérieur, qui lui fit signe de continuer :

— On doit quitter l'île.

— Attendez ! intervint Manny, la voix brisée par le chagrin. Je… je peux envoyer Tor-tor.

Le groupe d'explorateurs s'était à présent reformé.

Waxman contempla le jaguar, puis accepta :

— Allez-y.

Tandis que Manny conduisait son fauve vers la berge, Nate cogita à toute vitesse. Pénétrer dans les eaux sombres de la rivière était du suicide pur et simple. Il le savait aussi sûr que le soleil se lèverait demain. Seulement, le chef des Rangers avait raison : il fallait trouver une solution pour traverser. Nate se dépêcha de passer un tas de scénarios en revue.

Un pont de corde au-dessus de la rivière. L'hypothèse fut aussitôt écartée. Même s'ils parvenaient à fabriquer un pont, les créatures faisaient de toute façon des bonds de géant. Ils seraient des proies faciles.

Peut-être des grenades lancées à l'eau pour les étourdir. Hélas, la rivière était trop longue. À supposer que la déflagration tue un maximum de créatures, elles seraient vite remplacées par d'autres venues de l'amont. Elles glisseraient le long du courant et les attaqueraient pendant la traversée. Non, il fallait quelque chose susceptible de débarrasser le bras de rivière de toutes les créatures, mais quoi ?

Soudain, la réponse s'imposa à lui. Il en avait même eu la démonstration quelques jours plus tôt.

Tor-tor et son maître ne se trouvaient plus qu'à deux mètres de l'eau. À leurs côtés, Okamoto éclairait le chemin au lance-flammes.

— Arrêtez ! rugit Nate. J'ai une idée !

Le Brésilien se figea.

— Quoi ? demanda Waxman.

— À en croire Manny, ces machins sont globalement des poissons.

— Et alors ? grogna le capitaine d'un air furieux.

Sans s'en émouvoir, Nate s'adressa à Kouwe :

— Vous avez toujours de la poudre d'*ayaeya* dans votre musette, non ?

— Bien entendu, mais que... ?

Les yeux du professeur s'arrondirent lorsqu'il comprit le plan de son ami.

— Brillante idée, Nate ! J'aurais dû y penser.

— Quoi ? répéta Waxman, de plus en plus agacé.

Derrière eux, la ligne de Rangers tenait momentanément les créatures en respect grâce aux flammes et à leurs fusils. Plus bas, Okamoto patientait au bord de la rivière.

Nate expliqua rapidement :

— Les Indiens broient de la liane d'*ayaeya* pour pêcher.

Il se rappela la scène dont il avait été témoin le jour où il avait descendu le Rio Negro en canoë pour sauver Tama : une femme répandait une poudre noire dans l'eau, pendant qu'en aval, les hommes, armés de filets et de lances, récupéraient le poisson étourdi.

— Cette plante est riche en roténone, une toxine qui étouffe littéralement le poisson. L'effet est quasi instantané.

— Que proposez-vous donc ? lâcha le capitaine.

— Je connais bien le produit. Je vais retourner en amont et déverser le sachet du professeur dans la rivière. À mesure que la toxine se dispersera, elle devrait estourbir les créatures présentes dans l'eau.

— Votre poudre en est capable ? grogna Waxman, perplexe.

Kouwe fouilla au fond de son sac :

— Normalement, oui. Si les créatures respirent bien avec des branchies.

Soulagé, Manny confirma d'un hochement de tête :

— J'en suis sûr.

Le Ranger soupira, puis fit signe à Okamoto et au biologiste de s'éloigner de la rivière.

Soudain, une explosion résonna derrière eux. De la terre, des feuilles et des branches volèrent dans les airs. Quelqu'un avait lancé une grenade en riposte.

— Les salopiauds ont ouvert une brèche ! hurla Kostos.

Waxman fixa Nate :

— Foncez !

Kouwe sortit une grosse bourse en cuir, qu'il remit à son ami :

— Fais attention.

Nate prit la poudre d'une main et son fusil de l'autre.

— Carrera ! appela Waxman, le doigt pointé sur lui. Gardez le Dr Rand en vie.

— Oui, chef !

Laissant son poste à Okamoto, elle descendit la pente avec son lance-flammes, tandis que le jeune téméraire donnait ses instructions aux autres :

— Dès que le poisson commence à flotter à la surface, magnez-vous le train et traversez. Le courant est lent, mais je ne sais pas combien de temps l'effet de la toxine va durer.

— Je ferai en sorte qu'on soit tous prêts, le rassura Kouwe.

Nate balaya le groupe du regard. Ses yeux croisèrent ceux de Kelly qui, angoissée, avait porté la main à sa poitrine.

Après lui avoir offert un sourire confiant, il pivota sur ses talons et détala avec Carrera vers l'amont de la rivière.

Toujours à bonne distance de l'eau, il suivit la militaire, qui ouvrait le chemin en projetant un torrent continu de flammes. Ils traversèrent les sous-bois fumants et poursuivirent leur course. Nate jeta un coup d'œil en arrière : le camp retranché de ses équipiers n'était plus qu'une vague lueur verte à l'horizon.

— Ces sales bêtes ont dû comprendre que quelque chose se tramait, haleta Carrera.

Elle montra la rivière. Des clapotis indiquaient que certaines créatures sautaient hors des flots pour se lancer à leurs trousses.

— Continuez ! insista Nate. On n'est plus très loin.

Ils galopèrent à toute vitesse, suivis par de petits bruits d'eau et de corps se cognant contre les buissons.

Enfin, ils atteignirent l'endroit où la rivière se divisait en deux pour contourner la colline. Le lit y était plus étroit et le courant, plus vif, submergeait les rochers d'écume. D'autres créatures jaillirent, leur corps mince brillant à la lueur des flammes.

Nate s'arrêta au moment où Carrera lança une gerbe de feu. Quelques monstres grésillèrent sur la rive, tandis que d'autres regagnèrent l'eau, la peau fumante.

— C'est maintenant ou jamais ! s'écria-t-elle.

Après avoir mis son fusil en bandoulière, Nate sortit le sachet de poudre, dont il délia le lacet avec soin.

— Balancez tout d'un coup.

— Non, Carrera. Je dois m'assurer que le produit se disperse équitablement.

Nate avança d'un pas.

— Attention, Rand.

Sur ses talons, la militaire usait de son lance-flammes pour décourager les prédateurs.

Il s'approcha au plus près de l'eau.

Un genou à terre, Carrera embrasa la surface argentée : elle était prête à incinérer tout ce qui oserait sortir la tête.

— Allez-y !

Nate se pencha au-dessus de la rivière et ouvrit le sachet du bout des doigts. Attirée par le mouvement, une bête jaillit. Il retira son bras juste à temps pour ne pas être mordu. La créature referma ses dents acérées sur sa manche de chemise et y resta pendue.

Il secoua le bras, le tissu se déchira et le piranha s'envola loin dans la forêt.

— Putain de merde !

Sans attendre, il répandit la poudre dans l'eau mais s'efforça d'y aller lentement pour qu'elle se diffuse au mieux.

Carrera assurait ses arrières. Les féroces créatures aquatiques convergeaient à présent vers eux.

D'un mouvement sec de poignet, Nate fit tomber les derniers grains de produit, puis il jeta le petit sac à l'eau et le regarda partir dans le courant en pria pour que son plan fonctionne.

— Mission accomplie !

Lorsqu'il se retourna, la Ranger regardait par-dessus l'épaule du jeune homme. Nate vit alors de petits corps sauter des branches vers la forêt.

— On a un problème.

— Lequel, Carrera ?

Elle brandit son arme et aspergea la jungle. La flamme qui sortit du canon n'était plus qu'une vague bruine de feu, comme un tuyau d'arrosage après la fermeture du robinet.

— Plus d'essence.

Frank O'Brien se tenait à côté de sa sœur jumelle, plus inquiet pour elle que pour lui-même. Ils étaient très proches. Parfois, il aurait juré pouvoir lire dans ses pensées. Comme à cet instant précis. Auprès de Kouwe et de Manny, Kelly scrutait la rivière en quête d'un signe indiquant que le plan de Nate fonctionnait, mais elle jetait aussi des coups d'œil incessants vers le chemin emprunté par l'ethnobotaniste et la militaire.

L'explosion d'une nouvelle grenade détourna un instant l'attention de Frank. Une pluie de débris traversa l'épais feuillage. Autour d'eux, les tirs d'armes à feu étaient quasi continus. Les Rangers se retrouvaient peu à peu contraints de reculer vers les civils. Bientôt, ils n'auraient plus d'autre choix que de se replier en direction de la rivière et se rapprocheraient ainsi dangereusement de ce qui grouillait dans ses profondeurs.

Non loin de là, Olin Pasternak protégeait Anna Fong et Zane avec son Beretta 9 mm. Pas idéal sur des cibles si minuscules et si mobiles, mais c'était mieux que rien.

Soudain, le jaguar de Manny se mit à gronder derrière lui.

— Regardez ! cria Kelly.

Frank se retourna… et il les vit aussi, illuminées par l'éclat de la torche que sa sœur avait braquée sur la rivière. De petites masses luisantes commencèrent à flotter à la surface et à dériver avec le courant.

— Nate a réussi ! sourit Kelly.

Kouwe s'approcha de l'eau. Une grenouille-piranha sauta vers lui mais atterrit dans la boue et resta couchée sur le flanc. Elle effectua des mouvements saccadés pendant quelques secondes, puis ne bougea plus. Le chaman regarda Frank :

— On ne doit pas laisser passer l'occasion. Il faut traverser maintenant.

Le jeune Américain aperçut le chef des Rangers un peu plus haut sur la colline et hurla pour couvrir le vacarme des tirs :

— Capitaine ! Le plan de Rand était le bon !

Il désigna le cours d'eau.

— On peut y aller ! Maintenant !

D'un signe de tête, Waxman indiqua qu'il avait entendu, puis mugit d'une voix tonitruante :

— Unité Bravo, on se replie sur la rivière !

Frank effleura la visière de sa casquette fétiche :

— Suis-moi, Kelly.

Manny se dépêcha de les devancer :

— J'y vais le premier avec Tor-tor. C'est de mon travail de dissection que le succès du plan dépend.

Sans attendre de réponse, il entraîna son jaguar apprivoisé sur la berge et, le temps d'une courte inspiration, il entra dans l'eau. Cet endroit-là paraissait sensiblement plus profond. Arrivé au milieu, Manny se retrouva immergé jusqu'à la poitrine. Quant à Tor-tor, il était obligé de nager.

Heureusement, le biologiste atteignit bientôt la terre ferme :

— Dépêchez-vous ! C'est sûr pour le moment !

— Allons-y ! ordonna Waxman.

Les civils traversèrent de concert.

Frank tenait Kelly par la main. La rivière grouillait désormais de corps agités de légers tressaillements et il leur fallut se frayer un chemin parmi les centaines de dangereux piranhas drogués. Horrifié, Frank vit les dents briller dans les gueules entrouvertes. Il retint son souffle et pria le ciel pour que les bêtes ne se réveillent pas.

Dès qu'ils touchèrent l'autre rive, les civils se précipitèrent hors de l'eau. En tenue de combat, les Rangers suivirent sans se soucier de ce qui flottait autour d'eux. Au moment où ils gagnaient eux aussi la terre ferme, une petite armée de grenouilles-piranhas bondit hors de la jungle en face. Quelques créatures s'approchèrent du rivage mais s'arrêtèrent au bord, les membranes de leurs ouïes tremblantes.

Elles doivent sentir le danger, songea Frank. Sauf qu'elles n'avaient pas le choix. Hors de l'eau, elles allaient suffoquer. Réagissant à une espèce de signal silencieux, la masse de poissons mutants s'immergea donc lentement.

— Éloignez-vous ! commanda Waxman. On ignore combien de temps la rivière sera encore toxique.

Docile, le groupe s'enfonça dans la jungle. Les lampes restèrent braquées sur l'eau et les berges mais, après quelques minutes, il parut évident que la course-poursuite était terminée. Soit la rivière était encore contaminée, soit les bêtes avaient abandonné leur traque.

— C'est fini, soupira Frank.

Inquiète, Kelly continua néanmoins à balayer les berges avec sa torche.

— Où est Carrera ? murmura-t-elle avant de se tourner vers son frère. Où est Nate ?

En amont, une explosion résonna dans la forêt.

Les yeux de la jeune femme s'agrandirent :

— Ils ont des problèmes.

D'un coup de fusil, Nate tua une nouvelle créature un peu trop casse-cou. Carrera était penchée sur le réservoir d'essence qu'elle avait démonté de son lance-flammes.

À l'affût du danger, il demanda :

— Vous en avez encore pour longtemps ?

— J'ai presque fini.

Nate contempla la rivière. À la lueur de la lampe de Carrera, il s'aperçut que la poudre faisait son effet. Des corps flottaient en aval, mais le courant les emportait rapidement. Derrière eux, il ne fallait pas se fier à l'absence de poissons morts dans le lit étroit de la rivière. Comme la toxine avait déjà sans doute dérivé plus bas, l'endroit n'était pas sûr. Nate et Carrera devaient rebrousser chemin, suivre la piste du poison et dénicher un endroit où traverser, là où la poudre serait encore active. Hélas, une légion de créatures retranchées dans la forêt leur barrait le passage jusqu'à la terre promise.

— Je suis prête !

Carrera se releva, ramassa son matériel et referma soigneusement le couvercle du réservoir, d'où dépassait une mèche. Nate sentit les vapeurs d'essence. Ils n'avaient plus que très peu de carburant, mais c'était suffisant pour ce qu'ils voulaient faire. Du moins fallait-il l'espérer.

Toujours sur le qui-vive, il demanda :

— Vous êtes sûre que ça va marcher ?

— Il vaudrait mieux.

Ce n'était pas exactement la réponse que Nate escomptait.

Carrera s'approcha de lui :

— Visez la cible.

Tandis qu'il pointait son fusil vers un tronc grisâtre à trente mètres en aval de la rivière, elle alluma la mèche avec un briquet tempête :

— OK. Tenez-vous prêt.

Elle prit son élan et lança le réservoir trafiqué de toutes ses forces.

Nate retint son souffle. Le bidon tournoya en l'air et atterrit au pied de l'arbre visé.

— Toutes ces années à jouer au base-ball féminin auront fini par payer, marmonna-t-elle. Maintenant, à terre !

Ils s'aplatirent sur le tapis de feuilles. Nate garda néanmoins son fusil pointé devant lui. Grand bien lui en prit ! Une créature jaillie d'un buisson se posa à quelques centimètres de son nez. Il roula sur le ventre, s'en débarrassa d'un bon coup de crosse et revint en position initiale :

— Moi aussi, j'ai fait du base-ball en dernière année de fac.

— Baissez-vous !

Carrera le força à courber la tête.

L'explosion fut assourdissante. Des débris déchirèrent la canopée. Nate se risqua à jeter un œil. Le stratagème de Carrera avait fonctionné : elle avait transformé son réservoir presque vide en cocktail Molotov géant et, désormais, les flammes embrasaient la nuit.

Elle se releva :

— Et si on… ?

À son tour, Nate la plaqua à terre.

Dans un terrible éclair, la seconde explosion fit jaillir des éclats de bois et s'accompagna d'un bruit sourd. La jungle alentour avait été déchiquetée et, à présent, il pleuvait de la résine de copal en feu.

— Merde ! jura Carrera.

Sa manche était en train de brûler. Elle l'éteignit sur le sol argileux.

Nate se redressa. Le tronc qu'ils avaient visé n'était plus qu'une carcasse cernée de flammes bleuâtres. Comme le botaniste l'avait espéré, la sève riche en hydrocarbures avait servi de combustible. Résultat : leur cocktail Molotov avait transformé l'arbre en bombe naturelle et ainsi ravagé la berge.

— On y va ! cria Nate.

Au galop, ils longèrent la forêt dévastée jusqu'à retrouver la piste de la toxine. Des cadavres de grenouilles-piranhas et de poissons ordinaires pullulaient à la surface.

— Par ici !

Nate s'engagea dans la rivière, nageant à moitié, griffant l'eau pour aller plus vite. Carrera suivit et, en un rien de temps, ils atteignirent la berge opposée.

— On a réussi ! s'esclaffa la Ranger.

Le jeune civil soupira de soulagement. Un peu plus loin, il aperçut un halo de lampes torches. Leurs équipiers étaient parvenus à traverser eux aussi. Il pointa la lumière du doigt :

— Allons vérifier si tout le monde va bien.

Ils s'aidèrent mutuellement à rejoindre les autres et, lorsqu'ils émergèrent de la forêt, une clameur s'éleva. Même Kostos afficha enfin un grand sourire :

— Bien joué, Carrera !

Nate reçut un accueil tout aussi triomphal et sincère. Dès qu'il arriva, Kelly lui sauta au cou et le serra très fort en chuchotant à son oreille :

— Vous l'avez fait. Vous avez réussi.

— Oui, juste à temps.

Frank lui donna une claque dans le dos.

Plus stoïque, Waxman reconnut quand même :

— Beau travail, Rand.

Après quoi, il s'adressa à ses troupes pour les réorganiser : personne ne tenait à rester près de la rivière, empoisonnée ou non.

Kelly s'écarta, non sans avoir auparavant gratifié Nate d'un doux baiser sur la joue :

— Merci… merci de nous avoir sauvés. Et d'être revenu en un seul morceau.

Lorsqu'elle tourna les talons, il resta interloqué.

Carrera lui donna un coup de coude :

— J'ai l'impression que quelqu'un s'est fait une copine.

10 h 02
Jungle amazonienne

Louis se tenait au centre de la zone dévastée, près de la rivière. Une odeur âcre et acide de napalm flottait encore dans l'air. Derrière lui, les mercenaires sortaient les canoës de l'eau et enfilaient leurs sacs à dos. Le voyage se poursuivrait désormais à pied.

Avec l'aurore, les nuages s'étaient amoncelés et une bruine persistante tombait du ciel, éteignant les dernières braises. La jungle était envahie par une brume épaisse mêlée d'une fumée blanche et fantomatique.

La maîtresse de Louis errait dans son coin, l'air meurtri, comme si elle assimilait la destruction de la forêt à une blessure personnelle. Elle tourna doucement autour d'un bâton fiché au sol sur lequel était empalée une des créatures étranges qui avaient attaqué l'autre groupe. Louis n'avait jamais vu un animal pareil et, à en juger par l'expression de Tshui, elle non plus. L'Indienne scruta la bête en penchant la tête, tel un oiseau intrigué par un ver.

Jacques s'approcha de Favre :

— Vous avez un appel radio… sur la fréquence codée.

— Enfin, soupira-t-il.

Juste avant l'aube, un éclaireur était rentré au camp, le regard fou, épouvanté. Son collègue, un Colombien surnommé Toady, s'était fait attaquer par une affreuse bestiole et il était mort dans d'atroces souffrances. Malachim avait, pour sa part, sauvé sa peau de justesse. Son rapport sur les Américains était mince. Le groupe de Rangers avait, semblait-il, fui l'assaut des poissons enragés, traversé une rivière secondaire et se dirigeait vers le sud-ouest, mais pour aller où ? Mystère.

Louis avait à présent l'occasion de le savoir : la radio que Jacques lui tendait était directement reliée à un émetteur sécurisé détenu par un membre de l'équipe adverse, une petite taupe infiltrée à prix d'or sous le nez des Rangers.

— Merci, Jacques.

Louis s'éloigna de quelques mètres. Ce matin-là, il avait déjà reçu un premier appel de St Savin, ses financiers français. Depuis le rapatriement du corps de Gerald Clark, une maladie semblait se propager en Amazonie et aux États-Unis. Les enjeux étaient devenus bien plus importants. Louis avait renégocié son salaire à la hausse, arguant du fait que son travail était à présent plus dangereux. Bien sûr, St Savin avait accepté. La découverte d'un remède miracle à l'épidémie rapporterait des milliards à ses employeurs. Que représentaient pour eux quelques malheureux euros supplémentaires ?

— Favre à l'appareil.

— Ah ! Dieu merci, j'arrive enfin à vous joindre, souffla son interlocuteur, manifestement soulagé.

— J'attendais votre appel, gronda Louis sur un ton menaçant. Cette nuit, j'ai perdu un de mes meilleurs hommes, car personne n'a jugé bon de nous informer de l'existence de ces petits crapauds venimeux.

Silence au bout du fil, puis :

— Je… Je suis désolé. Avec toute cette agitation, je n'ai pas réussi à m'isoler. En fait, c'est la première fois que j'arrive à m'éclipser seul aux toilettes.

— Bien. Parlez-moi de la fameuse « agitation » d'hier soir.

— C'était horrible.

L'homme déblatéra à son oreille pendant trois minutes et dressa un résumé rapide de la situation :

— Si Rand n'avait pas eu l'idée d'utiliser je ne sais quelle toxine en poudre, on aurait sans doute tous crevé.

À la mention de Rand, les doigts de Louis se crispèrent sur l'appareil. Son simple nom lui hérissait l'échine.

— Où êtes-vous à présent ?

— On progresse vers le sud-ouest, à la recherche d'une autre marque de Clark.

— Excellent.

— Mais…

— Quoi ?

— Je… je veux sortir de là.

— *Pardon, mon ami ?**

— La nuit dernière, j'ai failli mourir. J'espérais que vous pourriez… je ne sais pas… me récupérer si je m'enfuyais. Je suis prêt à payer pour être ramené sain et sauf à la civilisation.

Louis ferma les yeux. Apparemment, sa taupe était en train de se dégonfler et il allait falloir remotiver la petite bête :

— Si vous abandonnez votre poste, je vous retrouverai sans problème.

— M… merci. Je…

— Et je m'assurerai que votre mort soit lente, douloureuse et humiliante. Si vous avez lu mon dossier, vous savez à quel point je peux me montrer inventif.

Son interlocuteur ne broncha pas. En effet, il avait dû consulter le dossier de Favre. Louis l'imagina se décomposer et frissonner de tous ses membres.

— Message reçu.

— Excellent, je suis ravi que nous ayons réglé le problème. Maintenant, parlons de choses plus sérieuses. Notre bienfaiteur commun nous a demandé un petit service. Un service dont vous allez devoir vous acquitter, j'en ai bien peur.

— Qu… Quoi ?

— Pour des raisons de sécurité et afin de s'assurer la propriété de ce qui se trouve quelque part là-dedans, on vous demande de couper toute communication de l'équipe avec l'extérieur. Le plus tôt sera le mieux. Et sans attirer les soupçons, cela va sans dire.

— Comment suis-je censé y parvenir ? Certes, on m'a fourni un virus informatique pour brouiller la liaison satellite, mais les Rangers possèdent leur propre matériel de communication. Ils ne me laisseront même pas l'approcher !

— Pas de *problème**. Implantez le virus et, moi, je m'occupe des militaires.

— Mais… ?

— Ayez confiance. Vous n'êtes pas seul. Jamais.

Nouveau silence. Louis sourit : ses mots rassurants avaient eu exactement l'effet opposé.

— Redonnez-moi des nouvelles cette nuit.

— Euh… j'essaierai, docteur.

— Non, vous n'essayez pas, vous le faites.

— D'accord.

Fin de la communication.

Louis baissa la radio et rejoignit Jacques :

— On doit reprendre la route. Nos adversaires ont une bonne longueur d'avance sur nous.

— À vos ordres, monsieur.

Tandis que son second partait organiser les troupes, Louis s'aperçut que Tshui étudiait toujours la créature empalée et il lut de l'effroi dans le regard de sa maîtresse. Enfin, peut-être. Comment aurait-il pu en être certain ? La sorcière n'avait jamais manifesté une telle émotion. Il s'approcha d'elle et l'attira dans ses bras.

Elle tremblait légèrement.

— Du calme, *ma chérie**. Tu n'as rien à craindre.

Tshui se blottit contre lui, les yeux rivés sur l'animal embroché. Un faible gémissement s'échappa de ses lèvres.

Louis fronça les sourcils. Peut-être devrait-il prendre en compte l'avertissement muet de son amante. Dorénavant, il allait falloir agir avec plus de tact et de précautions. L'autre équipe avait failli être anéantie par de mystérieux prédateurs aquatiques, signe qu'elle se trouvait sur la bonne route. *Mais si d'autres dangers rôdaient quelque part ?*

Tandis qu'il en mesurait le risque, il prit conscience que ses mercenaires jouissaient d'un réel avantage. La nuit précédente, les Américains avaient utilisé toute leur malice et leur ingéniosité pour survivre à l'assaut et la bataille avait, à leur insu, ouvert un chemin plus sûr pour le groupe de Favre, facilitant ainsi la traque.

Pourquoi ne pas retenter le coup ? Pourquoi ne pas les laisser se débarrasser d'éventuelles autres menaces ?

— Alors, nous danserons sur leurs cadavres et nous récolterons la gloire, murmura Louis.

Rassuré, il embrassa Tshui sur le sommet du crâne :

— N'aie pas peur, mon amour. Nous ne pouvons pas perdre.

10 h 09
Salle de soins de l'Institut Instar
Langley, Virginie

Assise près du petit lit, Lauren O'Brien avait oublié qu'elle avait sur les genoux le livre préféré de Jessie : *Les Œufs verts au jambon* du Dr Seuss. Sa petite-fille dormait, pelotonnée contre elle. Depuis l'aube, la fièvre était retombée. Le cocktail anti-inflammatoires et antipyrétiques avait fait son effet, abaissant peu à peu la température de 39 °C à un petit 37 °C. Comme les enfants avaient souvent de la fièvre, on ne pouvait pas être certain que Jessie avait contracté la maladie de la jungle, mais personne ne voulait courir de risque.

La petite occupait à présent une chambre hermétiquement fermée, dont le système d'aération prévenait tout risque de propagation microbienne. Lauren portait une grande combinaison de quarantaine jetable et respirait à travers un masque à oxygène. Elle s'y était d'abord refusée, de peur d'effrayer Jessie, mais le règlement exigeait que chaque visiteur ou membre du personnel soignant porte une tenue isolante dès qu'il franchissait le seuil du pavillon de confinement.

Quand Lauren était entrée en tenue de cosmonaute, Jessie avait effectivement frémi, mais le visage de sa grand-mère à travers le masque et ses paroles rassurantes avaient suffi à la calmer. Sous le regard bien-veillant de Lauren, Jessie avait passé la matinée à subir des examens, faire des prises de sang et avaler des médicaments mais, grâce à la résistance légendaire des enfants, elle dormait à présent comme un bébé.

Un léger chuintement annonça l'arrivée d'un nou-veau visiteur. Lauren fit volte-face et aperçut un visage familier caché sous un autre masque. Après avoir posé le livre sur la table, elle se leva :

— Marshall.

Son mari l'enveloppa dans ses bras recouverts de plastique, puis annonça d'une voix déformée par la combinaison :

— Je viens de voir sa courbe de température. La fièvre est tombée.

— Oui, il y a deux heures.

— Des nouvelles des analyses ?

Malgré le filtre du masque, Lauren décela son inquiétude :

— Non. Il est trop tôt pour dire s'il s'agit bien de la maladie.

L'agent pathogène étant inconnu, il n'existait pas encore de test rapide. On établissait le diagnostic à partir de trois signes cliniques convergents : ulcéra-tions orales, petites hémorragies sous-muqueuses et chute spectaculaire des globules blancs. Or, les symptômes ne se manifestaient que trente-six heures après les premières fièvres. L'attente allait être longue, sauf si...

Lauren tenta de changer de sujet :

— Comment s'est passée ta téléconférence avec le CDC et les gars du cabinet ?

— Une perte de temps. Ça va prendre des jours pour régler toutes les querelles et commencer vraiment à agir. Seule bonne nouvelle : Blaine, au CDC, soutient mon idée de fermer les frontières de la Floride. Je n'en croyais pas mes oreilles.

— Rien d'étonnant. Depuis une semaine, je lui transmets mes résultats, y compris tout ce qui concerne le Brésil. Et il y a de quoi avoir les jetons !

Marshall pressa sa main :

— Tu as bien dû le secouer. Merci.

Lauren laissa échapper un long soupir et regarda le petit lit.

— Pourquoi ne fais-tu pas une pause, chérie ? Je peux veiller sur Jessie. Accorde-toi une sieste. Tu es restée debout toute la nuit.

— Je ne pourrai jamais fermer l'œil.

Marshall la prit par la taille :

— Alors, va au moins prendre un café et un petit déjeuner. Notre téléconférence avec les enfants est prévue dans deux heures.

— Qu'allons-nous raconter à Kelly ? murmura Lauren, adossée à son mari.

— La vérité. Jessie a de la fièvre, mais il n'y a aucune raison de s'alarmer. On ne sait toujours pas s'il s'agit de la nouvelle maladie.

Elle acquiesça. Ils restèrent silencieux un moment, puis Marshall la reconduisit gentiment à la porte :

— Vas-y.

Lauren franchit le sas et regagna les vestiaires, où elle troqua sa combinaison contre une blouse blanche. En partant, elle s'arrêta au bureau des infirmières :

— Des nouvelles des labos ?

Une petite Asiatique lui tendit une chemise en plastique :

— On a reçu ces fax il y a quelques minutes.

Lauren ouvrit le dossier et chercha directement la page des bilans sanguins et des résultats hématologiques. Son doigt descendit le long de la liste. Comme prévu, les chimies du sang étaient toutes normales. En revanche, son index s'arrêta sur le nombre de globules blancs :

```
LEUCOCYTES : 2130  (B) 6 000-15 000
```

C'était bas, très bas, un des trois indicateurs de la maladie.

Le doigt tremblant, elle parcourut le rapport jusqu'au paragraphe détaillant les différents taux de leucocytes. La veille au soir, le Dr Alvisio lui avait expliqué que, d'après son modèle d'analyse informatique, les sujets atteints présentaient un pic inhabituel de *basophiles* au début de la maladie, alors que tous les autres types de globules blancs baissaient. Bien qu'il fût encore un peu tôt pour le dire, l'anomalie semblait se vérifier dans tous les cas, ce qui pourrait permettre un dépistage plus précoce.

Lauren lut la dernière ligne du rapport :

```
BASOPHILES : 12  (H) 0-4
```

— Oh, mon Dieu !

Elle reposa le dossier sur le bureau. Les taux de basophiles de Jessie étaient au-dessus de la normale. Bien au-dessus.

Elle ferma les yeux.

— Ça va, docteur O'Brien ?

Lauren n'entendit pas l'infirmière, submergée par l'horreur de ce qu'elle venait de comprendre.

Jessie était contaminée.

Kelly suivait ses compagnons, épuisée mais déterminée à avancer sans relâche. Leur marche, entrecoupée de fréquentes pauses, s'était prolongée toute la nuit. Après l'attaque, ils avaient tenu deux bonnes heures de rang, puis, à l'aube, ils avaient établi un campement provisoire, le temps que les Rangers contactent la base arrière de Wauwai. Ils avaient ensuite décidé de poursuivre jusqu'à midi, heure à laquelle ils contacteraient les États-Unis par satellite. Après quoi, l'équipe pourrait se reposer jusqu'au soir et reprendre ses esprits.

Kelly consulta sa montre. Midi approchait. *Dieu merci*. Déjà, Waxman songeait à l'emplacement stratégique du prochain campement :

— Le plus loin possible des cours d'eau.

Toute la journée, ils s'étaient méfiés des ruisseaux et des étangs, les évitant ou les traversant à une allure folle, mais ils n'avaient essuyé aucune autre attaque.

Manny avait émis une hypothèse :

— Les grenouilles-piranhas sont peut-être localisées sur une zone précise, ce qui expliquerait pourquoi on n'en avait encore jamais vu.

— Auquel cas, bon débarras ! avait grogné Frank avec aigreur.

Tout le monde commençait à traîner les pieds. Peu à peu, la bruine matinale s'était transformée en brume épaisse et l'humidité alourdissait tout : vêtements, sacs, bottes. Pourtant, personne ne se plaignait. Heureux de s'éloigner au maximum des horreurs de la veille, ils s'orientaient au sud-ouest, suivant la flèche gravée par Gerald Clark.

À l'avant, un Ranger cria :

— Une clairière !

C'était le caporal Warczak. Sa mission d'éclaireur était à présent double, car il fallait aussi chercher des traces du passage de Clark.

— L'endroit semble parfait pour y établir notre campement.

— Il était temps, soupira Kelly.

— Vérifiez qu'il n'y a pas de cours d'eau à proximité ! ordonna Waxman.

— Oui, chef ! Kostos est déjà en train de reconnaître la zone.

À deux pas devant Kelly, Nate s'exclama :

— Attention ! Il pourrait y avoir…

Un cri de douleur s'éleva en tête du cortège.

Tous se figèrent, sauf Nate qui se précipita en grommelant entre ses dents :

— Non, mais il y a quelqu'un qui m'écoute, oui ou merde ?

Il fit signe à Kelly et Kouwe de l'accompagner :

— On va avoir besoin de votre aide à tous les deux !

Alors qu'elle s'apprêtait à détaler, la jeune femme vit le professeur poser son sac à dos et en détacher les sangles :

— Qu'y a-t-il ?

— *Supay chacra*, j'imagine. Le jardin du diable. Allons-y.

Le jardin du diable ? Un nom pareil n'augurait rien de bon.

Waxman ordonna au gros de sa troupe de rester auprès des civils. Frank et lui suivirent Nate.

Kelly aperçut deux Rangers en aval du chemin. Ils avaient l'air de se battre : l'un se roulait par terre, tandis que l'autre le frappait du plat de la main.

Nate arriva à leur hauteur.

— Enlevez-moi ces saloperies ! beuglait Kostos en se vautrant dans le sous-bois.

— J'essaie, répondit Warczak.

Le caporal continuait à lui donner des claques, mais Nate le repoussa :

— Arrêtez ! Vous ne faites que les énerver davantage. Ne bougez plus, sergent.

— Elles me piquent de partout !

L'homme était couvert d'énormes fourmis noires qui mesurait chacune trois centimètres de long. Il y en avait des milliers.

— Calmez-vous et elles vous ficheront la paix.

Kostos fusilla Nate du regard mais s'exécuta. Il cessa de se tortiller dans tous les sens et resta immobile.

Kelly remarqua les boursouflures sur ses bras et son visage. Comme si on l'avait brûlé avec un mégot de cigarette incandescent.

— Que s'est-il passé ? s'inquiéta Waxman.

Nate garda tout le monde à distance :

— Reculez !

Le sergent tremblait. Des larmes de douleur perlèrent au coin de ses yeux. Il devait souffrir le martyre, mais le conseil de Nate se révéla judicieux : les fourmis cessèrent de le mordre, descendirent de son corps et disparurent dans les buissons touffus.

— Où vont-elles ? demanda Kelly.

— Elles rentrent à la maison, répondit Kouwe. Ce sont les soldats de la colonie.

Au loin, il indiqua une clairière, si vide et nue que quelqu'un semblait y avoir passé le balai et taillé les haies. Au centre se dressait un arbre massif, géant solitaire dont les branches s'étalaient de toutes parts.

— C'est un arbre à fourmis, expliqua le chaman. Les agresseurs du sergent Kostos vivent à l'intérieur.

— À l'intérieur ?

— Oui, c'est une des innombrables manières dont les plantes tropicales se sont adaptées aux insectes et autres animaux. L'arbre a évolué. Il a développé des branches creuses et des tubules que ses petits habitants utilisent et il va jusqu'à les nourrir d'une sève sucrée spéciale. En échange, les fourmis le fertilisent avec leurs détritus et le protègent des autres insectes, des oiseaux et de la faune en général.

Kouwe hocha la tête vers la clairière.

— Elles vont jusqu'à détruire les plantes voisines et repoussent tout ce qui s'approche de l'arbre ou y grimpe. Voilà pourquoi on parle de *supay chacra*. Le jardin du diable.

— Quelle drôle de relation !

— En fait, elle est bénéfique aux deux espèces. L'une ne peut vivre sans l'autre.

Kelly contempla la clairière, médusée par la façon dont les fils de la vie s'entremêlaient dans la jungle. Quelques jours plus tôt, Nate lui avait montré une orchidée dont la corolle ressemblait aux parties reproductrices d'un type précis de guêpe afin d'attirer la bête et de se faire féconder. D'autres proposaient divers nectars suaves pour allécher les pollinisateurs. De telles relations d'interdépendance ne se limitaient pas aux plantes et aux insectes. Le fruit de certains arbres devait être consommé par un type particulier d'oiseau ou d'animal et traverser son appareil digestif pour permettre à la graine de germer. Quel étrange spectacle que toutes ces vies tributaires de leurs voisines et prises dans une complexe toile évolutionniste !

Quand Nate s'agenouilla près du sergent, les fourmis avaient totalement délaissé le corps du malheureux :

— Combien de fois vous ai-je averti de faire attention quand vous vous appuyez quelque part ?

— Je ne les ai pas vues, haleta Kostos, la voix vibrante de douleur et de colère. J'avais juste envie de pisser un coup.

Sa braguette était effectivement ouverte.

— Contre un arbre ? lâcha Nate, découragé.

Kouwe farfouilla dans son sac à dos :

— Les fourmis sont sensibles aux marqueurs chimiques. Votre urine a dû être considérée comme une attaque contre l'arbre.

Alors que Kelly préparait une seringue d'antihistaminiques, il sortit une poignée de feuilles, qu'il commença à frotter les unes contre les autres. Aussitôt, elle reconnut la plante et l'odeur du composé oléagineux :

— C'est du *ku-run-yeh* ?

— Bravo ! sourit l'Indien.

Il s'était déjà servi du puissant analgésique pour lui soigner ses cloques le jour où elle avait effleuré une liane de feu.

Les deux médecins prirent leur patient en charge. Pendant que Kelly injectait son cocktail d'antihistaminiques et d'anti-inflammatoires stéroïdiens, Kouwe étala de l'extrait de *ku-run-yeh* sur le bras du soldat et lui montra comment l'appliquer.

Aussitôt, les traits de Kostos se détendirent. Il soupira, prit une poignée de feuilles et lâcha, embarrassé :

— Je peux continuer moi-même.

Le caporal Warczak aida son sergent-chef à se relever.

— On devrait éviter le secteur, conseilla Nate. Il ne faut pas installer le campement trop près d'un arbre à fourmis. Notre nourriture risque d'attirer leurs éclaireuses.

— Alors, en route ! approuva Waxman. On a déjà perdu assez de temps.

Le regard qu'il jeta à Kostos n'avait rien de compatissant.

Au son braillard des capucins et des lagotriches, le groupe progressa encore une demi-heure sous la canopée. Manny indiqua un fourmilier pygmée niché sur une branche : avec ses grands yeux et son pelage duveteux, l'animal tétanisé de peur paraissait empaillé. Plus menaçant mais d'un aspect tout aussi artificiel à cause de ses écailles vert fluorescent, un crotale se balançait, enroulé en haut d'un palmier.

Enfin, le caporal Warczak s'écria en tête de cortège :

— J'ai trouvé quelque chose !

Kelly pria pour qu'il n'ait pas rencontré d'autre arbre à fourmis.

— On dirait une trace laissée par Clark !

Le groupe convergea vers le caporal et, au sommet d'une petite colline, ils débouchèrent devant un énorme noyer du Brésil. Son feuillage surplombait une large zone jonchée de feuilles et de vieilles noix. Un lambeau de tissu trempé et délavé pendait au tronc.

Quand les autres approchèrent, Warczak leur intima de reculer :

— J'ai trouvé des traces de bottes. Ne les piétinez pas.

— Des traces de bottes ? souffla Kelly à voix basse.

Le soldat contourna l'arbre à pas comptés, puis s'arrêta de l'autre côté :

— Les traces mènent ici !

Le capitaine Waxman et Frank le rejoignirent.

— Je croyais que Clark était sorti de la forêt pieds nus, bredouilla Kelly, perplexe.

— En effet, répondit Nate, mais le chaman qu'on a capturé nous a raconté que les Yanomami l'avaient dépouillé de toutes ses affaires. Ils ont dû lui confisquer ses bottes.

La jeune femme acquiesça en silence.

Richard Zane pointa le doigt vers l'arbre :

— Il y a un autre message ?

Tous attendaient le feu vert pour avancer. Waxman et Frank revinrent, laissant le caporal accroupi près des traces.

— On va camper ici, déclara le chef des Rangers.

Une rumeur de soulagement parcourut l'assemblée, puis le groupe s'installa au pied de l'arbre en faisant crisser des noix à moitié pourries sous leurs semelles. Kelly se trouva parmi les premiers arrivés. Encore une fois, une marque très nette avait été gravée dans l'écorce.

— *G. C.* Encore Clark, constata Nate en pointant l'index dans la direction de la flèche. Plein ouest. Exactement comme l'indiquent les traces de bottes découvertes par Warczak. C'est daté du 7 mai.

Olin s'adossa au tronc :

— 7 mai ? Il aurait donc fallu dix jours à Clark pour atteindre le village ? On ne peut pas dire que ce soit un rapide !

— Il n'a sans doute pas marché en ligne droite comme nous. Comme il passait du temps à chercher un signe d'habitation, il a dû avancer en zigzag.

— Et il était malade, ajouta Kelly. D'après les analyses de ma mère, les cancers commençaient déjà à se propager dans son corps. J'imagine qu'il s'arrêtait souvent pour se reposer.

Anna Fong laissa échapper un soupir triste :

— Si seulement il avait pu atteindre la civilisation plus tôt… communiquer l'endroit où il avait passé tout ce temps…

Olin se redressa :

— En parlant de communications, je ferais mieux d'installer la liaison satellite. La téléconférence est prévue dans une demi-heure.

— Je vous donne un coup de main, proposa Zane.

Le reste du groupe se dispersa pour dresser les hamacs, ramasser du bois ou cueillir des fruits. Kelly s'occupa elle-même de monter son couchage et déploya sa moustiquaire comme une pro.

Frank s'affairait à côté d'elle :

— Kelly… ?

Au ton de son frère, elle comprit qu'il cherchait à ne pas la brusquer.

— Quoi ?

— Je pense que tu devrais rentrer.

Elle cessa de tirer sur son voile d'étamine et se retourna :

— Pardon ?

— J'ai discuté avec Waxman. Ce matin, quand il a notifié l'attaque à ses supérieurs, ils lui ont ordonné d'établir un camp sécurisé et de limiter au maximum le personnel non essentiel. C'était très dangereux la nuit dernière. Ils ne veulent pas risquer de pertes civiles. D'autant que ça ralentit la progression des militaires.

Frank lorgna par-dessus son épaule.

— Pour faciliter les recherches, il a été convenu qu'Anna et Richard resteraient ici avec Manny et Kouwe.

— Mais…

— Seuls Olin, Nate et moi accompagnerons les Rangers.

Kelly se planta devant son frère :

— Ne m'assimile pas à du personnel non essentiel, Frank. Je suis le seul médecin ici et je peux marcher aussi vite que vous.

— Le caporal Okamoto a reçu une formation d'infirmier de campagne.

— Ça ne lui donne pas de doctorat.

— Kelly…

— Ne fais pas ça, Frank.

Il détourna la tête :

— La décision a déjà été prise.

Kelly le força à la regarder :

— Et c'est toi qui l'as prise ! Tu es le chef de l'expédition.

— D'accord, c'est moi, admit-il, les épaules basses. Je ne veux pas que tu coures de risques.

Frustrée, elle bouillonna de rage mais, au fond, elle savait que, par ses fonctions, son frère aurait le dernier mot.

— On va signaler notre position GPS actuelle et on chargera deux Rangers de veiller sur vous. Une équipe spéciale viendra vous évacuer dès que les Brésiliens auront affrété un hélicoptère de ravitaillement assez puissant pour voler jusqu'ici. Quant aux six autres Rangers et à nous trois, on continuera notre route.

— Quand ?

— Après avoir pris un peu de repos. On partira dès cet après-midi et on marchera jusqu'au coucher du soleil. Maintenant qu'on a retrouvé la piste de Clark, un groupe restreint peut avancer plus vite.

Les paupières closes, Kelly poussa un soupir vexé. Le plan de son frère était logique : une équipe moins nombreuse progresserait forcément plus vite et, avec l'épidémie qui touchait l'ensemble du continent américain, le temps était un critère essentiel. De plus, si les Rangers trouvaient quelque chose, un bataillon de chercheurs pourrait très bien être largué sur site pour effectuer les examens nécessaires.

— Je suppose que je n'ai pas le choix.

Frank continua à harnacher son hamac en silence.

La tension retomba un peu quand Olin, chargé d'installer la liaison satellite, lança :

— Nous sommes prêts !

Kelly suivit son frère jusqu'à l'ordinateur protégé par une bâche antipluie.

Penché sur son clavier, le Russe pianotait à toute vitesse :

— Merde, j'ai du mal à obtenir une alimentation correcte. Toute cette humidité… Ah, voilà, je l'ai !

L'ex-agent du KGB céda sa place aux jumeaux O'Brien. Un visage pixellisé et un peu flou apparut sur l'écran.

— Je ne peux pas faire mieux, soupira Olin.

C'était leur père. Malgré les parasites, l'inquiétude se lisait sur son visage :

— Je suis au courant des événements de cette nuit. Quelle joie de vous voir tous les deux sains et saufs !

— On se porte bien, le rassura Frank. Fatigués, mais ça va.

— J'ai lu le rapport de l'armée, mais j'aimerais entendre votre version.

En quelques mots, Frank et Kelly racontèrent l'attaque des étranges créatures.

— Une chimère ? s'étonna leur père. Un mélange de poisson et de grenouille ?

— C'est ce que pense le *biologiste* qui nous accompagne, souligna Kelly, histoire d'insister sur le fait que même Manny était utile à l'expédition.

Marshall se redressa et s'adressa directement à sa fille :

— Voilà qui clôt la question. Il y a une heure, le chef des Forces spéciales de Fort Bragg m'a informé des modifications apportées au plan initial.

— Quelles modifications ? demanda Zane.

D'un geste, Frank éluda sa question.

Marshall continua :

— Vu ce qui se passe avec cette satanée maladie, je suis entièrement d'accord avec le général Korsen. Il faut trouver un remède et le temps est devenu un facteur essentiel.

Kelly pensa un instant protester de son éviction, mais elle se tut, consciente que son père ne la soutiendrait pas. Au début, il ne voulait même pas que sa « petite fille » participe à l'expédition.

Frank se pencha vers l'écran :

— Comment la situation évolue-t-elle aux États-Unis ?

— Je laisse votre mère répondre.

Il s'écarta pour laisser apparaître le visage exténué de Lauren, les yeux cernés.

— Le nombre de cas...

Elle toussa, puis se racla la gorge.

— Le nombre de cas a triplé ces douze dernières heures.

Kelly tressaillit. *Si vite...*

— Principalement en Floride, mais on recense maintenant des cas en Californie, en Géorgie, en Alabama ainsi que dans le Missouri.

— Et à Langley ? s'inquiéta Kelly. À l'institut ?

Ses parents échangèrent un regard entendu.

— Kelly…, commença son père.

Il employait le même ton précautionneux que Frank cinq minutes plus tôt.

— Il ne faut pas que tu t'affoles.

Elle se leva d'un coup, le cœur battant. Ne pas s'affoler ? Ces mots-là avaient-ils déjà réussi à calmer quelqu'un ?

— Que se passe-t-il ?

— Jessie est malade…

Kelly n'écouta pas la suite. Sa vue se brouilla. Depuis qu'elle avait été alertée de l'épidémie, elle avait une peur bleue d'entendre une phrase pareille. *Jessie est malade…*

Son père avait dû la voir retomber sur son siège, toute blême et tremblante. Frank posa le bras autour d'elle.

— On ne sait pas s'il s'agit de la maladie, reprit Marshall. Pour l'instant, ce n'est qu'une fièvre et les médicaments font déjà effet. Avant qu'on établisse cette liaison satellite, Jessie mangeait de la glace et discutait gaiement avec nous.

Lauren plaça la main sur l'épaule de son mari.

— Ce n'est probablement pas la maladie, hein chérie ?

— Je suis sûre que non, sourit-elle.

— Dieu merci, soupira Frank. Quelqu'un d'autre présente-t-il des symptômes ?

— Personne, assura leur père.

Kelly, elle, observait sa mère : son sourire s'était affadi, comme figé, et elle détourna le regard.

La jeune femme ferma les yeux. *Oh, Seigneur…*

— Bon, on se voit bientôt, conclut Marshall.

Frank donna un petit coup de coude à sa sœur, qui dodelina de la tête :

— Oui, bientôt…

Derrière elle, Zane tenta à nouveau d'en savoir plus :

— Qu'entendait O'Brien par « on se voit bientôt » ? Et c'est quoi cette histoire de changement de plans ? Que se passe-t-il ?

Frank pressa le bras de Kelly en murmurant :

— Jessie va bien. Tu le verras dès que tu seras rentrée à la maison.

Sur quoi, il se tourna pour répondre à Zane.

La jeune femme resta pétrifiée devant l'ordinateur, insensible au ton qui montait derrière elle. Elle se rappela la façon dont le sourire de sa mère s'était évanoui et la revit baisser les yeux, honteuse. Or, elle connaissait ses humeurs mieux que personne, sans doute même mieux que son père. Lauren avait menti. Kelly avait senti ce qu'elle cachait derrière ses mots rassurants.

Jessie avait contracté la maladie. En tout cas, sa mère le pensait. C'était sûr. Et si sa mère le pensait…

Kelly fondit en larmes, sans plus pouvoir s'arrêter. Occupés par leur dispute, les autres ne remarquèrent rien.

Elle se couvrit le visage avec la main. *Oh, Seigneur… non…*

Chapitre 11

Assaut aérien

14 août, 13 h 24
Jungle amazonienne

Nate n'arrivait pas à dormir. Allongé dans son hamac, il savait pourtant qu'il était essentiel de se reposer avant de reprendre la marche. La troupe devait partir d'ici à une heure, mais des questions le taraudaient toujours. Il balaya le campement du regard : la moitié de ses équipiers dormaient, l'autre argumentait encore à voix basse à propos de la séparation du groupe.

— On n'a qu'à les suivre, suggéra Zane. Qu'est-ce qu'ils vont faire ? Nous tirer dessus ?

— Je crois qu'il faut obéir aux ordres, répondit Kouwe.

Nate connaissait son vieil ami et, malgré un calme apparent, le professeur n'était guère plus ravi d'être abandonné en pleine forêt que le représentant de Tellux.

Le jeune homme leur tournait le dos mais comprenait leur frustration : si on l'avait forcé à renoncer, il aurait fallu le ligoter pour l'empêcher de continuer de son propre chef.

Il observa Kelly allongée sur son hamac. C'était la seule à ne pas avoir protesté, tant elle s'inquiétait de la santé de sa fille. Elle se retourna. Leurs regards se croisèrent : elle avait les yeux bouffis de larmes.

Tant pis pour la sieste ! Nate se glissa hors de son hamac, s'agenouilla auprès de la mère meurtrie et chuchota :

— Jessie va s'en sortir.

Elle le fixa en silence, puis gémit d'une petite voix :

— Elle a contracté la maladie.

— Non, c'est votre peur qui parle, pas vous. Il n'y a aucune preuve que…

— Je l'ai vu sur le visage de ma mère. Elle n'a jamais rien pu me cacher. Elle a conscience que Jessie a attrapé cette cochonnerie et elle a simplement essayé de m'épargner.

Nate ne sut que répondre. Il passa sa main sous la moustiquaire et la posa sur l'épaule de Kelly. Il voulait la réconforter, lui transmettre sa force et, sur un ton grave, il laissa parler son cœur :

— Si vous dites vrai, je trouverai un remède. Je vous le promets.

Elle esquissa un sourire fatigué. Ses lèvres remuèrent. Aucun son n'en sortit, mais Nate y déchiffra un « merci ». Une larme coula sur la joue de la jeune femme, qui se couvrit le visage et se détourna.

Il préféra la laisser à sa douleur. En se relevant, il avisa Frank et Waxman qui tenaient conférence, penchés sur une carte dépliée au sol. Comme il n'avait pas sommeil, il décida d'aller voir de quoi ils discutaient. D'un dernier coup d'œil à Kelly, il lui répéta silencieusement sa promesse. *Je trouverai un remède.*

En fait, les deux hommes étudiaient un relevé topographique de la région. Waxman parcourut la carte du doigt :

— Vers l'ouest, plus on approche de la frontière péruvienne, plus ça grimpe. C'est une succession de falaises et de vallées, un véritable labyrinthe où on risque très facilement de se perdre.

— Il faudra rester aux aguets pour repérer les indications de Gerald Clark, ajouta Frank.

Lorsqu'il vit Nate arriver, il se tourna vers lui :

— Vous devriez préparer votre sac. On va bientôt partir et profiter de ce qu'il reste de jour pour avancer le plus loin possible.

— Je suis prêt dans cinq minutes.

— Alors, allons-y !

En une demi-heure, l'équipe était rassemblée. On choisit de laisser la radio satellite des Rangers à ceux qui restaient afin qu'ils puissent organiser leur évacuation par l'armée brésilienne. Les autres utiliseraient le matériel de communication de la CIA pour maintenir le contact avec les États-Unis et rendre compte des progrès de leurs recherches.

Nate mit son fusil à l'épaule et enfila son sac à dos.

Waxman agita le bras et l'équipe se dirigea vers la forêt sous la houlette du caporal Warczak.

Avant de partir, Nate observa une dernière fois le reste du groupe. Il avait déjà dit au revoir à ses amis, Kouwe et Manny. Derrière eux se tenaient les deux Rangers en charge de leur sécurité : le caporal Jorgensen et le soldat Carrera, qui leva son arme en signe d'adieu. Nate lui rendit son salut.

En raison de la mort de Rodney, Waxman avait proposé au caporal Graves d'être évacué, mais le Ranger avait refusé :

— Cette mission a coûté la vie à mon frangin et à plusieurs de mes camarades, chef. Je veux aller jusqu'au bout. En l'honneur de mon frère... de tous mes frères.

Son supérieur avait accepté.

Sans plus de mots, ils entamèrent leur progression dans la jungle. Le soleil, qui avait fini par percer, créait un vrai bain de vapeur sous la voûte épaisse d'un feuillage saturé d'humidité. Au bout de quelques minutes, tous les visages luisaient de sueur.

Nate marchait à côté de Frank O'Brien qui, très souvent, ôtait sa casquette de base-ball et s'épongeait le front. Le jeune botaniste, lui, s'était fabriqué un bandeau avec un mouchoir de sorte que la transpiration ne lui pique pas les yeux. En revanche, rien n'empêchait le harcèlement continu des mouches noires et des moustiques, attirés par le goût du sel et l'odeur qu'ils dégageaient.

Malgré la chaleur moite et le bourdonnement incessant à leurs oreilles, ils avançaient rapidement. Nate estima qu'en deux heures à peine, ils avaient parcouru une bonne dizaine de kilomètres. Warczak réussissait encore à trouver des traces de bottes conduisant vers l'ouest. Pourtant, les empreintes étaient difficiles à discerner, partiellement effacées par les pluies de la veille qui les avaient gorgées d'eau.

En tête du groupe, le caporal Okamoto sifflait encore à tue-tête. Nate soupira. Comme si la jungle n'offrait pas déjà assez de désagréments…

Le jeune Américain restait sur ses gardes, à l'affût du danger : serpents, lianes de feu, arbres à fourmis… Autant de saletés susceptibles de ralentir leur progression. Ils traversaient chaque cours d'eau avec d'infinies précautions mais, jusqu'à présent, aucun signe des grenouilles-piranhas. Très haut dans les arbres, un paresseux gravissait une branche sans se préoccuper d'eux. Ces animaux-là avaient l'air lents et pacifiques. Or, blessés, ils étaient capables d'étriper quiconque s'approchait trop près. Leurs griffes étaient aussi acérées que des sabres. Cette fois-là, la grosse bête placide continua néanmoins son bonhomme de chemin à travers la canopée.

En se retournant, Nate aperçut un vague reflet dans une branche cinq cents mètres derrière eux. Il s'arrêta un instant.

— Un problème ? demanda Frank.

Le reflet avait disparu. Nate secoua la tête. Ce n'était sans doute qu'une feuille humide miroitant au soleil.

— Rien, on continue.

Il passa toutefois le reste de l'après-midi à regarder derrière lui. Impossible de se défaire de l'idée qu'ils étaient surveillés, espionnés d'en haut, et plus la journée avançait, plus son impression se confirmait.

Au bout d'un moment, il décida d'en parler à Frank :

— Quelque chose me chiffonne. Un truc qu'on a négligé depuis l'attaque au village.

— Lequel ?

— Vous vous souvenez que, d'après Kouwe, on était suivis ?

— Votre ami n'en était pas sûr à 100 %. Des fruits cueillis sur les arbres, des buissons dérangés pendant la nuit, mais aucune trace de pas, rien de concret.

— Admettons toutefois qu'il ait raison. Qui serait sur notre piste ? On exclut les Indiens du village : ils étaient morts avant même notre arrivée dans la jungle. Alors qui ?

Frank surprit le regard de Nate étudiant la forêt :

— Vous pensez que nous sommes toujours surveillés ? Vous avez vu quelque chose ?

— Pas vraiment. Juste un drôle de reflet dans les arbres derrière nous. Ce n'est sans doute rien.

— J'en informerai quand même le capitaine. On ne sait jamais, il vaut mieux être vigilant.

Frank se dirigea vers le chef des Rangers, qui marchait aux côtés d'Olin Pasternak.

Nate considéra la jungle autour de lui. La fin du jour commençait à dessiner des ombres. Soudain, il se demanda s'ils avaient bien fait de laisser les autres derrière.

17 h 12

Manny brossait le pelage de Tor-tor. Le félin n'en avait guère besoin (côté hygiène, il se débrouillait très bien seul avec sa langue râpeuse), mais son maître et lui y prenaient grand plaisir. Le jaguar ronronnait d'aise tandis qu'on lui frottait le ventre. Manny, en revanche, avait plus envie de rugir que de ronronner.

Il enrageait d'avoir été abandonné par le reste du groupe.

Un bruissement le tira de sa rêverie. C'était Anna Fong, l'anthropologue, qui pointa l'index sur Tor-tor :

— Je peux essayer ?

Manny haussa le sourcil, un peu surpris. Souvent, il l'avait vue observer l'animal mais, jusqu'alors, il pensait plus à de la crainte qu'à un réel intérêt.

— Bien entendu.

Il tapota le sol à côté de lui. Elle s'agenouilla.

— Il aime surtout qu'on lui gratte le ventre et le cou.

Anna prit la brosse, se pencha vers le fauve et tendit prudemment le bras. Tor-tor la regarda faire. Pleine de tact, elle commença à passer l'instrument dans l'épaisse fourrure de l'animal :

— Il est magnifique. Chez moi, à Hong Kong, j'ai vu des félins en cage, au zoo, mais en élever un soi-même doit être une expérience fantastique.

Manny appréciait sa façon de s'exprimer. Elle parlait d'une voix douce et sa diction, un poil guindée, était étrangement soutenue.

— Fantastique ? Il m'engloutit mon salaire, m'a détruit deux canapés et déchiqueté je ne sais combien de tapis.

— Je suis sûre que ça en vaut la peine, sourit-elle.

Manny acquiesça, même s'il rechignait à l'admettre. Il était presque humainement impossible d'expliquer combien il aimait son gros traînard.

— Je vais bientôt devoir le relâcher.

Bien qu'il tente de s'en cacher, Anna devina une pointe de tristesse dans sa voix. Elle l'encouragea du regard :

— Je reste persuadée que le jeu en valait la chandelle.

Il sourit timidement. *Et comment !*

Elle continua de brosser le jaguar sous l'œil attentif du Brésilien. Elle s'était calé une mèche soyeuse de cheveux derrière l'oreille et, concentrée sur la toilette de Tor-tor, elle fronçait légèrement le nez.

Soudain, une voix interrompit leur tête-à-tête :

— Tout le monde ici !

Ils firent volte-face.

L'air désabusé, le caporal Jorgensen baissa son récepteur radio et annonça à la cantonade :

— J'ai une bonne et une mauvaise nouvelle.

Un grognement général accueillit sa tentative d'humour.

— La bonne, c'est que l'armée brésilienne nous a dégoté un hélico.

— Et la mauvaise ? demanda Manny.

— Il ne sera pas là avant deux jours. Avec la maladie qui se propage dans la région, le besoin en appareils est énorme. Pour l'instant, notre évacuation ne fait pas partie des priorités.

— Deux jours ? s'agaça le biologiste. Pendant ce temps-là, on aurait pu continuer avec les autres.

— Le capitaine Waxman avait des ordres, rétorqua Jorgensen.

— Et le Comanche stationné à Wauwai ? intervint Zane.

Étendu sur son hamac, il fulminait en silence depuis un moment.

En plein nettoyage de son arme, Carrera répondit :

— Cet appareil de combat ne possède que deux sièges et on le réserve pour secourir l'autre équipe en cas de besoin.

Manny jeta un coup d'œil furtif à Kelly O'Brien. Assise sur son hamac, le regard fatigué, elle paraissait maussade et abattue. L'attente serait encore plus pénible pour elle. Deux jours encore avant de retrouver sa fille !

Debout près de l'imposant noyer du Brésil, Kouwe examinait depuis un moment les marques que Gerald Clark avait gravées sur l'écorce. Il pencha la tête d'un air perplexe :

— Quelqu'un d'autre sent-il l'odeur de fumée ?

Manny renifla. Sans succès.

— Ah, oui, peut-être, lâcha Anna, intriguée.

Le professeur contourna le tronc, nez au vent. Bien qu'il ait quitté la forêt depuis longtemps, ses sens étaient encore très affûtés.

— Par ici !

Le groupe le rejoignit derrière l'arbre. Carrera s'empressa de remonter son M-16 et suivit à son tour, armée.

Au sud du camp, environ trente mètres à l'intérieur de la forêt, de petites flammes dansaient dans la pénombre. À travers le feuillage, un filet de fumée grise s'élevait vers le ciel.

— Je vais voir ce que c'est, annonça Jorgensen. Les autres, restez avec Carrera.

— Je vous accompagne, dit Manny. S'il y a quelqu'un là-bas, Tor-tor flairera sa présence.

En guise de réponse, le caporal sortit un pistolet M-9 de son ceinturon et le lui tendit. Ils s'engagèrent prudemment dans la jungle, puis, d'un geste, Manny ordonna à Tor-tor de trottiner devant eux.

Dans leur dos, Carrera lança :

— Restez sur vos gardes !

Le biologiste et le Ranger suivirent l'animal.

— Ça brûle par terre, murmura Manny. Un soldat a peut-être laissé tomber un mégot durant sa dernière patrouille de reconnaissance.

— Le sol est trop humide, objecta Jorgensen.

Comme ils approchaient de la fumée suspecte, il fit signe à Manny de rester silencieux.

Les sens en alerte, les deux hommes guettaient une ombre, un craquement de brindille, le moindre signe d'un rôdeur caché, mais le piaillement des oiseaux et les cris des singes rendaient l'écoute difficile. Il était presque impossible de distinguer un son dans une telle cacophonie. Ils commencèrent à ralentir.

Devant eux, la curiosité naturelle de Tor-tor était piquée au vif mais, à quelques mètres du foyer, il s'accroupit, gronda, puis recula doucement, les yeux rivés aux flammes.

Derrière, on se figea. Jorgensen leva la main à titre d'avertissement muet. Le jaguar avait senti quelque chose. Le caporal fit signe au biologiste de se baisser, de le couvrir et, tandis que le militaire fendait lentement la forêt, arme au poing, Manny retint son souffle.

L'oreille dressée, il scruta les alentours sans ciller. Tor-tor, qui s'était tu, le rejoignit, le poil hérissé. Ses prunelles dorées luisaient. Manny entendit le fauve haleter et se rappela sa réaction lorsqu'il avait flairé l'urine de caïman près de la rivière. *Il sent quelque chose... Un truc qui lui fait peur.*

À cause de l'adrénaline, les sens de Manny étaient plus que jamais en éveil. Alerté par son jaguar, il perçut alors l'étrange odeur de la fumée : métallique, amère, âcre. Ce n'était pas un feu de bois.

Il voulut avertir Jorgensen, mais ce dernier avait déjà atteint le site et contemplait le spectacle, visiblement surpris. Le Suédois fit lentement le tour du brasier, son arme pointée vers l'extérieur. Aucune menace ne semblait venir de la forêt. Il resta sur ses gardes deux bonnes minutes, puis fit signe à Manny de le rejoindre.

Le biologiste reprit son souffle et avança. Tor-tor, obstiné, refusa d'approcher.

— La personne qui a allumé ce feu a dû s'enfuir, constata le Ranger. On a voulu nous faire peur.

Manny observa les flammes. Ce n'était pas du bois qui brûlait mais une pâte huileuse badigeonnée sur un carré de terre désherbée. Elle libérait une lumière puissante, sans réelle émanation de chaleur. La fumée dégageait un parfum doucereux, proche de l'encens musqué. Cependant, le frisson qui parcourut l'échine du Brésilien n'était lié ni à l'odeur ni à l'étrange combustible mais au motif qu'il représentait au sol.

Une spirale sinueuse, la marque des Ban-ali, brûlait dans l'obscure jungle touffue.

Jorgensen tâta la substance huileuse du bout de sa botte :

— Un genre de matière combustible.

Du pied, il envoya un peu de terre pour étouffer les flammes, puis, aidé de Manny, il recouvrit le maudit serpentin sur toute sa longueur :

— On devrait rentrer au camp.

Le biologiste contempla la fumée qui se perdait dans le ciel et acquiesça. De retour sous le grand noyer du Brésil, Jorgensen expliqua leur découverte.

— Je vais appeler la base. Transmettre mon rapport.

Il se dirigea vers la petite radio trapue, décrocha le combiné et, au bout d'un moment, pesta en jetant le micro à terre.

— Que se passe-t-il ? s'inquiéta Manny.

— On a raté la fenêtre de communication de cinq minutes.

— Autrement dit ? demanda Anna.

Le caporal montra la radio, puis le ciel :

— Le satellite militaire est hors de portée.

— Jusqu'à quand ?

— Demain, 4 heures du matin.

— Si on contactait les autres avec votre radio personnelle ? suggéra Manny.

— J'ai déjà essayé. Nos appareils SABER n'ont qu'une portée de dix kilomètres. Le capitaine Waxman et ses troupes sont déjà trop loin.

— Donc nous sommes seuls ? souffla Anna.

— Oui, jusqu'à demain matin.

Nerveux, Zane faisait les cent pas en scrutant la forêt :

— Et après ? On ne peut pas rester ici deux longs jours à attendre ce fichu hélicoptère !

— Je suis d'accord, renchérit Kouwe, la mine sombre. Le même symbole avait été apposé sur le village indien juste avant l'attaque des grenouilles-piranhas.

— Qu'essayez-vous de nous dire ? insista Carrera.

Le professeur observa la fumée, dont l'odeur âcre empestait encore la forêt :

— Je n'en suis pas encore sûr, mais je crois que nous avons été marqués.

17 h 33

Frank n'avait jamais été aussi heureux de voir le soleil décliner à l'horizon. Ils allaient bientôt s'arrêter. Après tant d'heures de marche et si peu de sommeil, tous ses muscles étaient en compote. Précédé d'un Ranger et suivi de Nate, il trébuchait à chaque pas.

Un cri retentit :

— *Waouh !* Visez-moi ça !

En queue de peloton, on accéléra le pas. Frank dut gravir une petite butte pour voir ce qui avait déclenché la réaction de surprise : quatre cents mètres plus bas, la jungle était inondée par un petit lac. Le soleil, oblique à l'ouest, transformait en feuille d'argent une étendue d'eau qui leur barrait la route sur plusieurs kilomètres.

— C'est un *igapo*, annonça Nate. Une forêt marécageuse.

— Je ne vois rien sur ma carte, constata Waxman.

— Oh, vous savez, le bassin de l'Amazone en est truffé. Certains lacs apparaissent et disparaissent au gré des pluies mais, pour que cette région soit encore aussi humide en fin de saison sèche, il doit être là depuis un bail. Regardez les brèches là-bas dans la jungle. À mon avis, ça fait des années que le coin est inondé.

Un peu plus loin, en effet, l'épaisse canopée s'interrompait brusquement, remplacée par quelques arbres massifs émergeant de l'eau, des milliers d'îlots verdoyants et de petits monticules de terre nue. Après tant de temps passé dans la pénombre de la forêt, la lumière forte était agressive pour les yeux des explorateurs, presque mordante.

Le groupe descendit prudemment la longue pente douce qui menait au marais. L'air semblait s'être épaissi. Autour d'eux fleurissaient des bromelias épineux et des orchidées géantes. Crapauds et grenouilles tenaient une chorale, mais le chant des oiseaux tentait d'en étouffer le bruit. Au bord de l'eau, des échassiers aux pattes grêles, hérons et aigrettes, pêchaient. À l'approche des explorateurs, un vol de canards s'élança.

Arrivés à quinze mètres de l'eau, Waxman décida de faire une halte :

— On va chercher une marque sur la rive mais, d'abord, je veux m'assurer qu'on peut longer le lac sans risque.

— Ça devrait être bon, le rassura Nate. D'après Manny, nos prédateurs de l'autre nuit sont des espèces de piranhas. Ces poissons n'aiment pas les eaux stagnantes. Ils préfèrent les courants vifs.

— Et, aux dernières nouvelles, les piranhas ne chassent pas leurs proies sur la terre ferme, hein ? riposta le capitaine.

Nate rougit légèrement et acquiesça.

Waxman envoya Yamir au bord du marais :

— Voyons si quelque chose se réveille là-dedans.

Le caporal pakistanais brandit son M-16 et se servit du lance-grenades monté dessus pour tirer un explosif dans l'eau. Résultat : un geyser, qui délogea les oiseaux et les singes effarouchés de leurs perchoirs. Une pluie d'eau et de nénuphars déchiquetés retomba sur la forêt.

Le groupe attendit dix minutes. Rien ne se produisit. Aucun prédateur venimeux ne se manifesta.

Waxman signifia alors à ses hommes d'entamer leur recherche d'une nouvelle entaille sur un arbre :

— Faites gaffe, restez loin de l'eau et ouvrez l'œil.

Ils n'eurent pas longtemps à attendre. Ce fut de nouveau Warczak qui appela :

— J'ai trouvé !

Le caporal n'était qu'à dix petits mètres à droite, près de la berge vaseuse.

Un des fameux morceaux de polyester était fixé, avec une épine, sur le tronc d'un palmier penché au-dessus de l'eau. Encore une fois, les initiales et la flèche pointaient vers l'ouest, en direction du marais. Seule la date changeait.

— 5 mai, lut Olin à voix haute. Deux jours avant la balise précédente.

— Apparemment, Clark venait de par là, conclut Waxman. Il a dû contourner le marais.

— Sauf que la flèche pointe vers l'eau, répliqua Frank.

Les yeux protégés de la lumière vive par la visière de sa casquette, il contempla la vaste étendue plane. Au-delà du marais se dressaient les hauteurs que le capitaine lui avait montrées sur la carte : une série de falaises rouges, de précipices dévorés par la jungle et de hautes mesas – plateaux aux rebords abrupts – couvertes de forêts.

Okamoto lui passa ses jumelles :

— Essayez avec ça.

— Merci.

On en proposa aussi une paire à Nate. Grâce aux lentilles grossissantes, les falaises et les mesas étaient beaucoup plus visibles. De petites cascades dégringolaient vers les marécages, tandis qu'une brume épaisse s'accrochait au pied des falaises, cachant en partie les crevasses et les canyons qui s'étiraient depuis le lac jusqu'aux plateaux escarpés.

— Les cours d'eaux et les cascades nourrissent le marais et gardent la zone humide toute l'année, expliqua Nate.

Frank baissa ses jumelles. De son côté, Waxman étudiait une boussole.

Le botaniste désigna l'arbre :

— Je parie que cette marque pointe vers la prochaine. Clark a certainement contourné le marais, ce qui a dû lui prendre de longues semaines.

Frank perçut son abattement : éviter les marais allait leur demander des jours à eux aussi.

Waxman releva le nez de sa boussole :

— Si la marque se trouve pile de l'autre côté, alors on y va. Plutôt que de perdre une semaine à faire le tour du lac, autant mettre une petite journée à le traverser en radeau.

— Sauf qu'on n'a plus de canots pneumatiques.

Le capitaine toisa Frank d'un regard condescendant :

— Nous sommes des Rangers, pas des boy-scouts.

Il désigna la forêt.

— On a des rondins à volonté, des hectares de bambou et, avec nos cordes et les lianes autour de nous, on ne devrait avoir aucun mal à construire deux radeaux. C'est pour ça qu'on nous entraîne : improviser avec les ressources disponibles.

Il contempla la rive opposée.

— Il ne doit pas y avoir plus de trois kilomètres à franchir.

— Bien, se réjouit Nate. On va gagner quelques jours.

— Alors, au boulot ! Tout doit être terminé à la tombée de la nuit pour que, demain matin, nous soyons reposés et prêts à partir.

Waxman organisa les équipes : il fallait rouler les troncs jusqu'à la berge, couper du bambou et récupérer des lianes pour assembler le tout.

Là où on avait besoin de lui, Frank donna un coup de main, mais il fut surpris de la rapidité à laquelle le matériel s'entassa sur la berge. Bientôt, ils en eurent récolté assez pour bâtir une vraie flotte. L'assemblage fut encore plus prompt : on posa deux troncs d'arbres à peu près similaires au sol, bien parallèles, qu'on relia par une épaisse couche de bambou, le tout solidement attaché à grands renforts de cordes et de lianes. Le premier radeau fut vite mis à l'eau : il flottait comme un bouchon.

Une acclamation s'éleva parmi les Rangers. Nate esquissa un sourire. Pour sa part, il fabriquait des rames en bambou et palmes séchées.

Le second radeau fut bientôt terminé. Au total, ils avaient mis moins de deux heures.

Frank contempla les deux embarcations côte à côte. Le soleil déclinait doucement. À l'ouest, le ciel s'embrasait d'un camaïeu rouge-orangé émaillé de flaques bleu indigo.

Autour de lui, les explorateurs installaient le camp. On alluma un feu, on planta les hamacs et on entama la préparation du repas. Frank s'apprêtait à les rejoindre quand une traînée sombre obscurcit le soleil couchant.

Intrigué, il demanda à Okamoto, qui passait à côté de lui, les bras chargés de petit bois :

— Je peux vous emprunter vos jumelles ?

Le caporal coinça son fardeau sur la hanche :

— Bien sûr. Prenez-les dans ma veste.

Frank le remercia et se servit. Une fois le Ranger parti, il scruta le ciel avec les jumelles et mit un moment à y retrouver la traînée noire. Était-ce de la fumée ? Elle s'élevait depuis les lointaines hauteurs. Un signe que les terres étaient habitées ? Il suivit la trace des sombres volutes.

— Que regardez-vous ? s'enquit Nate.

— Je... je ne sais pas trop. J'ai l'impression que c'est de la fumée. Peut-être vient-elle d'un autre campement ou d'un village.

Intrigué, son interlocuteur s'empara des jumelles :

— En tout cas, elle vient par ici.

Même à l'œil nu, Frank constata qu'il avait raison. La colonne de fumée s'orientait vers eux. Il leva l'index :

— Ce n'est pas logique, le vent souffle dans l'autre sens.

— Il ne s'agit pas de fumée. Quelque chose vole vers nous.

— J'alerte le capitaine !

Bientôt, tout le monde étudia le ciel aux jumelles : le ruban sombre était devenu un voile noir qui glissait droit sur eux.

— Qu'est-ce que c'est, docteur Rand ? s'interrogea Okamoto. Des oiseaux ? Des chauves-souris ?

— Je ne pense pas.

La masse noire ressemblait malgré tout à un nuage qui s'élevait en tourbillon, redescendait et semblait filer à vive allure.

— Qu'est-ce que ça peut être encore ? marmonna quelqu'un.

Quelques instants plus tard, le nuage surgissait au-dessus du campement et des arbres, bloquant la lumière du couchant. D'emblée, l'équipe fut assaillie par un bourdonnement aigu. Après tant de jours passés dans la jungle, le bruit leur était familier, mais il se révélait considérablement *plus fort* que d'habitude. Les poils de Frank se hérissèrent sous l'effet de la plainte subsonique.

— Des sauterelles ! cria Nate. Des millions !

À son arrivée, la partie inférieure de l'essaim fit vibrer le feuillage. L'équipe se mit à couvert, histoire de se protéger, mais les insectes poursuivirent leur route vers l'est sans s'arrêter.

Quand la traîne sombre commença à s'éloigner, Frank baissa ses jumelles :

— Que font-elles, Nate ? Elles migrent ?

— Non. Je ne les ai jamais vues se comporter ainsi.

— Elles sont parties maintenant, intervint Waxman, prêt à oublier la démonstration aérienne.

Même s'il acquiesça, Nate resta perplexe :

— D'accord, mais *où* vont-elles ?

Frank intercepta son regard. Il y avait quelque chose à l'est : *l'autre moitié de l'équipe*. Il ravala sa subite angoisse. *Kelly…*

19 h 28

Au crépuscule, Kelly distingua un étrange vrombissement ou une espèce de gémissement aigu. Elle contourna le noyer du Brésil et plissa les yeux pour tenter d'en percer l'origine.

Kouwe la rejoignit de l'autre côté de l'arbre :

— Vous avez entendu vous aussi ?

Les deux Rangers montaient la garde, arme au poing. Quant aux autres équipiers, ils nourrissaient le feu avec des branches sèches et du bambou. Tracassés à l'idée d'être peut-être épiés, ils voulaient avoir le plus de lumière possible. Près du brasier, un gros tas de fourrage permettrait de tenir toute la nuit.

— Le bruit... s'intensifie, marmonna Kelly. Qu'est-ce que c'est ?

— Je n'en suis pas sûr, réfléchit Kouwe.

À présent, les autres entendaient aussi le bruissement qui, très vite, devint strident. Tout le monde leva les yeux au ciel.

Kelly pointa du doigt la lumière rosâtre :

— Regardez !

Cachant les derniers rayons du soleil, une ombre noire fondait vers le groupe à toute vitesse.

— C'est une nuée de sauterelles, se méfia Kouwe, la gorge serrée. Il leur arrive de se déplacer ainsi pendant la saison des amours mais, là, ce n'est pas la bonne période de l'année. Et je n'ai jamais vu d'essaim aussi gigantesque !

— Faut-il y voir une menace ? s'inquiéta Jorgensen.

— Normalement, non. Elles sont surtout une plaie pour les potagers et les fermes de la jungle. En quelques minutes à peine, un gros nuage de sauterelles peut vous ravager les fruits, les légumes et le feuillage de tout un secteur.

— Elles s'attaquent aux humains ? s'enquit Richard Zane.

— Rien de terrible. Quand elles se sentent en danger, elles peuvent mordre, mais on ne ressent qu'une faible piqûre. Enfin...

— Quoi ? insista Kelly.

— Je n'aime pas que leur apparition suive d'aussi près notre découverte de la marque des Ban-ali.

— Je doute fort que les deux soient liés, répliqua Anna.

Manny s'approcha avec Tor-tor. Nerveux, le grand félin tournait en rond et semblait gémir en chœur avec les insectes.

— Vous ne pensez pas que les sauterelles pourraient être comme les piranhas, professeur ? suggéra le biologiste. Une nouvelle menace de la jungle, une autre attaque ?

— D'abord, le symbole sur le *shabono*, puis les piranhas. Maintenant une marque ici, et cette étrange nuée, récapitula Kouwe. C'est une coïncidence à ne pas négliger.

Kelly fut soudain convaincue qu'il avait raison.

— Que peut-on faire ? demanda Jorgensen.

Sous le regard attentif de Carrera, le nuage sembla se fondre dans le crépuscule.

— Tout d'abord, il faut se mettre à l'abri, annonça le chaman. Les sauterelles sont presque là. Que chacun se réfugie dans son hamac ! Fermez bien la moustiquaire et veillez à ce qu'aucun centimètre carré de votre peau ne touche le tissu.

— Mais…, protesta Zane.

— Maintenant ! aboya Kouwe.

Tandis que le professeur fouillait avec ardeur dans son sac à dos, Jorgensen mit son fusil en bandoulière en mugissant :

— Et que ça saute !

Kelly avait déjà déguerpi. Ravie qu'ils aient eu la bonne idée d'installer le camp plus tôt, elle plongea dans son hamac, referma la moustiquaire et posa une pierre sur le rabat pour bien maintenir la toile d'étamine. Une fois en sécurité, elle se recroquevilla et baissa la tête de manière à ne pas frôler le haut de son abri.

Autour d'elle, ses compagnons l'avaient imitée et chaque hamac était devenu une sorte d'îlot solitaire de tissu. Seul un membre de l'équipe traînait encore dehors.

— Professeur Kouwe ! appela Jorgensen.

Le soldat commença à s'extirper de son refuge de toile.

— Restez là-bas ! ordonna le chaman, le nez plongé dans son sac.

Jorgensen se figea, indécis :

— Que faites-vous ?

— Je me prépare à combattre le feu par le feu.

Soudain, malgré le temps dégagé, il commença à pleuvoir. La jungle bruissait du son familier de grosses gouttes percutant les feuilles, mais ce qui tombait du ciel n'était pas de l'eau : un déluge d'énormes insectes sombres traversa la canopée et s'abattit sur le sol.

Le nuage d'insectes était là.

Une sauterelle atterrit sur la moustiquaire de Kelly. Elle mesurait huit centimètres de long et sa carapace noire luisait comme de l'huile à la lumière du feu. À voir les élytres tressaillir dans son dos, l'animal cherchait son équilibre. Kelly se ratatina de plus belle. Elle avait déjà croisé des sauterelles, des cigales mais jamais rien d'aussi monstrueux. L'insecte n'avait pas d'yeux. Sa tête se résumait à une paire de mandibules agressives mais, bien qu'aveugle, il pouvait sentir les choses. Ses longues antennes sondèrent le filet et s'agitèrent comme deux baguettes de sourcier en quête de sang. Il semblait ne pas comprendre pourquoi il restait bloqué. D'autres sauterelles s'écrasèrent contre le filet et agrippèrent la toile avec leurs petites pattes segmentées.

Un cri de douleur attira l'attention de Kelly. C'était Kouwe. Accroupi près du feu à cinq mètres d'elle, il chassa une sauterelle posée sur son bras.

— Professeur ! insista Jorgensen.

— Restez où vous êtes !

L'Indien se débattait avec le lacet en cuir d'une petite bourse. Du sang coulait le long de son bras. Malgré la distance, Kelly put juger de la profondeur de la morsure. Elle pria pour que les insectes ne soient pas venimeux. Kouwe s'approcha encore du feu, la peau écarlate, mais la chaleur intense des flammes semblait tenir la majeure partie des bestioles à distance.

Tout autour, les sauterelles tournoyaient, crissaient et paraissaient de plus en plus nombreuses.

— Elles sont en train de trouer mon filet ! s'affola Zane.

Kelly surveilla les insectes les plus proches. Le premier à avoir attaqué sa moustiquaire avait rétracté ses antennes et commençait à déchiqueter le tissu avec ses mâchoires acérées. Avant qu'il ne passe au travers, elle le frappa du dos de la main. Loin de le tuer, elle avait juste empêché qu'il n'abîme encore davantage sa moustiquaire. Elle fit pareil avec ses congénères cramponnés au tissu.

— Tapez dessus ! cria-t-elle aux autres. Ne les laissez pas se frayer un chemin !

Un glapissement jaillit du hamac voisin :

— Bordel de merde !

C'était Manny. Elle entendit une énorme claque, suivie d'un chapelet de jurons.

Comme le biologiste s'était installé derrière elle, Kelly ne pouvait pas le voir :

— Ça va ?

— Il y en a une qui a réussi à ramper sous le filet ! Attention, ces saloperies mordent ! Et, à cause des acides digestifs, leur salive brûle.

Kelly pria de nouveau le ciel pour que les sauterelles ne soient pas toxiques. Elle se tortilla afin d'apercevoir Manny mais ne vit que Tor-tor marcher de long en large auprès de son maître. Les amas d'insectes qui rampaient sur l'épaisse fourrure du félin donnaient l'impression que ses taches étaient en mouvement mais, grâce à son rempart naturel de poils, il n'y prêtait pas attention. Lorsqu'une bête lui atterrit sur le museau, il s'en débarrassa d'un coup de patte.

À présent, le camp entier grouillait d'insectes volants et leur plainte constante faisait grincer Kelly des dents. En quelques minutes, le nuage s'était encore épaissi. On voyait à peine ce qui se passait à l'extérieur, comme si une brume noire et tourbillonnante s'était abattue sur le camp. Plus agressifs que jamais, les insectes recouvraient tout. Kelly tenta désespérément de les chasser de sa moustiquaire, mais la bataille était perdue d'avance : ils s'insinuaient dans les moindres recoins.

Elle lutta de toutes ses forces malgré la sueur qui lui piquait les yeux. Terrifiée, elle tapa, cogna, battit les insectes cramponnés à sa moustiquaire mais, peu à peu, elle commença à perdre espoir. Elle imagina sa fille Jessie en pleurs sur son lit d'hôpital, les bras tendus vers une mère absente.

— Et merde !

Déterminée à ne pas jeter l'éponge, elle redoubla d'efforts.

Je ne mourrai pas ici... pas comme ça, pas sans avoir revu Jessie.

Une piqûre lui enflamma la cuisse. L'insecte ressemblait à une tumeur noire sur sa jambe. Elle l'écrasa du plat de la main en haletant. Un autre atterrit sur son bras. Elle le repoussa, dégoûtée. Un troisième s'insinua dans ses cheveux.

Soudain, un hurlement terrible émana de sa poitrine. Son abri venait de se déchirer. D'autres lamentations s'élevèrent du camp. Ils étaient submergés. Ils avaient perdu.

Jessie..., gémit Kelly en écrabouillant une sauterelle sur son cou. *Je suis désolée, mon bébé.* Alors qu'elle se faisait piquer aux chevilles et aux mollets, elle se débattit inutilement en pleurant de douleur et de désespoir.

Bientôt, elle eut du mal à respirer. Elle toussa, s'étouffa. Ses yeux piquaient. Ses narines s'emplirent d'une odeur acide de résine. On aurait dit qu'on brûlait des bûches de pin dans une cheminée. Elle s'étrangla de nouveau.

Que se passait-il ?

Entre ses larmes, elle vit le nuage dense de sauterelles s'effilocher, comme si une rafale de vent avait soufflé dessus. Le feu de camp était devenu plus clair. De l'autre côté des flammes, Kouwe agitait une grande palme au-dessus d'un brasier qui produisait de plus en plus de fumée :

— C'est de la poudre de *tok-tok* !

Il avait le corps couvert de morsures sanguinolentes.

— Elle soigne les maux de tête mais, quand on la fait brûler, c'est aussi un puissant répulsif contre les insectes.

Pendant que les sauterelles pendues à sa moustiquaire s'enfuyaient, chassées par l'odeur, Kelly se rappela vaguement que Nate lui avait raconté comment les Indiens plantaient des torches de bambou dans leurs potagers et y faisaient flamber cette poudre-là pour protéger leurs récoltes. En son for intérieur, elle remercia les habitants de la forêt de leur ingéniosité.

Quand il ne resta plus que quelques sauterelles retardataires, Kouwe fit signe au groupe de le rejoindre :

— Venez par ici, vite !

Kelly quitta son hamac. Après une brève hésitation, elle s'extirpa de sa moustiquaire en loques pour se précipiter vers le feu. Les autres suivirent.

La fumée était étouffante, douceâtre, mais les insectes se tenaient à l'écart. Loin de se disperser, le nuage sombre bourdonnait toujours au-dessus d'eux. De temps à autre, un kamikaze fonçait en piqué, puis repartait, répugné par l'odeur.

— Comment saviez-vous que ça allait marcher, professeur ? s'étonna Jorgensen.

— Je n'en savais rien. Du moins, je n'étais pas sûr.

Un peu essoufflé, Kouwe continuait d'agiter sa feuille de palme pour attiser le feu.

— Le symbole ban-ali qui brûlait dans la jungle... La quantité de fumée et la forte odeur qui s'en dégageait... Je pense qu'il s'agissait d'un signal.

— Un signal de fumée ? demanda Zane.

— Non, plutôt une piste olfactive. Les émanations contiennent un produit qui a attiré les sauterelles jusqu'ici.

— Comme une phéromone ou je ne sais quoi, grogna Manny.

— Possible. Une fois arrivées dans le périmètre indiqué, les petites vicieuses avaient pour mission de tout dévaster.

— Vous êtes en train d'insinuer qu'on a mis un contrat sur nos têtes, lâcha Anna. Les sauterelles n'auraient donc pas débarqué par hasard.

— C'était peut-être déjà le cas des grenouilles-piranhas. Quelque chose les a conduites au village. Une odeur, un truc qu'on aurait déversé dans l'eau et qui les aurait menées jusqu'au *shabono*. Je n'ai aucune certitude mais, à mon avis, les Ban-ali viennent de monter la jungle contre nous pour la deuxième fois.

— Que faire ? soupira Zane. La poudre va-t-elle tenir nos agresseurs à distance jusqu'à l'aurore ?

— Non, répondit Kouwe en scrutant le sinistre essaim noir.

20 h 05

Nate en avait assez. Voilà bientôt un quart d'heure qu'il discutait avec le chef des Rangers et Frank :

— Il faut y retourner et aller voir. Envoyer au moins quelqu'un vérifier que tout va bien. On peut y être avant l'aube.

Waxman soupira :

— Ce ne sont que des sauterelles, docteur Rand. Elles nous sont passées au-dessus sans nous causer de tort. Qu'est-ce qui vous fait penser que les autres sont en danger ?

— Aucun élément concret, mais je suis mon instinct. Toute ma vie, j'ai vécu dans cette jungle et il y avait quelque chose de pas naturel dans le comportement de ces sauterelles.

Au départ, Frank partageait plutôt son avis mais, peu à peu, il s'était rangé à l'opinion plus attentiste du Ranger :

— On devrait se fier au capitaine. Dès demain matin, quand les satellites seront à portée, on pourra contacter les autres et s'assurer que tout va bien.

— Maintenant que nous ne sommes plus que six Rangers, je n'ai pas non plus l'intention de risquer la vie de deux soldats sur une mission aussi futile. Pas sans être sûr qu'il y a un vrai danger.

— Alors, j'irai seul, rétorqua Nate, le poing serré.

310

— Je vous le défends, gronda Waxman. Vous vous faites du mauvais sang pour rien. Demain, quand on leur aura parlé, vous verrez qu'ils vont bien.

Le jeune civil cogitait à toute allure pour trouver le moyen de le faire fléchir :

— Laissez-moi au moins partir avec la radio. Je vais voir si je peux m'approcher assez pour les contacter. Quelle est la portée de vos émetteurs individuels ?

— Neuf ou dix kilomètres.

— Et on en a parcouru une vingtaine. Autrement dit, je n'aurai qu'à rebrousser chemin sur dix kilomètres et je pourrai être de retour avant minuit.

Waxman commençait à s'agacer.

— Son plan n'est pas si farfelu, intervint Frank. C'est même un compromis plutôt raisonnable.

Nate perçut une réelle douleur dans son regard. Sa sœur était là-bas. Oscillant entre sa peur pour Kelly et la prudence raisonnable de Waxman, l'homme cherchait autant à agir en bon chef d'expédition qu'à gérer ses propres angoisses.

— Je suis sûr que les autres vont bien, le rassura Nate, mais quelques précautions supplémentaires n'ont jamais fait de mal à personne… surtout après les deux jours qu'on vient de vivre.

Frank acquiesça en silence.

— Laissez-moi emporter une radio, s'obstina Nate.

Exaspéré, Waxman finit par céder :

— Mais vous n'y allez pas seul.

Nate réprima un cri de victoire. *Enfin…*

— Vous serez escorté d'un Ranger. Un seul. Je ne prends pas le risque de perdre deux hommes.

— Bien… bien…, approuva Frank, visiblement soulagé.

Il remercia Nate du regard.

— Caporal Warczak ! lança Waxman. Ouvrez la marche !

20 h 23

Réunis près du feu, Manny et les autres regardaient la fumée tourbillonner. Pour l'instant, la poudre maintenait les sauterelles à l'écart, mais ils étaient pris au piège par l'essaim qui les enveloppait, tel un gros cocon noir. Le biologiste sentait ses yeux piquer. Combien de temps le *tok-tok* magique de Kouwe durerait-il ? Déjà, la fumée paraissait moins dense.

— Tenez, Manny !

Kelly lui tendit une tige de bambou de cinquante centimètres prise dans la pile de fourrage, puis elle retourna aider le professeur à préparer un dernier bambou surmonté d'une bougie de *tok-tok*.

Le Brésilien piétina nerveusement, car, à son goût, le plan du professeur se fondait sur trop d'inconnues et de conjectures.

Une fois la dernière tige terminée, Kelly et Kouwe se relevèrent. Autour du feu, chacun avait préparé son sac et brandissait sa petite torche.

— Tout le monde est prêt ? demanda Jorgensen.

Pas de réponse. Dans leurs yeux se reflétait le même sentiment de panique et d'effroi.

— Allumez les torches.

Comme un seul homme, ils plongèrent le bout de leur bambou dans le feu. La poudre s'enflamma aussi vite que le bois sec et, dès qu'ils les ôtèrent du brasier, leurs torches de fortune dégagèrent une épaisse fumée.

— Gardez-les à la fois près de vous et bien en l'air, conseilla Kouwe avant de joindre le geste à la parole. Il n'y a pas une seconde à perdre.

Manny ravala sa salive et contempla le mur bourdonnant de sauterelles. Il n'avait été mordu que deux fois, mais c'était encore douloureux. Les insectes grouillaient par millions. Conscient de l'atmosphère angoissée, Tor-tor se frotta contre son maître.

Le groupe quitta le feu protecteur pour s'enfoncer peu à peu dans une foule de sauterelles toujours aussi compacte.

— Restez groupés, siffla Kouwe.

L'idée était d'utiliser les flambeaux enduits de poudre de *tok-tok* pour fendre le nuage. Protégés par le voile de fumée, ils tenteraient ainsi de fuir la zone infestée.

Comme Kouwe l'avait expliqué plus tôt :

— Les sauterelles ont été attirées jusqu'ici par l'odeur du symbole ban-ali en train de se consumer. Si on réussit à s'éloigner suffisamment, on leur échappera peut-être.

Le plan était risqué, mais ils n'avaient guère le choix. Leurs maigres réserves de poudre ne permettraient pas d'alimenter le foyer plus d'une heure ou deux. Or, les sauterelles semblaient décidées à rester. C'était donc à eux d'évacuer la zone.

— Allez, Tor-tor.

Manny suivit le caporal Jorgensen. Derrière lui et sur les côtés, les autres brandissaient haut leurs torches. Harcelé par le bourdonnement incessant, il pria le ciel pour que Kouwe ait vu juste.

Personne ne parlait… ni n'osait même respirer. Le groupe avançait lentement vers l'ouest, sur les traces de leurs anciens camarades. C'était leur seul espoir.

Depuis que la nuée d'insectes s'était refermée derrière eux, le feu de camp ne dispensait plus qu'une faible lueur.

D'un coup de talon rageur, Manny écrasa des sauterelles qui traînaient au sol.

Ils avancèrent en silence dans la forêt mais, au bout de quelques minutes, le gigantesque essaim était toujours là, comme s'il devait ne pas avoir de fin. En fait, ils étaient cernés de sauterelles qui vrombissaient partout, recouvraient les arbres et fouillaient les sous-bois. Seule la fumée les tenait à distance.

Manny sentit quelque chose vibrer sur son pantalon. Une sauterelle s'y était accrochée. Il la chassa de la main. Leurs agresseurs s'enhardissaient.

— On aurait déjà dû traverser le nuage, murmura Kouwe.

— À mon avis, ils nous suivent.

— Je crois que vous avez raison, Anna.

— Qu'allons-nous faire ? souffla Zane. Les torches ne vont pas nous protéger très longtemps. Peut-être que si on courait… Peut-être qu'on pourrait…

— Chut… laissez-moi réfléchir ! gronda Kouwe, obsédé par la masse nébuleuse. Pourquoi ces bestioles nous pourchassent-elles ? Pourquoi ne restent-elles pas où on les a envoyées ?

À l'arrière du groupe, Carrera, cramponnée à sa torche, suggéra d'une voix douce :

— Elles fonctionnent peut-être comme les piranhas. Une fois arrivées à destination, c'est notre odeur qui les intéresse et elles vont nous traquer jusqu'à attraper l'un d'entre nous.

Soudain, Manny eut une idée :

— Alors, pourquoi ne pas imiter les Ban-ali ?

— Comment ça ? demanda Kelly.

— Donnons-leur quelque chose de plus intéressant à suivre que notre sang.

— Quoi par exemple ?

— Le parfum qui les a conduits ici.

Surexcité, Manny sentit les mots se bousculer sur sa langue. Il repensa au symbole incandescent des Jaguars de Sang.

— Jorgensen et moi avons éteint le feu qui produisait des phéromones ou je ne sais quoi, mais le combustible est toujours là-bas, dans la forêt.

— Manny a raison, approuva le caporal. Si on réussissait à le rallumer…

Le visage de Kouwe s'éclaira :

— La fumée les attirerait et les fixerait sur place pendant qu'on se sauve.

— Exact, confirma Manny.

— Alors, allons-y ! s'écria Zane. Qu'est-ce qu'on attend ?

Jorgensen avança en tête du cortège :

— Le temps nous est compté. Nos torches ne dureront pas indéfiniment. Il n'y a aucune raison qu'on coure tous le danger.

— Qu'insinuez-vous par là ? demanda Manny.

— Continuez vers l'ouest, sur les pas des autres. Moi, je rebrousse chemin et j'allume le feu.

— Je vous accompagne.

— Non, je ne prends pas le risque de perdre un civil. Et j'irai plus vite seul.

— Mais…

— On est en train de gaspiller du temps et de la poudre ! aboya le Ranger. Carrera, tu me sors tout le monde de là. Et au pas de gymnastique ! Je vous rejoins dès que j'aurai rallumé cette saloperie.

— À vos ordres, chef.

Satisfait, Jorgensen repartit vers le camp à petites foulées, sa torche bien au-dessus de la tête. En quelques instants, il fut avalé par le nuage de sauterelles. Ne restait plus que la lumière brimbalante de son flambeau, qui s'évanouit à son tour dans la masse compacte d'insectes déchaînés.

— On se bouge ! mugit Carrera.

Le groupe s'ébranla de nouveau. Manny pria pour que le courageux militaire réussisse. Après un dernier regard derrière lui, il suivit les autres.

Jorgensen fendit la nuée de sauterelles au galop. Protégé par une seule torche, il sentait l'étau se resserrer. À quelques reprises, des insectes plus audacieux le mordirent, mais il se moqua de la douleur. Les Rangers avaient beau subir des entraînements commandos sur toutes sortes de terrains (montagne, jungle, marais, neige, désert…), on ne l'avait jamais préparé à affronter un nuage d'insectes carnivores !

Son fusil à l'épaule, il rehaussa son sac à dos afin de courir plus facilement et de se protéger du nuage.

Il aurait dû être terrifié, néanmoins une étrange excitation courait dans ses veines. Voilà pourquoi il était devenu Ranger : pour tester ses nerfs et être au cœur de l'action. Combien d'enfants de ferme du Minnesota se voyaient offrir l'occasion de vivre un truc aussi dingue ?

Son flambeau à la main, il accéléra encore.

— Allez vous faire foutre ! mugit-il aux sauterelles.

Le regard rivé au feu de camp comme à un phare, Jorgensen se fraya un chemin à travers des millions d'insectes destructeurs. La fumée de sa torche dégageait une odeur puissante. Il contourna le noyer du Brésil et se dirigea vers le symbole ban-ali.

À moitié aveuglé, il passa d'abord devant sans le voir, puis revint sur ses pas et tomba à genoux à côté du foyer :

— Merci, mon Dieu.

Après avoir planté sa torche dans le sol argileux, il débarrassa le composé résineux de sa couche de terre et d'insectes. Les sauterelles foisonnaient toujours autant. Plusieurs fois, il se fit mordre la main. Tout près du serpentin huileux, il sentit ses narines s'emplir d'une odeur résiduelle âcre et amère. Le professeur avait raison. C'était sans doute le produit qui avait attiré les bestioles.

À toute vitesse, Jorgensen balaya la terre qui recouvrait le symbole. Il ignorait quelle quantité de pâte noire devait être allumée pour attirer le nuage entier, mais il ne voulait courir aucun risque. Pas question d'être obligé de revenir. À genoux, il s'affaira, les mains poisseuses de résine, et dégagea bientôt la moitié du serpentin.

Cela devrait suffire. Il s'assit, alluma son briquet et l'approcha de la spirale :

— Allez, ma beauté… brûle !

Son vœu fut exaucé. Le combustible prit feu et les circonvolutions du symbole s'embrasèrent. En fait, la résine était si inflammable que, pris de court, Jorgensen se brûla la main.

D'instinct, il lâcha le briquet :

— Merde !

Ses doigts couverts de résine étaient en feu.

— *Mer-de !*

Il roula sur le flanc et plongea la main dans l'humus pour étouffer les flammes. Par mégarde, son coude heurta la torche fichée au sol, qui s'écrasa contre un buisson voisin et projeta un arc de braises rougeoyantes. Furieux, Jorgensen voulut rattraper le bambou. Trop tard ! Le stock de poudre s'était répandu par terre en grésillant et, s'il rougeoyait encore, le bout de bois ne fumait déjà plus.

Le Ranger se releva d'un bond.

Derrière lui, le symbole ban-ali incandescent conviait le nuage de sauterelles à son prochain repas.

— Oh, mon Dieu !

Le premier hurlement les glaça d'horreur.

Carrera fit volte-face :

— Jorgensen…

— Il s'est passé quelque chose, frémit Kelly.

De son côté, Zane reprit sa route :

— On ne peut pas faire demi-tour.

Un deuxième cri abominable résonna, plus étouffé.

Au même instant, l'essaim frénétique de sauterelles se mit à dériver vers le camp.

— Elles s'en vont, professeur ! s'exclama Kelly.

— Le caporal a dû réussir à enflammer le symbole.

À présent, les hurlements d'agonie ne s'arrêtaient plus, bestiaux, inhumains.

— Il faut foncer à son secours ! lança Manny.

Carrera braqua sa lampe électrique vers l'ancien bivouac. À cinquante mètres, le nuage était si dense que même les arbres avaient été engloutis par l'immense essaim.

La militaire brandit sa torche de bambou qui, déjà, donnait des signes de faiblesse :

— Impossible, hélas. On ne sait pas combien de temps la diversion de Jorgensen nous a fait gagner.

— On pourrait au moins essayer, insista Manny. S'il était encore en vie ?

Comme pour le contredire, les cris lointains s'éteignirent.

Carrera secoua tristement la tête.

— Regardez ! lança Anna.

À leur gauche, une silhouette surgit du nuage. Carrera pointa sa lampe dessus :

— Jorgensen !

Abasourdie, Kelly se couvrit la bouche.

Couvert de sauterelles de pieds à la tête, le caporal était méconnaissable ! Il n'y voyait plus rien et s'agitait dans tous les sens. Il chancela, trébucha contre un buisson et tomba à genoux. Tout ce temps-là, il était resté étrangement silencieux. Seuls ses bras avides semblaient implorer de l'aide.

Manny esquissa un pas vers lui, mais Carrera le retint.

Le nuage s'enroula autour du malheureux et l'avala de nouveau.

— Trop tard, lâcha Carrera. Et le temps presse.

La preuve ? Sa torche grésilla une dernière fois et s'éteignit.

— On doit s'éloigner au plus vite avant la fin de la diversion.

— Mais…, balbutia le biologiste.

Carrera le foudroya du regard et ses mots furent encore plus durs :

— Je n'admettrai pas que Jorgensen se soit sacrifié en vain. En route !

Derrière eux, la nuée noire et informe faisait du surplace mais, en son sein, un homme avait donné sa vie pour sauver ses camarades. Les yeux de Kelly s'embuèrent de larmes. Épuisée, désespérée, elle avait le cœur lourd et les jambes en coton.

Toutefois, malgré la perte du caporal, elle resta obnubilée par une pensée, un visage. Jessie avait besoin d'elle. La jeune mère était hantée par l'image de sa fille alitée, brûlante de fièvre. *Je reviendrai vers toi, mon bébé*, promit-elle en silence.

Au fond d'elle, elle craignit néanmoins de ne pas pouvoir tenir parole. À chaque nouveau pas dans la jungle, un homme mourait. *Graves, DeMartini, Conger, Jones... et maintenant Jorgensen...*

Eh bien, Kelly refusait d'abandonner ! Tant qu'elle était vivante et qu'elle réussissait à mettre un pied devant l'autre, elle retrouverait le chemin de la maison.

Pendant une heure, ils suivirent le sentier que leurs anciens compagnons avaient emprunté la veille. À mesure que les torches s'éteignirent, on alluma des lampes électriques. Jusqu'à présent, aucune autre attaque de sauterelles n'était à signaler. Ils étaient peut-être sauvés, mais personne n'osait exprimer un tel espoir à voix haute.

— Dites, Carrera, que se passera-t-il si on rate l'autre équipe ? demanda Manny. Jorgensen transportait notre matériel de communication. C'était notre seul moyen de contacter l'extérieur.

Kelly n'y avait pas songé. Sans radio, ils étaient coupés du monde.

Animée par une détermination farouche, la Ranger rétorqua :

— On va retrouver les autres.

Personne ne s'avisa de la contredire.

Ils continuèrent à traverser la forêt obscure en se concentrant sur leur marche. Au fil des heures, la tension se perdit dans un mélange flou d'épuisement absolu et de peur infinie. La jungle les saluait par des hululements, des cris étranges et, eux, ils écoutaient, à l'affût du moindre bourdonnement de sauterelle.

Résultat : ils tressaillirent tous en entendant la petite radio personnelle de Carrera grésiller :

— *Ici... si vous entendez... portée de la radio...*

Sous le regard stupéfait des civils, la jeune femme porta le micro à sa bouche :

— Ici, le soldat Carrera. Vous m'entendez ? À vous.

Il y eut un long silence, puis :

— Fort et clair. Ici, Warczak. Donnez votre position.

La Ranger dressa un résumé froid et professionnel de la situation, mais ses doigts tremblaient sur le micro. Elle conclut par :

— Nous suivons votre piste. Espérons retrouver le reste de l'équipe d'ici à deux heures.

— Bien reçu. Le Dr Rand et moi sommes partis à votre rencontre. Terminé.

Carrera ferma les yeux et poussa un gros soupir.

— On sera bientôt tirés d'affaire, murmura-t-elle sans s'adresser à quelqu'un en particulier.

Alors qu'une rumeur de soulagement parcourait l'assemblée, Kelly observa la jungle.

Tant qu'ils se trouveraient là-bas en Amazonie, ils seraient loin d'être tirés d'affaire.

ACTE QUATRE

LES JAGUARS DE SANG

PRÊLE

ESPÈCE : *Arvense*
GENRE : *Equisetum*
FAMILLE : Équisétacées
NOM USUEL : Prêle des champs
NOMS ETHNIQUES : At quyroughi, atkuyrugu, chieh hsu ts'Ao, cola de caballo, equiseto menor, kilkah asb, sugina, thanab al khail, vara de oro, wen ching
PROPRIÉTÉS/ACTIONS : Astringent, anti-inflammatoire, diurétique, antihémorragique

Chapitre 12

La traversée

15 août, 8 h 11
Institut Instar,
Langley, Virginie

Lauren glissa sa carte magnétique dans la serrure et retrouva son bureau, où elle n'avait pas mis les pieds depuis vingt-quatre heures. Entre ses visites à Jessie et ses réunions avec divers membres de MEDEA, elle n'avait pas eu une minute à elle. Si elle s'accordait enfin un moment de liberté, c'était uniquement parce que sa petite-fille semblait aller mieux : sa température était revenue à la normale et son humeur s'améliorait d'heure en heure.

Prudemment optimiste, Lauren commençait même à espérer s'être trompée de diagnostic. Jessie n'avait peut-être pas attrapé la maladie de la jungle. Heureusement que l'éminent médecin avait gardé pour elle son inquiétude première, sinon elle aurait affolé Kelly et Marshall sans raison. Elle s'était probablement trop fiée au modèle statistique du Dr Alvisio, mais comment blâmer l'épidémiologiste ? Il l'avait prévenue : ses résultats étaient loin d'être définitifs, car son équipe avait besoin de recueillir et de croiser davantage de données.

Enfin, bon, c'était le cas pour toutes les études en cours. Chaque jour, à mesure que l'épidémie envahissait la Floride et les autres États du Sud, les chercheurs échangeaient leurs points de vue sur des milliers de théories : agents étiologiques, protocoles thérapeutiques, paramètres de diagnostic, directives de quarantaine… En la matière, Instar était devenu un véritable *think tank* national. Son objectif ? Explorer le dédale de conjectures scientifiques et de modèles épidémiologiques parfois fantaisistes pour trouver la perle rare au milieu du fatras. La tâche était plutôt décourageante, car les informations affluaient des quatre coins du pays et du monde entier. Heureusement, l'institut disposait des meilleurs cerveaux.

Lauren s'effondra sur son siège et alluma l'ordinateur. Quand un tintement lui indiqua qu'elle avait reçu des mails, elle chaussa ses lunettes en ronchonnant et se pencha sur l'écran. *Trois cent quatorze messages en attente*. Et il ne s'agissait que de sa boîte personnelle ! Elle fit défiler la liste des adresses et parcourut les titres des courriers en quête d'un intitulé important ou intéressant.

Boîte de réception	
DE	**OBJET**
jpcdvm@davis.uc.org	re : biosimilarités simiennes
trent_magnus@scriabs.com	demande de standardisation d'échantillons
systematica@cdc.gov	rapport prog.
xreynolds@largebio.com	labo biologiques grande échelle
synergymeds@phdrugs.com	question pharmacie
gerard@dadecounty.fl.gov	projection quarantaine
hrt@washingtonpost.org	demande d'interview

Un nom de la liste attira son attention. Il lui était étrangement familier, mais elle ne se rappelait plus trop pourquoi. *Laboratoires biologiques à grande échelle.* Pensive, elle fronça le nez, puis la mémoire lui revint : la nuit où la fièvre de Jessie s'était déclarée, Lauren avait été bipée par le même correspondant bien après minuit mais, accaparée par sa petite-fille souffrante, elle n'avait pas eu le temps de répondre.

Ce n'était sans doute rien d'essentiel mais, par curiosité, elle cliqua sur le lien, qui afficha le mail à l'écran. *Dr Xavier Reynolds.* Aussitôt, le nom la fit sourire : après avoir été son étudiant, le jeune homme travaillait quelque part en Californie. Peut-être dans le laboratoire en question. À l'époque, Reynolds comptait parmi les meilleurs élèves de Lauren. Elle avait même souhaité le recruter pour MEDEA à l'Institut Instar, mais il avait décliné l'offre. Sa fiancée ayant accepté un poste de professeur associé à Berkeley, il n'avait, bien sûr, pas voulu se séparer d'elle.

À mesure qu'elle lut le courrier, le sourire de Lauren se figea.

De : xreynolds@largebio.com
Date : 14 août 13:48:28
À : lauren_obrien@instar.org
Objet : **Labo biologiques grande échelle**

Docteur O'Brien,

Veuillez m'excuser de cette intrusion. Je vous ai bipée la nuit dernière, mais j'imagine que vous devez être très occupée. Je serai donc bref.

Comme beaucoup d'autres à travers le pays, notre laboratoire participe aux recherches sur l'épidémie qui fait rage en ce moment et je pense avoir trouvé un angle possible d'attaque, si ce n'est carrément la réponse à la question : *Quelle est la cause de la maladie ?* Toutefois, avant de publier mes découvertes, je souhaitais avoir votre avis. En tant que chef de l'équipe protéonomique établie ici aux Laboratoires biologiques à grande échelle, je tente de séquencer le génome protéinique humain sur le modèle du projet Génome humain consacré à l'ADN. À ce titre, mon pari sur la mystérieuse affection a été de prendre le problème à l'envers. La plupart des agents pathogènes (bactéries, virus, champignons, parasites) ne provoquent pas eux-mêmes les maladies. Ce sont les *protéines* qu'ils fabriquent qui déclenchent les symptômes cliniques. J'ai donc cherché une protéine commune à tous les patients.

Et j'en ai trouvé une ! Quand j'ai ensuite observé sa forme repliée et tordue, une idée m'est venue. La protéine incriminée ressemble étonnamment à celle responsable de l'encéphalopathie spongiforme bovine, ce qui soulève une nouvelle question : *Aurions-nous suivi une mauvaise piste en cherchant une cause virale à la maladie ?*

Quelqu'un a-t-il songé au *prion* comme cause possible ?

Ci-dessous le modèle de la protéine afin que vous puissiez en juger par vous-même.

Titre : prion inconnu (?)
Composé : protéine repliée w/doubles hélices alpha terminales
Modèle :

Méthode Exp. : Diffraction rayon X
Code EC : 3.4.1.18
Source : Patient n° 24-b12, tribu Anawak, basse Amazonie
Résolution : 2.00 **Valeur R :** 0,145
Groupe : P21 20 21
Maille simple :
Dim : a 60,34   b 52,02   c 44,68
Angles : *alpha*   *beta*   *gamma*
         90,00   90,00   90,00
Chaînes polymères : 156L   **Résidus :** 144
Atomes : 1286

À présent, vous disposez de tous les éléments du puzzle. Comme j'ai confiance en votre expertise, docteur O'Brien, j'aimerais avoir votre opinion avant de rendre publique cette théorie pour le moins radicale.

Meilleures salutations,

                      Dr Xavier Reynolds

Un prion ? Lauren effleura le diagramme de la molécule. *Pouvait-il réellement s'agir de la cause de la maladie ?*

La question méritait de s'y attarder. Le mot *prion* était l'abréviation scientifique anglaise de « particule infectieuse protéique ». Le rôle des prions dans certaines pathologies n'avait été découvert qu'au cours de la décennie précédente, valant à un biochimiste américain l'obtention du prix Nobel en 1997. On en trouvait chez tous les êtres vivants, depuis les humains jusqu'aux organismes unicellulaires. En général, ils étaient parfaitement inoffensifs, mais leur structure moléculaire présentait une dualité insidieuse, un peu à la manière de Dr Jekyll et Mister Hyde. Alors que, sous une forme, on ne risquait rien, la même protéine pouvait se replier et se tordre, créer un monstre et ruiner ainsi les processus cellulaires. Et l'effet était cumulatif ! Une fois que le prion replié infiltrait un corps hôte, il convertissait les autres protéines qui, à leur tour, transformaient leurs voisines et le phénomène se propageait de manière exponentielle à travers l'ensemble du système concerné. Pire encore, l'hôte pouvait transmettre le mécanisme à un autre corps, comme s'il s'agissait d'un mode infectieux.

On avait recensé des maladies causées par les prions à la fois chez l'animal et chez l'homme : depuis la tremblante du mouton jusqu'à la maladie de Creutzfeldt-Jakob. À l'heure actuelle, l'affection la plus connue avait même *franchi* la barrière des espèces. Le Dr Reynolds la mentionnait d'ailleurs dans son courrier : l'encéphalopathie spongiforme bovine, plus communément appelée *maladie de la vache folle*.

Cela dit, les pathologies humaines concernées étaient plutôt de nature dégénérative et aucune ne se transmettait aussi facilement. Toutefois, l'hypothèse du prion ne devait pas être écartée pour autant. Lauren avait lu des articles pointus sur son rôle dans les mutations génétiques et certaines manifestations plus sévères. Le monde se retrouvait-il à présent confronté au même phénomène ? Et la contagion sans contact ? Les prions étaient, en fait, de petites particules sousvirales donc, si certains virus se transmettaient par voie aérienne, pourquoi pas des prions ?

Lauren contempla la protéine matérialisée à l'écran et tendit la main vers son téléphone. Alors qu'elle composait le numéro, un frisson glacé lui parcourut l'échine. Pourvu que son ancien étudiant se soit trompé…

Au bout de quelques sonneries, on décrocha :

— Docteur Reynolds, laboratoire protéonomique.

— Xavier ?

— Oui.

— Docteur O'Brien à l'appareil.

— Docteur O'Brien !

L'homme, aux anges, la remercia de son appel et commença à parler avec enthousiasme, mais Lauren l'interrompit :

— Dites-m'en plus sur votre protéine, Xavier.

Elle avait besoin d'un maximum d'informations au plus vite. S'il existait une infime possibilité que le Dr Reynolds ait raison…

Le regard posé sur la molécule en forme de crabe qui envahissait son écran, Lauren se retint de frissonner. Elle savait une chose des maladies déclenchées par les prions.

Il n'y avait aucun remède.

Nate regarda par-dessus l'épaule d'Olin Pasternak. L'expert en communications de la CIA s'énervait de plus en plus contre son système satellite. Des gouttes de sueur perlèrent sur son front, autant à cause de la chaleur étouffante que de son propre désarroi :

— Toujours pas de liaison… Merde !

Il se mordit la lèvre et loucha sur son ordinateur d'un air mauvais.

— Essayez encore, insista Frank.

Auprès de son frère, Kelly affichait un regard à la fois terne et hagard. Nate avait écouté les différentes versions concernant l'attaque de la nuit précédente. Une étrange nuée de sauterelles géantes attirée vers le camp par un symbole ban-ali en feu ? Cela paraissait impossible, imaginable ! Pourtant, la mort de Jorgensen avait rendu l'horreur bien réelle.

Dès que le groupe entier s'était reformé au bord du marais, les Rangers avaient décidé de rester toute la nuit sur le qui-vive. Lors de chaque patrouille, ils cherchaient d'éventuels rôdeurs, épiaient la moindre lueur d'un feu, guettaient un bourdonnement de sauterelles, mais il n'y eut rien à signaler. Aucun événement notable ne se produisit jusqu'à l'aube.

Dès que le satellite de communication s'était trouvé à portée, Olin avait tout installé pour joindre les États-Unis et relayer les messages à la base de Wauwai. Il était vital d'informer toutes les parties des changements de plan. Les explorateurs étant traqués par de mystérieux ennemis, ils avaient décidé de continuer tous ensemble et projetaient de traverser le marais en radeau. Waxman espérait gagner deux jours sur leurs poursuivants condamnés à faire le tour du lac à pied. Une fois sur l'autre berge, il ferait surveiller l'étendue d'eau en permanence à l'affût de pirogues ban-ali et garderait son équipe soudée jusqu'à l'arrivée de l'hélicoptère d'évacuation. Le chef militaire avait prévu d'échanger chaque civil contre un Ranger de la base arrière et, grâce aux renforts, il pourrait continuer à suivre la piste de Gerald Clark.

Un seul petit souci perturbait son plan.

— Je vais devoir désosser l'ordinateur jusqu'à la carte mère, grommela Olin. Quelque chose déconne. Peut-être une puce défectueuse ou un peu trop baladeuse à cause des manipulations chaotiques des derniers jours. Je ne sais pas. Il va falloir que je démonte et que je vérifie tout ça.

Bien qu'en pleine conversation avec son second, Waxman entendit le Russe et s'approcha :

— Pas le temps. Le troisième radeau est prêt et la traversée va bien prendre quatre heures. On doit partir.

Quatre Rangers étaient en train de mettre à l'eau un troisième radeau auprès des deux fabriqués la veille au soir. À présent que l'équipe était rassemblée, il avait fallu construire une embarcation supplémentaire.

Un mini-tournevis à la main, Olin s'affaira sur son ordinateur et son matériel satellite :

— Sauf que je n'ai pu joindre personne. Ils ne sauront pas où on se trouve.

Très pâle, il s'essuya le front d'un revers de main.

Juste à côté, Zane se balançait d'un pied sur l'autre. Un bandage en travers de sa joue cachait une morsure de sauterelle.

— Si on envoyait quelqu'un récupérer le matériel radio de Jorgensen ? suggéra le délégué de Tellux.

Et, *hop !* tout le monde se mit à parler en même temps, défendant des avis contraires :

— On perdrait une journée à poireauter.

— On risquerait de nouvelles vies.

— Il faut quand même arriver à joindre l'extérieur !

— Qui sait si la radio fonctionne encore avec toutes ces sauterelles ? Elles ont peut-être endommagé les circuits et…

D'une voix de stentor, Waxman interrompit la cacophonie :

— Il n'y a aucune raison de s'alarmer. À supposer qu'on ne puisse pas joindre Wauwai, ils savent à peu près où on est grâce au rapport d'hier. Quand l'hélicoptère d'évacuation arrivera demain comme prévu, on l'entendra, même de l'autre côté du marais. Grâce à des fumigènes orange, on pourra alors leur indiquer notre nouvelle position.

Nate approuva en silence. Il n'avait pas participé à la discussion. Dans son esprit, il n'y avait qu'une solution : *avancer*.

— Rangez-moi tout ça, Olin, ordonna le capitaine. Vous essaierez de réparer quand on sera de l'autre côté.

Le Russe hocha la tête, résigné, et rangea son minuscule tournevis dans sa pochette à outils.

Après quoi, chacun partit réunir son matériel et se préparer au départ.

En allant réveiller Tor-tor, Manny croisa Nate :

— Au moins, on n'aura pas à marcher.

Assoupi sous un palmier, le jaguar, imperturbable, récupérait de leur randonnée nocturne.

Nate étira son cou tout noué et se dirigea vers Kouwe, qui fumait sa pipe sur la berge. Comme Kelly, il paraissait hagard. Quand Nate et Warczak avaient retrouvé les rescapés, le professeur s'était montré inhabituellement sombre, silencieux et la perte de Jorgensen ne semblait pas en être la cause unique.

Les yeux rivés au lac, Nate resta de longues minutes à côté de son vieil ami sans rien dire.

Enfin, Kouwe rompit le silence, le regard toujours droit devant lui :

— Ils nous ont envoyé les sauterelles... les Ban-ali... Ils ont décimé la tribu yanomami avec les mons-trueux piranhas. Je n'ai jamais rien vu de pareil. On dirait que les Jaguars de Sang peuvent vraiment contrôler la jungle mais, si ce mythe est réel, quels autres fléaux peuvent bien nous attendre ?

— Qu'est-ce qui vous tracasse ?

— Cela fait bientôt vingt ans que je suis professeur d'études indiennes, balbutia-t-il d'une voix meurtrie. J'ai grandi dans la jungle. J'aurais dû savoir... le capo-ral... ses cris...

Le jeune Américain posa la main sur son épaule :

— Vous les avez tous sauvés avec la poudre de *tok-tok*.

— Pas tous, rectifia-t-il en exhalant un rond de fumée. J'aurais dû penser à rallumer le symbole Ban-ali avant de quitter le camp : le jeune caporal aurait survécu.

Sur un ton sec, Nate balaya le remord et la culpa-bilité qui rongeaient son ami :

— Vous êtes trop sévère avec vous-même. Aucune étude, aucune expérience ne vous a préparé à affronter les Ban-ali et leurs attaques. Jusqu'à aujourd'hui, per-sonne n'avait rien rapporté de tel.

Tandis que Kouwe acquiesçait sans conviction, Waxman convoqua ses troupes sur le rivage :

— On charge ! Cinq par radeau.

Il assigna une place à chaque Ranger, puis répartit les civils de manière équitable.

Nate se retrouva avec Manny, Kouwe et Tor-tor sous la protection de Carrera et d'Okamoto. Ils durent s'enfoncer dans l'eau pour atteindre les radeaux de bambou mais, au moment de se hisser à bord, Nate fut impressionné par la solidité de la construction. Il aida ensuite Manny à faire monter son fauve.

Tor-tor n'était pas ravi de se mouiller et, le temps qu'il s'ébroue, les autres explorateurs gagnèrent leurs radeaux respectifs.

Leurs voisins, Kelly et Frank, étaient accompagnés du capitaine Waxman et des caporaux Warczak et Yamir.

Les cinq derniers grimpèrent sur le radeau restant. Olin prit soin de porter son matériel satellite bien au-dessus de sa tête. Richard Zane et Anna Fong lui donnèrent un coup de main. Ils étaient flanqués d'un Tom Graves impassible et d'un sergent Kostos renfrogné.

Une fois tout le monde installé, ils utilisèrent des perches en bambou pour dégager les radeaux de la rive, mais le lit du lac était en pente raide et, à trente mètres du bord, les tiges ne touchaient déjà plus le fond. On sortit les rames. Avec quatre rames par radeau, les équipes pouvaient organiser des rotations et faire en sorte qu'il y ait toujours une personne au repos. L'idée était de traverser d'une traite, sans avoir besoin de s'arrêter.

Nate manœuvrait à tribord et, doucement, la flottille navigua vers l'autre rive. Le grondement lointain des cascades, assourdissant et menaçant, résonnait sur l'eau. La main en visière pour se protéger les yeux, le jeune homme constata que les hautes terres restaient nimbées de brume. Au final : un mélange de jungle verdoyante, de falaises rouges et de brouillard épais. Leur destination ? Un étroit ravin entre deux grandes mesas aplaties. C'était par là que pointait le dernier message de Clark.

Au fil du trajet, ils se firent repérer par les habitants du marais. Une aigrette blanche comme neige survola le lac en rase-mottes. Des grenouilles bondirent de leur monticule bourbeux en éclaboussant bruyamment autour d'elles et des hoazins huppés, hybrides monstrueux de dinde et de ptérodactyle, poussèrent des cris stridents lorsque les radeaux longèrent leurs nids cachés en haut des palmiers des petites îles. Les seuls à sembler se réjouir de leur présence étaient les nuages de moustiques, bourdonnant de joie à l'approche du festin flottant.

Manny se frappa le cou :

— Saletés d'insectes ! J'en ai marre de servir de repas à toutes ces bestioles volantes.

Pire encore, Okamoto se remit à siffler de façon monocorde, toujours sans aucun sens du rythme.

Nate soupira. Le voyage allait être long.

Une heure plus tard, les monticules bourbeux disparurent. Au centre du marais, les eaux étaient trop profondes pour qu'émergent les îlots de terre et de jungle. De temps à autre, seule la pointe d'un tertre, souvent aride, venait troubler le paisible lac.

À cet endroit-là, le soleil, torride et lumineux, dardait ses rayons directement sur eux.

— On se croirait au sauna, commenta Carrera à bâbord.

Nate ne pouvait qu'être d'accord. Vu le taux d'humidité dans l'air, ils avaient du mal à respirer et, plus la fatigue s'installait, plus ils ralentissaient. Les gourdes passaient de main en main. Même Tor-tor haletait, étendu au milieu du radeau.

Leur seule consolation ? Être libérés, au moins un temps, de l'étau de la jungle. Entourés d'horizons très vastes, ils se retrouvèrent en proie à un sentiment d'évasion étourdissant, vertigineux. Nate s'attendait toujours à voir un Indien brandir un poing menaçant depuis la rive, mais il avait beau regarder, les Ban-ali ne donnaient aucun signe de vie. Les pisteurs de la tribu fantôme restaient soigneusement cachés. Avec un peu de chance, le groupe les avait distancés de quelques jours.

Kouwe vida sa pipe dans l'eau :

— Je prends le relais.

— Ça va, répondit Nate.

Le professeur lui prit la rame des mains :

— Je ne suis pas encore impotent.

Son jeune ami n'insista pas et glissa à la poupe du radeau. À mesure qu'ils s'en éloignaient, leur campement de la veille rapetissait. En attrapant la gourde, Nate surprit un mouvement à droite du radeau. Un îlot noir et rocheux était en train de couler doucement, si doucement qu'il ne créait aucune ride à la surface.

C'est quoi ce machin ?

À gauche, un autre îlot coulait aussi. Nate se leva. Sans lui laisser le temps de signaler l'étrange phénomène, l'un des rochers ouvrit un œil immense et vitreux. D'emblée, le jeune homme comprit :

— Oh, merde !

De plus près, il reconnut les écailles et la forme taillée à la serpe d'une tête de crocodile. Des caïmans... géants ! D'une pupille à l'autre, il devait y avoir près d'un mètre vingt. Et si le crâne était énorme...

— Un problème ? s'inquiéta Carrera.

Il montra le second caïman au moment où il s'immergeait à son tour.

— Qu'est-ce que c'est ? demanda-t-elle, aussi perplexe que Nate quelques instants plus tôt.

— Des caïmans, lâcha-t-il d'une voix rauque. Des caïmans géants !

Tous ses compagnons de navigation avaient cessé de ramer, incrédules.

Il agita le bras et brailla à l'adresse de deux autres équipes :

— Dispersons-nous ! On va se faire attaquer !

— Par quoi ? demanda Waxman, à cinquante mètres de là. Qu'avez-vous vu ?

En guise de réponse, une masse énorme se faufila entre le radeau de Nate et son voisin, bouscula les embarcations et les fit virer légèrement de bord. Malgré la brume, les deux crêtes de la queue de la bête apparurent clairement.

Nate connaissait ce comportement-là. On appelait cela *cogner*. Le roi des caïmans, le grand caïman noir, n'était pas un charognard. Il aimait chasser lui-même sa nourriture. Voilà pourquoi se laisser dériver sans remuer le petit doigt pouvait vous protéger de prédateurs aussi redoutables. Souvent, ils cognaient ce qu'ils pensaient être de la nourriture pour voir si elle bougeait.

Et voilà qu'ils venaient d'en faire les frais !

Au loin, le troisième radeau tangua. L'autre caïman était en train de tester les intrus.

Nate révisa son plan initial :

— Ne bougez pas ! Que plus personne ne rame ! Vous allez les attirer !

— Faites ce qu'il dit ! renchérit Waxman. Armes levées, grenades prêtes !

Accroupi, Manny éprouvait un sentiment de crainte mêlée d'admiration :

— Ces bêtes mesurent au moins trente mètres de long. Plus de trois fois la taille normale d'un caïman.

Carrera équipa son M-16 d'un lance-grenades :

— Pas étonnant que Clark ait préféré contourner le marais !

Okamoto prépara son fusil, embrassa le crucifix qu'il portait en pendentif et lança à Kouwe :

— Je prie pour que vous nous sortiez une autre poudre magique de votre manche.

Les yeux ronds, le chaman répondit sans ciller :

— Et moi, je prie pour que vous soyez de bons tireurs.

Devant le regard interrogateur du caporal, Nate expliqua :

— Leur corps est recouvert d'un véritable blindage. La seule façon de les tuer à coup sûr est de viser les yeux.

— Il y a aussi le palais, ajouta Manny, le doigt pointé vers sa propre bouche, mais, là, il faut être sacrément près.

Un genou à terre, Carrera épaula son fusil :

— Tout le monde à bâbord !

Un long clapotis menaçant troublait la surface de l'eau.

— Ne tirez pas tant que vous n'êtes pas sûre de votre coup, conseilla Nate. Vous n'aurez droit qu'à une seule chance.

Dans le silence de mort, Waxman entendit l'avertissement :

— Écoutez le Dr Rand. Tirez si vous avez une fenêtre… mais ne ratez pas votre cible !

Les fusils se hérissèrent autour de chaque radeau. Nate prit son arme lui aussi et ils attendirent. Sous la chaleur cuisante du soleil, ils avaient la bouche sèche, de la sueur dans les yeux. Les caïmans, qui ne cessaient de leur tourner autour, faisaient à peine frissonner l'eau. De temps à autre, l'un d'eux cognait un bateau, histoire de le tester.

— Ils peuvent tenir combien de temps ? se renseigna Carrera.

— Des heures, annonça Nate.

— Pourquoi n'attaquent-ils pas ? demanda Oka-moto.

— Ils ne comprennent pas ce qu'on est. Ils vou-draient savoir si on est comestibles.

— Espérons qu'ils ne le découvrent jamais, bre-douilla le Ranger asiatique, mal à l'aise.

À mesure que l'attente se prolongeait, l'air sembla encore s'épaissir autour d'eux.

— Si on lançait une grenade au loin ? proposa Car-rera. Une diversion pour les attirer ailleurs.

— Je ne suis pas sûr du résultat. Ça pourrait très bien les exciter et les pousser à sauter sur tout ce qui bouge.

Zane se trouvait sur le radeau le plus éloigné, mais on entendit ce qu'il racontait :

— Moi, je dis qu'on attache des explosifs au jaguar, qu'on le jette par-dessus bord et, quand un crocodile vient le choper, on déclenche la bombe.

Nate frémit, Manny semblait écœuré, mais quelques regards appuyés convergèrent vers eux.

— Même si son idée fonctionnait, on n'en tuerait qu'un, objecta le biologiste. L'autre, qui est manifes-tement son conjoint, entrerait dans une rage folle et attaquerait. Notre meilleure chance est d'espérer qu'ils finissent par se lasser. Après quoi, on pourra se remettre à ramer.

Waxman se tourna vers Yamir, son expert en explo-sifs :

— Au cas où les crocodiles ne se décourageraient pas, soyons prêts à les occuper un peu. Sortez-moi deux bombes au napalm.

Obéissant, le caporal fouilla dans son paquetage et le petit jeu de l'attente reprit. Les secondes parais-saient une éternité.

Nate sentit son embarcation tanguer : un caïman frottait sa queue épaisse contre le fond.

— Accrochez-vous !

Soudain, le radeau se cabra et la poupe décolla violemment. Les cinq occupants se cramponnèrent au bambou comme des araignées. Des sacs, mal attachés, basculèrent dans le marais en projetant des gerbes d'eau, puis tout le monde fut de nouveau secoué quand l'embarcation retomba lourdement.

— Tout le monde va bien ? cria Nate.

On entendit quelques murmures de confirmation.

— J'ai perdu mon fusil, grogna Okamoto.

— Je préfère que ce soit votre arme plutôt que vous, répliqua Kouwe.

— Ils commencent à s'enhardir ! lança le botaniste d'une voix plus forte.

Le Ranger tendit le bras vers un sac qui flottait près d'eux :

— Mon matériel…

— Arrêtez, caporal ! mugit Nate.

Okamoto se figea net :

— Merde…

Il avait déjà attrapé une bretelle de son sac à dos et l'avait sorti à moitié de l'eau.

— Laissez ça et éloignez-vous du bord.

Le caporal lâcha le sac, qui clapota légèrement en se renfonçant dans le lac, puis il retira sa main.

Hélas, il n'avait pas réagi assez vite.

Le monstre jaillit des profondeurs en ouvrant une gueule béante. Les écailles ruisselantes, la forteresse blindée s'éleva trois mètres au-dessus de l'eau, hérissée de dents presque aussi longues que l'avant-bras. Le sac et le haut du corps d'Okamoto furent engloutis d'un coup. Le Ranger se sentit happé et hurla de terreur. Quand les gigantesques mâchoires se refermèrent dans un grand craquement d'os, le cri d'Okamoto se mua en plainte stridente de douleur et d'incrédulité. La bête secoua le militaire comme une poupée de chiffon dont les jambes battaient dans le vide, puis elle replongea sous l'eau.

— Feu ! hurla Waxman.

Nate était tétanisé de stupeur. Carrera tira une salve. Les balles de son M-16 constellèrent le ventre du géant préhistorique, mais ce dernier avait des écailles en Kevlar. Elle avait tiré à bout portant, mais elle n'avait presque pas causé de dégâts. Le point faible de l'animal – ses yeux – se trouvait de l'autre côté.

Nate prit son fusil, allongea le bras au-dessus de la tête de Manny et pressa la détente. Une charge de plomb traversa l'air, alors que la bête s'échappait hors de portée. Dans la panique, il venait de gaspiller une balle.

Le caïman était parti. Okamoto aussi.

Tous étaient pétrifiés par le choc.

Nate sentit son radeau tanguer au passage de la créature. Il contempla l'endroit où le Ranger avait disparu. Okamoto et ses satanés sifflements... De petites bulles rouges remontèrent à la surface.

Du sang sur l'eau... Les monstres savaient à présent qu'il y avait de quoi manger.

Kelly s'accroupit au centre du radeau avec son frère. Waxman et Warczak se tenaient à genoux, arme à l'épaule, prêts à tirer. Quant à Yamir, il terminait de préparer deux bombes noires. Chaque engin, de la taille d'une assiette, était surmonté d'un capteur/minuteur électronique. L'expert en explosifs recula :

— Mission accomplie, capitaine.

— Récupérez votre arme et ouvrez l'œil.

Le caporal prit son M-16 et commença à surveiller son côté du lac.

Un craquement résonna derrière eux. Kelly se retourna juste à temps pour voir le troisième radeau se cabrer à son tour, exactement comme celui de Nate quelques instants plus tôt. Hélas, les occupants n'eurent pas la même chance. La pauvre Anna Fong fut propulsée en l'air et retomba dans l'eau. Zane et Olin, en revanche, étaient parvenus à s'accrocher, de même que Kostos et le caporal Graves.

Anna refit surface. Elle avait bu la tasse, toussait bruyamment mais n'était qu'à quelques mètres de son embarcation.

— Ne bougez pas ! lui intima Nate. Plaquez vos bras le long du corps et laissez-vous flotter !

La petite anthropologue essaya d'obéir, mais son sac à dos gorgé d'eau l'entraînait par le fond et elle devait battre des pieds pour ne pas couler. Les yeux exorbités de panique, elle était terrifiée à l'idée de se noyer ou d'être attaquée par un prédateur aquatique.

Sur le radeau, c'était le branle-bas de combat. Kostos tendit à la jeune femme une longue perche en bambou qui leur avait permis de quitter la rive :

— Attrapez ça !

Anna allongea le bras, tâtonna quelques secondes et réussit enfin à l'agripper du bout des doigts.

— Je vais vous tirer jusqu'au radeau.

— Non ! bêla-t-elle.

— Ça devrait fonctionner si vous ne faites aucun mouvement brusque, la rassura Nate. Kostos, tirez-la doucement jusqu'à vous, sans provoquer la moindre ondulation.

Kelly tremblait. En grand frère protecteur, Frank la prit par les épaules.

Avec d'infinies précautions, le sergent-chef ramena la jeune Asiatique vers le radeau.

— Bien, bien..., murmura Nate, tendu.

Soudain, un museau émergea derrière elle. Les yeux, eux, étaient toujours cachés sous l'eau.

— Que personne ne tire ! hurla Nate. Ne l'excitez pas !

Toutes les armes étaient pointées sur la bête, mais il n'y avait aucune opportunité de tir.

Dès l'apparition du caïman, Kostos s'était figé avec son bambou. Plus personne ne remuait un cil.

Un gémissement s'échappa de la bouche d'Anna.

Le museau avança au ralenti et, peu à peu, ses énormes mâchoires s'entrebâillèrent.

Kostos recommença à traîner doucement l'anthropologue jusqu'à lui en la maintenant à cinquante centimètres du monstre.

— Attention ! cria Nate.

On se serait cru dans une scène de chasse macabre filmée seconde par seconde... et, là, ils étaient en train de perdre la partie.

La gueule, de plus en plus béante, se trouvait désormais à moins de trente centimètres de la jeune femme. Pour Nate, une chose était sûre : le monstre allait attaquer.

Quelqu'un d'autre s'en aperçut.

Le Ranger Graves se leva d'un bond et, tel un champion olympique de saut en longueur, il sauta par-dessus la tête d'Anna.

— Graves ! hurla Kostos.

Le caporal atterrit sur le museau de la bête, referma ses mâchoires et la força à plonger.

— Remontez-la à bord ! beugla-t-il avant d'être entraîné sous l'eau par le caïman.

Kostos ramena Anna au radeau et la hissa sur la plate-forme avec l'aide d'Olin.

Un instant plus tard, le monstre reparut. Le militaire était toujours cramponné à son énorme tête. Le caïman gesticula pour essayer de déloger l'étrange cavalier. Ses mâchoires s'entrouvrirent. Un râle sortit.

— Va te faire foutre ! brailla Graves. Ça, c'est pour mon frère !

Tout en serrant les jambes autour de la carcasse, il extirpa de sa veste un objet qu'il lui balança dans le gosier.

Une grenade.

Les puissants maxillaires tentèrent de se refermer sur le Ranger. Sans succès.

— Tout le monde à terre ! vociféra Waxman.

Graves bondit de son perchoir vers le radeau :

— Bouffe-moi ça, connard !

Derrière lui, la déflagration retentit sur le marais silencieux. La tête du caïman explosa, déchiquetée par la bombe.

Encore en l'air, le brave caporal poussa un cri de triomphe.

Soudain, l'autre crocodile surgit des profondeurs sous-marines, s'en saisit, tel un chien attrapant une balle au vol, puis retomba dans l'eau en emportant sa proie. L'attaque ne dura que quelques secondes.

Le cadavre du premier animal remonta doucement à la surface, ventre à l'air, exposant ses écailles gris et jaune.

Quelques instants plus tard, le groupe s'aperçut que quelque chose le cognait par en dessous. Les eaux ondulaient autour de l'énorme masse : le survivant examinait la dépouille.

— Il va peut-être partir, espéra Frank. La mort de l'autre pourrait l'avoir effrayé.

Kelly savait bien que non. Ces créatures-là devaient avoir plusieurs centaines d'années. Conjoints pour la vie, ils étaient sans doute le seul couple de leur espèce à se partager l'écosystème.

Les rides en surface s'évanouirent. Le lac redevint calme.

Les yeux rivés sur l'eau, tout le monde retenait son souffle ou respirait bruyamment. Sous un soleil brûlant, les minutes s'égrenèrent.

— Où est passé ce salopard ? murmura Zane.

À côté de lui, sa collègue, Anna, toute mouillée et livide, tremblait de terreur.

— Il est peut-être bien parti, insista Frank.

Les trois esquifs dérivaient doucement à côté du premier prédateur mort. Face à elle, Kelly croisa le regard de Nate. D'un signe de tête, le jeune homme voulut la rassurer, mais même lui, malgré son expérience de la jungle, semblait atterré. Derrière, Tor-tor était couché auprès de son maître, le poil hérissé.

Frank remua légèrement les jambes :

— Il a dû se sauver. Peut-être que…

Une fraction de seconde avant que l'animal ne frappe, sa sœur sentit un gros remous sous leur radeau :

— Accrochez-vous !

— Quoi ?

D'un seul coup, leur embarcation se retrouva projetée en l'air, déchiquetée en son centre par la gueule énorme du caïman fou furieux.

Lorsqu'elle décolla de terre, Kelly vit fugacement les autres retomber sous une pluie de bambous et de sacs :

— Frank !

Son frère s'était écrasé de l'autre côté du monstre.

À son tour, elle retomba lourdement dans l'eau, sur le ventre. Le souffle coupé, elle crachota, puis se rappela que Nate leur avait conseillé de rester le plus immobile possible. Au moment où elle relevait les yeux, un fragment du radeau s'abattit sur elle.

Elle eut tout juste le temps d'éviter le choc fatal, mais un coin du rondin lui heurta la tête. Elle s'évanouit et coula à pic, engloutie par les ténèbres du lac.

Derrière le corps sans vie du caïman, Nate assista à la scène. Kelly était-elle morte ou inconsciente ? Difficile à dire. Sacs, morceaux de bois et coéquipiers surnageaient autour du radeau dévasté.

Tout en la cherchant du regard, il hurla à ses compagnons :

— Continuez de flotter sans bouger !

Le caïman avait regagné les profondeurs du lac.

— Kelly ! appela Frank.

Sa sœur remonta à la surface, au-delà de l'épave. Elle ballottait sur le ventre, amorphe.

Nate hésita. *Avait-elle péri ?* Soudain, un bras remua mollement. *Elle était vivante !* Mais pour combien de temps ? Étourdie par le coup, elle risquait de se noyer.

— Putain de merde !

Il chercha un moyen de la sauver. Non loin de la jeune femme se trouvait un îlot surmonté d'un arbre tropical. Son large tronc jaillissait d'un enchevêtrement de racines contreforts, puis se terminait dans une grosse gerbe de branches pendues au-dessus de l'eau. Si Kelly pouvait l'atteindre…

Un cri attira l'attention de Nate. La tête du caïman resurgit, tel un sous-marin parmi les vestiges du radeau. Un œil immense observa les alentours. On lui tira dessus, mais il restait à couvert, protégé par les débris, les membres de l'équipe et, brusquement, il redisparut.

Enfin, Frank repéra sa sœur :

— Oh, mon Dieu… Kelly !

Il voulut sauter pour lui prêter main-forte.

— Ne bougez pas ! rugit Nate. J'y vais !

Il lâcha son fusil.

— Qu'est-ce que tu fabriques ? tressaillit Manny.

Sans répondre, son ami s'élança vers le caïman mort. Il y retomba à moitié accroupi, puis courut sur toute sa longueur en tâchant de s'approcher au maximum de la malheureuse.

Un hurlement s'éleva à droite. Le caporal Yamir lutta un bref instant, puis finit emporté sous l'eau. De grosses bulles remontèrent à la surface. Le caïman était en train de tuer les survivants un à un.

Il n'y avait plus une seconde à perdre !

En poussant de toutes ses forces sur les cuisses, Nate piqua un sprint vers l'Américaine, plongea et se retrouva vite près d'elle. Lorsqu'il la fit pivoter à lui, elle se débattit faiblement.

— Kelly ! C'est Nate ! Ne bougez pas !

Elle dut entendre, car son corps se relâcha.

Le jeune homme nagea rapidement en direction de l'îlot et se fraya un chemin entre les débris. Tout à coup, sa main heurta une espèce d'assiette noire ornée de diodes rouges clignotantes. Une bombe du caporal Yamir !

D'instinct, il s'en empara et poursuivit sa route.

— Derrière vous ! beugla Kostos.

Nate lorgna par-dessus son épaule.

Un sillage ondulant fondait vers lui. Le bout d'un museau émergea, puis ce fut toute la tête noire de l'énorme mâle, et Nate se retrouva nez à nez avec la bête. Il lut l'intelligence dans son regard. Ce n'était pas une brute épaisse. Faire le mort ne servirait à rien.

Il se remit donc à pagayer frénétiquement avec sa bombe au napalm vers l'îlot de terre. Enfin, ses pieds touchèrent la vase.

Galvanisé par la peur, il agrippa Kelly par le bras et la tira sur la berge.

— Il est sur vous !

Sans se retourner, il courut vers le fouillis de racines, y poussa le médecin et plongea après elle. Il y avait une cavité naturelle derrière les contreforts.

Kelly se réveilla groggy, cracha de l'eau et regarda autour d'elle, affolée. Vu l'espace exigu, Nate lui atterrit droit dessus.

— Qu'est-ce que... ?

Soudain, ayant sans doute aperçu leur prédateur, elle écarquilla les yeux :

— Oh, merde !

Roulé-boulé de Nate, qui vit le monstre se jeter violemment contre la rive, comme si une locomotive percutait une voiture sur les rails. Le choc ébranla l'arbre. On aurait pu croire que le végétal allait s'écraser sur l'eau, mais il tint bon. Le caïman fixa Nate entre les racines, la gueule béante, les crocs brillants et menaçants, puis, après l'avoir défié du regard, il fit machine arrière.

— Vous m'avez sauvée, haleta Kelly.

Dans l'étroite prison de racines, leurs nez se frôlaient presque.

— Ou failli vous faire tuer, lâcha Nate. Tout dépend de quel point de vue on se place.

Une fois à genoux, il s'aida d'une racine pour se redresser.

— D'ailleurs, on n'est pas encore sortis de l'auberge.

Il scruta le lac à l'affût d'un mouvement. Il le savait, le calme n'était qu'apparent. Le crocodile les épiait toujours quelque part. Après avoir inspiré à fond, il quitta leur refuge providentiel.

— Où allez-vous ?

— Il y a d'autres personnes dans l'eau. Y compris votre frère.

La bombe coincée sous sa chemise, Nate entreprit de gravir l'arbre. Alors qu'un plan se dessinait peu à peu dans son esprit, il choisit une branche solide près de la cime et y rampa doucement jusqu'à se retrouver au-dessus de l'eau. Plus le rameau s'amincissait, plus il ployait sous son poids, ce qui incita le courageux explorateur à se montrer encore plus prudent.

Parvenu presque au point de rupture, il jeta un coup d'œil sous son perchoir. Cela ferait l'affaire. Du moins, il le fallait.

Il ressortit la bombe et apostropha l'autre radeau :

— Quelqu'un sait-il armer ce genre de truc ?

— Pianotez manuellement le délai avant explosion ! s'époumona Kostos. Ensuite, appuyez sur le bouton rouge.

Toujours à l'eau, Waxman ajouta, impressionnant de sang-froid :

— La bombe a un rayon d'action de deux cents mètres. Si vous ratez votre coup, elle nous tuera tous.

D'un air approbateur, Nate examina la partie supérieure de l'engin, où brillait un simple clavier de calculette. En espérant que le dispositif n'avait pas été abîmé par l'eau ou les chocs, il régla la minuterie sur quinze secondes. Cela devrait suffire.

Après quoi, il serra délicatement la bombe contre lui, sortit son couteau et, les dents serrées, s'entailla volontairement le pouce. La douleur était insupportable, mais il fallait que la blessure saigne beaucoup.

À l'aide d'une branche voisine, il se releva de son perchoir instable. Il attrapa la bombe avec sa main blessée et, une fois assuré d'avoir une bonne prise, il allongea le bras au-dessus de l'eau. Le sang ruissela sur le disque noir et s'écrasa dans le marais en grosses gouttes épaisses.

Nate tint bon, le doigt posé sur le bouton de mise à feu :

— Allez, salopard !

En Australie, il avait visité un parc animalier, où un crocodile marin de dix mètres sautait pour attraper un poulet fraîchement décapité et empalé sur une perche.

Nate s'en était beaucoup inspiré pour échafauder son plan… à la différence près que, ce jour-là, l'appât, c'était lui.

D'un geste, il répandit ainsi plus de sang.

— Où es-tu ? siffla-t-il.

Son bras commençait à fatiguer.

Pourtant, le caïman était capable de flairer l'odeur de la petite flaque écarlate à des kilomètres à la ronde.

— Allez, grouille !

Les autres flottaient toujours au milieu des décombres. Sans savoir où le prédateur se trouvait, aucun membre des deux radeaux restants n'osait prendre le risque de ramer pour aller les secourir.

Distrait un court instant, l'apprenti héros faillit rater l'image fugace d'une masse énorme glissant vers l'îlot.

— Nate ! hurla Kelly.

Bingo !

Le caïman bondit sur lui, mâchoires grandes ouvertes, et poussa un rugissement.

Ni une ni deux, Nate enclencha la minuterie et lâcha la bombe luisante de sang dans sa gueule. Soudain, il comprit qu'il avait largement sous-estimé la hauteur à laquelle le puissant animal sauterait.

Il s'accroupit sur son perchoir, puis s'élança pour aller s'écraser contre les feuilles et empoigner une branche plus haut.

Il retira les jambes à l'instant précis où les mâchoires du monstre se refermèrent tout près de son fond de pantalon. Le crocodile haleta sur son dos et, privé de sa proie, il retomba à l'eau dans un éclaboussement spectaculaire.

La branche sur laquelle Nate s'était d'abord installé avait été sciée net. S'il s'était trouvé encore là...

Le caïman quitta lentement les hauts-fonds vaseux pour regagner les profondeurs. Nate put apprécier sa longueur. Un mâle, trente-cinq mètres au bas mot.

Pendu à son arbre, il fusilla du regard l'animal qui s'était provisoirement détourné de lui et revenait vers les autres en quête de proies plus faciles.

Avant qu'elle ait accompli un demi-tour complet, la bête tressaillit. Il avait oublié de compter les secondes.

Le ventre du monstre gonfla comme un ballon. Le caïman voulut vagir mais, de sa gueule, il ne sortit qu'un jet de flammes. On aurait dit un dragon ! Il roula sur le flanc, puis sombra au fond du marais. Soudain, une explosion étouffée fit jaillir une immense colonne d'eau et de feu charriant des morceaux de crocodile.

Nate se cramponna à son nouveau perchoir. Juste en dessous, Kelly hurla.

Après un bref effet de souffle, des morceaux de chair embrasés commencèrent à pleuvoir sur le lac. L'effet de la bombe avait été contenu par la masse et le blindage du géant.

Un cri de triomphe s'éleva du marais.

Nate descendit de son arbre :

— Tout va bien, Kelly ?

Elle caressa sa plaie à la naissance des cheveux :

— Ma tête me fait un peu mal, mais ça ira.

Elle toussa bruyamment.

— J'ai dû avaler au moins quatre litres d'eau.

Il l'aida à rejoindre la rive. Pendant que Kostos récupérait les nageurs et les sacs, le radeau de Nate, manœuvré par ses amis et Carrera, se dirigea vers eux pour leur éviter de nager.

La Ranger aida Kelly à monter à bord. Manny attrapa Nate par le poignet et le hissa en gloussant :

— Tu réfléchis vite, Doc !

Son ami esquissa un sourire las :

— Nécessité est mère d'invention, mais je serai sacrément content de retrouver le plancher des vaches.

Tandis que le groupe pagayait pour rejoindre l'autre radeau, Kelly s'inquiéta :

— Vous pensez qu'il peut y en avoir d'autres ?

— J'en doute, répondit Manny avec une étrange pointe de regret. Malgré l'ampleur de cet écosystème, il ne doit pas y avoir assez de nourriture pour alimenter plus de deux prédateurs pareils. Enfin, mieux vaut ouvrir l'œil, au cas où ils auraient des petits. Même bébés, ces monstres pourraient nous causer du souci.

Carrera surveillait les alentours, arme au poing :

— À votre avis, ce sont les Ban-ali qui nous les ont envoyés, comme les sauterelles et les piranhas ?

— Non, intervint Kouwe, mais on peut supposer que les deux caïmans leur tiennent lieu de gardiens. Un peu comme des sentinelles stationnées ici en permanence et censées arrêter les intrus.

Des gardiens ? Nate contempla la berge d'en face. Dans la clarté de l'après-midi, les hautes terres étaient à présent bien visibles. Les cascades argentées dégringolaient le long des falaises rouge sang. Quant aux sommets et aux vallées, ils étaient tapissés d'une jungle verdoyante.

Si le professeur avait raison, les explorateurs avaient donc devant eux le pays des Ban-ali.

Il compta les têtes sur l'autre radeau. *Waxman, Kostos, Warczak et Carrera.* Des douze Rangers envoyés en Amazonie, il n'en restait plus que quatre… et ils n'avaient même pas encore atteint le cœur mortel du territoire ban-ali.

— On n'y arrivera jamais, marmonna-t-il.

— Ne vous inquiétez pas, le rassura Carrera. On tiendra jusqu'à l'envoi des renforts, qui ne devrait pas prendre plus d'une journée.

Nate fronça les sourcils. *En moins de vingt-quatre heures, ils avaient perdu trois militaires d'élite.* Une journée, ce n'était pas rien ! En son for intérieur, il n'était plus très sûr de vouloir réellement toucher la terre ferme, du moins celle-là, mais ils n'avaient pas le choix. Une véritable peste se propageait partout en Amérique et leur petite équipe était peut-être la seule capable de trouver une solution. Hors de question de revenir en arrière !

Conscient que son père s'était lui aussi exposé aux risques biologiques en empruntant la même route, Nate ne pouvait, de toute façon, plus rebrousser chemin. En dépit des morts et des dangers, il devait découvrir ce qui était arrivé à l'expédition précédente. Épidémie ou pas, il fallait continuer.

À l'approche de la berge, Waxman lança :

— Restez aux aguets ! Dès qu'on aura accosté, éloignez-vous rapidement. On installera un camp un peu plus loin dans la forêt.

Hypnotisé par le marais, le capitaine semblait redouter la présence possible d'autres caïmans. De son côté, Nathan sonda la jungle droit devant eux, car il savait que le véritable danger se situait là-bas : les Ban-ali.

Le chef des Rangers s'adressa ensuite à Olin Pasternak :

— Et vous, établissez-moi la liaison au plus vite. On a une fenêtre de trois heures avant que notre satellite soit hors de portée pour la nuit.

— Je ferai de mon mieux, promit Olin.

Waxman hocha la tête. Malgré sa grosse voix assurée, Nate le sentait aussi stressé que lui et, bizarrement, il s'en trouva plutôt assuré. Un homme sous tension gardait un œil vigilant sur ce qui l'entourait et, de toute évidence, leur survie allait en dépendre.

Les deux radeaux ne tardèrent pas à toucher la terre ferme. En position de tir, les Rangers descendirent les premiers et se déployèrent sous les premiers arbres. Bientôt, des « Rien à signaler ! » résonnèrent des ténèbres de la jungle.

Alors qu'il attendait le feu vert pour débarquer, Nate entendit d'innombrables cascades ronronner. De chaque côté, d'immenses falaises encadraient un défilé étroit étouffé par la forêt tropicale. Au centre du canyon, un large cours d'eau débouchait mollement sur le marais.

Warczak émergea de la végétation et fit signe à son chef de le rejoindre :

— J'ai découvert un autre repère de Clark !

Waxman agita son fusil :

— Tout le monde descend !

Sans demander son reste, Nate fonça retrouver le caporal avec les autres. Un majestueux cèdre acajou avait été signalé par un morceau de tissu et une marque était gravée sur l'écorce. Tout le monde l'observa avec un sentiment croissant d'effroi, car on

356

ne pouvait se faire aucune illusion sur la signification de la flèche pointée en direction du défilé.

— Un crâne et des os en croix, bredouilla Zane.
La mort les guettait.

15 h 40

Louis baissa ses jumelles et dit à Jacques :
— Belle distraction quand le caïman a explosé…
Décidément, nos concurrents ne manquent pas de ressources.

Dans la matinée, sa taupe lui avait appris que les Rangers camperaient près de la rive opposée jusqu'à l'arrivée de renforts. En fait, les trois nouvelles pertes devraient sceller le plan de Waxman. Le groupe ne comportait plus que quatre Rangers, donc menace zéro. Les mercenaires pouvaient se débarrasser de l'autre groupe à leur guise… et il ne fallait surtout pas que la donne change.

Louis reprit à l'intention de son lieutenant :
— On va les laisser se reposer jusqu'à minuit, puis réveiller les petits paresseux et les faire galoper un

peu. Qui sait quels autres dangers on nous prépare là-bas ?

Il indiqua le marais.

— Heureusement, ce sont les Américains qui se les coltineront, comme ils l'ont toujours fait jusqu'à maintenant. Autant qu'ils gaspillent la vie de leurs hommes pour nous ouvrir un passage.

— Oui, monsieur. Mon équipe sera prête à la nuit tombée. On est en train de vider plusieurs lanternes pour récupérer assez de combustible.

— Parfait. Une fois que les autres se seront enfuis, nous vous suivrons en canoë.

— D'accord, monsieur, mais…

Hanté par le marais, Jacques se mordit la lèvre inférieure.

Louis lui tapota l'épaule :

— Ne crains rien. Si d'autres bêtes avaient rôdé dans le lac, elles auraient attaqué. Tu devrais être en sécurité.

Il comprenait néanmoins son inquiétude. Ce n'était pas lui qui allait traverser le marais sur un scooter de plongée avec une fine combinaison mouillée pour toute protection. Malgré le matériel de vision nocturne, la traversée se ferait dans les ténèbres boueuses.

Pourtant, Jacques hocha la tête. Il suivrait les ordres.

Louis repartit au campement. Beaucoup d'autres mercenaires étaient nerveux. La tension était palpable, car ils avaient vu les restes du Ranger là-bas, dans la forêt. Le soldat, qui semblait avoir été dévoré vivant jusqu'à l'os, n'avait même plus d'yeux. Quelques sauterelles rôdaient toujours autour du site, mais le nuage s'était dispersé. Alertés par sa taupe, Louis et son équipe avaient traversé la forêt dès le matin, munis de torches remplies de poudre de *tok-tok* au cas où.

Par chance, Tshui avait récolté assez de lianes pour fabriquer le puissant répulsif.

En dépit des menaces, Louis voyait son plan se dérouler sans accroc. Il n'avait pas la vanité de croire qu'ils avaient pu avancer jusque-là sans se faire repérer des Ban-ali mais, jusqu'à présent, les Indiens concentraient leurs efforts sur le groupe de tête.

Louis avait toutefois conscience qu'un tel avantage ne durerait pas éternellement, d'autant qu'ils s'engageaient à présent sur les terres mêmes de la mystérieuse tribu. Il n'était pas le seul à le penser. Un peu plus tôt, trois mercenaires avaient tenté de déserter, terrifiés par les nombreux dangers qui les attendaient. Bien sûr, les lâches avaient été rattrapés et Tshui en avait fait un exemple.

Louis arriva au bivouac. Sa maîtresse était agenouillée devant leur tente. En face se trouvait le trio de fuyards, les membres écartelés entre plusieurs arbres. Le Français détourna la tête : Tshui avait réalisé un vrai travail d'artiste, mais il n'avait pas le cœur aussi bien accroché qu'elle.

En l'entendant approcher, elle leva le nez du bol d'eau dans lequel elle nettoyait ses instruments.

Louis lui sourit. Elle se redressa, tout en jambes et en muscles puissants. Il la guida jusqu'à leur tente.

Au moment où elle se baissait pour entrer, l'Indienne poussa une espèce de grondement profond et, impatiente, elle entraîna son amant dans la pénombre étouffante.

Le repos attendrait.

Chapitre 13

Ombres

15 août, 15 h 23
Institut Instar
Langley, Virginie

Lauren frappa à la porte du Dr Alvisio. Le chercheur voulait s'entretenir avec elle de toute urgence, mais elle n'avait pas pu s'échapper plus tôt pour le rencontrer.

Elle avait passé toute la matinée et le début de l'après-midi en téléconférence avec le Dr Reynolds et son équipe des Laboratoires biologiques à grande échelle à Vacaville (Californie). Le prion qu'ils avaient découvert était peut-être un premier élément de réponse à l'énigmatique maladie qui, jusqu'à présent, avait infecté plusieurs centaines de personnes et causé plus de soixante décès. Lauren s'était arrangée pour que les données de son ancien étudiant soient croisées avec d'autres et revérifiées par quatorze laboratoires différents. En attendant les confirmations, elle trouvait enfin le temps d'aller voir son collègue épidémiologiste.

Le jeune médecin de Stanford semblait ne pas avoir dormi depuis des semaines. Une barbe de plusieurs jours assombrissait ses joues et ses yeux étaient injectés de sang.

— Merci d'être venue, docteur O'Brien.

Il l'invita à entrer.

C'était la première fois que Lauren voyait son antre. À sa grande surprise, un mur entier de son bureau pourtant vieillot disparaissait derrière un arsenal informatique dernier cri. Sinon, la pièce était plutôt spartiate : table croulant sous la paperasse, bibliothèque bourrée à craquer, quelques chaises. Unique touche personnelle ? Une bannière des Stanford Cardinals accrochée au mur du fond. Lauren resta néanmoins fascinée par la longue rangée d'ordinateurs, où défilaient des graphiques et des colonnes de chiffres.

— Qu'y avait-il de si urgent, Hank ?

Le doigt pointé vers les écrans, il lâcha d'une voix sombre :

— Il faut que vous voyiez ça.

Lauren prit place sur le siège qu'il lui offrait, face à un moniteur.

— Vous vous souvenez que j'avais parlé d'un éventuel pic de basophiles intervenant assez tôt dans l'évolution de la maladie ? Je vous avais dit que cette découverte clinique permettrait peut-être un diagnostic précoce.

Elle acquiesça, même si, depuis, elle doutait un peu de sa théorie. Les basophiles de Jessie étaient montés en flèche, mais la petite se remettait très bien. On songeait même à la laisser quitter l'aile de soins dès le lendemain. De nombreuses fièvres déclenchaient une montée brutale des basophiles. Ce n'était pas spécifique à la nouvelle maladie.

Elle voulut en toucher un mot au Dr Alvisio, mais il pivota vers son ordinateur et pianota à toute vitesse sur le clavier :

— J'ai mis vingt-quatre heures à éplucher les données de tout le pays pour trouver des cas de fièvre chez les enfants et les personnes âgées avec un pic caractéristique de basophiles. Mon but était d'utiliser ce critère pour créer un nouveau modèle.

Une carte des États-Unis apparut en jaune à l'écran. Chaque État était délimité en noir. De petits points rouges parsemaient l'ensemble, mais la plupart se concentraient sur la Floride et d'autres États du Sud.

— Voici les anciens chiffres. Chaque zone rouge indique une contagion avérée.

Lauren chaussa ses lunettes et se pencha vers l'image.

— En revanche, si on utilise le pic de basophiles comme marqueur, voici une représentation plus exacte du statut actuel de la maladie aux États-Unis.

L'épidémiologiste appuya sur une touche et, *hop !* la carte se remplit de points rouges. La Floride était presque entièrement écarlate, de même que la Géorgie et l'Alabama. Quant aux autres États, jusqu'alors immaculés, ils étaient à présent touchés.

— Vous voyez, le nombre de cas explose, annonça Hank. La plupart de ces patients n'ont pas été placés en quarantaine pour la simple raison qu'ils n'ont pas encore développé les trois symptômes désignés par le CDC pour établir le diagnostic. Conclusion : tous ces malades exposent leur entourage.

Malgré ses réticences, Lauren sentit son ventre se tordre. Même si le Dr Alvisio se trompait au sujet des basophiles, il avait raison sur un point : la détection précoce était fondamentale. Chaque enfant fiévreux devait être isolé immédiatement, qu'il se trouve ou pas dans une zone infectée comme la Floride ou la Géorgie.

— Je comprends, murmura Lauren. Il faut contacter le CDC et leur demander d'organiser une politique de quarantaine au niveau national.

— Absolument, mais ce n'est pas tout.

Hank pianota sur son clavier.

— Je me suis servi de cette nouvelle donnée pour créer un modèle d'extrapolation. Voici la carte de la contagion dans quinze jours.

Il appuya sur ENTRÉE : d'un seul coup, la moitié sud du pays vira au rouge.

Lauren resta muette de stupeur.

— Et un mois plus tard.

Une nouvelle pression sur ENTRÉE, et le raz-de-marée écarlate s'étendit à la totalité du pays.

— Il faut faire quelque chose pour enrayer le phénomène, insista l'expert. Il n'y a pas un instant à perdre.

Les yeux écarquillés, la bouche sèche, Lauren fixa l'écran couvert de taches de sang. Elle tenta de se rassurer en se souvenant que le modèle de propagation imaginé par le Dr Alvisio lui semblait peut-être trop pessimiste. Elle doutait du fait que le pic de basophiles soit effectivement un marqueur précoce de la maladie, mais l'avertissement du jeune médecin était juste : il n'y avait pas un *seul* instant à perdre.

Le bipeur qui vibra contre sa hanche lui rappela que l'épidémie devait être combattue sur tous les fronts à la fois. L'appel venait de Marshall, qui avait fait suivre son code numérique du 911 : il y avait urgence.

— Puis-je utiliser votre téléphone, Hank ?

— Bien entendu.

Pendant qu'il retournait à ses ordinateurs et ses modèles statistiques, elle alla composer le numéro. Le téléphone eut à peine le temps de sonner que Marshall décrocha :

— Lauren…

— Que se passe-t-il ?

Affolé, son mari parla précipitamment :

— C'est Jessie. Je suis à l'hôpital.

Les doigts de Lauren se crispèrent sur le combiné :

— Que se passe-t-il ? Qu'est-ce qui ne va pas ?

— Sa température est remontée, bredouilla-t-il d'une voix blanche. Elle n'a jamais été aussi élevée. Trois autres enfants ont été admis à l'hôpital. De la fièvre. Tous les trois.

— Qu… Qu'es-tu en train de me dire ?

Hélas, elle connaissait déjà la réponse.

Marshall garda le silence.

— Je… j'arrive immédiatement, articula-t-elle enfin.

Elle raccrocha, toute tremblante.

Hank avait entendu sa réaction :

— Docteur O'Brien ?

Elle ne pouvait plus parler. *Jessie… le pic de baso-philes… les autres enfants.* Seigneur, le cauchemar était devenu réalité !

Le regard vitreux, elle fixa la carte des États-Unis marbrée de rouge. Les projections du Dr Alvisio n'étaient pas erronées… et elles n'étaient pas non plus trop alarmistes.

— Tout va bien ?

Lauren secoua doucement la tête, les yeux rivés à l'écran.

Un mois.

Assis de chaque côté d'Olin Pasternak, Kelly et son frère le regardèrent revisser le couvercle du système de communication. L'expert russe avait travaillé dessus tout l'après-midi pour tenter de joindre les États-Unis :

— J'espère que ça va fonctionner. J'ai désossé l'engin jusqu'à la carte mère et j'ai tout remonté. Si ça coince encore, je ne sais pas quoi essayer d'autre.

— D'accord, allez-y, insista Frank.

Après avoir vérifié les branchements une dernière fois, l'informaticien ajusta l'antenne satellite et alluma le capteur solaire. Quelques secondes plus tard, le système d'exploitation boota et l'écran s'anima enfin.

— Ça y est, on est connectés au satellite Hermès !

Tandis qu'Olin poussait un soupir de soulagement, une clameur s'éleva autour de Kelly. Hormis les deux Rangers en poste près du lac, toute l'équipe s'était rassemblée autour du Russe et de son matériel de communication.

— Vous pouvez établir une liaison ? demanda Waxman.

— On va croiser les doigts.

Lorsque le spécialiste se mit à pianoter sur le clavier, Kelly retint son souffle. Non seulement ils devaient donc contacter les États-Unis, car ils avaient un besoin impératif de renforts mais, surtout, elle ne supportait plus de ne rien savoir sur la santé de sa fille. Il fallait qu'elle trouve un moyen de revenir vers elle.

— C'est parti.

Olin entra une dernière série de codes. Le traditionnel compte à rebours s'afficha sur l'écran.

Derrière Kelly, Richard Zane murmura :

— S'il te plaît, marche…

La même prière résonnait dans tous les cœurs.

Lorsque le compte à rebours atteignit zéro, l'écran se figea pendant une seconde interminable, puis les parents de Kelly apparurent, à la fois ébranlés et soulagés.

— Dieu merci ! se réjouit Marshall. Ça fait une heure qu'on essaie de vous joindre.

Olin céda sa place à Frank :

— On a eu des soucis d'ordinateur… entre autres.

Sur des charbons ardents, Kelly s'invita dans le cadre :

— Comment va Jessie ?

La réponse s'inscrit aussitôt sur le visage de Lauren, qui détourna le regard et finit par répondre :

— Elle… Elle va bien, ma chérie.

L'image sautait, comme si l'ordinateur s'était transformé en détecteur de mensonge. Des interférences, puis de la neige dévorèrent les O'Brien. Les derniers mots de sa mère parvinrent hachés.

— Nous travaillons sur un remède… prion… vous envoie des données en ce moment…

Marshall O'Brien prit la parole, mais il y avait de plus en plus de parasites. Leurs interlocuteurs, eux, ne semblaient pas s'apercevoir que la transmission était si mauvaise.

— … hélicoptère en route… armée brésilienne…

— Vous pouvez améliorer la réception, Olin ? souffla Frank.

Le Russe pianota rapidement :

— Je ne sais pas. Je ne comprends rien. On vient de recevoir un document. C'est peut-être ce qui brouille la liaison descendante.

Hélas, chaque fois que l'informaticien entrait un nouveau code, le signal se détériorait un peu plus.

Seuls quelques petits mots passèrent entre deux longs sifflements :

— Frank… te perdons… peux-tu… demain matin… GPS verrouillé…

Rupture de la connexion. L'image tressaillit une dernière fois et se figea.

— Merde ! jura Olin.

— Arrangez-moi ça, lâcha Waxman derrière eux.

— Je ne suis pas certain d'y parvenir. J'ai déjà réparé la carte mère et redémarré tout le système.

— Qu'est-ce qui déraille alors ? balbutia Kelly.

— Impossible à déterminer au juste. On dirait presque qu'un virus a corrompu la totalité de la ligne.

— Eh bien, essayez encore, ordonna le chef des Rangers. Il vous reste une demi-heure avant que le satellite soit hors de portée.

Frank se releva face au groupe :

— Même si on n'arrive pas à rétablir la liaison, on sait, d'après ce qu'on a pu comprendre, qu'un hélicoptère de l'armée brésilienne est en route. Il pourrait être là dès demain matin.

Olin fixa l'écran :

— Oh, mon Dieu…

Il pointa le doigt vers une série de chiffres en haut à droite de l'écran.

— Notre signal GPS…

— Que se passe-t-il ? s'enquit Waxman.

— Il est faux. Ce qui a endommagé notre système de communication a dû aussi altérer le flux vers le satellite GPS. Le signal envoyé aux États-Unis est faux : il nous place quarante-cinq kilomètres au sud de notre position actuelle.

Kelly se sentit pâlir :

— Ils ne sauront pas où on se trouve.

— Je dois vite arranger ça, grogna Olin. Au moins assez longtemps pour envoyer les bonnes coordonnées.

Il redémarra l'ordinateur et se mit au travail.

Pendant une demi-heure, Olin s'acharna sur la bête. Des jurons et des prières se bousculaient dans sa bouche en russe ou en anglais. En attendant, chacun trouva à s'occuper, sans même essayer de se reposer. Kelly aida Anna à préparer la seule nourriture qu'il leur restait – du riz – mais, de temps à autre, les explorateurs lançaient tous des regards inquiets en direction d'Olin.

Malheureusement, leurs suppliques silencieuses ne servirent à rien.

Au bout d'un moment, Frank alla poser la main sur l'épaule d'Olin et lui fit voir sa montre :

— Trop tard. Le satellite est maintenant hors de portée.

Effondré, l'informaticien accusa le coup de la défaite.

— On essaiera la prochaine fois, Pasternak. Allez vous reposer. Vous recommencerez demain, frais et dispos.

Au même moment, Nate, Kouwe et Manny rentrèrent de leur pêche au bord du marais. Leurs prises, particulièrement abondantes, pendaient à un fil, qu'ils déposèrent près du feu.

Le professeur s'installa tranquillement par terre :

— Je vais les nettoyer.

— Aucune objection, soupira Manny.

Nate s'essuya les mains et s'approcha de l'ordinateur :

— J'ai pensé à un truc pendant qu'on pêchait. C'était quoi l'autre document ?

— Pardon ? bredouilla Olin, épuisé.

— Vous avez parlé d'un document qui se téléchargeait pendant la connexion.

Le Russe se gratta la joue, puis confirma d'un signe de tête :

— *Da*. Le voici. Une base de données.

Kelly et Manny coururent les rejoindre. La jeune femme se souvenait que, juste avant le crash du système, sa mère avait parlé d'envoyer quelque chose.

Olin ouvrit le fichier.

À l'écran, le modèle 3D d'une molécule se mit à tourner au-dessus de nombreuses pages de données. Intriguée, Kelly s'installa plus près et parcourut le document.

— C'est le travail de ma mère, murmura-t-elle, ravie de pouvoir se distraire l'esprit.

Le sujet n'était cependant pas des plus agréables.

— De quoi s'agit-il ? demanda Nate.

— D'une piste possible pour expliquer la maladie.

— Un prion, ajouta Manny, penché par-dessus son épaule.

— Un quoi ?

Tandis que le biologiste renseignait rapidement son ami, Kelly ne lâcha pas le rapport :

— Intéressant… Il est dit ici que ce prion semble causer des dégâts génétiques.

Elle parcourut le document suivant en diagonale.

Lorsqu'il le lut à son tour, Manny poussa un sifflement.

— Quoi ? demanda Nate.

— Nous avons peut-être la réponse, annonça Kelly. Voici un article publié dans *Nature* en septembre 2000. Des chercheurs de l'université de Chicago ont formulé l'hypothèse selon laquelle les prions détiendraient la clé des mutations génétiques et joueraient même un rôle dans l'évolution.

— Sérieux ? Comment ?

— Un des grands mystères de l'évolution a toujours été la façon dont les facultés de survie des espèces, qui requièrent de multiples mutations génétiques, peuvent s'ajuster de façon aussi spontanée. On parle de macroévolutions. Ainsi, par exemple, certaines algues s'adaptent à des environnements toxiques ou encore des bactéries développent une résistance très rapide aux antibiotiques. Jusqu'à maintenant, on ne comprenait pas comment une telle série de mutations simultanées pouvait se produire. Cet article suggère un responsable : le prion.

Kelly désigna l'écran.

— Ici, les scientifiques de Chicago ont démontré que des prions de levure pouvaient opérer un basculement *tout ou rien* du code génétique, provoquant le développement simultané de mutations massives et donc, pour ainsi dire, un saut dans l'évolution. Vous savez ce que ça sous-entend ?

Le visage de Manny s'éclaira :

— Les piranhas, les sauterelles…

— Tous des mutants. Peut-être même le bras de Gerald Clark ! Une mutation déclenchée par des prions.

— Quel rapport avec la maladie ? s'étonna Nate.

Kelly fronça les sourcils :

— Aucune idée. Cette découverte semble être un bon début, mais on est loin d'une réponse définitive.

Manny renchérit :

— Et que pensez-vous de la théorie selon laquelle…

Kelly hocha la tête. Les deux éminents biologistes commencèrent à discuter de l'article et à confronter leurs idées avec enthousiasme.

Nate, qui avait cessé d'écouter, fit remonter le document jusqu'au modèle du prion.

Au bout de quelques minutes, il s'exclama :

— Suis-je le seul à voir la ressemblance ?

— Comment ça ? lâcha Kelly.

— Ces deux boucles en spirale à chaque extrémité ?

— Les doubles hélices alpha ?

— Si vous voulez… Et ici, la section du milieu en tire-bouchon.

— Oui, alors ?

Il attrapa un bâton et traça au sol ce qu'il décrivait :

— Le tire-bouchon au centre… qui se termine en doubles boucles aux extrémités.

Quand il eut terminé, il releva le nez vers les autres.

Kelly n'en croyait pas ses yeux.

— Le symbole ban-ali ! haleta Manny.

La jeune femme compara les deux images : d'un côté, un modèle high-tech généré par ordinateur, de l'autre, un croquis griffonné dans la poussière. Pourtant, la similarité était incontestable. Le tire-bouchon, la double hélice… Comment aurait-il pu s'agir d'une coïncidence ? D'autant que la spirale moléculaire tournait aussi dans le sens des aiguilles d'une montre.

— Mon Dieu…, chuchota Kelly.

Le symbole ban-ali était une réplique stylisée du prion.

23 h 32

Depuis l'attaque de piranhas qui l'avait défiguré enfant, Jacques nourrissait une peur panique des eaux sombres mais, malgré son angoisse, il était en train de traverser le marais avec, pour toute protection contre les prédateurs, une simple combinaison de plongée. Pas le choix ! Il devait se plier aux ordres du docteur. Le prix de la désobéissance aurait été bien plus élevé que n'importe quelle attaque de monstre sous-marin.

Jacques s'accrocha à son scooter de plongée, dont les hélices silencieuses le propulsaient vers l'autre rive du marais. Il était équipé d'un respirateur LAR V Dräger, matériel que les Forces spéciales de la Marine utilisaient pour leurs opérations clandestines en eaux peu profondes. Accroché à sa poitrine plutôt que sur son dos, le système à circuit fermé ne produisait aucune bulle, ce qui rendait Jacques indétectable. Dernier élément de l'attirail ? Un masque de vision nocturne qui lui permettait de percer correctement les eaux troubles.

Les ténèbres du marais paraissaient se refermer sur lui. Il ne voyait pas au-delà de dix mètres et devait souvent utiliser une espèce de miroir qu'il sortait de quelques centimètres de l'eau pour maintenir son cap.

Ses deux équipiers le suivaient en pilotant leurs subscooters à bout de bras.

D'une ultime vérification dans son mini-périscope, Jacques vit les deux radeaux en bambou des Rangers trôner devant eux, à trente mètres.

Dans les bois, il aperçut aussi des ombres qui se mouvaient autour du feu de camp malgré l'heure tardive. Satisfait, il fit signe à ses hommes de continuer, chacun vers un radeau. Jacques, lui, resterait derrière, à surveiller les opérations au périscope.

Les trois hommes avançaient lentement. Amarrées à la berge, les embarcations flottaient dans un bon mètre d'eau. Dorénavant, il allait falloir redoubler de prudence.

Le temps que Jacques surveille à la fois ce qui passait en surface et sous l'eau, ses hommes, en position, firent du surplace à l'ombre des radeaux. Il sonda la forêt. Des Rangers patrouillaient certainement dans la jungle. Après cinq bonnes minutes d'observation, il donna le feu vert.

Ses comparses sortirent alors de petites gourdes en plastique remplies de kérosène, dont ils aspergèrent le bambou. Une fois les bouteilles vides, ils levèrent le pouce en signe de mission accomplie.

Jacques épiait toujours la forêt. Personne ne s'était encore aperçu de leur présence. Il attendit encore une minute, puis, en se frappant le cou du tranchant de la main, il donna le signal final.

Chacun devant leur cible, les deux hommes approchèrent un briquet tempête du bambou imbibé de kérosène. Aussitôt, les flammes léchèrent les radeaux pour se propager rapidement.

Sans attendre, ils reprirent leur scooter et foncèrent rejoindre Jacques. Le lieutenant mit les gaz à fond et, au terme d'un beau virage, ramena ses complices au centre du marais. Après quoi, il refit demi-tour vers la berge, à environ cinq cents mètres du camp ennemi.

Jacques regarda par-dessus son épaule. À la lumière éclatante de l'incendie, des hommes sortaient du bois, prêts à tirer. Une fois sous l'eau, il continua d'entendre les appels étouffés et les cris d'alerte.

Tout avait fonctionné à merveille. Le docteur savait qu'après l'attaque de sauterelles, leurs adversaires s'effraieraient facilement d'un simple feu nocturne et n'oseraient pas rester près du brasier.

Toutefois, il n'était pas question de courir le moindre risque. Jacques conduisit ses équipiers à l'endroit prévu et le trio émergea doucement du marais, la combinaison ruisselante d'eau. Ils crachèrent leurs embouts de détendeur et retirèrent leurs palmes. Second volet de la mission : s'assurer que les Rangers lèveraient bel et bien le camp.

Heureux de laisser les eaux noires derrière lui, Jacques poussa un soupir de soulagement et caressa son moignon de nez, comme pour s'assurer qu'il était encore là.

Muni de jumelles infrarouges, il étudia ensuite les abords du camp. Sans doute le docteur faisait-il la même chose. Derrière Jacques, ses collègues se congratulaient à voix basse. Il fit mine de ne rien entendre.

Dans le vert monochrome de ses jumelles, deux hommes – des Rangers à la façon dont ils portaient leurs armes – s'éloignèrent des radeaux en feu. Le groupe battait en retraite. Dans la forêt, de nouvelles lumières scintillèrent. *Des torches électriques.* On s'agita autour du feu de camp et, peu à peu, le halo blanchâtre s'éloigna du brasier, tel un vol de lucioles. Les Américains se dirigeaient vers le défilé qui se dressait entre les mesas.

Jacques sourit. Le plan de son patron avait fonctionné.

Toujours à l'affût, il appuya sur l'émetteur de sa radio :

— Mission accomplie. Les lapins se sont enfuis.

— Bien reçu, confirma le docteur. Les canoës sont à l'eau. Rendez-vous dans deux heures à leur campement. Terminé.

Jacques rangea sa radio.

La chasse venait de reprendre.

Il se tourna vers ses acolytes mais, derrière lui, il n'y avait plus personne. D'instinct, il se baissa et siffla leur nom :

— Manuel ! Roberto !

Pas de réponse.

Autour de lui, il faisait nuit noire et la jungle paraissait encore plus sombre. Il ôta son masque de vision nocturne : l'incendie illuminait les bois, mais la végétation dense rendait la visibilité incertaine.

Jacques recula mais, quand ses pieds nus touchèrent l'eau, il se figea, horrifié de ce qui pouvait se trouver devant ou derrière lui.

Vite, vite, il remit son masque et, là, il aperçut du mouvement. Durant une fraction de seconde, il crut que les ombres avaient pris une forme humaine et l'épiaient à dix petits mètres. Le temps d'un battement de cil, la silhouette disparut mais, à présent, tous les fantômes de la jungle semblaient prendre vie et fondre sur lui.

Il trébucha et tomba à l'eau. Fébrile, il attrapa l'embout de son détendeur et le fourra dans sa bouche.

Une ombre sortit de l'orée de la jungle. *Énorme, monstrueuse…*

Jacques voulut crier mais, étouffé par le respirateur, seul un vague gargouillement sortit de sa gorge. D'autres formes noires surgirent de la forêt et avancèrent vers lui. Une vieille prière de ses ancêtres marrons aux lèvres, il tenta de rebrousser chemin à quatre pattes.

Par-delà sa hantise des eaux troubles et des piranhas, il fut saisi d'une peur ancestrale : *celle d'être dévoré vivant.*

Il recula encore et tâcha de se retourner pour s'échapper.

Hélas, les ombres se montrèrent plus rapides.

23 h 51

Une lampe torche scotchée à son fusil, Nate lambinait à l'arrière. Seuls Carrera et Kostos étaient encore plus loin. Chacun brandissait sa lampe à la ronde. Malgré l'obscurité, ils avançaient vite, histoire de s'éloigner au maximum des incendiaires.

Le nouveau plan de Waxman était d'établir une position plus facile à défendre. Avec le marais d'un côté et la jungle de l'autre, ils ne pouvaient pas rester les bras ballants à attendre une attaque hypothétique. D'autant que personne ne se berçait d'illusions : il y aurait une autre attaque.

Soucieux de toujours avoir un coup d'avance, les Rangers avaient prévu un plan de repli. Le caporal Warczak avait découvert des grottes rocheuses, un peu plus haut dans le canyon, et c'était donc là qu'ils se rendaient.

Une position défendable et un abri, voilà ce dont ils avaient besoin.

Aux côtés de Nate, Carrera braquait vers la jungle une arme étrange dont le bout rappelait une pelle. On aurait dit un aspirateur collé à la crosse d'un fusil.

— Qu'est-ce que c'est ? demanda le civil.

— Avec tout le matériel qu'on a perdu dans le marais, on n'avait presque plus de M-16... Ça s'appelle un Bailey. Ce prototype a été conçu pour le combat en pleine jungle.

Elle appuya sur un bouton. Un laser perça la nuit. D'un coup d'œil à son supérieur, elle demanda :

— Démonstration ?

Muni de son propre M-16, le sergent-chef Kostos émit un grognement approbateur et alerta les autres :

— Tir d'essai !

Carrera fit pivoter son arme à la recherche d'une cible, puis, au rayon laser, elle ajusta le tronc d'un jeune arbre à une vingtaine de mètres :

— Braquez votre lampe par là.

Nate s'exécuta sous le regard attentif de ses compagnons.

Une fois son arme stabilisée, Carrera pressa la détente. Il n'y eut pas de détonation, juste un sifflement strident. Nate aperçut un éclair d'argent, suivi d'un craquement, et l'arbre partit en arrière, tranché en deux par le milieu. Derrière, un gros kapokier vibra. Quelque chose s'était planté dans le tronc. À la lueur de la torche, on vit qu'il s'agissait d'un objet en argent.

Carrera hocha la tête vers sa cible :

— Disques acérés de huit centimètres, inspirés des étoiles de jet japonaises. Parfaits pour le combat dans la jungle. En rafale, ils fauchent la végétation autour de vous.

— Et tout ce qui se dresse en travers du chemin, renchérit Kostos en faisant signe au groupe d'avancer.

Nate contempla l'arme avec respect.

Conduits par Warczak et Waxman, ils continuèrent de remonter l'étroit défilé. En fait, ils longeaient une petite rivière mais, au cas où, ils restaient à distance respectable de l'eau. Après une demi-heure de marche, Warczak bifurqua vers les falaises rouges au sud.

Jusqu'à présent, personne ne semblait les poursuivre, mais Nate gardait les yeux grands ouverts sur la jungle. Peu à peu, la forêt se clairsema. La canopée devint moins dense, au point de laisser entrevoir les étoiles et l'éclat de la lune. Un peu plus loin, le monde s'achevait sur un rempart de pierre rouge tapissé de schiste et de rochers éboulés.

À son sommet, la falaise était grêlée d'une multitude de grottes et de fissures.

— Restez derrière, murmura Waxman.

Tandis que les autres se terraient dans les buissons au pied de la falaise, il fit signe à Warczak de partir en éclaireur.

Le caporal troqua sa torche contre des lunettes infrarouges et, au bout de quelques pas, il disparut dans les ténèbres.

Aux côtés des deux Rangers chargés d'assurer les arrières, Nate s'accroupit, prêt à faire usage de son fusil, comme presque tous les autres. Olin, Zane, Frank et même Kelly portaient un pistolet. Manny brandissait un Beretta d'une main et son fouet de l'autre. Quant à Tor-tor, il avait ses griffes et ses crocs pour se défendre. Seuls Kouwe et Anna Fong n'étaient pas armés.

Le professeur rampa jusqu'à Nate :

— Je n'aime pas ça.

— Les grottes ?

— Non, la situation.

— C'est-à-dire ?

Kouwe lorgna le marais. Au loin, les deux radeaux brûlaient allègrement.

— Les flammes sentaient le kérosène.

— Et alors ? C'est peut-être de l'huile de copal. Elle a la même odeur et on en trouve plein par ici.

Le chaman se gratta le menton :

— Je ne sais pas. Le symbole que les Ban-ali ont utilisé pour attirer les sauterelles était très travaillé, voire raffiné. Ici, c'est plus brouillon.

— Maintenant que nous sommes sur nos gardes, ils ont dû agir vite et n'ont sans doute pas pu faire mieux.

— Ce n'étaient pas des Indiens.

— Qui d'autre alors ?

— Les mystérieuses personnes qui nous traquent depuis le début. (Il baissa d'un ton.) Ceux qui ont fait brûler le symbole ban-ali pour attirer les sauterelles se sont approchés du camp en plein jour et n'ont laissé aucune trace de leur passage. Pas une brindille cassée. Ils étaient sacrément habiles. Je doute de savoir faire la même chose.

Nate commençait à comprendre son inquiétude :

— Nos poursuivants, eux, sont moins discrets.

Les mâchoires serrées, Kouwe hocha la tête vers le marais :

— Comme avec ces feux, par exemple.

Le jeune homme se rappela le bref éclair qu'il avait cru voir dans les arbres la veille après-midi :

— Qu'êtes-vous en train de me dire ?

— Qu'on a plus d'une menace à nos trousses. Quoi qu'il y ait là-bas, nouveau composé régénérateur ou remède à la maladie, ce machin vaut des milliards et beaucoup de gens sont prêts à payer une fortune pour s'emparer du savoir mystérieux que renferme cette jungle.

— Et vous pensez que l'autre groupe aurait provoqué ces incendies ? s'étonna Nate. Dans quel but ?

— Nous faire déguerpir. Et ils ont réussi leur coup. D'une, ils ne voulaient pas courir le risque de voir les renforts arriver et, de deux, on leur sert de boucliers humains contre les prédateurs naturels que les Ban-ali nous envoient. Nous sommes de la chair à canon. Ils nous laisseront mourir un par un jusqu'à ce qu'il n'en reste plus ou que nous entrions en contact avec la tribu. Après quoi, ils débarqueront et remporteront la mise.

— Pourquoi ne pas en avoir parlé avant notre départ ?

Devant le regard entendu de Kouwe, Nate comprit aussitôt :

— Un traître. Quelqu'un qui travaille pour nos adversaires.

— Je trouve un peu gros que notre connexion satellitaire débloque au moment précis où on s'approchait des terres ban-ali. Sans parler de cette histoire de faux signal GPS…

— Qui envoie les hélicos au diable vauvert, compléta Nate.

— Exactement.

— Qui cela peut-il bien être ?

Il dévisagea un à un ses équipiers tapis dans les buissons.

Kouwe haussa les épaules :

— N'importe qui. Le premier sur ma liste serait le Russe. C'est lui qui s'occupe du système de communication. Il n'aurait eu aucun mal à feindre la panne. Néanmoins, Zane et Fong ont aussi rôdé autour du matériel en son absence. Quant aux O'Brien, ils entretiennent des liens avec la CIA, réputée pour n'avoir aucun scrupule à jouer double jeu quand elle veut parvenir à ses fins. En dernier lieu, on ne peut exclure aucun Ranger.

— Vous plaisantez ?

— L'argent peut convaincre presque n'importe qui, Nate. Et ces militaires connaissent bien le matériel de communication, ils sont formés pour ça.

Nate balaya le groupe du regard :

— Il ne reste que Manny. C'est l'unique personne en qui on peut encore avoir confiance.

— Tu es sûr ? lâcha tristement le professeur.

— Vous rigolez ? Manny ? C'est notre ami à tous les deux.

— Il travaille aussi pour le gouvernement de son pays et tu imagines bien que le Brésil aimerait conserver le monopole de la découverte. Pour un pays financièrement étouffé, ce serait une bénédiction économique.

Nate frémit d'effroi. *Kouwe avait-il raison ? N'y avait-il vraiment personne à qui se fier ?*

Avant que le jeune homme puisse poursuivre sa réflexion, un hurlement déchira la nuit. Quelque chose d'énorme traversa les airs. Tous s'écartèrent. Nate recula, suivi par Kouwe.

Quand la grosse masse atterrit au cœur du groupe, les lampes se braquèrent sur la silhouette recroquevillée.

Anna glapit.

Transpercé par les lances de lumière, le caporal Warczak était allongé sur le dos, en sang, le bras tendu comme s'il se noyait. Il voulut encore crier mais n'émit qu'un râle d'agonie.

Tétanisé, Nate ne pouvait détourner les yeux du caporal mutilé : à moitié dévoré, il n'en restait plus que le tronc.

Soudain, Waxman rompit le silence horrifié :

— Prêts à tirer !

Un genou à terre, Nate épaula son fusil. Kelly et Kouwe plongèrent au secours du militaire, mais c'était inutile : le pauvre était déjà mort.

Des ombres flottaient à travers la jungle et semblaient s'agiter dans le jeu de lumières des lampes torches. Nate savait néanmoins qu'il ne s'agissait pas d'une illusion : toutes les ombres fondaient bien sur eux.

Un Ranger tira une fusée éclairante. Accompagnée d'un long sifflement, la lumière dessina un arc dans le ciel et, lorsqu'elle explosa, sa réserve de magnésium saupoudra la jungle d'éclats argentés. La subite clarté stoppa un instant la progression des mystérieux visiteurs.

Nate croisa alors le regard d'un monstre. L'animal était tapi derrière une anfractuosité de la falaise. Il avait la taille d'un taureau mais en plus svelte et plus lisse. Un félin. Ses prunelles noires et glacées ressemblaient à des fragments d'obsidienne. D'autres créatures de son espèce étaient nichées dans la jungle et les rochers alentour. La meute comptait vingt bêtes au bas mot.

— Des jaguars, murmura Manny, pétrifié. D'énormes jaguars noirs.

Si, d'aspect, ils ressemblaient en effet à Tor-tor, les fauves étaient trois fois plus gros et devaient peser une demi-tonne chacun. Un gabarit d'animal préhistorique !

— Ils sont tout autour de nous, chuchota Carrera, anxieuse.

Ces mots-là, Nate les avait déjà entendus dans le dernier message radio de son père. *On ne tiendra pas longtemps... Oh, mon Dieu, ils sont tout autour de nous !* Était-ce ainsi que son père avait trouvé la mort ?

Pendant un bref instant, rien ni personne ne bougea. Nate, haletant, espéra que les rôdeurs nocturnes, intimidés par la forte luminosité, battraient en retraite. Comme si sa pensée avait aussi traversé l'esprit d'un Ranger, une deuxième fusée éclairante jaillit dans la nuit, explosa en illuminant le ciel et redescendit doucement au bout de son petit parachute.

— Ne bougez pas, souffla Waxman à voix basse.

Ils étaient piégés. La meute ne partait pas.

— Sergent, à mon signal, balancez une série de grenades vers les falaises. Que chacun soit prêt à tirer. Ensuite, dès que j'en donnerai l'ordre, magnez-vous le train jusqu'à la grotte du milieu.

Nate jeta un œil à la caverne béante. S'ils arrivaient jusque-là, le groupe ne pourrait être attaqué que sur un côté. C'était une position défendable. Leur seul et unique espoir.

— Carrera, utilisez votre Bailey pour couvrir notre…

Un coup sec de pistolet couvrit l'ordre du capitaine. Un peu à l'écart, le recul de son arme encore fumante fit vaciller Zane.

Un félin cracha et bondit, écumant de rage. Sans hésiter, ses congénères grondèrent et foncèrent vers le groupe.

— Maintenant ! brailla Waxman.

Kostos pointa son M-16 vers les falaises et fit feu. De son côté, Carrera arma le Bailey, le cala contre sa hanche et tira à son tour : un éclair déchiqueta la jungle à la ronde.

Un jaguar fut touché en plein saut, éventré. Il hurla et retomba en se tordant de douleur.

Ses cris furent aussitôt éclipsés par les grenades de Kostos, qui explosèrent de manière assourdissante contre les parois de la falaise. Un nuage de rochers, de terre et de poussière se déversa comme le magma d'un volcan, ouvrant ainsi un passage.

Autour des équipiers, un feu nourri résonnait. Frank défendait sa sœur et Kouwe restés près du corps inerte de Warczak. Manny s'était accroupi à côté de Tor-tor qui, le poil hérissé, ouvrait de grands yeux. Enfin, Zane et Olin protégeaient Anna Fong en tirant à l'aveugle vers les ténèbres.

Nate ajusta le premier géant qu'il avait aperçu tapi derrière un rocher, sur la gauche. En dépit du vacarme et des éboulements, la créature était restée impassible.

Des ombres dévalèrent la pente bombardée par les grenades de Kostos. D'autres ne bougeaient plus, mortes déchiquetées.

— *Go !* aboya le tonitruant Waxman. Tous à la caverne !

Le groupe s'élança à travers les buissons, puis à découvert vers le paysage rocailleux, au pied des immenses falaises. Le doigt sur la détente, Nate gardait le félin en joue. *S'il remue ne serait-ce que la queue...*

Le chef des Rangers leur fit signe d'avancer, Kostos en tête :

— Grimpez là-haut avant que ces enfoirés ne se rassemblent.

Il se laissa rattraper par Carrera. La meute était à leurs trousses. Certaines bêtes boitaient, d'autres s'attardaient un instant sur un compagnon mort pour le renifler, mais elles restaient prudemment à distance.

Nate se faufila devant le fauve silencieux à sa gauche. L'animal, dont seules les prunelles bougeaient, le suivit du regard. Sans doute s'agissait-il du chef de la meute. De ses yeux froids, il semblait jauger les étrangers.

Par souci d'économie de munitions, Carrera avait désactivé le mode automatique de son Bailey. Elle tira sur un jaguar isolé qui s'approchait trop près, mais sa cible était rapide : le disque d'argent coupa simplement une oreille et disparut dans la jungle en sifflant. L'animal blessé tomba sur le ventre, fou de rage et de douleur.

— Continuez d'avancer ! hurla Waxman.

Dès que la grotte fut en vue, la fuite vira à la débandade. Kostos, qui ouvrait toujours la marche, tira une nouvelle fusée vers l'entrée. Du pistolet jaillit un éclair, qui explosa au centre de la caverne et l'illumina jusqu'au fond.

— RAS ! Grouillez-vous !

Olin, Zane et Anna furent les premiers à rejoindre l'abri. À l'entrée, Kostos agitait le bras, son M-16 à la main :

— Vite, vite, vite…

Frank poussa Kelly devant lui. Kouwe leur emboîta le pas.

Comme la lumière de la fusée faiblissait, Nate se planta de l'autre côté de l'ouverture, fusil en joue.

Manny et Tor-tor suivirent, Waxman et Carrera sur leurs talons.

On va y arriver, se dit Nate.

Soudain, un jaguar surgit de la pénombre et atterrit sur un rocher, juste à côté des deux Rangers. Carrera arma, mais la bête ne lui laissa pas le temps de tirer et, d'un coup de patte, elle happa le torse de Waxman.

Les griffes enfoncées dans sa veste et sa chair, le capitaine fut propulsé en l'air. Il mugit, tira par-dessus sa tête et blessa son agresseur à l'épaule. Le jaguar trébucha mais réussit à emporter, par-dessus le rocher, sa proie qui battait désespérément des jambes.

Carrera fonça porter secours à Waxman. Nate entendit le bruissement caractéristique du Bailey, puis la jeune femme reparut, coursée par deux jaguars en sang, leur fourrure incrustée d'éclats argentés. De toute évidence, la Ranger se démenait avec son chargeur vide pour y remettre des munitions.

Nate bondit vers elle. Arrivé à sa hauteur, il pointa son fusil à quelques petits centimètres d'un jaguar en furie. *Pan !* La décharge de chevrotine déchiqueta la gueule du félin qui, aveuglé, recula en hurlant.

Carrera sortit son pistolet 9 mm. Elle tira et tira encore sur l'autre jaguar jusqu'à ce que le magasin soit vide. Atteint de plein fouet, le fauve s'effondra.

Ils se dépêchèrent de gravir la pente.

De l'autre côté du rocher, le capitaine resurgit en rampant. Il était défiguré et avait perdu un bras.

— Je… je pensais qu'il était mort, balbutia Carrera, choquée.

Elle repartit aider son chef, mais à peine s'était-il traîné sur quelques centimètres qu'une énorme patte se planta dans sa cuisse et le tira en arrière. L'homme hurla et ses doigts tentèrent d'agripper le schiste. En vain.

Un coup de feu retentit. La tête du capitaine dodelina comme un pantin et heurta violemment la roche. Derrière lui, Nate vit Kostos, accroupi, l'œil dans la lunette de visée de son M-16. Le sergent baissa lentement son arme, le regard empli de chagrin et de culpabilité :

— Tout le monde à l'intérieur !

Le reste de l'équipe s'était tenu agglutiné près du seuil.

Nate et Carrera se précipitèrent.

Aux abois, Frank et Kostos surveillaient les abords de la grotte. Leur silhouette se découpait dans la lumière pâlissante de la fusée.

— Dépêchez-vous ! insista Frank.

Depuis sa position en contrebas, Nate vit une ombre glisser le long de la paroi rocheuse, à gauche de l'entrée :

— Attention !

C'était le plus grand des jaguars, le premier à être apparu au jeune homme.

Il passa comme un éclair. Projeté en arrière, Frank atterrit sur le dos. Kostos, lui, percuta le mur et, *hop !* le fauve replongea dans les ténèbres.

— Frank ! hurla Kelly.

Nate accourut, suivi de Carrera. La respiration sifflante, Kostos se releva en se tenant la poitrine, hébété.

— À l'aide ! hurla Kelly.

À terre, Frank se tordait de douleur. Non seulement il s'était fait faucher, mais il avait les deux jambes sectionnées au niveau des genoux. Son sang giclait à travers les roches. En une fraction de seconde, le jaguar l'avait mutilé aussi nettement qu'une guillotine.

Kouwe se précipita et, aidé d'Olin, il traîna le malheureux à l'intérieur de la caverne. Sur leurs talons, Kelly sortit des bandages de son sac. Dans la panique, elle laissa tomber des fioles de morphine, que Nate récupéra.

Nouvelle déflagration près de l'entrée. Une lumière explosa dehors. Une autre fusée éclairante. Avec ses médicaments, Nate se sentait inutile, sonné.

Kouwe les lui prit des mains :

— Va plutôt protéger nos arrières.

Olin et Kelly s'affairaient autour du blessé. En larmes mais la mine concentrée, la jeune femme refusait de perdre son frère.

Nate rejoignit Kostos et Carrera sur le seuil. La dernière fusée éclairait une jungle où se déplaçaient encore des ombres protégées par la pente rocailleuse.

Pistolet au poing, Manny débarqua à son tour. Tortor renifla le sang de Frank sur la pierre et rugit.

Le visage à moitié mangé par son masque de vision nocturne, Carrera annonça :

— J'en compte encore au moins quinze, bien décidés à rester.

— Putain de merde ! S'ils nous foncent dessus, on ne peut pas espérer les arrêter tous ! pesta Kostos. Il ne nous reste qu'un lance-grenades, deux M-16 et quelques flingues.

— Vous oubliez mon fusil, précisa Nate.

— Moi, j'ai inséré un nouveau chargeur dans le Bailey, mais c'est le dernier, ajouta Carrera.

— Au fond de la caverne, il y a quelques débris : branchages, feuilles et autres, lâcha Manny. On pourrait faire du feu près de l'entrée.

— Allez-y, approuva Kostos.

Au moment où le Brésilien se retournait, un long rugissement émergea de la pente. Tout le monde se raidit. Illuminée par la fusée éclairante, une large silhouette se détacha sur les rochers. Les armes se dressèrent.

Nate reconnut l'ombre du plus gros des jaguars :

— Le chef de la meute.

— Une femelle, murmura Manny.

Restée à découvert, elle les observait et les défiait du regard. Derrière elle, la jungle grouillait de corps élancés et musclés, toutes griffes dehors.

— On fait quoi ? demanda Carrera.

— La salope est en train de nous faire un coup d'esbroufe, grommela Kostos.

— Surtout, ne tirez pas, protesta Nate. Si vous ouvrez le feu, tous ses congénères se jetteront sur nous.

— Il a raison, confirma Manny. Leur soif de sang est à son paroxysme. Le moindre prétexte les fera démarrer au quart de tour. Attendez au moins qu'on ait allumé un petit brasier.

Le félin, qui sembla l'entendre, poussa un long feulement et s'élança vers eux de toutes ses forces. En véritable machine de précision, il les chargea avec une rapidité stupéfiante.

Les Rangers ouvrirent le feu mais, plus rapide que son ombre, la bête glissa à une vitesse surnaturelle. Les balles crépitèrent sur la roche, comme si elles venaient de rater un fantôme. Un disque siffla et ricocha contre un rocher avant de disparaître en contrebas, sans causer d'égratignures.

Nate épaula son fusil en susurrant :

— Par ici, ma petite chatte.

Une fois qu'elle serait assez près...

Carrera réarma son engin mais, soudain, Tor-tor jaillit de la grotte et la poussa sur le côté.

— Tor-tor ! hurla Manny.

En quelques bonds, le petit jaguar redescendit la pente et barra la route au colossal félin. Avec un grondement féroce, il s'aplatit au sol, la croupe levée, prêt à bondir, et remua la queue d'un air menaçant. Après quoi, il sortit ses longues griffes jaunes et ses crocs acérés.

Sa gigantesque adversaire se précipita sur lui pour n'en faire qu'une bouchée mais, au dernier moment, elle se planta face à lui dans la même position, le poil hérissé. Les deux bêtes sifflaient et se défiaient.

Kostos brandit son arme :

— Tu es morte, salope.

— Attendez ! s'exclama Manny.

Les animaux se tournèrent autour doucement, à peine à un mètre l'un de l'autre. À un moment donné, la monstrueuse femelle se retrouva même dos à l'équipe. Les Rangers se retinrent de tirer.

— Que fabriquent-ils ? s'étonna Carrera.

— Elle ne comprend pas pourquoi un membre de son espèce, fût-il aussi petit que Tor-tor, nous protège, répondit Manny. Ça l'intrigue.

Les fauves avaient cessé de gronder. Ils s'approchèrent prudemment l'un de l'autre, presque à portée de museau, et, tout en poursuivant leur manège, ils établirent une sorte de communication silencieuse. Les poils hérissés se raplatirent. Un léger halètement se fit entendre : la femelle humait l'odeur de l'étrange petit jaguar.

Finalement, ils interrompirent leur danse et revinrent en position initiale, Tor-tor accroupi entre la grotte et le jaguar géant.

Avec un dernier grognement, la chef de la meute frotta sa joue contre celle de Tor-tor : ils venaient de conclure une trêve.

Dès qu'elle eut redescendu la pente dans un halo de fourrure noire, Tor-tor se releva doucement. Une lueur brillait dans ses prunelles dorées. Avec une désinvolture toute féline, il se lissa le pelage avec la langue, puis regagna l'entrée de la grotte comme s'il rentrait de promenade.

Stupéfaite, Carrera baissa son arme et tripota ses lunettes infrarouges :

— Ils repartent !

Manny serra son cher animal de compagnie dans ses bras :

— Espèce d'andouille.

— Que s'est-il passé ? demanda Kostos.

— Tor-tor est un jeune mâle proche de sa maturité sexuelle. La femelle, quoique gigantesque, semble avoir à peu près le même âge et, avec tout ce sang dans l'air, la tension était à son comble, y compris la tension sexuelle. Je pense que le défi de Tor-tor a été interprété à la fois comme une menace et une parade amoureuse.

— Vous voulez dire qu'il a fait tout ce cirque pour la sauter ? maugréa le sergent.

Manny tapota fièrement les flancs de son jaguar :

— Et son jeu a probablement fonctionné. Puisque Tor-tor est sorti la défier, elle a dû croire qu'il était notre chef de meute. Un géniteur acceptable.

— Et maintenant ? intervint Carrera. Ils se sont retirés mais sont toujours là. On dirait même qu'ils se massent dans le canyon pour nous empêcher de rebrousser chemin vers le marais.

— Je ne sais pas ce qu'ils fichent, mais Tor-tor nous a au moins fait gagner un peu de temps. Autant en tirer profit : allumons le feu et restons vigilants.

La meute de fauves redescendait vers le défilé, mais dans quel *but* ?

— On a de la compagnie, prévint Carrera, à nouveau tendue.

Elle indiqua la direction opposée, plus loin dans le canyon.

Nate n'aperçut rien d'autre que la jungle obscure et les escarpements rocheux au pied de la falaise :

— Qu'avez-vous… ?

Puis il distingua un mouvement.

Un peu plus loin dans la gorge, une silhouette sortit à découvert. Un homme. Noir des pieds à la tête, on aurait dit une ombre, comme les félins. Il leva le bras, puis fit volte-face sous le regard abasourdi des explorateurs.

— C'est sans doute un Ban-ali, murmura Nate.

L'inconnu se retourna vers eux : il semblait attendre.

— À mon avis, il veut qu'on le suive, interpréta Manny.

— Et les jaguars ne nous laissent pas tellement le choix, ajouta Carrera. Ils se sont réunis dans la jungle en contrebas.

Au loin, la silhouette continuait de patienter.

— Qu'est-ce qu'on fait ? demanda la Ranger.

— Eh bien, on le suit, répondit Nate. C'est pour ça qu'on est venus : trouver les Ban-ali. La meute de jaguars constituait peut-être un dernier test.

— Il peut aussi s'agir d'un nouveau piège, objecta Kostos.

— On n'a pas beaucoup d'options, rétorqua la militaire. Soit on lui emboîte le pas, soit la meute nous passe à la moulinette.

D'un coup d'œil par-dessus son épaule, Nate sonda les profondeurs de la caverne. À dix mètres d'eux, Kelly, Kouwe et les autres s'étaient rassemblés autour de Frank, à présent en caleçon et assommé par la morphine. Anna tenait une poche de perfusion à hauteur d'épaule. Kelly avait déjà bandé la première jambe mutilée de son frère et faisait un garrot à l'autre. Près d'elle, Kouwe tendait les pansements. Des emballages de seringues vides et de petites fioles de morphine jonchaient le sol.

— Je vais voir si Frank peut être déplacé.

— On n'abandonne personne, répondit Kostos.

Ravi de l'entendre, Nate rejoignit les autres :

— Comment va Frank ?

— Il a perdu beaucoup de sang, expliqua Kouwe. Une fois qu'il sera stabilisé, sa sœur veut le transfuser.

— Il va sans doute falloir le déplacer.

Kelly termina un point de suture :

— Impossible ! Il est intransportable !

Dans sa voix se mêlaient à la fois la panique, l'épuisement et l'incrédulité.

Kelly et Kouwe commencèrent à bander le second moignon. Frank gémit faiblement quand on lui manipula la jambe.

Tandis qu'ils s'affairaient, Nate expliqua ce qui était arrivé à l'entrée de la grotte :

— Les Ban-ali nous ont contactés. On pense qu'ils nous demandent de les suivre au village. À mon avis, l'invitation ne sera pas réitérée.

— On a dû réussir je ne sais quelle dernière épreuve, confirma le professeur. Il faut y aller.

— Mais Frank… ? balbutia Kelly.

— Je peux fabriquer un brancard avec du bambou et des feuilles de palme, la rassura-t-il. Si on ne l'emmène pas ailleurs, il sera tué. On sera tous tués.

Sur le visage de la jeune femme, la colère le disputait à l'accablement. Ses yeux devinrent vitreux. *D'abord sa fille, à présent son frère…*

Nate vint poser un bras protecteur sur ses épaules :

— Je ferai en sorte qu'il soit transporté sans risque. Une fois là-bas, Olin pourra réparer sa radio.

Le Russe acquiesça vigoureusement :

— Je suis certain de refaire fonctionner au moins le GPS correctement et d'envoyer le signal de notre position exacte.

— Après quoi, les secours arriveront et évacueront votre frère. Il va s'en sortir. On va tous s'en sortir.

Kelly se radoucit et bredouilla, des sanglots dans la voix :

— Promis ?

Il la serra de plus belle contre lui :

— Promis.

En voyant Frank si blême et ses pansements déjà rougis de sang, Nate pria le ciel de pouvoir tenir son engagement.

Comme si elle avait deviné ses doutes, Kelly se dégagea doucement de son étreinte mais annonça sur un ton déjà plus ferme :

— Alors, allons-y.

Nate l'aida à se relever, puis ils se préparèrent rapidement au départ. Dans la jungle, Kostos et Manny allèrent ramasser de quoi bricoler un brancard, tandis que Kelly et Kouwe stabilisaient Frank au mieux. Bientôt, ils furent parés à reprendre leur marche nocturne.

Nate rejoignit Carrera à l'entrée de la grotte.

— Notre visiteur n'a pas bougé, indiqua-t-elle.

Au loin, l'ombre solitaire patientait toujours.

D'une voix forte, Kostos s'assura que tout était en ordre :

— Restez groupés ! Ne baissez pas la garde !

Il prit la tête du cortège. En queue de peloton, Manny et Olin portaient la civière où, pour plus de sécurité, on avait attaché Frank. Les hommes avaient prévu de se relayer pendant le trajet.

Kelly suivait deux pas derrière. Quant à Nate et Carrera, ils fermaient la marche, histoire de sécuriser les arrières.

En franchissant le seuil de la grotte, Nate heurta du pied un truc poussiéreux. Il le ramassa et l'inspecta.

Impossible d'abandonner un truc pareil.

Il se faufila devant Manny, débarrassa le couvre-chef froissé de ses dernières traces de terre et enfonça la casquette des Red Sox sur la tête de Frank.

Au moment de regagner sa place, il croisa le regard de Kelly. Émue aux larmes, elle esquissa l'ombre d'un sourire triste. Il hocha la tête, acceptant sa gratitude silencieuse.

Posté à côté de Carrera, Nate observa la jungle et sa silhouette solitaire au loin.

Où le chemin allait-il les mener ?

Chapitre 14

Zone habitée

16 août, 4 h 13
Jungle amazonienne

À bord de sa pirogue, Louis attendait des nouvelles des éclaireurs. Il faisait encore nuit noire. Des étoiles brillaient sur un ciel sans nuages mais, depuis que la lune avait disparu, le marais était plongé dans les ténèbres. Muni de jumelles infrarouges, Louis chercha une trace de la présence de ses hommes.

Rien.

Il grimaça. Sur son frêle esquif, il avait l'impression de voir son plan s'écrouler autour de lui. *Que se passait-il là-bas ?* Certes, il avait réussi à faire fuir l'équipe des Rangers, mais ensuite ?

Vers minuit, ses mercenaires avaient traversé le lac dans des canoës acheminés par voie de terre depuis la rivière. Tandis que le groupe approchait de la berge opposée, des fusées éclairantes avaient jailli au niveau du canyon, près des falaises au sud. Des détonations avaient même retenti jusqu'à eux.

Grâce à ses jumelles, Louis avait aperçu de lointaines scènes de fusillade. Les Rangers étaient de nouveau pris d'assaut mais, depuis son poste d'observation, il n'avait vu ni par quoi ni par qui. Malgré ses efforts, il n'avait pas non plus réussi à contacter l'équipe de Jacques. Son lieutenant s'était mystérieusement volatilisé.

En manque d'informations, le Français avait dépêché à terre ses meilleurs chasseurs munis de matériel infrarouge et de lunettes de vision nocturne. Le temps qu'ils reviennent, il patientait avec les autres à bonne distance de la berge.

Deux heures s'étaient écoulées et ils n'avaient toujours reçu aucune nouvelle, pas même un message radio. Louis partageait son embarcation avec trois subalternes et sa maîtresse. Tout le monde fixait la rive avec des jumelles.

Tshui fut la première à voir un homme émerger de la jungle. Le doigt pointé sur lui, elle donna l'alerte par un petit son de gorge.

Louis pivota aussitôt : c'était le capitaine des chasseurs, qui faisait signe de le rejoindre.

— Enfin, marmonna-t-il en baissant ses jumelles.

Le chapelet de canoës glissa jusqu'aux berges marécageuses. Louis mit pied à terre. Sans mot dire, il chargea ses hommes d'établir un périmètre de sécurité, puis s'approcha d'un dénommé Brail.

Le mercenaire allemand le salua d'un hochement de tête. Petit brun trapu d'à peine un mètre cinquante, il était habillé tout en noir et avait le visage barbouillé de peinture de camouflage.

— Qu'as-tu trouvé ?

— Des jaguars, répondit Brail avec un fort accent germanique. Une meute d'une bonne quinzaine.

Louis acquiesça sans surprise. De l'autre côté du lac, ils avaient entendu l'étrange concert de cris et de grognements.

— Enfin, il ne s'agit pas de jaguars habituels, précisa le mercenaire. On dirait plutôt des monstres. Trois fois plus gros que la normale. Je peux vous en montrer un cadavre.

— On verra plus tard. Qu'est-il arrivé aux autres ?

Continuant son rapport, Brail décrivit comment les chasseurs avaient dû se déplacer avec précaution pour ne pas se faire repérer. Les trois autres membres de son équipe étaient postés dans des arbres, juste après le défilé.

— La meute s'enfonce de plus en plus à l'intérieur du canyon, comme si elle voulait rassembler les derniers rescapés de l'équipe ennemie devant elle.

L'Allemand tendit une paume ouverte.

— Après le départ des félins, on a trouvé ça sur un cadavre déchiqueté.

Deux galons en argent fixés à un lambeau kaki. Un insigne de capitaine. Le chef des Rangers.

— Pourquoi les jaguars ne s'attaquent-ils pas aux autres ? s'étonna Louis.

Brail effleura ses jumelles :

— J'ai remarqué quelqu'un, apparemment d'origine indienne, leur montrer la route vers le haut du canyon.

— Un Ban-ali ?

Le soldat haussa les épaules.

De qui d'autre aurait-il pu s'agir ? Louis médita la nouvelle. Il ne pouvait pas laisser les Rangers s'aventurer trop loin, surtout s'ils avaient réussi à nouer un contact avec la mystérieuse tribu. Si près du but, il ne courrait pas le risque de les perdre.

Restait le problème des jaguars, qui l'empêchaient de suivre la bande d'explorateurs. La bande devait être éradiquée le plus discrètement possible, sans effaroucher la véritable proie.

Louis scruta les ténèbres de la forêt. La phase de pistage à couvert touchait à sa fin. Une fois qu'il saurait où le village se situait et de quels moyens de défense ses habitants disposaient, il pourrait mettre la dernière partie de son plan à exécution.

— Les fauves se trouvent où maintenant ? Ils se dirigent tous vers le sommet du canyon ?

— Pour l'instant, grommela Brail avec aigreur. Au moindre changement de cap, mes éclaireurs nous préviendront par radio. Heureusement, grâce aux jumelles infrarouges, ces sales bêtes sont faciles à repérer. Grandes et chaudes.

Louis approuva d'un air satisfait :

— D'autres menaces à signaler ?

— On a passé la zone au peigne fin, *Herr Doktor.* Aucune empreinte thermique.

Excellent. Pendant quelque temps encore, les Rangers continueraient à détourner l'attention mais, à l'orée du territoire ban-ali, Louis savait que l'avantage serait de courte durée. Son équipe et lui ne devaient pas traîner dans le coin. Néanmoins, pour mener la mission à bien, il fallait d'abord éliminer la meute de jaguars des derniers kilomètres à parcourir.

Il se retourna et tomba nez à nez avec Tshui, aussi discrète et implacable qu'un félin sauvage. Du bout de l'index, il caressa tendrement sa pommette, ce qui remplit d'aise sa maîtresse experte en potions et en poisons.

— Tshui, *ma chérie**, j'ai l'impression que nous allons encore avoir besoin de tes talents.

Accablé par le poids du brancard, Nate avait les épaules en bouillie. Ils crapahutaient depuis plus de deux heures. À l'est, l'aube naissante rosissait déjà le ciel.

— C'est encore loin ? ronchonna Manny à l'avant de la civière.

La question hantait tous les esprits.

— Je n'en sais rien mais, maintenant, on ne va plus rebrousser chemin, ahana Nate, hors d'haleine.

— À moins que vous ne vouliez servir de casse-croûte matinal, rappela le soldat Carrera à l'arrière.

Toute la nuit sur leurs talons, les jaguars avaient préféré rester tapis dans la jungle en bordure de falaise. De temps à autre, un animal plus téméraire se risquait à fouler un pan d'argile schisteuse et sa silhouette se découpait sur la roche noire.

Leur présence maintenait Tor-tor sur ses gardes. Il feulait doucement et, à l'affût du moindre son, il faisait les cent pas autour du brancard. Ses iris dorés étincelaient de fureur.

De l'avis général, la solution la plus sûre était de suivre la figure solitaire devant eux. L'indigène conservait quatre cents mètres d'avance mais veillait à ne pas les semer.

Hélas, la fatigue se faisait de plus en plus sentir. Après tant de nuits sans sommeil ou presque, tout le monde était exténué. L'équipe avançait à une allure d'escargot, traînait les pieds et trébuchait souvent. Cependant, l'expédition nocturne avait beau mettre les nerfs de chacun à rude épreuve, il y en avait une qui souffrait particulièrement.

Kelly ne quittait pas son frère d'une semelle et, tout en marchant, elle vérifiait sans arrêt ses fonctions vitales ou rajustait ses pansements ensanglantés. À la lueur des étoiles, elle avait le teint livide, le regard épouvanté. Quand elle délaissait ses réflexes de médecin, elle redevenait la sœur de Frank et se contentait de lui tenir la main en tâchant de lui insuffler sa propre force.

Seule bonne nouvelle : même s'il gémissait parfois, la morphine et les calmants maintenaient le blessé dans un état de somnolence artificiel. Chaque fois qu'il laissait échapper un son, Kelly se raidissait et son visage se tordait comme si elle endurait sa souffrance, ce qui, selon Nate, devait être en partie vrai. À l'évidence, elle en bavait autant que son frère jumeau.

— Attention ! lança Kostos à l'avant. On bifurque !

Nate scruta le chemin. Depuis des heures, ils se traînaient d'un pas lourd sur un sol dur où la jungle jouxtait les escarpements des falaises. À présent, leur guide traversait un pan de roche et se dirigeait vers une des nombreuses lézardes déchiquetées de la falaise. La brèche, qui courait de haut en bas, aurait pu accueillir deux voitures de front.

L'Indien s'approcha de l'entrée, se retourna vers eux et, sans donner de signal ni même leur souhaiter la bienvenue, il s'engouffra dans la faille.

— J'y vais le premier, annonça Kostos.

Tandis que les autres ralentissaient, il trottina en tête. Le faisceau de la torche fixée sous son M-16 ne quittait pas sa cible. Le Ranger fonça vers la brèche, prit son inspiration et braqua sa lampe à l'intérieur. Après quelques secondes aux aguets, il resta en position mais agita le bras :

— C'est une glissière latérale ! Et sacrément abrupte !

Le groupe le rejoignit.

D'un coup d'œil, Nate mesura l'ampleur de la tâche. Courant sur toute la longueur de la falaise, la crevasse à ciel ouvert était éclairée par les étoiles. L'ascension s'annonçait rude mais, à bien y regarder, un escalier rudimentaire jalonnait la paroi rocheuse.

— Ce défilé pourrait cacher un autre canyon ou une autre vallée, indiqua le professeur Kouwe.

— À moins qu'il ne s'agisse d'un virage serré de la même gorge, d'un raccourci vers le niveau supérieur, souffla Anna Fong.

Au loin, leur guide indigène gravissait les marches en pierre sans paraître se préoccuper d'eux, mais sa nonchalance n'était pas partagée par tous : juste derrière, les jaguars approchaient dans un concert de grognements et de feulements.

— Il faut prendre une décision, intervint Carrera.

Kostos contempla l'escalier primitif encaissé entre deux cloisons monumentales :

— Il pourrait s'agir d'une embuscade, d'un guet-apens.

Zane avança d'un pas :

— Nous sommes déjà pris au piège, sergent. Pour ma part, je préfère tenter ma chance vers l'inconnu plutôt que d'affronter ce qui se dresse derrière nous.

Personne ne trouva à redire. La mort de Warczak et Waxman restait un souvenir frais et ensanglanté.

Kostos remplaça Zane en tête du groupe :

— Allons-y… et, surtout, restez en état d'alerte maximale.

Vu la largeur de la faille, Manny et Nate pouvaient marcher côte à côte, de part et d'autre du brancard, ce qui faciliterait l'ascension. Il n'empêche que le défi restait de taille.

— Besoin de relève ? proposa Olin.

— Je peux encore tenir un peu, grimaça le biologiste.

Nate confirma aussi d'un signe de tête et les deux amis entamèrent la longue escalade. En dépit de leurs efforts, ils furent vite distancés. Kelly resta auprès d'eux, inquiète. Quant à Carrera, elle surveillait toujours les arrières.

Nate ne sentait plus ses genoux, il avait les cuisses en feu, les épaules percluses de fatigue, mais il continuait à avancer.

— Ça ne doit plus être très loin, lâcha-t-il à voix haute, plus pour se donner du courage qu'à l'adresse de ses compagnons de route.

— Je l'espère, répondit Kelly.

— Il est fort, la rassura Manny en hochant le menton vers Frank.

— Ici, la force ne sert à rien.

— Il va s'en sortir, insista Nate. Il a sa casquette porte-bonheur des Red Sox, non ?

— Oh ! Il adore ce vieux truc, soupira-t-elle. Saviez-vous qu'il avait été bloqueur en équipe réserve ? Division Triple A.

Peinée, elle baissa d'un ton.

— Mon père était si fier. On l'était tous. Il était même question que Frank passe pro, mais une chute de ski lui a bousillé le genou, ce qui a mis un terme à sa carrière.

— Et vous parlez de *porte-bonheur* ? s'étonna Manny.

Un vague sourire aux lèvres, Kelly effleura la visière :

— Pendant trois saisons, il a pratiqué de tout son cœur son sport favori. Même après l'accident, il n'a jamais éprouvé d'amertume. Il avait l'impression d'être le plus veinard de la Terre.

Nate contempla la casquette de Frank en lui enviant son heure de gloire. Sa vie à lui avait-elle été aussi simple ? Au fond, le couvre-chef avait peut-être bien porté chance à son propriétaire et, là, en pleine jungle, ils avaient besoin de toute la chance disponible en rayon.

Carrera interrompit l'évocation des souvenirs :

— Les jaguars… ils ont cessé de nous suivre.

Nate jeta un œil en contrebas : la monstrueuse femelle faisait les cent pas au pied de l'escalier. Tortor la fixait, les yeux étincelants. Elle observa son petit congénère quelques instants, puis, tel un éclair, elle redisparut dans la forêt.

— Ils doivent considérer la vallée inférieure comme leur territoire personnel, déduisit Manny. Une autre ligne de défense.

— Mais que protègent-ils ? s'interrogea Carrera.

Une voix retentit d'en haut : Kostos s'était arrêté à dix marches du sommet et leur faisait signe de hâter le pas.

Le temps que le petit groupe se reforme, l'aube commença à poindre. Derrière le passage abrupt s'étendait une belle vallée dont la végétation touffue était hérissée d'arbres immenses. Quelque part, un ruisseau gazouillait gaiement et, au loin, une cascade grondait.

— Les terres des Ban-ali, annonça Kouwe.

Olin s'approcha des deux brancardiers :

— Maintenant, on prend le relais.

Nate s'étonna de voir Richard Zane aux côtés du Russe, mais il ne s'en plaignit pas et tendit la civière aux nouveaux porteurs. Soulagé de son fardeau, il se sentit soudain deux fois plus léger, comme si ses bras flottaient tout seuls.

Au moment où Manny et lui revenaient à sa hauteur, le sergent grommela :

— L'Indien s'est évaporé dans la nature.

Constatant qu'ils avaient en effet perdu leur guide, Nate répondit :

— Tant pis, on sait où aller.

— Il faudrait attendre que le soleil soit complètement levé, objecta Kostos.

Le biologiste fronça les sourcils :

— Depuis qu'on a posé le pied dans la jungle, les Ban-ali nous suivent à la trace. Jour et nuit. Qu'il fasse clair ou non, on n'apercevra pas âme qui vive, sauf s'ils en décident autrement.

— D'autant qu'on transporte un blessé, renchérit Nate. Plus vite on atteindra un village, plus Frank aura de chances de s'en sortir. À mon avis, il vaut mieux foncer.

— D'accord, concéda le Ranger, mais on reste ensemble.

Il se redressa et ouvrit le chemin.

À chaque pas, la forêt s'éclaircit. En Amazonie, le lever de soleil était souvent brutal et, au-dessus de leurs têtes, le raz-de-marée rosissant de l'aube engloutit les étoiles. Le ciel sans nuages augurait une chaleur torride.

Le groupe s'arrêta au sommet de la gorge. Une piste étroite s'enfonçait dans la jungle, mais où menait-elle ? Rien n'indiquait que la vallée était habitée. Ni colonne de fumée ni bruit de voix.

Avant de reprendre la route, Kostos observa la région aux jumelles :

— Merde.

— Un problème ? frémit Zane.

— Le canyon n'est qu'un prolongement de celui d'où on vient, répondit le sergent, le doigt pointé à droite. Seulement, il m'en paraît séparé par un mur de falaises très escarpées.

Armé de ses propres jumelles, Nate suivit la direction indiquée. À travers la jungle, une petite rivière serpentait au fond du défilé. Il remonta son cours jusqu'à la voir disparaître dans le vide vers le canyon inférieur, celui qu'ils avaient mis la nuit à traverser, domaine réservé des jaguars monstrueux.

— On est coincés ici, conclut Kostos.

En orientant ses lentilles grossissantes à cent quatre-vingts degrés, Nate vit une autre chute d'eau tomber directement d'une falaise au loin. En fait, la vallée était cernée, sur trois côtés, par des parois rocheuses et, sur le quatrième, par une falaise à pic.

Ce coin de jungle est isolé du reste du monde, comprit-il.

— Je n'aime pas ça, poursuivit le sergent. Le seul moyen de sortir d'ici, c'est cette crevasse.

Tandis que Nate baissait ses jumelles, le soleil surgit à l'horizon et, tout à coup, la jungle se retrouva auréolée d'un doux halo vert. Un vol d'aras bleu et doré décolla près des rochers embrumés et fendit le ciel au-dessus d'eux. Saturé par le nuage de gouttelettes que les deux cascades produisaient de part et d'autre de la vallée, l'air scintillait presque sous les premiers rayons de l'astre roi.

— On se croirait au jardin d'Éden, chuchota Kouwe.

Caressée par la lumière, la forêt s'éveilla au chant des oiseaux et aux cris des singes. Des papillons grands comme des assiettes voletaient à la ronde. Une forme poilue courut se réfugier dans les ténèbres des sous-bois. Que la vallée verdoyante soit isolée ou pas, en tout cas, la vie avait su s'y frayer un chemin.

Mais qui d'autre avait bien pu s'y installer ?

— Qu'est-ce qu'on fait ? se renseigna Anna.

Personne ne broncha. Au bout de quelques secondes, Nate rompit le silence :

— À mon avis, on n'a pas d'autre choix que de continuer.

Kostos se renfrogna, puis acquiesça :

— Voyons où le chemin nous conduit, mais que chacun reste sur le qui-vive.

Tous descendirent prudemment une petite pente vers l'orée de la jungle. Une fois encore, Kostos ouvrait la marche, escorté par Nate et son fusil. Le groupe avança en formation compacte et, dès qu'il retrouva le dais sombre de la forêt, les effluves d'orchidées et de lianes en fleur devinrent si puissants qu'ils chatouillèrent presque la langue.

Malgré une atmosphère d'une incroyable suavité, la tension restait néanmoins palpable. Quels secrets dormaient là-bas ? Quels dangers y rôdaient ? Toute ombre était suspecte.

Nate mit un bon quart d'heure à remarquer un détail étrange de la forêt qu'ils traversaient. Son immense fatigue avait dû émousser ses sens. Il ralentit, bouche bée.

Manny lui rentra dedans :

— Que se passe-t-il ?

Le jeune Américain s'écarta du sentier, perplexe.

— Qu'est-ce que vous fichez, Rand ? grogna Kostos.

— Ces arbres…

Médusé, Nate en oublia son sentiment de malaise. Les autres s'arrêtèrent et suivirent son regard.

— Eh bien, qu'ont-ils de spécial ? demanda Manny.

Nate pivota lentement :

— En tant que botaniste, je reconnais la plupart des plantes autour de nous. (Pointant le doigt sur chaque espèce :) Fromagers, lauriers, figuiers, acajous, bois de rose, palmiers de toutes sortes. Bref, une végétation typique des forêts tropicales humides, mais…

Sa voix se brisa.

— Mais quoi ? insista le Ranger.

L'expert s'approcha d'un tronc très fin qui culminait à trente mètres de haut et explosait en un panache touffu de palmes. Des grappes de gros fruits dentelés pendaient juste au-dessous.

— Savez-vous de quoi il s'agit ?

— On dirait un palmier, hasarda Kostos. Et alors ? Nate frappa l'écorce du plat de la main :

— Rien à voir ! C'est un putain de bennettitale !

— Comment ?

— Un arbre qu'on croyait éteint depuis longtemps et qui remonte au crétacé. Je n'en avais encore vu que des fossiles.

— Vous êtes sûr ? s'étonna Anna Fong.

— Absolument. Ma thèse portait sur la paléobotanique.

Il s'intéressa ensuite à un genre de fougère qui mesurait presque quatre mètres de haut. Chaque fronde était aussi grande que lui et, de ses bras écartés, il en embrassait à peine la largeur. Il secoua une tige impressionnante :

— Quant à ce machin-là, c'est un pied-de-loup géant, censé avoir disparu à l'ère carbonifère. Ce n'est pas tout. Il y en a plein autour de nous : glossopteris, lycopodes, conifères podocarpes…

D'un geste, il balaya la flore inhabituelle.

— Et je ne vous parle que des spécimens que je peux classer.

Il pointa son fusil vers un arbre au tronc torsadé en spirale :

— Pour celui-là, je donne ma langue au chat.

Il se tourna vers le reste de l'expédition, se défit de sa fatigue intense comme d'une seconde peau et leva les bras au ciel :

— Nous avons atterri dans un incroyable musée de fossiles vivants !

— Comment est-ce possible ? s'exclama Zane.

— L'endroit, isolé, est une enclave à l'abri du temps, répondit Kouwe. Des quantités de choses ont pu se réfugier ici pendant des millénaires.

— Géologiquement parlant, la région remonte au paléozoïque, jubila Nate. Autrefois, le bassin amazonien était une mer intérieure d'eau douce, avant qu'elle n'explose sous le coup des mouvements tectoniques et se vide dans l'océan. Vous avez ici un petit souvenir de ces temps immémoriaux. Un truc stupéfiant !

Restée près du brancard, Kelly intervint :

— Stupéfiant ou pas, j'ai besoin de mettre Frank à l'abri.

Ses mots ramenèrent le jeune scientifique à la réalité de la situation. Il hocha la tête, gêné de s'être laissé distraire en pleine tourmente.

Kostos se racla la gorge :

— Allez, on continue.

Le groupe se remit en route mais, toujours fasciné, Nate lambinait à l'arrière. Il étudiait le feuillage qui l'entourait et, au lieu de scruter les ombres, il n'avait d'yeux que pour la jungle elle-même. Expert en botanique, il était ébahi par la richesse délirante de la végétation : prêles aux tiges grosses comme des tuyaux d'orgue, fougères éclipsant le volume des palmiers actuels, énormes conifères primitifs dont les pommes de pin atteignaient la taille d'une Coccinelle Volkswagen. Le panachage de plantes anciennes et nouvelles était tout simplement ahurissant et on n'avait encore jamais vu d'écosystème aussi varié.

Kouwe marchait désormais à côté de son ami :

— Qu'en penses-tu ?

— Je ne sais pas. Des explorateurs sont déjà tombés sur des noyaux de vie préhistorique : forêt de méta-séquoias en Chine dans les années 1980, grotte tapissée de fougères rares en Afrique... Très récemment, en Australie, un bosquet entier d'arbres préhistoriques qu'on croyait disparus depuis longtemps a même été identifié au cœur d'une lointaine forêt tropicale.

Nate appuya ses paroles d'un coup d'œil au professeur.

— Dans la mesure où l'homme n'a sondé qu'une infime partie de l'Amazonie, il est, en fin de compte, plus surprenant que ce soit nous les premiers à découvrir une telle enclave protégée.

— La jungle cache bien ses secrets, répondit Kouwe.

Chemin faisant, la canopée s'épaissit et les arbres devinrent de plus en plus hauts. Les rayons du soleil matinal ne projetaient plus qu'une lueur verdâtre, comme si le groupe s'enfonçait de nouveau dans le crépuscule.

Peu à peu, tout le monde se mit à observer la forêt et les conversations se turent. Même les non-spécialistes se rendaient compte que la jungle n'avait plus rien d'ordinaire. Le nombre de plantes préhistoriques commençait à l'emporter sur leurs cousines contemporaines. Les arbres étaient monumentaux, les fougères dominaient tout et d'étranges formes tordues serpentaient à travers la végétation mixte. Le groupe croisa un bromelia épineux de l'envergure d'une petite maison de campagne. D'énormes fleurs, grosses comme des citrouilles, poussaient sur les lianes et saturaient l'atmosphère de leur parfum capiteux.

On se serait cru dans une serre aux proportions XXL.

Soudain, Kostos se figea, les yeux rivés à la piste, arme au poing, puis il fit lentement signe aux autres de se baisser.

Tout le monde s'accroupit. Au moment de changer son fusil d'épaule, Nate aperçut ce qui avait déconcerté le Ranger.

Il regarda à gauche, à droite et même derrière eux. On aurait dit une image informatisée qui n'était, de prime abord, qu'un vague assemblage de pixels placés au hasard mais qui, regardée de travers, sous un certain angle, faisait surgir un immense tableau en 3D.

D'un coup, la jungle apparut sous un jour étonnant.

En haut des arbres, on avait bâti des plates-formes sur lesquelles se dressaient de petites maisons. Avec leur toit souvent tressé de branches et de feuilles qui offraient un excellent camouflage naturel, les structures semi-vivantes se confondaient à merveille dans la végétation hôte.

À y regarder de plus près, les plantes grimpantes et autres lianes enchevêtrées qui recouvraient les arbres jusqu'au sol servaient, en réalité, d'échelles ou de ponts naturels. L'une d'elles ne se trouvait d'ailleurs qu'à quelques mètres à droite de Nate. Des fleurs y couraient tout le long. Elle aussi était vivante.

Difficile de dire où s'arrêtait la construction humaine et où débutait la forêt. Mi-artificiel, mi-organique, le mélange était impressionnant, le maquillage imperceptible.

Sans même le savoir, ils foulaient déjà les terres des Ban-ali.

Devant eux, de vastes maisons à étages culminaient avec patios ou terrasses sur des arbres encore plus hauts, mais elles étaient, elles aussi, superbement masquées par un entrelacs d'écorce, de lianes et de feuilles qui les rendait à peine visibles.

Les yeux ronds, personne ne bougea. Une question brûlait toutes les lèvres : *Qu'étaient devenus les habitants de ce village haut perché ?*

Tor-tor lâcha un grondement menaçant.

Soudain, Nate les aperçut. Depuis le début, ils étaient là, immobiles et silencieux autour d'eux. Petits fragments d'ombres vivantes. Le corps badigeonné de peinture noire, ils s'étaient fondus dans l'obscurité, entre les arbres ou sous les buissons.

A priori nullement intimidé par les fusils, un indigène sortit de sa tanière et se planta sur le chemin.

D'emblée, Nate reconnut leur ancien guide. Celui qui les avait conduits jusque-là. Ses tresses brunes piquées de fleurs et de feuilles accentuaient encore la perfection de son déguisement naturel. Vêtu d'un simple pagne, l'homme avança les mains vides, sans armes, et posa sur les étrangers un regard dur et impassible.

Après quoi, sans un mot, il fit volte-face et prit le sentier.

Kouwe se releva :

— Il veut sans doute qu'on continue de le suivre.

À leur tour, ses équipiers se redressèrent lentement.

Dans les bois, d'autres membres de la tribu jouaient les sentinelles muettes baignées d'ombre.

Kostos eut un instant d'hésitation.

— S'ils avaient voulu nous tuer, insista le professeur, nous serions déjà morts.

Le Ranger fronça les sourcils mais, de mauvaise grâce, il finit par se ranger à l'avis général.

En chemin, Nate étudia le village et ses habitants silencieux. De temps à autre, il apercevait l'ombre fugace d'une femme ou d'un enfant derrière une fenêtre. Il lorgna les hommes à moitié cachés dans la forêt. *Des éclaireurs ou des guerriers tribaux*, supposa-t-il.

Sous les peintures de guerre, leur structure osseuse était typique des Amérindiens, dont les traits vaguement asiatiques rappelaient l'héritage génétique d'ancêtres qui avaient traversé le détroit de Béring quelque cinquante mille ans plus tôt, débarqué en Alaska et colonisé les Amériques mais, eux, qui étaient-ils ? Comment étaient-ils arrivés là ? Jusqu'où remontaient leurs racines ? Malgré le danger latent, Nate brûlait d'en apprendre davantage sur l'étrange peuple et son histoire, surtout depuis qu'elle semblait liée à la sienne.

Il contempla la jungle alentour. Carl Rand avait-il emprunté le même sentier ? Rien que d'y penser, son fils sentit de vieilles émotions refaire surface. Sa poitrine se serra. Il était à deux doigts de découvrir la vérité.

Bientôt, ils comprirent qu'on les emmenait vers une lointaine clairière ensoleillée et, quand ils y arrivèrent, la forêt qui enveloppait l'étroit chemin s'écarta de part et d'autre. L'endroit était cerné de conifères primitifs et de cycas géants. Un petit ruisseau sinuait au soleil, tout étincelant et gargouillant.

Le guide continua d'avancer, mais l'équipe s'arrêta au bord.

Au centre de la clairière trônait un arbre majestueux comme Nate n'en avait encore jamais vu. Au moins aussi haut qu'un immeuble de trente étages, son tronc ceint d'écorce blanche mesurait bien dix mètres de diamètre. Les grosses racines qui saillaient de la terre sombre ressemblaient à des genoux pâles. Certaines franchissaient même le ruisseau avant de se renfoncer dans le sol.

Les branches, qui s'étalaient en vastes terrasses, n'étaient pas sans rappeler la forme des séquoias géants mais, à la place des aiguilles, ce spécimen-là arborait de grandes feuilles vertes palmées qui, bercées par le vent, laissaient apparaître une face inférieure argentée et des agrégats de gousses semblables à des noix de coco.

Nate était sous le choc. Il ne savait même pas dans quelle catégorie ranger un pareil végétal. Peut-être s'agissait-il d'une nouvelle espèce de gymnosperme primitive, mais il était loin d'en être sûr. Les fruits ressemblaient un peu à ceux d'une griffe de chat, la Liane du Pérou, mais cette plante-là était beaucoup plus ancienne.

Les yeux rivés à l'arbre, il se rendit compte d'autre chose : même le géant des forêts montrait des signes d'habitation. De petits amas de huttes étaient nichés contre le tronc ou posés sur les branches les plus massives. *Bâtis pour imiter les gousses de l'arbre*, comprit le botaniste, sidéré.

Leur guide ban-ali se faufila entre deux racines noueuses et disparut dans l'obscurité. En s'écartant d'un pas pour mieux regarder, Nate aperçut une ouverture cintrée à la base de l'arbre, une porte d'entrée. Il leva le nez vers les groupes de cabanes. Dans la mesure où il n'y avait pas d'échelle de liane, comment rejoignait-on sa maison ? Un tunnel avait-il été percé à l'intérieur du tronc ?

Au moment où le jeune homme voulut en avoir le cœur net, Manny l'empoigna par le bras :

— Regarde.

Nate suivit l'index de son ami. Distrait par le colosse bardé d'écorce blanche, il n'avait pas remarqué le petit chalet rustique érigé au fond de la clairière. Avec ses murs en rondins et son toit de chaume, la solide bâtisse détonnait un peu, car c'était la seule érigée au ras du sol.

— Je rêve ou on a installé des piles solaires sur le toit ? s'exclama le Brésilien.

Nate prit ses jumelles. La lumière matinale faisait miroiter deux petites plaques noires qui, fixées au-dessus du chalet, ressemblaient en effet à des panneaux solaires. Intrigué, il s'attarda sur la construction. Il n'y avait pas de fenêtres et la porte se réduisait à un simple rideau en feuilles de palme tressées.

Son attention fut néanmoins attirée par un objet familier qui luisait près de l'entrée. Un long bâton en bois d'amourette, poli par de longues années d'utilisation et couronné de plumes de *hoko*.

Nate sentit le sol se dérober sous ses pieds.

La canne de son père !

Il lâcha ses jumelles et se dirigea vers la cabane en trébuchant.

— Rand ! aboya Kostos.

Le garçon n'écoutait plus. Il se mit à courir. Les autres suivirent afin d'éviter la dislocation du groupe. Encombrés par leur brancard, Zane et Olin poussèrent des grognements furieux.

Nate se rua vers le chalet, puis s'arrêta net et retint son souffle. La bouche sèche, il contempla la canne. Des initiales étaient gravées dans le bois : *C.R.*

Carl Rand.

Ses yeux s'embuèrent. À l'époque où l'éminent chercheur s'était volatilisé, Nate avait refusé d'accepter sa mort. Il avait eu besoin de se raccrocher à un brin d'espoir, de peur que l'accablement ne le submerge et l'empêche de poursuivre les recherches d'une année entière. Même quand ses ressources financières s'étaient épuisées et qu'il avait été forcé d'admettre la disparition de son père, il n'avait pas pleuré. En quatre ans, le chagrin s'était transformé en une profonde dépression qui avait rongé sa triste existence.

Or, là, devant une preuve de passage aussi tangible, Nate fondit en larmes.

Il était impossible que son père soit encore en vie. Ce genre de miracle-là n'arrivait que dans les romans. D'ailleurs, la cabane portait les stigmates d'un long abandon. Des monceaux de feuilles mortes charriées par le vent encombraient l'entrée et ne laissaient entrevoir aucune trace de pas.

Nate écarta le rideau tressé. Gêné par l'obscurité, il sortit sa lampe et l'alluma. Un rat sans queue, un *paca*, jaillit de sa cachette et courut s'engouffrer dans une lézarde du mur d'en face. Le sol était couvert d'une épaisse couche de poussière sillonnée de petites empreintes de pattes et de crottes de rongeurs.

Nate braqua le faisceau de sa torche à la ronde.

Au bout de la pièce, quatre hamacs pendaient au plafond, vides et intacts. Plus près, un modeste bureau en bois accueillait du matériel de laboratoire, dont un ordinateur portable.

Après la canne posée sur le perron, Nate reconnut le petit microscope et les bocaux à spécimens de son père. Il avança dans la pénombre et ouvrit l'ordinateur qui, à sa grande surprise, se mit à ronronner.

— Les photopiles produisent toujours du courant, expliqua Manny, resté sur le seuil.

Hébété, Nate essuya ses mains pleines de toiles d'araignée :

— Mon père est venu ici. Ce sont ses outils de travail.

Quelques mètres en retrait, Kouwe annonça :

— L'Indien est de retour… et il n'est pas seul.

Le botaniste fixa l'écran encore un instant. Par la porte, le soleil faisait étinceler les grains de poussière en suspension dans l'air. La pièce embaumait l'huile de bois et la feuille de palme séchée, mais on distinguait aussi une odeur sous-jacente de cendres et de renfermé. Voilà plus de six mois que personne n'avait mis un pied à l'intérieur.

Que leur était-il arrivé ?

Le temps de sécher ses larmes, Nate pivota vers l'entrée : leur guide peinturluré de noir marchait vers eux d'un pas décidé. Il était accompagné d'un Indien minuscule. L'homme, qui ne devait pas dépasser un mètre vingt, avait la peau tannée et n'arborait aucune peinture tribale, à l'exception d'une grande spirale rouge sur le ventre et de la traditionnelle paume bleue au-dessus du nombril.

Nate rejoignit les autres dehors.

L'inconnu avait les oreilles percées, d'où pendaient des plumes typiques des parures yanomami. Il portait aussi un bandeau orné d'un gros coléoptère dont la carapace noire étincelait au soleil. C'était une des sauterelles carnivores qui avaient tué Jorgensen.

Kouwe jeta un regard à Nate. Son ami aussi avait remarqué l'étrange bijou, preuve que l'agression émanait bien de la région.

Comme un coup de poignard à l'estomac, le jeune homme sentit la rage monter. Non seulement les Banali avaient liquidé la moitié de son équipe, mais ils avaient retenu les rescapés de l'expédition de son père prisonniers pendant quatre ans. Un mélange de colère et de douleur l'envahit.

Son émotion n'échappa sans doute pas au professeur :

— Du calme, Nate. Attendons de voir ce qui se passe.

Leur guide conduisit l'homme qu'il escortait jusqu'à eux, puis, en signe de déférence, il s'écarta d'un pas.

Le minuscule Indien étudia un à un chaque membre du groupe, fronça légèrement les sourcils à la vue de Tor-tor, puis, le doigt pointé vers le brancard, il s'adressa à Olin et Zane dans un anglais un peu guindé :

— Amenez le blessé. Les autres restent ici.

Sur quoi, il refit volte-face vers l'immense arbre central.

Abasourdi, personne ne bougea. Le choc d'entendre parler leur idiome avait sapé net la colère de Nate.

Olin et Zane aussi paraissaient tétanisés.

D'un geste agacé, le guide leur ordonna d'obéir.

— Personne ne va nulle part, rétorqua Kostos.

Carrera avança d'un pas. Tous deux étaient prêts à tirer.

— On ne se sépare pas.

Contrarié, l'Indien ban-ali indiqua la petite silhouette qui s'éloignait.

— Guérisseur, balbutia-t-il du mieux qu'il put. Bon guérisseur.

De nouveau, l'usage de l'anglais les prit de court.

— Les collègues de votre père leur ont sûrement appris les rudiments de notre langue, chuchota Anna Fong.

À moins que ce ne soit mon père en personne, songea Nate.

— On devrait obéir, conseilla Kouwe. À mon avis, ils ne veulent aucun mal à Frank mais, au cas où, je peux l'escorter.

— Pas question de laisser mon frère, riposta Kelly en s'approchant de la civière.

— Et moi, je refuse d'y aller, renchérit Zane. Je reste là où sont les flingues.

— Rassurez-vous, je vais prendre votre place, répondit le professeur. De toute façon, c'est mon tour.

Ravi d'être délivré de son fardeau, Zane fonça se réfugier dans l'ombre d'un sergent Kostos toujours aussi bougon.

Kelly rejoignit Olin à l'avant du brancard :

— Je vous remplace.

Le Russe voulut protester, mais elle insista :

— Je préfère que vous vous occupiez du GPS. Vous êtes le seul capable de réparer cet engin de malheur.

De mauvaise grâce, il hocha la tête et lui confia les bras en bambou de la civière. Pendant quelques secondes, Kelly tenta de soulever l'imposante charge et, au prix d'un effort surhumain, elle se releva enfin.

— Je peux m'occuper de Frank, proposa charitablement Nate. Vous n'aurez qu'à nous suivre.

— Non, répliqua-t-elle, les mâchoires serrées.

D'un coup de tête, elle désigna la cabane en rondins.

— Tâchez plutôt de découvrir ce qui s'est passé ici.

Sans attendre d'autre objection, Kelly se mit en route. Kouwe lui emboîta le pas à l'arrière du brancard.

L'Indien parut soulagé de leur coopération et se dépêcha de les accompagner vers l'arbre géant.

Depuis le perron crasseux du chalet, Nate observa de nouveau les agrégats de maisons nichées en hauteur et prit conscience que son père avait dû contempler le même paysage. Soucieux de tisser un lien avec son géniteur défunt, il resta planté là jusqu'à ce que Kelly et Kouwe aient disparu à l'intérieur du tunnel végétal.

Pendant que ses comparses ouvraient leurs sacs, il se retourna vers la cabane déserte : dans la pénombre, l'écran d'ordinateur vibrait d'un éclat spectral. Une lumière vaine et solitaire.

Soupir aux lèvres, Nate songea de nouveau à ce qui était arrivé aux autres.

Accablée par le poids de son frère jumeau, Kelly s'engouffra dans l'antre sombre du tronc gigantesque. Son attention restait partagée entre l'état de santé déclinant de Frank et l'étrange spectacle qui s'offrait à elle.

Les pansements du jeune homme s'étaient gorgés de sang et ses plaies servaient de repas tout prêt aux mouches qui grouillaient autour. Il lui fallait une transfusion d'urgence. Mentalement, sa sœur passa en revue les autres soins nécessaires : nouvelle perfusion, bandages compressifs propres, plus de morphine et d'antibiotiques. Frank devait survivre jusqu'à l'arrivée de l'hélicoptère des secours.

Toutefois, malgré l'horreur et l'angoisse qui lui tenaillaient le cœur, Kelly ne put s'empêcher d'être ébahie par l'intérieur de l'arbre. Alors qu'elle s'attendait à affronter un escalier raide et encaissé, l'accès se révéla beaucoup plus large, formant un chemin qui sinuait tranquillement jusqu'aux habitations haut perchées. Polis et sans aspérités, les murs couleur miel étaient ornés, çà et là, d'empreintes de main bleues. Tous les dix mètres à partir du seuil, une fenêtre étroite, semblable aux meurtrières des châteaux forts, permettait au soleil matinal d'illuminer les lieux.

Kelly et Kouwe suivirent leur guide. Le sol était lisse, mais sa texture relativement ligneuse facilitait l'ascension. Malgré la pente douce, la jeune femme ne tarda pas à ahaner d'épuisement. Seules l'adrénaline et la peur continuaient à la faire avancer : la peur pour son frère, la peur pour eux tous.

— Le tunnel a l'air presque naturel, marmonna Kouwe derrière elle. L'aspect satiné des murs, la perfection de la spirale... On dirait que cette galerie est une espèce de tubule ou de canal intérieur, pas qu'elle a été creusée à la main.

Kelly s'humecta les lèvres, mais elle était si fatiguée, si terrifiée qu'aucun son ne sortit de sa gorge. Les mots du professeur attirèrent toutefois son attention sur les parois. Il avait raison : le couloir ne laissait paraître aucun coup de hache ou de ciseau à bois. Seules les fenêtres taillées à cru vers l'extérieur trahissaient l'intervention de l'homme. La différence entre les deux était frappante. La tribu était-elle tombée par hasard sur la galerie tortueuse formée à même l'arbre et en avait-elle tiré parti ? À en croire les habitations croisées en chemin, les Ban-ali étaient des ingénieurs chevronnés capables d'insinuer une part d'artificialité dans la nature. Peut-être en était-ce un autre exemple.

— Les mouches sont parties, constata le professeur.

Le médecin regarda par-dessus son épaule. Le bruyant essaim qui pullulait autour des bandages rougis de son frère avait en effet disparu.

— Elles se sont sauvées peu après notre entrée dans l'arbre, précisa Kouwe. Les essences aromatiques du bois doivent avoir des propriétés répulsives.

Kelly aussi avait remarqué que l'arbre dégageait une odeur musquée quasi familière, proche de l'eucalyptus séché, à la fois médicinale, agréable et empreinte d'un fort parfum d'humus qui renvoyait à une réalité plus mûre, plus terrienne.

D'un bref coup d'œil, Kelly constata à quel point les pansements de Frank étaient détrempés. Vu l'ampleur de l'hémorragie, il ne résisterait pas longtemps. Il fallait agir vite et, malgré la terreur qui lui glaçait le sang, elle accéléra encore le pas.

Au fil de la montée, des ouvertures apparurent le long du tunnel. Les couloirs menaient soit vers un logement précis, soit vers des branches aussi larges que des allées de jardin, au bout desquelles se dressaient d'autres huttes.

Pourtant, on continuait à les emmener de plus en plus haut.

Kelly avait beau faire preuve d'une détermination farouche, elle commença à trébucher, à ralentir, à haleter, à sentir la sueur lui piquer les yeux. Elle mourait d'envie de se reposer quelques instants, mais elle ne pouvait pas abandonner son frère.

Quand il s'aperçut que les deux brancardiers se laissaient distancer, le guide rebroussa chemin, jaugea la situation et s'approcha de Kelly :

— Moi aider.

Il se frappa le torse avec le poing.

— Moi fort.

Il la poussa gentiment sur le côté et prit sa place à l'avant de la civière.

Trop faible pour protester, elle était même trop essoufflée pour balbutier le moindre remerciement.

Tandis que les deux hommes reprenaient l'ascension de plus belle, elle escorta le blessé. Frank, plus blême que jamais, respirait à peine. Soulagée de sa charge, Kelly se focalisa de nouveau sur lui. Elle sortit son stéthoscope et écouta sa poitrine : le cœur battait au ralenti, les poumons crépitaient. À bout de forces, le pauvre risquait le choc hypovolémique. Il fallait à tout prix stopper les saignements.

Accaparée par la santé de Frank, elle ne se rendit pas compte qu'ils étaient arrivés au bout de la galerie. Le passage en spirale déboucha sur une arche qui ressemblait comme deux gouttes d'eau à l'entrée dans l'arbre géant. Sauf qu'au lieu de revenir à la lumière du jour, ils pénétrèrent à l'intérieur d'une grotte circulaire.

Éberluée, Kelly découvrit une salle éclairée par des fentes grossièrement creusées en haut des murs cintrés. En d'autres termes : une maxi-bulle en bois de trente mètres de diamètre qui dépassait à moitié du tronc principal.

— On dirait une énorme galle, souffla Kouwe.

Le professeur faisait allusion aux excroissances ligneuses qu'on trouvait, par exemple, sur les chênes et qui étaient produites par des insectes ou d'autres parasites.

Si Kelly approuva la comparaison, aucune bestiole n'habitait, en revanche, cette protubérance-là. Le long des murs incurvés, une douzaine de hamacs tissés pendaient à des crochets. Certains d'entre eux étaient occupés par des indigènes en tenue d'Adam. D'autres Ban-ali s'affairaient autour d'eux. La poignée d'hommes et de femmes alités semblaient souffrir de divers maux : pied bandé, attelle au bras, front brûlant de fièvre. Un patient tressaillit lorsqu'un membre de la tribu appliqua une substance pâteuse sur la plaie profonde qu'il avait au torse.

D'emblée, Kelly comprit ce qu'elle avait devant les yeux.

Un hôpital.

Le minuscule Indien qui les avait convoqués attendait tout près. Visiblement impatient, il indiqua un hamac et lâcha quelques mots rapides dans une langue étrangère.

Le guide acquiesça d'un signe de tête et les accompagna jusqu'à la bonne couchette.

En chemin, Kouwe murmura, stupéfait :

— Si je ne m'abuse, c'est un dialecte dérivé du yanomami.

Kelly lui lança un regard intrigué.

— Le yanomami n'a pas d'équivalents connus. Ses modèles sémantiques et ses structures tonales sont uniques en leur genre. Un véritable ovni linguistique. Voilà, entre autres, pourquoi le peuple qui la parle est considéré comme une des plus vieilles lignées d'Amazonie.

Les yeux écarquillés, il scruta les Indiens alentour.

— Les Ban-ali sont sans doute une ramification, une tribu perdue des Yanomami.

Trop inquiète pour apprécier l'ampleur d'une telle découverte, Kelly hocha la tête en silence : son frère était sa seule préoccupation.

Sous la houlette du petit Indien, le blessé fut transféré de son brancard vers le hamac. Kelly trépigna d'angoisse. Un peu secoué par la manœuvre, Frank geignit et ses yeux papillotèrent. L'effet des calmants se dissipait peu à peu.

La jeune femme plongea le nez dans sa trousse de secours posée sur la civière abandonnée. Elle n'eut pas le temps de sortir sa seringue et ses flacons de morphine que le guérisseur aboya des ordres à son personnel. Munis de petits couteaux en os, le guide et un autre membre de la tribu commencèrent à défaire les bandages souillés autour des moignons de Frank.

— Arrêtez ! s'exclama Kelly.

Indifférents à ses protestations, les deux infirmiers de fortune continuèrent leur besogne. Le sang se mit à couler plus abondamment.

Elle s'approcha du hamac et attrapa le plus grand par le bras :

— Non ! Vous ne savez pas ce que vous faites. Attendez que j'aie préparé les pansements compressifs et remis une perfusion ! Il va se vider de son sang !

Agacé, le gaillard se dégagea de son étreinte.

L'index pointé sur Kelly, Kouwe intervint :

— C'est notre *guérisseuse*.

Déconcerté par la nouvelle, l'homme se retourna vers son propre chaman.

Le petit Indien s'était accroupi près du mur cintré, à l'avant du hamac. Un bol entre les mains, il recueillait une sève épaisse qui suintait d'une entaille pratiquée à même le bois :

— Le guérisseur ici, c'est moi. Médecine ban-ali. Pour arrêter les saignements. Remède puissant de *yagga*.

Kelly se tourna vers Kouwe, qui décrypta :

— *Yagga*... ça ressemble à *yakka*... le mot « mère » en yanomami.

Le professeur balaya la pièce du regard.

— *Yagga* doit être le nom qu'ils ont donné à cet arbre. Une divinité.

Quand son bol fut à moitié rempli de sève rougeâtre, le chaman se redressa et enfonça un bouchon en bois au-dessus de l'étrange robinet.

— Remèdes puissants, répéta-t-il, son récipient brandi devant le hamac. Le sang de Yagga arrêtera le sang de l'homme.

On aurait dit une espèce de mantra, traduction d'un vieil adage.

Il fit signe au grand Indien de découper le premier pansement.

Lorsque Kelly voulut de nouveau s'interposer, Kouwe lui retint le bras et chuchota :

— Sortez vos compresses, votre liquide de Ringer et tenez-vous prête mais, pour l'instant, voyons de quoi leur médecine est capable.

Elle ravala ses objections et se souvint de la petite indigène que les remèdes occidentaux de l'hôpital de São Gabriel ne réussissaient pas à sauver. Elle décida donc de s'en remettre temporairement aux Ban-ali mais, au fond, elle faisait plus confiance au professeur Kouwe qu'au mystérieux chaman. Elle s'accroupit devant sa trousse de secours et, avec une grande dextérité, y chercha ses bandages et sa poche de solution saline.

Quand elle eut trouvé le matériel nécessaire, ses yeux se posèrent sur le robinet à sève tout proche. *Le sang de Yagga.* Espèce de ruban foncé dans le bois doré, la veine ponctionnée partait du haut de l'entaille et courait le long du toit. Kelly y aperçut d'autres filons semblables, dont chaque vaisseau sombre descendait vers un hamac.

Munie de ses pansements, elle se releva au moment où on arrachait le premier bandage sanguinolent de Frank. Prise de court, la sœur (et non le médecin) faillit s'évanouir devant l'horreur du spectacle : esquilles acérées d'os blanchâtres, lambeaux de muscles déchiquetés, amas gélatineux de chairs abîmées... Un flot visqueux de sang noir bourré de caillots jaillit de la plaie à vif et dégoulina à travers les mailles du hamac.

Kelly eut soudain du mal à respirer. Les sons devinrent à la fois plus sourds et plus précis. Son regard se concentra sur la pauvre silhouette avachie. *Ce n'était pas Frank,* essayait-elle de se persuader. En son for intérieur, hélas, elle savait la vérité : son frère était condamné. Les larmes aux yeux, elle sentit un gémissement s'étrangler dans sa gorge.

Conscient de son désarroi, Kouwe la prit par les épaules et l'attira contre lui.

— Oh, Seigneur... je vous en prie..., sanglotait-elle.

Loin de compatir à sa souffrance, le chaman ban-ali examina le membre amputé en fronçant les sourcils d'un air déterminé, puis il appliqua une poignée d'épaisse sève bordeaux sur le moignon.

La réaction fut immédiate – et violente. La cuisse de Frank se redressa d'un seul coup, comme s'il venait de recevoir une décharge électrique. Malgré sa stupeur, il poussa un cri d'animal.

Quittant le giron rassurant du professeur, Kelly s'élança d'un pas mal assuré :

— Frank !

Le sorcier lui jeta un regard et, après avoir marmonné quelques mots dans sa langue natale, il la laissa approcher.

Elle voulut agripper le bras de son frère, mais le sursaut fut aussi bref que subit et Frank retomba sans forces au creux du hamac. Convaincue qu'il était mort, elle se pencha au-dessus de lui en pleurant à chaudes larmes.

Soudain, de profondes respirations soulevèrent la poitrine du patient.

Il était vivant.

Elle tomba à genoux, soulagée. La jambe exposée à l'air libre était en piteux état. La jeune femme, qui s'attendait au pire, étudia la plaie, ses pansements à la main.

Sauf qu'ils se révélèrent inutiles.

Une croûte de sève s'était formée sur les tissus macérés. Ébahie, elle effleura l'étrange substance : ce n'était plus poisseux mais rêche et parcheminé, comme une sorte de bandage naturel. Elle observa le chaman avec un respect mêlé d'admiration. Le saignement avait cessé net.

— Yagga a estimé qu'il en valait la peine, annonça l'Indien. Il va guérir.

Les yeux ronds, Kelly le regarda transporter son bol vers l'autre jambe et entreprendre de reproduire le miracle.

— J'hallucine, couina-t-elle d'une petite voix de souris.

Kouwe la reprit sous son aile :

— Je connais une quinzaine de plantes hémostatiques mais aucune d'une efficacité aussi redoutable.

Frank se raidit de nouveau quand on lui enduisit l'autre moignon de pâte végétale.

Après avoir contemplé son œuvre quelques instants, le chaman se tourna vers eux et annonça solennellement :

— À partir d'aujourd'hui, Yagga le protégera.

— Merci, bredouilla Kelly.

Le petit Indien observa le patient une dernière fois :

— C'est maintenant un Ban-ali. Il fait partie des Élus.

Elle fronça les sourcils sans comprendre.

— À partir d'aujourd'hui, il doit servir Yagga de toutes les manières possibles et pour toujours.

Sur quoi, il prit congé, non sans avoir ajouté quelque chose dans sa langue natale sur un ton sinistre et menaçant.

Après son départ, Kelly lança un regard interrogateur à Kouwe.

Le professeur secoua la tête :

— Je n'ai reconnu qu'un seul mot. *Ban-yi*.

— Qui signifie ?

Kouwe lorgna Frank :

— Esclave.

Chapitre 15

Soins médicaux

16 août, 11 h 43
Salle de soins de l'Institut Instar
Langley, Virginie

Lauren ne s'était jamais sentie aussi désemparée. Perdue dans un amoncellement de draps et d'oreillers, sa petite-fille était reliée par une ribambelle de fils à une batterie d'appareils et de poches à solution saline. Malgré son épaisse combinaison de protection, Lauren entendait siffler et biper les machines de la longue salle étroite. La pauvre Jessie n'était plus la seule confinée. Cinq nouveaux enfants avaient été contaminés depuis la veille.

Et combien d'autres dans les prochains jours ? Sur la simulation informatique de l'épidémiologiste, une grosse tache rouge envahissait les États-Unis. Lauren avait aussi eu vent de cas au Canada et même de deux jeunes Allemands infectés durant leurs vacances en Floride.

En fin de compte, les sombres prévisions du Dr Alvisio étaient peut-être encore trop timides. Rien que dans la matinée, elle avait entendu parler de nouveaux malades au Brésil et, cette fois-là, il s'agissait d'adultes en bonne santé. Contrairement aux enfants, ils n'attrapaient pas de fièvre mais souffraient de cancers fulgurants ou de tumeurs malignes dévastatrices comparables à celles retrouvées sur le corps de Gerald Clark.

Lauren avait déjà confié le dossier à une équipe de chercheurs mais, pour l'instant, d'autres préoccupations lui accaparaient l'esprit.

Elle était assise au chevet de Jessie, qui regardait une émission enfantine via le canal vidéo de la salle. Hélas, aucun sourire ne venait éclairer le visage de la fillette, aucun éclat de rire. La jeune malade fixait son dessin animé comme un robot, les yeux vitreux, les cheveux collés de sueur sur le front.

Lauren ne pouvait pas lui être d'un grand réconfort. Le contact de sa combinaison en plastique était froid et impersonnel. Elle n'avait que sa compagnie à offrir, histoire de montrer à Jessie qu'elle n'était pas seule et de lui donner à voir un être familier, mais elle ne remplaçait pas une mère. Chaque fois que la porte s'ouvrait, la petite avait dans les yeux une lueur d'espoir qui, malheureusement, tournait vite à la déception. Ce n'était qu'une infirmière ou un énième médecin. Jamais sa maman.

Même Lauren se surprenait à lorgner la porte en priant le ciel pour que Marshall ait des nouvelles de leur progéniture. En Amazonie, l'hélicoptère brésilien avait quitté la base de Wauwai depuis des heures. Il y avait donc fort à parier que les sauveteurs avaient rejoint l'équipe en perdition et que Kelly était désormais sur le chemin du retour.

Seulement, jusqu'à présent, pas de nouvelles.

L'attente devenait interminable.

Jessie gratta l'adhésif qui maintenait son cathéter en place.

— N'y touche pas, chérie, souffla Lauren en écartant sa main.

L'enfant soupira et se laissa retomber sur ses oreillers.

— Où est maman ? demanda-t-elle pour la millième fois de la journée. Je veux ma maman.

— Elle arrive, trésor, mais l'Amérique du Sud, c'est loin d'ici. Pourquoi n'essaies-tu pas de faire la sieste ?

— J'ai mal dans la bouche.

Lauren lui tendit un gobelet de jus de fruits coupé aux analgésiques :

— Bois doucement à la paille. Ça fera passer les bobos.

Sa petite-fille avait déjà des boutons de fièvre ou, en termes plus techniques, de vives ulcérations mucocutanées sur le pourtour des lèvres. Leur apparition était un symptôme typique de la maladie. On ne pouvait désormais plus nier que Jessie était contaminée.

La petite sirota son breuvage en grimaçant, puis se rassit :

— Ça a un drôle de goût. Maman ne le prépare pas pareil.

— Je sais, mon cœur, mais tu te sentiras mieux après.

— Un drôle de goût…, répéta-t-elle, de nouveau attirée par l'écran de télévision.

Elles se turent. Un peu plus loin, un bambin se mit à sangloter. En arrière-plan, la rengaine de l'ours dansant faisait un bruit de casserole à travers la combinaison de protection.

Combien d'autres ? se demanda Lauren. *Combien d'autres allaient encore tomber malades ? Combien d'autres mourraient ?*

Le soupir d'une porte sous pression résonna derrière elle. La grand-mère se retourna au moment où surgissait un grand gaillard en tenue de quarantaine muni d'un cordon d'alimentation en oxygène. Lorsqu'elle reconnut son mari derrière le masque de plastique transparent, elle se leva d'un bond :

— Marshall...

Il lui fit signe de se rasseoir, alla fixer son tuyau sur la réserve d'oxygène installée au mur, puis rejoignit le lit médicalisé.

— Papy ! lâcha Jessie avec un faible sourire.

Elle éprouvait un amour très spécial pour l'unique figure paternelle de sa vie. Quel soulagement de la voir réagir ainsi à sa présence !

Il lui ébouriffa les cheveux :

— Comment va ma petite citrouille ?

— Je regarde Bobo l'Ours.

— Ah oui ? Il est rigolo ?

Elle confirma d'un vigoureux coup de menton.

— Je vais regarder avec toi. Fais-moi une petite place.

Aux anges, Jessie le laissa s'installer au bord du lit. Il passa le bras sur ses épaules et elle se blottit contre lui pour suivre l'émission.

Lauren croisa le regard de son époux, qui répondit d'un non furtif de la tête.

Qu'est-ce que ça voulait dire ? Pressée d'en savoir plus, elle alluma la radio interne de sa combinaison afin de lui parler en toute discrétion.

— Comment va Jessie ? murmura Marshall.

— Sa température est redescendue à 37,2 °C, mais ses bilans sanguins continuent à déraper. Les taux de leucocytes sont en chute libre, tandis que la bilirubine est en hausse.

Marshall ferma les yeux de chagrin :

— Phase 2 ?

La voix de Lauren se brisa. Étant donné la foule de cas étudiés à travers le pays, l'évolution de la maladie devenait prévisible. L'entrée en phase 2 correspondait au passage de l'état fébrile bénin à une anémie accompagnée de nausées et de saignements.

— D'ici demain. Après-demain au plus tard.

Ils connaissaient tous deux la suite. Proprement encadrée, la phase 2 pouvait durer trois à quatre jours, suivie de vingt-quatre heures de phase 3. *Convulsions et hémorragies cérébrales*. Il n'y avait pas de phase 4.

Lauren observa la fillette pelotonnée contre son grand-père. *Moins d'une semaine*. C'était le peu de temps qui restait à Jessie.

— Et Kelly ? On l'a récupérée ? Elle rentre bientôt ?

Comme sa radio interne resta silencieuse, Lauren releva la tête.

Marshall la dévisagea un instant, puis souffla :

— Aucune trace. L'hélicoptère a balayé la zone où ils étaient censés se trouver d'après leur dernier signal GPS, mais il n'a rien trouvé.

Lauren eut l'impression de recevoir une brique en plein estomac :

— Comment est-ce possible ?

— Je ne sais pas. On a passé la journée à essayer de les contacter par liaison satellite. Sans succès. Ils n'ont sans doute pas résolu leurs soucis matériels d'hier.

— Est-ce que les recherches aériennes se poursuivent ?

— Non. L'appareil a dû rebrousser chemin de peur de manquer de carburant.

— Marshall…, bredouilla-t-elle.

Il lui prit la main :

— Après avoir refait le plein, ils repartiront en vol nocturne et tenteront de repérer d'éventuels feux de camp grâce à leurs jumelles infrarouges. Demain, trois autres hélicoptères, dont notre propre Comanche, se joindront aux recherches.

Il lui serra les doigts très fort.

— On va les localiser.

Lauren était sous le choc. *Tous ses enfants... tous...*

De son lit, Jessie tendit son bras perfusé vers l'écran :

— Il est marrant, Bobo !

13 h 05
Jungle amazonienne

Nate descendit de la cabane par une échelle de quinze mètres. Érigée sur trois niveaux, la bâtisse était nichée entre les branches d'un *Eidothea hardeniana*, véritable fossile vivant datant du crétacé. Juste après le départ de Frank accompagné de Kelly et du professeur, deux femmes ban-ali avaient entraîné le reste des explorateurs à la lisière de la clairière, où elles avaient indiqué par gestes qu'un logement leur avait été attribué.

Devant les réticences de Kostos, Carrera avait énoncé une remarque très pertinente :

— On se protégera mieux là-haut. À terre, nous sommes des cibles faciles. Si, par hasard, les jaguars géants débarquaient cette nuit...

Il n'en avait pas fallu plus au sergent pour être convaincu :

— D'accord, d'accord, on va ranger notre attirail là-haut. Ensuite, on établira un périmètre de défense.

Nate ne voyait pas l'utilité d'une telle précaution. Depuis leur arrivée, les Indiens s'étaient montrés curieux, mais ils n'osaient pas approcher et les observaient de leurs fenêtres ou de derrière un arbre. Aucune hostilité apparente n'était à signaler. Néanmoins, il avait un mal fou à assimiler la peuplade tranquille aux brutes sanguinaires qui avaient décimé la moitié des explorateurs en leur envoyant toutes sortes de bêtes sauvages. À vrai dire, de nombreuses tribus indigènes fonctionnaient sur la dualité : de prime abord, elles paraissaient hostiles et brutales mais, dès qu'on était accepté, elles devenaient pacifiques et ouvertes d'esprit.

Malgré tout, la tribu avait quand même infligé une mort atroce à bon nombre de ses compagnons d'aventure. Un sentiment ardent de colère étreignit la poitrine de Nate. Il y avait aussi Clark et peut-être d'autres membres de l'expédition de son père, retenus en otage pendant des années. L'heure n'était pas au détachement professionnel. En tant qu'anthropologue, le jeune homme comprenait les mœurs étranges du peuple banali, mais son cœur de fils bouillonnait de rancune et de rage.

Toujours est-il que, pour le moment, ils *aidaient* Frank. Kouwe était revenu annoncer que le chaman indien et Kelly avaient réussi à stabiliser le blessé. Enfin une bonne nouvelle ! Le professeur, qui avait hâte de regagner l'arbre géant, n'était pas resté longtemps. Un bref instant, ses yeux s'étaient posés sur Nate. Malgré l'attitude coopérative de la tribu, il était manifestement inquiet. Son jeune ami avait tenté d'en savoir plus mais, en partant, Kouwe l'avait repoussé d'un laconique :

— Plus tard.

Nate posa le pied sur le dernier barreau et bondit de l'échelle de liane. Manny et les deux Rangers s'étaient rassemblés au pied de l'arbre. Tor-tor patientait près de son maître. Derniers membres d'une équipe dont les effectifs fondaient comme neige au soleil, Zane, Anna et Olin étaient restés à l'abri dans l'arbre et tentaient de réparer le matériel de communication.

Manny salua l'arrivée de Nate.

— Je monte la garde ici, annonça Kostos à Carrera. Manny et toi, allez explorer les abords immédiats. Voyez ce que vous pouvez découvrir sur la configuration des lieux.

La militaire acquiesça en silence et prit congé, accompagnée de Manny, qui ordonna :

— Au pied, Tor-tor.

— Qu'est-ce que vous fichez ici, Rand ? lança Kostos.

— J'essaie de me rendre utile. (Il désigna le chalet cent mètres plus loin.) Pendant que le soleil alimente encore les photopiles, je vais voir si je peux dénicher des infos dans les dossiers informatiques de mon père.

Le sergent hocha la tête. À sa mine songeuse, on devinait qu'il était en train de réfléchir, d'évaluer la situation et, vu les circonstances actuelles, chaque neurone en action pouvait se révéler d'une importance capitale.

— Soyez prudent, grogna-t-il.

Nate remonta son fusil sur l'épaule :

— Toujours.

Et il traversa la prairie à ciel ouvert.

Une poignée d'enfants s'étaient réunis au loin. Certains le montrèrent du doigt en se faisant des signes. D'autres suivaient Manny et Carrera mais restaient à bonne distance de Tor-tor. Ah, la curiosité de la jeunesse ! Entre les arbres, la timide tribu reprenait doucement son train-train quotidien. Plusieurs femmes allèrent puiser de l'eau à la rivière qui contournait le gigantesque arbre central. Les gens recommençaient à grimper chez eux. À l'approche du dîner, on alluma de petits feux sur les âtres en pierre des patios. Une vieille femme assise en tailleur tirait d'une flûte en os de cerf une mélodie joyeuse mais entêtante. Juste à côté, deux chasseurs à l'arc saluèrent Nate d'un imperceptible coup de menton.

Leur désinvolture lui rappela que, malgré l'extrême isolement de la vallée, ils avaient déjà côtoyé des Blancs : les rescapés de l'expédition de Carl Rand.

Nate arriva au chalet et, lorsqu'il revit la canne, le reste du monde et ses mystères s'envolèrent aussitôt. Une seule question taraudait le garçon : *Qu'est-il vraiment arrivé à mon père ?*

Après avoir jeté un ultime regard au campement provisoire de son équipe, il franchit le rideau de palmes. Les puissants effluves musqués donnaient l'impression de profaner une sépulture perdue. À l'intérieur, il retrouva l'ordinateur portable comme il l'avait laissé : branché sur le plan de travail, l'engin luisait tel un phare dans la nuit.

De plus près, l'économiseur d'écran était constitué d'une myriade de photos qui flottaient doucement et rebondissaient contre les bords. Nate en eut les larmes aux yeux. Des clichés de sa mère. Autre spectre de son passé. Il contempla le visage souriant. Sur une vignette, elle était agenouillée près d'un petit Indien. Une autre la montrait avec un capucin perché sur l'épaule. Sur une troisième, elle serrait dans ses bras un bambin blanc vêtu d'un costume baniwa tradition-nel. C'était Nate, alors âgé de six ans. Le cœur gros, il esquissa un sourire. Bien que son père ne figure sur aucune photo, il devina aussi sa présence, comme si un fantôme familier fixait l'écran derrière lui. Jamais le jeune homme ne s'était senti aussi proche de sa famille disparue.

Au bout de longues secondes, il effleura le pavé tactile et, *zou !* l'économiseur d'écran fut remplacé par une interface classique semée de petites icônes de dossiers. Nate parcourut les différents titres. *Classification des plantes*, *Coutumes tribales*, *Statistiques des cellules*… Quelle mine d'informations ! Il allait lui falloir des jours pour tout passer au crible. Un titre attira néanmoins son attention : sous l'icône d'un petit livre était affiché le mot *Journal*.

Nate cliqua dessus. Un fichier s'ouvrit :

Journal d'Amazonie - Dr Carl Rand

C'était le livre de bord de son père. Il remarqua la première entrée : *24 septembre*, date à laquelle l'expédition s'était enfoncée au cœur de la jungle. En faisant défiler rapidement le curseur, Nate constata qu'à chaque jour correspondait un commentaire. Parfois, il n'excédait pas une phrase ou deux, mais il y avait toujours quelque chose d'écrit. Son père était un homme consciencieux. Comme il l'avait cité un jour à Nate : « Une vie sans examen ne vaut pas la peine d'être vécue. »

Le jeune Américain éplucha le fichier à la recherche d'une date précise et la trouva. 16 décembre. Jour de la disparition de l'équipe.

16 décembre

Nous sommes encore restés coincés dans nos tentes à cause des violents orages, mais la journée n'a pas été une perte totale de temps. Un Indien arawak qui descendait la rivière a partagé notre campement détrempé et nous a raconté les histoires d'une étrange tribu… des histoires terrifiantes.

D'après lui, ils se nomment les Ban-ali, ce qui se traduit à peu près par « Jaguars de Sang ». J'ai déjà entendu des bribes de récits sur cette tribu fantôme, mais peu d'Indiens acceptent d'en parler aussi ouvertement.

Loin d'être réticent, notre visiteur s'est montré, au contraire, plutôt bavard ! Bien sûr, le fait qu'en échange, nous lui ayons offert une nouvelle machette et un lot d'hameçons étincelants n'y est peut-être pas étranger. Au vu de nos richesses, il a d'ailleurs ajouté avec insistance qu'il connaissait le terrain de chasse des Ban-ali.

Ma première envie a été de lui rire au nez, mais je l'ai quand même écouté. Si jamais il y a une chance infime que la tribu existe, comment pourrions-nous ne pas mener l'enquête ? Quelle aubaine pour notre expédition ! Pendant que nous l'inter-rogions, l'Indien nous a dessiné une carte rudimentaire et, a priori, les Ban-ali vivraient à plus de trois jours de marche du campement.

Demain, si le temps le permet, nous tenterons l'aventure afin de voir à quel point notre ami était digne de confiance. Ce sera sûrement en pure perte… mais qui connaît les trésors que la formidable jungle amazonienne pourrait cacher en son cœur ?

En fin de compte, une journée des plus intéressantes.

Nate retint son souffle et continua de lire, penché sur l'ordinateur, le front en sueur. Pendant plusieurs heures, il décortiqua le récit jour après jour, année après année et ouvrit d'autres fichiers contenant des schémas ou des photos numériques. Peu à peu, il comprit ce qui était arrivé aux autres.

En même temps, sa lecture lui donna le vertige. L'horreur du passé se mêla au présent et, tandis que les pièces du puzzle s'assemblaient une à une, une chose devint claire : pour sa propre équipe, le véritable danger ne faisait que commencer.

17 h 55

— Dites, Carrera, qu'est-ce que ce type fabrique là-bas ? demanda Manny.

— Où ça ?

Il montra un Ban-ali qui longeait le cours d'eau, un long javelot sur l'épaule. Plusieurs cuissots de viande crue étaient empalés sur sa lance.

— Il prépare le dîner ? hasarda la Ranger.

— Mais pour qui ?

Ils avaient passé l'après-midi à explorer lentement le village. Tor-tor attirait les regards, mais il permettait aussi de tenir les plus curieux en respect. Carrera avait profité de leur périple pour prendre des notes et esquisser une carte du village et des environs. *Simple mesure de reconnaissance*, avait-elle expliqué. *Au cas où les populations hostiles redeviendraient hostiles.*

Ils contournèrent l'arbre central. Derrière, le ruisseau caressait les arêtes saillantes des racines monstrueuses, comme si le courant avait emporté la terre et mis à nu la base de l'arbre. Les racines formaient un véritable enchevêtrement dans l'eau, s'y tortillaient et creusaient même des sillons.

L'Indien qui avait attiré l'attention de Manny traversa le labyrinthe végétal et, à voir ses habiles contorsions, il se dirigeait vers un endroit précis de la rivière.

— Allons jeter un œil de plus près, suggéra le biologiste.

Après avoir fourré le calepin dans sa poche, Carrera brandit le redoutable Bailey. *A priori* peu emballée à l'idée de côtoyer le mystérieux arbre géant, elle prit néanmoins les devants et se dirigea vers le cours d'eau encombré de racines.

L'Indien traversa à gué jusqu'à un vaste étang assombri par un dais de grosses racines et de radicelles. La surface était à peine troublée par un faible remous en profondeur.

Se sentant observé, il les salua de la tête, puis se remit au travail. Manny et Carrera se postèrent à quelques mètres. Quant à Tor-tor, il s'assit tranquillement.

Accroupi, le Ban-ali tendit sa lance hérissée de morceaux de viande sanglants au-dessus de la mare étale.

— Qu'est-ce qu'il… ?

Soudain, plusieurs bestioles jaillirent vers la nourriture. On aurait dit de minuscules anguilles argentées qui bondissaient hors de l'eau et croquaient avidement la viande avec leurs petites mâchoires.

— Les piranhas, murmura Carrera.

— Oui, de jeunes alevins. Leurs pattes arrière n'ont pas encore poussé. Ceux-là sont donc au stade têtard, tout en queue et en dents.

L'Indien se redressa et secoua la viande pendue à sa lance. Chaque fois qu'un gros steak sanguinolent tombait à l'eau, le paisible étang bouillonnait d'une écume écarlate. Après avoir observé son œuvre quelques instants, l'homme rebroussa chemin vers les deux Blancs médusés.

Au passage, il les salua de nouveau et contempla le jaguar avec un respect mêlé de crainte.

— Je veux aller voir de plus près, annonça Manny.

— Vous êtes dingue ? protesta Carrera. On se barre d'ici, point !

— J'ai juste envie de vérifier un truc.

Comme il se dirigeait déjà vers le fouillis de racines, Carrera se résigna à le suivre.

Vu l'étroitesse du sentier, ils avancèrent l'un derrière l'autre. Tor-tor, qui fermait la marche, posait délicatement les pattes entre les racines et remuait la queue d'un air inquiet.

Manny s'approcha du bassin naturel.

— Ne vous aventurez pas trop loin, l'avertit Carrera.

— L'Indien ne les intéressait pas. Je ne risque rien.

Il ralentit quand même et s'arrêta à un mètre de la berge, la main posée sur son fouet. À l'ombre des racines, la mare d'une limpidité cristalline était profonde d'au moins trois mètres. Il sonda du regard ses eaux transparentes.

Des bancs de poissons y pullulaient. On ne voyait plus aucune trace de viande, mais le lit de l'étang était jonché d'os blanchis et récurés à la perfection.

— C'est un couvoir, constata Manny. Une saleté de couvoir à poiscaille !

Depuis les branches qui surplombaient la mare, des gouttelettes de sève s'écrasaient dans l'eau, attirant aussitôt les affamés en quête du repas suivant. Dès qu'ils se rassemblaient à la surface, le biologiste pouvait mieux les observer. Leur taille variait du menu fretin à des bêtes plus imposantes dont les pattes arrière commençaient à poindre, mais aucune créature n'était encore entièrement développée.

— Ce sont *tous* des alevins, conclut Manny. Je ne vois aucun des adultes qui nous ont attaqués.

— Notre poison a vraiment été efficace.

— Pas étonnant qu'il n'y ait pas eu de second assaut. Ça doit demander du temps de reconstruire une armée pareille.

— Pour les piranhas, peut-être...

Deux mètres en retrait, Carrera baissa d'un ton, l'air écœuré.

— ... mais par pour tout.

Sous l'œil intrigué de Manny, elle braqua son Bailey vers l'endroit où les racines commençaient à former la partie inférieure du tronc. Le long de l'écorce, on apercevait de grosses galles d'un mètre d'envergure. Il y en avait des centaines. Au fond des trous grouillaient des insectes noirs qui rampaient, se chamaillaient ou s'accouplaient. Certains battaient lentement des ailes en émettant un léger bourdonnement.

— Les sauterelles..., souffla Manny, qui recula à son tour.

Trop occupées, les bestioles n'avaient pas remarqué leur présence.

Le regard du Brésilien passa de l'étang au dangereux essaim :

— L'arbre…

— Quoi ?

Alors qu'une autre larme de sève attirait une poignée de piranhas argentés à la surface, il secoua la tête :

— Je n'en suis pas sûr, mais on dirait presque que l'arbre nourrit et élève ces créatures.

Ses méninges se mirent à fonctionner à plein régime et, les yeux écarquillés, il établit des correspondances troublantes.

Le voyant sans doute blêmir, Carrera s'inquiéta :

— Qu'est-ce qui ne va pas ?

— Oh, Seigneur… il faut ficher le camp d'ici !

18 h 30

Penché sur l'ordinateur depuis des heures, Nate était abruti de fatigue. Après avoir relu de nombreuses remarques du journal paternel et même croisé certaines références avec les fichiers scientifiques, il aboutissait à des conclusions aussi perturbantes que miraculeuses. Il fit défiler les pages jusqu'à la fin et s'attarda sur la dernière ligne.

Nous allons essayer ce soir. Puisse Dieu veiller sur nous tous.

Derrière lui, le bruissement du panneau de l'entrée annonça une visite impromptue.

— Nate ?

C'était le professeur Kouwe.

D'un coup d'œil à sa montre, le jeune homme studieux prit conscience du temps qu'il avait passé dans ses archives, à l'écart du monde. Il avait la bouche aussi sèche que de la toile de jute. Derrière le rideau de palmes, le soleil déclinant à l'horizon annonçait doucement le crépuscule.

Nate s'obligea à penser à autre chose :

— Comment va Frank ?

— Qu'est-ce qui cloche ? s'inquiéta Kouwe devant sa mine d'enterrement.

Son ami secoua la tête. Il n'était pas encore prêt à en parler.

— Où est Kelly ?

— Dehors. Elle discute avec Kostos. On est descendus vous donner des nouvelles et vérifier que tout allait bien. Ensuite, on remonte dans l'arbre. Comment les choses se déroulent-elles ici ?

— Les Indiens gardent leurs distances. (Il alla contempler les prémices du coucher de soleil.) On a terminé d'installer nos quartiers là-haut. Manny et Carrera explorent les lieux.

— Oui, je viens de les croiser sur le chemin du retour. Où en sont les communications avec les États-Unis ?

Nate haussa les épaules :

— Tout le système est corrompu, mais Olin pense pouvoir réparer le GPS afin d'envoyer nos coordonnées exactes et d'émettre un signal. Peut-être dès ce soir.

— Bonne nouvelle, lâcha Kouwe, les mâchoires serrées.

Au son de sa voix, Nate sentit qu'il était tendu :

— Qu'y a-t-il ?

— Oh, un truc que je n'arrive pas encore à identifier.

— Je peux peut-être vous aider.

Il débrancha le câble d'alimentation de l'ordinateur. De toute façon, à l'approche de la nuit, les photopiles ne lui fourniraient bientôt plus d'électricité. Après avoir vérifié que l'appareil était chargé à bloc, il le fourra sous son bras :

— Il est temps de comparer nos observations.

— C'est la raison pour laquelle je suis descendu avec Kelly, confirma Kouwe. Nous aussi, on a des nouvelles.

Nate lut encore une certaine inquiétude sur le visage du professeur et, en se levant de sa chaise, il se dit qu'il devait faire exactement la même tête :

— Allons rassembler nos troupes.

Dehors, ils retrouvèrent un soleil de fin d'après-midi. Comparée à la chaleur étouffante qui régnait dans la cabane, la brise légère leur donna presque des frissons. Ils s'approchèrent de Kelly et du sergent Kostos. Manny et Carrera les avaient rejoints.

Un Ban-ali se tenait à quelques mètres d'eux. Nate mit de longues secondes à reconnaître leur ancien guide. Une fois débarrassé de son camouflage noir, l'homme avait la peau brune et arborait un tatouage rouge foncé sur son torse nu.

Le botaniste s'arrêta devant Kelly :

— J'ai appris que Frank allait mieux.

La jeune femme, toute pâle, avait l'esprit ailleurs :

— Pour le moment.

Elle remarqua l'ordinateur sous son bras.

— Vous avez découvert quelque chose sur votre père ?

— À mon avis, les autres devraient aussi entendre ce que j'ai à dire, soupira-t-il.

— De toute manière, il est grand temps d'échafauder un plan, intervint Kostos. La nuit va bientôt tomber.

Kouwe indiqua le logement sur trois niveaux qu'on leur avait attribué dans l'immense *Eidothea hardeniana* :

— Si nous regagnions nos pénates ?

Personne n'émit d'objection et, sans délai, ils gravirent la longue échelle de liane. Tor-tor resta au pied de l'arbre, à l'affût. Durant son ascension, Nate jeta un coup d'œil en bas. Le jaguar n'était pas seul : visiblement assigné à leur groupe, le Ban-ali montait aussi la garde.

Arrivé au dernier barreau, Nate posa le pied sur la terrasse. L'équipe se rassembla sur le ponton ou resta à la porte du rez-de-chaussée, qui servait de salle commune. Les deux étages supérieurs abritaient un dédale de chambres individuelles dotées chacune d'un pont ou d'un patio privé.

À l'évidence, on avait réquisitionné le foyer d'une famille de la tribu pour les héberger. La maison regorgeait de touches personnelles : pièces de poteries et ustensiles en bois, décorations à base de plumes et de fleurs, hamacs abandonnés, petits animaux en bois sculpté. Même l'atmosphère, sans commune mesure avec l'odeur de renfermé du chalet déserté, rappelait les parfums subtils de la vie : huiles et épices de cuisine, mâtinées d'un chouïa d'odeurs corporelles.

Anna Fong s'approcha de Nate, un plateau de figues entre les mains :

— Une Indienne nous a déposé des victuailles. Des fruits, des patates douces cuites ainsi qu'un peu de viande séchée.

Au souvenir de sa soif intense, il prit une figue tendre et croqua dedans en laissant le jus sucré couler sur son menton. Après s'être essuyé la bouche d'un revers de main, il demanda :

— Comment Olin se débrouille-t-il avec le signal GPS ?

— Il continue à travailler dessus, bredouilla la jeune Asiatique à mi-voix, mais, à l'entendre jurer comme un charretier, ça ne doit pas se passer au mieux.

Sur le seuil, Kostos lança :

— Tout le monde à l'intérieur !

Tandis qu'il s'écartait de manière à laisser ses coéquipiers rejoindre la salle commune, Nate aperçut d'autres plateaux de nourriture. Il y avait même plusieurs seaux d'un liquide sombre dégageant une forte odeur de fermentation.

Kouwe examina le contenu d'un récipient et, visiblement surpris, il se tourna vers Nate :

— C'est du cachiri !

Kostos rabattit le rideau de l'entrée :

— Du quoi ?

— De la bière de manioc, expliqua le botaniste. Une boisson alcoolisée très répandue chez les Amérindiens.

— De la bière ? répéta le Ranger, les yeux brillants. Sérieux ?

Kouwe prit une louche de liquide brun foncé, qu'il versa dans une chope. Des lambeaux visqueux de racine de manioc flottaient à la surface du seau. Le professeur tendit le breuvage au sergent.

Kostos le renifla, à moitié rebuté, mais il en avala une grande gorgée et secoua vite la tête :

— Beurk !

— À la longue, on finit par apprécier, souffla Nate.

Il s'en servit une tasse et commença à siroter. Manny aussi.

— Les femmes de la tribu préparent le cachiri en mastiquant des racines de manioc, qu'elles recrachent ensuite au fond d'une bassine. Ce sont les enzymes de leur salive qui favorisent le processus de fermentation.

Kostos vida sa chope dans le seau :

— Un jour ou l'autre, je retrouverai ma Budweiser.

Nate haussa les épaules.

Les autres goûtèrent quelques plats, puis s'installèrent sur les nattes posées à terre. Tout le monde paraissait exténué. Une bonne nuit de sommeil ne ferait de mal à personne.

Nate posa l'ordinateur sur une jarre retournée.

Les yeux rouges, Olin le regarda soulever le couvercle et l'allumer :

— Je pourrais peut-être le démonter et récupérer des pièces de manière à réparer notre matériel de communication.

Devant son avidité manifeste, Nate s'y opposa tout net :

— Ce portable a cinq ans. Je doute qu'il vous soit très utile et, pour l'instant, son contenu a beaucoup plus d'importance que notre propre survie.

Ses paroles retinrent l'attention générale. Il promena son regard à la ronde :

— Je sais ce qui est arrivé aux derniers explorateurs. Si nous ne voulons pas connaître le même sort tragique, il faudra tirer les leçons de leur expérience.

— Que s'est-il passé ? demanda Kouwe.

Nate inspira à fond, se jeta à l'eau et désigna la première page du journal à l'écran :

— Tout est là. Nos prédécesseurs ont entendu des rumeurs sur l'existence des Ban-ali et ont rencontré un Indien qui s'est vanté de pouvoir les emmener jusqu'à eux. Mon père ne résistant pas à l'espoir fou de découvrir une nouvelle tribu, son équipe s'est déroutée de l'itinéraire initial. Deux jours plus tard, ils ont été assaillis par les mêmes animaux mutants que nous.

Un murmure parcourut l'assistance. Manny leva le doigt comme à l'école :

— J'ai trouvé où ils élèvent leurs saloperies. Du moins les sauterelles et les piranhas.

Il décrivit l'endroit découvert avec Carrera et ajouta :

— D'ailleurs, j'ai mes propres théories sur ces bestioles.

Kouwe l'interrompit :

— Avant de nous perdre en hypothèses et en conjectures, limitons-nous aux faits avérés. Continue, Nate. Que leur est-il arrivé après l'attaque ?

L'histoire n'étant pas facile à raconter, le fils Rand prit de nouveau son courage à deux mains :

— Tous les membres de l'expédition se sont fait massacrer sauf Gerald Clark, mon père et deux autres chercheurs. Ils ont été capturés par des chasseurs banali. Mon père a réussi à communiquer avec eux et les a convaincus de les épargner. D'après ses notes, je présume que leur langue natale est assez proche du yanomami.

— Il existe en effet des similitudes, confirma Kouwe, et, vu l'extrême isolement de la tribu, la présence d'un Blanc capable de parler un tel dialecte leur a sûrement valu un répit. Je ne suis pas étonné que ton père et les autres aient eu la vie sauve.

Pour le peu que cela leur a servi, songea Nate avec amertume avant d'enchaîner :

— Les rescapés étaient grièvement blessés mais, une fois ici, ils ont tous guéri comme par miracle. Selon mon père, les plaies se sont refermées sans laisser de cicatrices, les os se sont ressoudés en moins de huit jours et même les maladies chroniques, du genre souffle au cœur, ont disparu. Néanmoins, la transformation la plus effarante a concerné Gerald Clark.

Kelly se redressa sur son siège :

— Son bras.

— Exact. En quelques semaines, son moignon a commencé à se déchirer, à saigner et une méchante excroissance s'y est développée. Aidé de son camarade médecin, mon père a suivi l'évolution. Il s'agissait, en fait, d'un agrégat de cellules souches indifférenciées. Persuadés que la tumeur était maligne, les deux hommes ont même pensé l'exciser, mais ils ne disposaient d'aucun matériel chirurgical. Les semaines suivantes, de lentes modifications sont apparues. La masse s'est peu à peu allongée et de la peau s'est formée autour.

Kelly ouvrit des yeux ronds :

— Le bras était en train de se reconstituer.

Nate approuva en silence, fit défiler le journal de bord jusqu'à remonter presque trois ans plus tôt et lut à voix haute :

— *Aujourd'hui, le Dr Chandler et moi avons compris que la tumeur de Clark s'apparente, en réalité, à un processus inédit de régénération cellulaire. Le temps de suivre la repousse, nous avons mis nos projets d'évasion entre parenthèses : ce miracle en vaut la peine. Toujours aussi arrangeants comme geôliers, les Ban-ali nous laissent nous déplacer librement dans la vallée, mais ils nous interdisent de partir. D'ailleurs, vu les monstrueux jaguars qui hantent le canyon inférieur, toute manœuvre de fuite semble, pour le moment, impossible.*

Nate cliqua sur un autre fichier. Des croquis sommaires d'un bras et d'un haut de torse s'affichèrent à l'écran.

— Mon père a continué à détailler les différentes étapes de la transformation, c'est-à-dire comment les cellules souches se sont peu à peu muées en os, muscles, nerfs, vaisseaux sanguins, poils et peau. Au bout de huit mois, le membre avait complètement repoussé.

— Grâce à quoi ? demanda Kelly.

— D'après le journal, grâce à la sève du Yagga.

— Le Yagga…, haleta-t-elle.

— Je comprends mieux pourquoi les Ban-ali vénèrent cet arbre ! s'exclama Kouwe, stupéfait.

— C'est quoi un Yagga ? intervint Zane.

Resté en retrait, c'était la première fois que l'émissaire de Tellux prenait part à la discussion.

Kouwe expliqua la scène à laquelle Kelly et lui avaient assisté dans la salle de soins du gigantesque arbre préhistorique :

— Les plaies de Frank ont presque aussitôt cessé de saigner.

— Ce n'est pas tout, renchérit l'Américaine.

Elle s'approcha de l'ordinateur.

— J'ai passé l'après-midi à surveiller son taux de globules rouges avec un tube hématocrite. Eh bien, il monte en flèche, comme si quelque chose stimulait la moelle osseuse pour produire, à un rythme effréné, de nouveaux globules en remplacement du sang perdu… Je n'avais encore jamais vu ça.

Nate ouvrit un autre fichier :

— C'est une vertu de la sève. Les collègues de mon père ont réussi à la distiller pour en faire une chromatographie sur papier. De même que la sève du copal est riche en hydrocarbures, la sève du Yagga, elle, regorge de protéines.

Kelly contempla les résultats à l'écran :

— Des protéines ?

Manny vint aussitôt lorgner par-dessus son épaule :

— Le vecteur de la maladie n'était-il pas un type de protéine ?

— Oui, un prion aux puissantes propriétés mutagènes. (Elle jeta un coup d'œil derrière elle.) Tout à l'heure, vous parliez d'une théorie sur les piranhas et les sauterelles.

— Oui, ces sales bêtes sont aussi liées au Yagga, confirma le biologiste. Les sauterelles vivent sous l'écorce de l'arbre, comme dans une espèce de guêpier. Quant aux piranhas, leur nursery est un étang niché entre les racines. La sève gouttait même sur l'eau. À mon avis, c'est ce liquide nourricier qui les modifie en profondeur au début de leur croissance.

— Si j'en crois ses notes, mon père avait abouti à la même conclusion, murmura Nate.

De nombreux dossiers étaient même exclusivement consacrés au phénomène, mais il n'avait pas eu le temps de tout lire.

— Qu'en est-il des caïmans et des jaguars géants ? lança Anna.

— Je parierais sur le principe de mutation acquise, répondit Manny. Ces deux espèces ont dû se transformer en machins énormes il y a plusieurs générations. À l'heure actuelle, elles sont sans doute capables de se reproduire par elles-mêmes et leur patrimoine génétique est devenu assez stable pour se passer de la sève.

— Pourquoi ces animaux-là ne quittent-ils donc pas la région ? s'étonna l'anthropologue.

— Peut-être à cause d'un impératif biologique, d'un problème de territorialité génétique.

— Insinueriez-vous que l'arbre a fabriqué ces monstrueuses créatures à dessein ? De façon consciente ? ironisa Zane.

Le Brésilien haussa les épaules :

— Qui sait ? Il s'agit peut-être moins d'une volonté ou d'un acte de pensée que d'une simple pression évolutionniste.

— Impossible !

— Ne soyez pas si catégorique, Richard. On a déjà assisté à ce genre de prodiges. Rappelez-vous l'arbre à fourmis.

Au souvenir des insectes féroces qui avaient attaqué le sergent Kostos, Nate fronça les sourcils. La colonie nichait dans les branches creuses de l'arbre, qui les nourrissait d'une sève sucrée. En contrepartie, les fourmis de feu le défendaient farouchement contre toute intrusion végétale ou animale. Le jeune botaniste commença à comprendre où son ami voulait en venir. Les deux cas présentaient de réelles similitudes.

Manny poursuivit :

— On observe ici une symbiose entre la flore et la faune, imbriquées dans une relation étroite complexe où toutes deux se rendent mutuellement service.

Tandis que le soleil déclinait derrière elle, Carrera prit la parole près de la fenêtre :

— On se fiche de connaître l'évolution génétique de ces cochonneries ! Est-ce qu'on sait plutôt comment les éviter si jamais on doit s'évader de la vallée par la force ?

— Les créatures peuvent être contrôlées, répondit Nate.

— Comment ?

— Mon père a mis des années à percer les secrets des Ban-ali. Apparemment, la tribu a mis au point des poudres capables d'attirer ou de repousser les mutants. Nous en avons eu la preuve visuelle avec les sauterelles, mais ils maîtrisent aussi les assauts de piranhas. Grâce à des produits chimiques versés dans l'eau, ils peuvent les berner et déclencher une réaction agressive chez des poissons d'ordinaire dociles. Selon mon père, il s'agirait d'un composé hormonal stimulant le territorialisme des piranhas, qui lancent alors de violentes attaques.

— Une chance qu'on ait vite terrassé la majorité de la horde adulte, acquiesça Manny. Au couvoir, il doit falloir du temps pour reconstituer les effectifs. C'est le premier inconvénient d'un système de défense biologique.

— Voilà peut-être pourquoi les Ban-ali élèvent plusieurs espèces animales, fit remarquer l'astucieuse Carrera. Comme ça, ils ont des troupes en réserve.

— Mais bien sûr ! s'écria le Brésilien. J'aurais dû y penser.

La Ranger se tourna vers Nate :

— Que dire maintenant des fauves et des crocodiles géants ?

— Comme nous le pensions, ils assurent un rôle de gardes-barrières censés défendre le périmètre : ils surveillent chaque point d'entrée vers le cœur du territoire. Par chance, on peut aussi se protéger des jaguars en s'enduisant le corps d'une poudre noire qui permet aux Ban-ali d'aller et venir sans être inquiétés. Je suppose qu'à l'instar des excréments de caïman, la substance fait office de répulsif olfactif.

Manny laissa échapper un sifflement :

— Donc les peintures tribales de notre guide n'étaient pas qu'un simple camouflage.

— Où se procure-t-on le produit antijaguars ? se renseigna Kostos. D'où vient-il ?

— Du Yagga, lâcha Kouwe.

Le professeur n'avait pas bougé mais, au fil du récit, il avait pâli.

Nate s'étonna d'une réponse aussi instantanée :

— Les produits sont en effet dérivés de l'écorce et des huiles essentielles du Yagga, mais comment l'avez-vous deviné ?

— Tout est lié à ce colosse préhistorique. Manny avait raison de le comparer à un arbre à fourmis, mais il se trompe sur la véritable nature des insectes en question.

— Comment ça ? demanda l'intéressé.

— Les animaux mutants ne sont que des outils biologiques fournis par l'arbre à ses véritables ouvrières : les Ban-ali.

Un silence stupéfait s'abattit sur la pièce.

— Ici, dans la relation, les hommes de la tribu sont les fourmis ouvrières. Ces Indiens appellent l'arbre *Yagga*, « la mère ». Celle qui donne la vie... et prend soin de vous. Il y a une éternité, sans doute durant les premières migrations de population en Amérique du Sud, la tribu a dû découvrir les incroyables propriétés thérapeutiques de l'arbre, jusqu'à en être tout bonnement ensorcelée. À devenir des *ban-yin* – des esclaves. Chacun servant l'autre dans un entrelacs complexe d'attaque et de défense.

Nate était écœuré par la comparaison. *Des humains réduits à l'état de fourmis.*

— On a affaire à une forêt préhistorique, conclut Kouwe. Ses origines remontent peut-être à l'époque lointaine de la Pangée, quand l'Amérique du Sud jouxtait encore l'Afrique. On peut d'ailleurs imaginer que ses espèces constitutives existaient déjà le jour où notre ancêtre est devenu *homo erectus*. Depuis la nuit des temps, des centaines de légendes évoquent la présence de tels arbres aux quatre coins du monde. *La mère protectrice.* Du reste, cette rencontre fortuite ici n'était peut-être pas la première du genre.

Le groupe mit quelques secondes à encaisser la nouvelle. De l'avis de Nate, même son père n'avait pas extrapolé l'histoire du Yagga jusque-là. C'était très perturbant.

Kostos changea son M-16 d'épaule :

— Assez de vos cours d'histoire ! Je croyais qu'on était censés élaborer un plan B. Un moyen de se barrer si la radio reste en rade.

— Il a raison, approuva Kouwe. Alors, Nate, tu ne nous as pas raconté la suite. Qu'est-il arrivé à ton père et aux autres ? Comment Gerald Clark a-t-il réussi à s'enfuir ?

Le jeune homme inspira à fond, déroula le texte à l'écran jusqu'au dernier commentaire et lut à haute voix :

18 avril

Nous avons récolté assez de poudre pour tenter une évasion cette nuit. Après ce que nous avons appris, nous devons vite retrouver la civilisation. Impossible d'attendre plus longtemps. Nous allons nous peindre le corps en noir et filer au coucher de la lune. Illia connaît des raccourcis qui nous aideront à semer d'éventuels poursuivants et à quitter le territoire, mais le périple de notre retour vers le monde moderne s'annonce difficile et semé d'embûches. Nous n'avons néanmoins pas le choix… pas après la naissance. Nous allons essayer ce soir. Puisse Dieu veiller sur nous tous.

Nate redressa la tête :

— Ils ont tous tenté de s'enfuir, pas simplement Gerald Clark.

Une même expression se lut sur les visages. *Seul Clark avait réussi à retrouver la société.*

— Donc ils sont partis ensemble, murmura Kelly.

— Oui. Ils étaient même accompagnés d'une dénommée Illia, chasseuse très habile de la tribu des Ban-ali. Elle était tombée amoureuse de Gerald Clark, l'avait épousé et il l'avait emmenée.

— Que leur est-il arrivé ? frémit Anna.

— C'était la dernière entrée du journal. Il n'y a plus rien après.

— À part Clark, personne n'en est donc ressorti vivant, souffla tristement Kelly.

— Je peux me renseigner auprès de Dakii, suggéra Kouwe.

— Dakii ?

— L'Indien qui nous a guidés ici. Entre ce que je connais de ban-ali et ses quelques notions d'anglais, je devrais en apprendre davantage sur le sort des autres, comment ils sont morts.

Même s'il n'était pas persuadé de vouloir des détails, Nate acquiesça en silence.

— Qu'est-ce qui les a poussés à se sauver cette nuit-là en particulier ? reprit Manny. Pourquoi les dernières lignes évoquent-elles l'urgence du départ ?

— C'est ce que je voulais faire entendre à toute l'équipe. Mon père a abouti à d'effrayantes conclusions sur les Ban-ali. Quelque chose qu'il avait besoin de communiquer au monde extérieur.

— Quoi donc ? insista Kouwe.

Nate ne savait pas par où commencer :

— Il lui a fallu côtoyer la tribu pendant des années pour assembler les premières pièces du puzzle. Il a d'abord remarqué que ces Indiens isolés étaient beaucoup plus avancés que leurs homologues amazoniens. Ils ont, par exemple, inventé la poulie et la roue. Certaines maisons sont même équipées d'un ascenseur rudimentaire reposant sur un système de grosses pierres et de contrepoids. Et je ne parle pas d'autres progrès très étranges au regard de leur vie en autarcie totale. Mon père a passé beaucoup de temps à observer le système de pensée ban-ali, leur façon d'éduquer les enfants. Tout cela le fascinait.

— Que s'est-il donc passé ? demanda Kelly.

— Clark est tombé amoureux d'Illia. Ils se sont mariés au cours de sa deuxième année de réclusion ici. Pendant la troisième, ils ont conçu un bébé et, quelques mois plus tard, Illia a accouché.

La mine sévère, il balaya l'assemblée du regard.

— L'enfant, mort-né, souffrait de nombreuses malformations graves.

Il se rappela les mots de son père.

— *Un vrai monstre génétique.*

Kelly tressaillit.

— Sur l'ordinateur, j'ai trouvé des fichiers bourrés de détails. Mon père et le médecin du groupe sont arrivés à la conclusion terrifiante que l'arbre ne s'était pas contenté de faire muter les êtres inférieurs. Au fil des générations, il avait aussi transformé les Ban-ali en profondeur, exacerbant de façon très subtile leurs capacités cognitives, leurs réflexes et même leur vue. Ils n'avaient pas changé d'apparence mais, peu à peu, l'arbre améliorait leur nature. Mon père a alors soupçonné le patrimoine génétique des Ban-ali de s'écarter de l'humanité, car, notamment, les espèces se différencient par une incapacité à se reproduire entre elles.

— Le nourrisson mort-né…, blêmit Manny.

— Exact. Ils en ont déduit que les Ban-ali allaient bientôt quitter leur statut d'*Homo sapiens* pour devenir leur propre espèce.

— Seigneur ! haleta Kelly.

— Voilà pourquoi il leur était devenu impérieux de s'échapper. La corruption de l'humanité au fin fond de cette vallée doit absolument être enrayée.

Pendant une longue minute, personne ne broncha, puis Anna chuchota sur un ton horrifié :

— Qu'est-ce qu'on va faire ?

— On va réparer notre saleté de GPS ! pesta Kostos. Après, on se casse en vitesse de cet endroit de malheur !

— Au cas où, il faudrait aussi amasser un maximum de poudre répulsive, ajouta Carrera.

Kelly se racla la gorge :

— On oublie tous un élément essentiel. Le fléau qui est en train d'envahir le continent américain… Comment l'endiguer ? Qu'est-ce que Clark a bien pu faire sortir d'ici ? Dites, Nate, dans ses notes, votre père évoque-t-il une quelconque maladie infectieuse ?

— Non. Grâce aux formidables propriétés curatives du Yagga, ils sont restés en pleine forme. Il parle simplement d'un tabou concernant l'Élu, le Ban-ali qui oserait quitter la tribu. Une malédiction planerait sur lui et tout ce qu'il croiserait par la suite. Selon mon père, ce n'était qu'une légende censée décourager les velléités d'émancipation.

— Une malédiction touchant celui qui part et tout ce qu'il rencontre…, marmonna Manny. Ça ressemble à notre épidémie.

— Si ce n'est pas du folklore, d'où la maladie est-elle venue ? s'exclama Kelly. Pourquoi le corps de Clark s'est-il soudain rempli de tumeurs ? Qu'est-ce qui l'a rendu contagieux ?

— Je parie sur un lien avec la sève cicatrisante du Yagga, intervint Zane. Ici, elle empêche peut-être le développement des symptômes. Quand on quittera la vallée, il ne faudra pas oublier d'en emporter de gros échantillons. C'est clairement une question de vie ou de mort.

Le regard dans le vide, la jeune femme n'écoutait plus.

— Quelque chose nous échappe… Un truc essentiel, souffla-t-elle d'une voix quasi inaudible.

Nate douta même que les autres aient entendu.

— Je vais voir si Dakii accepte de coopérer, répéta Kouwe. Il a peut-être des réponses à nous donner, que ce soit sur le sort funeste des autres ou sur cette mystérieuse maladie.

— Parfait. Eh bien, maintenant, on l'a, notre plan d'action.

Resté près de la porte, le sergent Kostos distribua les rôles.

— Olin s'occupe du GPS. Demain à l'aube, Kouwe et Anna, nos spécialistes des Indiens, joueront les agents secrets et iront à la pêche aux informations. Quant à Manny, Carrera et moi, on tentera de localiser les stocks de poudre répulsive. Zane, Rand et Kelly veilleront sur Frank et le prépareront à une éventuelle évacuation d'urgence. Comme vous serez tous les trois dans l'arbre, ce sera aussi à vous de recueillir un échantillon de sève miraculeuse.

Tout le monde hocha lentement la tête. Au moins, les différentes missions leur occuperaient l'esprit et les empêcheraient de ressasser les horreurs biologiques qu'abritait la vallée primitive.

— Autant m'y mettre maintenant, reprit le professeur. Je vais profiter que notre guide Dakii soit seul en bas pour lui toucher deux mots.

— Je vous accompagne, annonça Nate.

Kelly se dirigea vers eux :

— Et moi, je veux vérifier la santé de Frank une dernière fois avant la nuit.

Le trio quitta la salle commune et traversa le ponton. Le soleil n'étant plus qu'un éclat flamboyant à

460

l'horizon, le crépuscule s'était abattu sur la clairière comme un gros nuage noir.

Ils descendirent l'échelle de liane en silence, chacun perdu dans ses pensées.

Premier arrivé, Nate aida Kouwe et Kelly à retrouver la terre ferme. Tor-tor s'approcha d'eux et, du bout du museau, chercha à attirer l'attention du botaniste, qui le gratta distraitement derrière l'oreille.

Dakii montait la garde quelques mètres plus loin.

Le professeur partit à sa rencontre.

Kelly leva les yeux vers le Yagga, dont les branches supérieures étaient encore baignées de lumière. Entre ses paupières mi-closes luisait une certaine méfiance.

— Si vous voulez bien m'attendre, je viens avec vous, proposa Nate.

— Non, ça va aller. J'ai pris la radio d'un Ranger. Allez plutôt vous reposer.

— Mais…

— Je n'en ai pas pour longtemps, insista-t-elle, la mine triste et fatiguée. J'ai juste besoin de passer cinq minutes seule avec Frank.

Message reçu. Les Ban-ali ne lui feraient sans doute aucun tort, mais il détestait la voir souffrir autant. *D'abord sa fille, à présent son frère…* Chaque trait de son visage était empreint de douleur.

Elle lui pressa la main en susurrant :

— Merci quand même de votre offre.

Et elle partit à travers champs.

Kouwe, qui avait déjà allumé sa pipe, discutait avec Dakii. Nate tapota le flanc de Tor-tor et les rejoignit.

— Dis, tu as une photo de ton père ?

— Dans mon portefeuille.

— Tu peux la montrer à Dakii ? Après quatre ans passés à ses côtés, les Indiens doivent être habitués aux portraits sur papier.

461

Nate haussa les épaules et sortit de son portefeuille en cuir un cliché de son père entouré d'enfants dans un village yanomami.

Le professeur montra l'image à Dakii, qui hocha la tête, les yeux ronds :

— Kerl…

— Carl… c'est ça. Que lui est-il arrivé ?

Kouwe répéta sa question en yanomami, mais Dakii ne comprenait toujours pas et il fallut quelques échanges supplémentaires pour que la communication passe enfin. Le guide acquiesça alors vigoureusement et il s'ensuivit une discussion animée. Les deux hommes parlaient à toute vitesse dans un mélange complexe de dialecte et de phonétique que Nate n'arrivait pas à suivre.

Kouwe profita d'une courte pause pour traduire :

— Les autres se sont fait massacrer. Gerald y a échappé, sans doute aidé par son passé au sein des Forces spéciales.

— Et mon père ?

Dakii avait dû saisir le mot. Après avoir réétudié la photo, il observa le plus jeune de ses interlocuteurs :

— Fils ? Toi fils de l'homme ?

Nate acquiesça en silence.

Un grand sourire aux lèvres, le Ban-ali lui tapota gentiment le bras :

— Bien. Fils de *wishwa*.

— *Wishwa* est l'équivalent de chaman, expliqua Kouwe. Ton père, avec ses prodiges de la vie moderne, devait être considéré comme un chaman.

— Que lui est-il arrivé ?

Le professeur reprit son galimatias de mauvais anglais et de yanomami approximatif dont, peu à peu, Nate commençait à débrouiller les subtilités linguistiques.

— Kerl ? exulta fièrement Dakii. Frère à moi *teshari-rin* ramener Kerl à l'ombre de Yagga. Ça bien.

— Ils l'ont ramené ? bredouilla le fils Rand.

Kouwe continua d'interroger l'Indien. Dakii parlait vite. Nate ne comprenait rien mais, au bout d'un moment, son vieil ami se tourna vers lui, la mine sombre.

— Que vous a-t-il dit ?

— D'après ce que je peux traduire, ton père a, en effet, été rapatrié ici – mort ou vif, je ne sais pas. Quoi qu'il en soit, en raison à la fois de son crime et de son statut de *wishwa*, la tribu l'a honoré d'un immense privilège.

— Lequel ?

— On l'a conduit au Yagga et son corps est parti nourrir la racine.

— Nourrir la racine ?

— Je pense qu'il veut parler d'engrais.

Le garçon chancela. Même s'il savait que son père était mort, la réalité était trop abominable à entendre. Au péril de sa vie, Carl Rand avait tenté d'endiguer l'altération des Ban-ali par l'arbre préhistorique, mais il avait fini enterré au pied du monstrueux végétal pour le sustenter.

Derrière l'épaule de Kouwe, Dakii dodelinait de la tête en souriant bêtement :

— Ça bien. Kerl avec Yagga. *Nashi nar !*

Nate était trop sonné pour demander le sens des derniers mots, mais Kouwe joua encore les interprètes :

— *Nashi nar*. À jamais.

Dans l'obscurité de la jungle, Louis était à l'affût derrière ses lunettes infrarouges. Les derniers rayons du soleil venaient de disparaître à l'horizon et la nuit s'abattait vite sur la vallée. Ses hommes et lui étaient en position depuis des heures.

Il n'y aurait plus très longtemps à attendre.

Enfin, il devait se montrer patient. *Hâte-toi lentement*, lui avait-on appris. Avant de lancer l'assaut, il avait besoin d'une ultime clé. Voilà pourquoi il se retrouvait à plat ventre, caché derrière les frondes d'une fougère, le visage strié de peinture noire.

La journée avait été longue et bien remplie. Une heure après l'aube, la taupe avait contacté le Dr Favre. *Quelle chance ! Leur espion était encore en vie !* Le Français avait appris que le village ban-ali se situait bien au fond d'une vallée encaissée, uniquement accessible par une crevasse latérale au milieu des falaises. Que demander de mieux ? Toutes ses cibles étaient piégées au même endroit.

Dernier obstacle ? La sale meute de jaguars qui montait la garde autour.

Heureusement, sa chère Tshui avait résolu l'épineux problème. Le jour à peine levé, elle avait entraîné au cœur de la vallée une équipe de chasseurs triés sur le volet (parmi lesquels Brail, le mercenaire allemand) et ils avaient déposé un peu partout des morceaux de viande fraîche dégoulinant de sang. La sorcière avait imbibé chaque appât d'un terrible poison, à la fois insipide et inodore, qui tuait au premier coup de langue. Comme leurs appétits sanguinaires avaient déjà été aiguisés par l'attaque des Rangers, les jaguars n'avaient pas pu résister.

Au petit matin, les gros fauves avaient donc sombré dans un sommeil bienheureux dont ils ne se réveilleraient jamais. Quelques bêtes, plus méfiantes, n'avaient pas touché à la viande mais, grâce aux jumelles infrarouges, Tshui et les autres les avaient liquidées au fusil à air comprimé équipé de fléchettes empoisonnées.

Le massacre s'était déroulé en silence. Une fois le champ libre, Louis avait posté ses hommes près de l'entrée du canyon.

Un dernier élément manquait à l'appel, mais ce n'était qu'une question de patience.

Hâte-toi lentement.

Enfin, quelque chose bougea au creux de la faille. Derrière des lunettes de vision nocturne, les deux silhouettes ressemblaient à des torches flamboyantes qui dévalaient seules l'escalier rudimentaire. Ce matin-là, Louis avait envoyé des gardes à l'orée du défilé, prêts à réduire au silence le moindre Indien venu à leur rencontre. Hélas, aucun Ban-ali n'avait montré le bout de son nez. Selon toute vraisemblance, la tribu s'était concentrée sur les étrangers arrivés au village et avait fait confiance aux jaguars pour les protéger ou les alerter d'une nouvelle intrusion.

Pas aujourd'hui, mes amis*. Des prédateurs encore plus dangereux que vos petits chats se sont introduits dans votre vallée.

Les Indiens continuèrent leur chemin. Louis baissa ses lunettes infrarouges : il avait beau savoir qu'ils étaient là, leur camouflage noir était si parfait qu'à l'œil nu, ils étaient invisibles. En rechaussant ses fameuses lunettes, le Français se fendit d'un sourire discret. Les corps rutilaient de nouveau.

Ah, les merveilles de la technologie moderne...

Quelques instants plus tard, ils arrivèrent au fond du canyon et parurent hésiter. Avaient-ils un mauvais pressentiment ? Se méfiaient-ils des jaguars ? Louis retint son souffle mais, bientôt, les deux hommes sautèrent du dernier escarpement, prêts à entamer leur ronde de nuit.

Enfin.

Torche élancée, plus brillante encore que les autres, une nouvelle figure étincelante surgit de la jungle et se planta devant eux. Louis ôta ses lunettes. C'était Tshui. Nue. Ses cheveux d'ébène dégringolaient en cascade satinée sur ses fesses galbées. Comme une déesse de la jungle tout droit sortie d'un rêve, elle se faufila vers les deux éclaireurs.

Les Indiens au visage peinturluré se figèrent, surpris.

Un toussotement résonna des buissons voisins. L'un des Ban-ali se frappa le cou, puis s'effondra à terre. Chaque fléchette contenant assez de poison pour terrasser un jaguar de cinq cents kilos, il succomba avant même que sa tête heurte le sol rocailleux.

Une fois le choc passé, son acolyte s'enfuit à la vitesse d'un serpent mais, grâce à son sang dopé aux stimulants, à ses réflexes plus vifs, la maîtresse de Louis le prit de court : sans effort, elle le rattrapa d'un bond et lui barra la route du canyon. Il voulut hurler mais, de nouveau, Tshui se montra plus rapide et lui jeta une poignée de poudre au visage, dans ses yeux et sa bouche grande ouverte.

Il s'étrangla. Son cri d'alerte tint finalement plus du gargarisme étouffé, et, dès que la puissante drogue atteignit le système nerveux, le malheureux s'écroula.

Impassible, Tshui s'agenouilla près de sa proie, puis elle leva les yeux vers le repaire de son amant et esquissa un sourire.

Louis se redressa. Ils venaient d'obtenir la dernière pièce du puzzle : quelqu'un capable de les renseigner sur les moyens défensifs de la tribu. Tout était désormais en place pour l'attaque du lendemain.

21 h 23

Kelly était assise en tailleur au chevet de son frère.

Blotti sous une couverture au fond d'un hamac, Frank sirotait faiblement à la paille le contenu d'une noix grosse comme un melon.

La jeune femme avait reconnu l'un des fruits qui poussaient en grappe sur les branches du Yagga. À l'intérieur : un genre de lait de coco. C'était d'abord elle qui l'avait testé quand un Ban-ali le leur avait apporté. Sucré, crémeux, le liquide était bourré de glucides et de lipides particulièrement recommandés pour ravigoter le blessé.

Elle attendit que Frank ait bu sa boisson énergétique naturelle jusqu'à la dernière goutte et lui rende la grosse noix d'une main tremblante. Bien qu'il soit réveillé, la morphine lui donnait encore l'air hagard.

— Comment te sens-tu ?

— Oh ! Je pète le feu, répondit-il d'une voix rauque.

Son regard papillota vers les moignons dissimulés sous l'épaisse couverture.

— Et la douleur ?

Il fronça les sourcils.

— Je n'ai pas mal du tout, gloussa-t-il avec un air de jovialité forcé. Même si je jurerais que mes orteils me grattent.

— Oui, le syndrome du membre fantôme. Tu vas sans doute éprouver cette sensation pendant des mois.

— Une démangeaison que je ne pourrai jamais soulager… Génial.

Elle sourit. Le mélange de soulagement, d'épuisement et de peur qui lui étreignait le cœur se reflétait sur le visage de son frère mais, au moins, Frank avait repris des couleurs. Malgré l'horreur de la situation, Kelly se devait d'apprécier les vertus curatives de la sève de Yagga. Le produit avait sauvé la vie du jeune homme, qui se rétablissait à une vitesse prodigieuse.

Soudain, Frank bâilla à s'en décrocher la mâchoire.

— Tu as besoin de sommeil, frérot. Guérison miraculeuse ou pas, ton corps doit recharger ses batteries.

Kelly se leva, jeta un regard à la ronde et rentra son chemisier à l'intérieur de son pantalon.

Dans la vaste salle de soins, il ne restait plus que deux Indiens, dont le chef chaman, qui la fixait d'un air impatient. Elle avait voulu passer la nuit auprès de Frank, mais on le lui avait refusé. Dans un anglais guindé, le guérisseur avait expliqué que ses hommes et lui surveilleraient leur nouveau frère.

— Yagga le protège, avait-il ajouté sur un ton qui n'admettait pas la contestation.

Kelly soupira :

— Je ferais mieux de partir avant qu'on me jette dehors.

Frank bâilla de nouveau et acquiesça. Elle lui avait déjà expliqué leurs projets du lendemain et reviendrait le voir aux premières lueurs de l'aube. Il lui pressa la main :

— Je t'aime, frangine.

Elle l'embrassa sur la joue :

— Moi aussi, je t'aime, Frank.

— Je vais m'en sortir… comme Jessie.

La jeune femme se mordit la lèvre pour ravaler un brusque sanglot. Il n'était pas question de s'épancher, en particulier devant son frère. Elle n'osait pas se laisser aller, sinon elle aurait pleuré à ne plus pouvoir s'arrêter. Sa journée, elle l'avait passée à contenir son chagrin de toutes ses forces. C'était la marque distinctive des O'Brien. Le courage irlandais devant l'adversité. Impossible de craquer maintenant.

Elle préféra contrôler le cathéter désormais branché sur un héparjet. Bien que Frank n'ait plus besoin de médicaments en intraveineuse, elle laissait le dispositif en place au cas où.

Le chaman lui jeta un regard agacé.

Va te faire foutre, maugréa-t-elle en silence, *je m'en irai quand je serai prête*. Elle souleva la couverture posée sur les jambes de son patient et vérifia une ultime fois les blessures. Le pansement de sève qui enrobait les moignons restait obstinément intact. D'ailleurs, à travers le produit semi-transparent, on voyait qu'un tissu conjonctif plutôt correct s'était déjà formé sur les plaies à vif, tel un bourgeon charnu sous une croûte protectrice. La vitesse de granulation était même ahurissante.

Au moment de rabattre la couverture, elle constata que Frank dormait déjà. Un léger ronflement s'échappait de ses lèvres entrouvertes. Sans bruit, elle se pencha vers lui et l'embrassa sur l'autre joue. Il lui fallut encore réprimer un sanglot mais, là, elle ne put s'empêcher de verser une larme. En se redressant, elle s'essuya les yeux et scruta la pièce une dernière fois.

Le chaman, qui avait dû remarquer ses joues mouillées, se radoucit. Il hocha la tête vers elle et, d'un regard appuyé, réitéra sa promesse silencieuse de veiller attentivement sur le blessé.

Comme elle n'avait pas le choix, Kelly inspira à fond et sortit. Le trajet jusqu'au bas de l'arbre lui parut interminable. Dans l'obscurité du couloir, elle se retrouvait seule avec ses pensées. Ses angoisses amplifiées et démultipliées. Ses craintes partagées entre sa fille, son jumeau et l'ensemble du monde.

D'un pas vacillant, elle émergea enfin du tronc. Le soir venu, un petit vent tiède s'était levé. La lune brillait haut dans le ciel mais, déjà, des nuages s'amoncelaient devant les étoiles. Au loin, on entendit un roulement de tonnerre. Il allait pleuvoir durant la nuit.

Rafraîchie par la brise, Kelly se dépêcha de rejoindre leur QG au bout de la clairière. Carrera montait la garde au pied de l'arbre. Elle braqua sa torche sur la jeune femme, puis lui fit signe. Blotti à ses côtés, Tor-tor leva la tête, huma l'atmosphère et se recoucha en rond.

— Comment va Frank ?

Le médecin n'était guère d'humeur bavarde, mais elle ne pouvait pas renvoyer la sollicitude de la Ranger dans les cordes :

— On dirait qu'il se porte bien. Très bien même.

— Excellente nouvelle ! Allez, montez. Vous devriez essayer de dormir le plus possible. Une longue journée nous attend demain.

Bien qu'elle doute de trouver facilement le sommeil, Kelly hocha la tête et posa le pied sur le premier barreau.

— On vous a laissé une chambre individuelle au troisième niveau. Celle qui se trouve sur la droite.

En pleine ascension, la jeune O'Brien l'entendit à peine.

— Bonne nuit, marmotta-t-elle, accaparée par ses propres soucis.

La terrasse et la salle commune étaient désertes. Exténués par l'accumulation de quasi-nuits blanches, les autres s'étaient déjà retirés dans leurs appartements.

Elle tendit le cou vers les étages supérieurs enténébrés, puis rejoignit la plus longue des échelles secondaires.

Troisième niveau, avait annoncé Carrera.

Super... Voilà ce dont on écope quand on est la dernière à réclamer sa chambre.

Le troisième niveau se trouvait beaucoup plus haut que les deux premiers. Construit sur sa propre couronne de branches, il ressemblait plus à une dépendance. À un petit pavillon d'amis.

Malgré ses jambes courbaturées, elle gravit les barreaux un à un. Avec le vent qui se levait, les branches bruissaient et l'échelle oscillait légèrement. Entre les bourrasques annonciatrices de pluie et la lune mangée par d'épais nuages noirs, elle se hâta de monter avant l'orage.

De là-haut, on voyait le ciel se zébrer d'éclairs éblouissants. Le tonnerre grondait et résonnait comme une grosse caisse. Soudain, Kelly ne trouva plus très judicieux d'habiter un arbre géant, surtout au dernier étage.

Dès que des gouttes commencèrent à traverser le feuillage, elle se hissa vite jusqu'au minuscule ponton et roula à terre. Le vent et la pluie ne tardèrent pas à s'intensifier. En Amazonie, les orages étaient brefs, mais ils éclataient souvent avec une rapidité et une violence inouïes. Celui-là ne dérogeait pas à la règle. À moitié accroupie, elle observa les deux portes qui menaient aux chambres.

Quelle pièce Carrera lui avait-elle attribuée déjà ?

Accompagnée de roulements de tonnerre, la foudre crépitait et dardait ses petites pointes enragées. Il pleuvait désormais à torrents, le vent s'était transformé en méchantes rafales et le plancher tanguait comme le pont d'un bateau en haute mer.

Sans plus se soucier de savoir si elle réveillerait quelqu'un, Kelly s'engouffra à l'intérieur de la chambre la plus proche et, pressée de se mettre au sec, elle faillit s'empêtrer dans le rideau de palmes.

Il faisait tout noir. L'espace d'un instant, un éclair étincela par la petite porte du fond. Dieu merci, le seul hamac de la pièce était vide.

Ravie, elle se dirigea droit dessus, mais ses pieds heurtèrent quelque chose et elle tomba à genoux en lâchant un beau juron. À tâtons, elle découvrit un sac par terre.

— Qui est là ? lança une voix.

Lorsqu'une silhouette se découpa dans l'encadrement de la petite porte, Kelly, toujours au sol, fut saisie d'une terreur absolue.

Un coup de tonnerre retentit et, à la lumière d'un éclair, elle découvrit enfin l'identité de l'obscur inconnu.

— Nate ? bredouilla-t-elle, timide et gênée. C'est Kelly.

Il courut l'aider à se relever :

— Qu'est-ce que vous fabriquez ici ?

Elle balaya les cheveux mouillés qui collaient à son visage brûlant de honte. *Il doit vraiment me prendre pour la reine des cruches !*

— Je… je me suis trompée de chambre. Désolée.

— Ça va ?

Comme il la tenait toujours par les bras, la chaleur de ses paumes traversa le chemisier détrempé de la jeune femme.

— Oui, je me sens juste très bête.

— Il n'y a pas de raison. Il fait très sombre.

À la faveur d'un nouvel éclair, elle vit ses yeux plongés dans les siens. Ils se dévisagèrent quelques secondes en silence, puis Nate reprit :

— Comment va Frank ?

— Bien, le rassura-t-elle d'une voix étouffée.

Le tonnerre qui grondait au loin donnait l'impression que le monde était carrément immense et eux, tout petits. Dans un murmure, elle bégaya :

— Je... Je ne l'ai jamais dit... Je suis navrée de ce qui est arrivé à votre père.

— Merci.

Ce petit mot-là, à peine audible, réveilla de vieilles blessures. Sans le vouloir, elle avança d'un pas, tel un papillon attiré par une flamme. Consciente de s'y brûler les ailes, elle n'avait pourtant pas le choix : le chagrin de Nate remuait quelque chose au fond d'elle. Le solide rempart qu'elle avait érigé autour de son cœur se craquela. De nouveau, elle eut les larmes aux yeux. Ses épaules frémirent.

— Chut, susurra-t-il bien qu'elle n'ait pas ouvert la bouche.

Il l'attira contre lui et l'enveloppa d'un bras protecteur.

Les tremblements de Kelly se transformèrent en sanglots. Toute la douleur et la terreur qu'elle avait gardées au fond d'elle se déversèrent en un déluge fulgurant. Ses genoux se dérobèrent, mais Nate la rattrapa et l'aida à s'asseoir par terre. Son cœur battant contre le sien, il ne relâcha pas son étreinte.

Dehors, une violente tempête courbait les arbres. Son fracas n'était pas sans rappeler le choc des Titans, mais les deux jeunes gens restèrent là, immobiles.

Au bout d'un moment, Kelly redressa la tête vers son équipier, approcha ses lèvres des siennes et sentit le goût salé de leurs larmes mêlées. Au début, ce n'était qu'un réflexe de survie face à un chagrin immense mais, quand leurs bouches s'entrouvrirent, un étrange désir surgit. Elle sentit le pouls de Nate s'emballer.

Il s'écarta un instant, le souffle court. Ses prunelles brillaient de mille feux dans l'obscurité.

— Kelly…

— *Chut*, soupira-t-elle à son tour avant de le ramener vers elle.

Enlacés, ils s'allongèrent sur le sol. Leurs mains se firent exploratrices… leurs doigts dégrafèrent et ôtèrent les vêtements humides… leurs membres s'entrecroisèrent.

Sous les coups de boutoir de l'orage, leurs élans passionnés devinrent incandescents. Le chagrin s'estompa, perdu quelque part entre la douleur et le plaisir, les rythmes séculaires et les cris silencieux. Quand la chambre se révéla trop petite, ils sortirent sur la terrasse arrière.

La foudre fendait les nuages, le tonnerre grondait. Des bourrasques de pluie s'infiltraient sous l'auvent et ruisselaient sur leur peau nue.

Kelly sentit les lèvres torrides de Nate sur sa gorge et sa poitrine. Elle se cambra contre lui, les yeux fermés, le panache flamboyant des éclairs traversant ses paupières. Il approcha sa bouche de la sienne, avide, et leurs souffles se mêlèrent. Sous l'orage, sous le corps de son amant, elle sentit une tension exquise monter en elle d'abord lentement, puis de plus en plus vite, la submerger et s'échapper d'elle au moment où elle lâchait un cri entre les lèvres de Nate.

Il hurla en même temps qu'elle, ce qui lui fit l'effet d'un roulement de tonnerre dans ses oreilles délicates.

Pendant de longues minutes, ils savourèrent la perfection de l'instant. Perdus pour le monde, perdus au milieu de l'orage, mais bien loin d'être perdus l'un pour l'autre.

ACTE CINQ

RACINE

UÑA DE GATO, « GRIFFE DE CHAT »

ESPÈCES : *Tomentosa, Guianensis*
GENRE : *Uncaria*
FAMILLE : Rubiacées
NOMS USUELS : Griffe de chat, *uña de gato, para-guayo, garabato, garbato casha, samento, toroñ, tambor huasca, uña huasca, uña de gavilan,* liane du Pérou
PARTIES UTILISÉES : Écorce, racine, feuilles
PROPRIÉTÉS/ACTIONS : Antibactérien, antioxydant, anti-inflammatoire, antitumoral, antiviral, cytosta-tique, dépuratif, diurétique, hypotenseur, immu-nostimulant, vermifuge, antimutagène

Chapitre 16

Trahison

17 août, 7 h 05
Jungle amazonienne

À son réveil, Nate sentit qu'il enlaçait une femme nue. Elle avait déjà les yeux ouverts.

— Bonjour, susurra-t-il.

Kelly se blottit contre lui. Sa peau dégageait encore une odeur de pluie.

— Ça fait un petit moment que le jour s'est levé, sourit-elle.

Il se redressa sur un coude, ce qui n'était pas évident dans un hamac, et fixa son beau visage :

— Pourquoi ne m'as-tu pas réveillé ?

— Je me suis dit que tu avais besoin de dormir au moins une heure entière.

Elle s'extirpa du hamac, qui ballotta un peu, et se drapa habilement dans leur seule couverture.

D'une main, il voulut la rattraper, mais elle s'écarta :

— Une longue journée nous attend.

Tandis qu'elle rassemblait ses affaires, Nate se leva en grognant et extirpa son caleçon de la pile de vêtements dont ils s'étaient débarrassés à la hâte. Par la porte de derrière, il contempla la jungle.

La veille, ils avaient longtemps discuté des pères, des frères, des filles, des vies et des pertes. Des flots de larmes avaient encore coulé. Après quoi, ils avaient refait l'amour, plus lentement, la passion l'emportant désormais sur le sentiment d'urgence. Une fois leurs désirs assouvis, ils s'étaient effondrés dans le hamac pour dormir un peu avant l'aube.

Nate sortit sur la terrasse et observa la forêt. Oublié, l'orage de la nuit ! Le ciel matinal était d'un bleu limpide, la lumière vive et belle. Les gouttes de pluie qui s'accrochaient à chaque feuille, chaque brin d'herbe, scintillaient comme des pierres précieuses, mais ce n'était pas tout.

— Viens voir ! lança-t-il.

Kelly le rejoignit en pantalon de toile beige et chemisier à moitié boutonné. De nouveau sidéré par sa beauté, il la regarda écarquiller les yeux.

— Quelle merveille !

Elle se pencha vers lui et, d'instinct, il la prit dans ses bras.

Attirés par l'humidité, des centaines de papillons avaient investi le feuillage, les branches supérieures ou s'engouffraient sous la tonnelle. Leurs ailes, qui mesuraient bien dix centimètres de large, mêlaient bleu vif et vert cristallin.

— Des *morphos*, annonça Nate. Sauf que je n'en avais jamais vu de ces couleurs-là.

Un spécimen voleta au-dessus d'eux dans un rayon de soleil, comme s'il brillait de ses propres feux.

— On dirait que quelqu'un a cassé un vitrail et en a jeté les fragments sur la cime des arbres, commenta Kelly.

Soucieux d'immortaliser l'instant, Nate la serra contre lui. Un silence impressionné les enveloppa plusieurs minutes, puis des voix résonnèrent d'en bas.

— J'imagine qu'il est temps de descendre. On a beaucoup à faire aujourd'hui.

Kelly acquiesça dans un soupir. Il comprenait sa répugnance. Là-haut, isolés du reste du monde, ils oubliaient, du moins quelque temps, leurs chagrins et leurs peines. Hélas, ils ne pouvaient pas fuir éternellement.

Ils finirent de s'habiller sans se presser. Avant de partir, Nate décrocha l'auvent en bambou tressé de feuilles de palme, qui retomba sur la porte de derrière, et la chambre retrouva son état initial.

Remarquant son manège, Kelly vint examiner les charnières fixées à l'arête supérieure de la porte :

— Fermé, le panneau bouche l'entrée... Ouvert et rabattu, il sert de tonnelle à la terrasse. Malin !

La veille, Nate s'était aussi étonné de l'ingéniosité du système :

— Je n'ai jamais rien vu de tel par ici. Ça me rappelle les notes de mon père et confirme l'avance des Ban-ali sur les autres tribus indigènes. Ils se distinguent par leurs subtiles améliorations techniques, comme les ascenseurs rudimentaires dans les arbres.

Kelly étira son dos endolori :

— À l'heure qu'il est, un ascenseur ne serait pas de refus... mais leur habileté conduit aussi à se poser des questions sur le Yagga. Sur ce qu'il fait à ces gens.

Nate émit un grognement approbateur, puis s'attela à la confection de son paquetage. Décidément, les Ban-ali étaient une source inépuisable d'interrogations ! Dès qu'il fut prêt, il inspecta la chambre une dernière fois, puis rejoignit Kelly à la porte.

Le temps qu'elle mette son sac en bandoulière, il l'embrassa fougueusement. Passé l'instant de surprise, elle lui rendit son baiser avec la même passion. Aucun d'eux n'avait évoqué ce qu'ils feraient par la suite. Ils savaient que l'urgence de la veille avait jailli de deux cœurs meurtris mais, bon, c'était un début. Nate avait hâte de voir où leur histoire les mènerait et, s'il se fiait au baiser de Kelly, la demoiselle partageait son avis.

Ils se séparèrent et, sans ajouter un mot, empruntèrent l'échelle qui menait à la pièce commune.

En chemin, des effluves de cuisine leur chatouillèrent les narines. Nate sauta du dernier barreau, aida Kelly à descendre et, ensemble, ils traversèrent le salon qui donnait sur la terrasse principale. En entendant son estomac gargouiller, le jeune homme se rappela soudain qu'il mourait de faim.

Autour d'un âtre en pierre enchâssé dans le ponton, Anna et Kouwe bouclaient les préparatifs du petit déjeuner. Nate aperçut un pain de manioc et une grande cruche d'eau fraîche.

L'anthropologue fit volte-face avec une belle assiette de bacon grillé entre les mains :

— Du sanglier sauvage. À l'aube, deux femmes de la tribu nous ont apporté un vrai festin.

Le jeune homme en saliva d'avance. Il y avait aussi des fruits, des œufs et même une espèce de tourte.

— Pas étonnant que votre père soit resté si longtemps ici, marmonna Carrera, la bouche pleine de pain et de bacon.

Pour une fois, Nate n'eut pas l'appétit coupé par le souvenir de son père et s'installa à table. Alors qu'il se remplissait la panse, il constata que deux membres du groupe manquaient à l'appel :

— Où sont passés Zane et Olin ?

— Ils bossent sur la radio, répondit Kostos. Ce matin, Olin a fait fonctionner le GPS.

Son interlocuteur s'étrangla avec un quignon de pain :

— Il a réussi ?

Le sergent confirma d'un air désabusé :

— D'accord, il l'a recalibré, mais qui sait si on nous entend ?

Nate se laissa le temps d'encaisser la nouvelle : si quelqu'un recevait le signal de leurs coordonnées révisées, ils pourraient être sauvés d'ici la fin de la journée. Il observa Kelly et vit le même espoir illuminer son regard.

— Sans confirmation par la radio principale, je persiste à dire qu'on est peut-être en train de cracher en l'air, insista Kostos. Donc, tant qu'on n'aura pas de preuve tangible de réception, on s'en tient au plan B. Aujourd'hui, votre mission sera – avec Kelly et Zane – de préparer Frank à une éventuelle évacuation d'urgence.

— Et de récolter un échantillon de sève, renchérit Kelly.

Le militaire approuva en mâchant à pleines dents :

— Pendant qu'Olin s'occupe de la radio, les autres vont se séparer et tâcher d'en apprendre plus sur les Indiens. Obtenir des renseignements sur ces fichues poudres répulsives.

Nate n'émit aucune objection : GPS ou pas, il valait mieux rester prudent et agir vite. La fin du repas se déroula en silence.

Ils quittèrent ensuite le QG et, après avoir laissé Olin seul avec son matériel satellite, ils retrouvèrent le plancher des vaches. Manny et les deux Rangers partirent d'un côté, Anna et Kouwe de l'autre, mais tous se fixèrent rendez-vous sous l'arbre à midi.

Talonnés par Richard Zane, Nate et Kelly se dirigèrent vers le Yagga. Nate redressa son fusil de chasse. Le sergent avait insisté pour que tout le monde soit au moins armé d'un pistolet. Kelly avait fourré un 9 mm dans son holster de ceinture. Quant à Zane, toujours aussi suspicieux, il brandissait son Beretta, à l'affût du danger.

En plus des armes à feu, les trois équipes avaient reçu une radio SABER à courte portée de manière à garder le contact.

— Tous les quarts d'heure, chaque groupe signalera si ça va, avait ordonné l'austère Kostos. Que personne ne fasse le mort !

Aussi bien préparés que possible, les explorateurs allèrent donc vaquer à leurs occupations.

L'immense gymnosperme préhistorique trônait au centre de la clairière. Son écorce blanche luisait de rosée et son feuillage tremblotant scintillait gaiement. Entre les différents niveaux de branches s'agglomé-raient d'énormes coquilles de noix, véritables versions miniatures des huttes construites par les Indiens. Nate avait hâte d'en découvrir davantage sur le colosse.

Lorsqu'ils arrivèrent au pied de l'arbre, Kelly les fit slalomer entre les grosses racines noueuses qui menaient à l'entrée béante du tronc. Voilà pourquoi les villageois avaient baptisé leur arbre Yagga, « la mère » ! Le symbolisme était frappant. Les deux racines maîtresses qui servaient de contreforts ressemblaient à des jambes écartées, encadrant le monstrueux canal utérin par lequel les Ban-ali étaient venus au monde.

— On pourrait facilement y entrer en camion ! s'extasia Zane, les yeux rivés au plafond cintré.

Nate ne put s'empêcher de frissonner en pénétrant le cœur sombre de l'arbre. Le parfum musqué de son huile saturait l'atmosphère. Les parois du tunnel inférieur étaient ornées de petites empreintes de main bleues. Il y en avait des centaines, plus ou moins grandes. Représentaient-elles des membres de la tribu ? La paume de son propre père figurait-elle quelque part ?

— Par ici, annonça Kelly.

Ils la suivirent dans un couloir qui montait en pente douce à l'intérieur de l'arbre et, peu à peu, les marques bleues disparurent.

Nate observa les murs lisses, puis se concentra de nouveau vers l'entrée. Quelque chose le chiffonnait, mais il n'arrivait pas à savoir quoi. Un détail ne tournait pas rond. Le botaniste examina les voies d'écoulement dans le bois, les vaisseaux du xylème et du phloème qui transportaient l'eau et les nutriments au sein du tronc. Les canaux serpentaient en courbes délicates autour des murs mais, plus bas, à l'endroit où le couloir se terminait en queue de poisson, ils étaient beaucoup plus déchiquetés. Avant qu'il ait pu se pencher sur la question, ses deux camarades étaient arrivés de l'autre côté du virage.

Le doigt pointé en l'air, Kelly annonça :

— Préparez-vous à une longue ascension. La salle de soins se trouve tout en haut, près de la cime.

Nate lui emboîta le pas. On aurait dit un monstrueux tunnel creusé par des insectes. Pendant ses études, il avait appris les dégâts que de minuscules bestioles pouvaient causer aux arbres : dendroctone du pin *ponderosa*, petit scolyte européen de l'orme, rhizophage du framboisier... Or, cette galerie-là n'avait pas été *forée* à proprement parler, il en aurait mis sa main à couper. Elle s'était formée de façon naturelle, comme les tubules d'un arbre à fourmis. Un tel modèle d'adaptation évolutionniste soulevait néanmoins une nouvelle question : sachant que l'arbre avait, bien sûr, précédé de plusieurs siècles l'arrivée des Ban-ali dans la région, qu'est-ce qu'il l'avait d'abord poussé à s'équiper de canaux de circulation ?

Nate se rappela la remarque à peine audible de Kelly au terme de la discussion générale de la veille. *Quelque chose nous échappe... Un truc essentiel.*

Plusieurs portes du tunnel donnaient sur l'extérieur. Certaines menaient directement à des huttes, d'autres conduisaient vers de nouvelles branches où se dressaient des habitations un peu plus loin. À les recenser au fil de l'ascension, il y en avait au moins une vingtaine.

Derrière, Zane vint au rapport sur la radio SABER. Tout allait bien aussi chez les autres équipes.

Enfin, ils atteignirent le bout du tunnel, qui s'ouvrit sur une vaste grotte. Malgré les fentes étroites qui laissaient entrer la lumière près du plafond, la salle restait très sombre.

Kelly se précipita vers son frère.

Au fond de la pièce, le petit chaman s'occupait d'un patient. Il était seul et redressa la tête en les entendant approcher :

— Bonjour.

Nate le salua à son tour. C'était bizarre de penser que l'homme avait dû apprendre ses quelques mots d'anglais de la bouche de Carl Rand. D'après le journal de bord, le chaman était aussi chef honoraire des Ban-ali. Leur société n'était pas très hiérarchisée. Chaque individu connaissait son rôle et sa place mais, là, ils rencontraient le roi de la tribu, celui qui communiait le mieux avec le Yagga.

Kelly s'agenouilla au chevet de Frank. Assis dans son hamac, il aspirait à la paille le contenu d'une noix de l'arbre.

— Le petit déjeuner des champions, ironisa-t-il avec son éternel sourire espiègle.

Il portait sa casquette des Red Sox – et rien d'autre. Une petite couverture dissimulait ses jambes amputées mais, sur son torse nu, on voyait clairement qu'on avait peint un serpentin rouge foncé orné d'une empreinte de main bleue au centre.

Devant l'intérêt de Nate, Frank expliqua :

— Je me suis réveillé comme ça. Ils ont dû profiter de ce que j'étais shooté aux médicaments pour me le dessiner pendant la nuit.

La marque des Ban-ali.

Le chaman s'approcha de Nate :

— Toi... fils de *Wishwa* Kerl.

Apparemment, Dakii n'avait pas su tenir sa langue.

— Oui, Carl était mon père.

Le roi-sorcier lui donna une tape sur l'épaule :

— Lui homme bien.

Comment réagir ? Le jeune Américain acquiesça en silence alors qu'en réalité, il aurait voulu lui sauter à la gorge. *S'il était si bien, pourquoi l'avoir assassiné ?* Hélas, habitué à étudier et à côtoyer les tribus indigènes de la région, il savait qu'il n'obtiendrait jamais de réponse satisfaisante. Chez ces peuples-là, même un homme respectable risquait la mort pour avoir brisé un tabou. On vous offrait parfois même l'honneur de vous transformer en engrais à plantes vertes.

Kelly termina l'examen clinique de Frank :

— Ses plaies sont totalement refermées. Quant au taux de granulation, il est impressionnant !

Devant sa stupeur, le chaman confirma :

— Yagga le guérit. Redevenir fort. Repousser…

Il fronça les sourcils, comme s'il cherchait à se rappeler un mot, puis se frappa la jambe.

— Tu y crois, Nate ? bredouilla Kelly. Les jambes de Frank pourraient-elles vraiment repousser ?

— Le bras de Gerald Clark s'est régénéré, donc on sait que ça existe.

— Ah ! Si on pouvait en suivre l'évolution dans un hôpital équipé de toutes les technologies modernes…

Le dos tourné au chaman, Zane l'interrompit à voix basse :

— Souvenez-vous qu'on a une mission à remplir ici.

— Laquelle ? demanda Frank.

Lorsqu'il entendit les explications discrètes de sa sœur, sa figure s'illumina :

— Le GPS fonctionne ! Donc il y a de l'espoir.

Kelly confirma d'un signe de tête.

Plus guère intéressé par ses visiteurs, le chaman s'était éloigné vers un autre patient.

— En attendant, siffla Zane, nous sommes censés récolter un échantillon de sève.

Kelly hocha le menton vers une profonde entaille au mur :

— Je sais d'où elle vient.

Cachée derrière les deux hommes, elle ramassa la coquille de noix que son frère avait vidée, ôta la paille, puis s'approcha de la paroi et retira un petit bouchon en bois. Une épaisse sève rouge se mit à couler le long de la rainure. Elle pencha son récipient vers l'étrange robinet et commença à recueillir le liquide nourricier. Dans la mesure où c'était un travail de longue haleine, Zane proposa :

— Occupez-vous plutôt de votre frère et laissez-moi faire.

Ravie, elle rejoignit Nate :

— Le brancard est toujours là. Quand on recevra le signal, à supposer qu'il arrive un jour, il faudra agir vite.

— On devrait...

La première explosion fut un sacré choc. Tout le monde se figea en l'entendant résonner au loin. Nate leva la tête vers les hautes meurtrières de la salle. Ce n'était pas le tonnerre. Pas avec un ciel aussi bleu. S'ensuivit alors une rafale de détonations. Par-dessus le vacarme, des cris plus aigus jaillirent.

Des hurlements.

— On nous attaque !

Nate fit volte-face et tomba nez à nez avec le canon d'un pistolet.

— Ne bougez pas, gronda Zane, accroupi près du mur.

L'air à la fois tendu et anxieux, il avait sa noix remplie de sève et, de l'autre main, il brandissait son Beretta 9 mm.

— Que personne ne bouge.

— Qu'est-ce que vous... ? balbutia Kelly.

— Vous ! comprit aussitôt Nate.

Il se rappela les soupçons de Kouwe : *d'autres chasseurs à leurs trousses, un espion parmi eux.*

— Sale enfoiré ! C'est vous qui nous avez vendus !

Son arme braquée sur eux, Zane se redressa doucement :

— Reculez !

Dehors, de nouvelles déflagrations retentirent. Des grenades.

Nate écarta Kelly du champ de tir.

Derrière eux, le chaman se précipita vers la sortie, trop effrayé par les explosions pour se rendre compte du danger beaucoup plus immédiat qui les menaçait. Un cri lui vint aux lèvres.

— Arrêtez-vous ! vociféra le traître.

Affolé, l'Indien n'écouta pas ou ne saisit pas l'avertissement en langue étrangère. Il continua à courir.

Zane n'hésita pas une seconde. *Pan !* Dans l'espace clos de la salle, le tir fut assourdissant, mais il ne suffit pas à couvrir le glapissement de surprise de sa victime.

Haletant, le sorcier s'écroula sur le flanc en se tenant le ventre. Du sang coulait entre ses doigts.

Rouge de colère, Nate mugit :

— Salaud ! Il ne pouvait pas vous comprendre.

Le pistolet se pointa de nouveau vers eux et, sans baisser sa garde, Zane fit lentement le tour des lieux. Histoire de ne prendre aucun risque, il ne s'approcha même pas du hamac de Frank.

— Vous avez toujours été trop crédule, ricana l'envoyé de Tellux. Exactement comme votre père. Aucun de vous n'a jamais rien compris à l'argent ni au pouvoir.

— Pour qui travaillez-vous ? cracha Nate.

Le chaman s'était recroquevillé en petite boule gémissante dans un coin. Son agresseur, qui tournait à présent le dos à la sortie, ordonna :

— Jetez vos flingues par les meurtrières. Un à la fois.

Frémissant de rage, Nate refusa d'obtempérer, mais Zane tira un coup de feu qui fit sauter des éclats de bois entre les orteils du récalcitrant.

— Obéissez, conseilla Frank du fond de son hamac.

Kelly s'exécuta de mauvaise grâce. Elle sortit son 9 mm de son holster et le balança par une fenêtre.

Devant l'hésitation de Nate, le scélérat esquissa un sourire glacial :

— La prochaine balle traversera le cœur de votre chérie.

— Nate…, insista Frank.

Les mâchoires serrées, l'intéressé s'approcha du mur en évaluant ses chances de tirer sur Zane, mais il n'était pas en position favorable. Pas quand la vie de Kelly était en jeu. Il se délesta donc de son fusil et le jeta par une fente étroite.

Satisfait, Zane rebroussa chemin vers la sortie :

— Vous m'excuserez, mais j'ai rendez-vous. Je vous conseille de rester tous les trois ici. En ce moment, c'est l'endroit le plus sûr de la vallée.

Sur sa remarque narquoise, il s'éclipsa de la salle et disparut dans la gorge du tunnel.

8 h 12

Manny et Carrera cavalaient au cœur de la jungle. À leurs côtés : Tor-tor, les oreilles plaquées en arrière. Des explosions déchiraient le matin, des tourbillons de fumée envahissaient les arbres.

Kostos courait devant eux en hurlant dans sa radio :

— Tout le monde rentre à la base ! Rendez-vous à la cabane !

— Il pourrait s'agir de nos sauveteurs ? demanda le Brésilien. En réponse au signal GPS ?

Carrera lui jeta un regard sombre :

— Pas aussi vite. On nous a tendu une embuscade.

La preuve ? Trois gars en tenue de camouflage bardés de kalachnikovs et de lance-grenades surgirent devant eux.

Aussitôt, Kostos fit signe à ses compagnons de se baisser.

Ils plongèrent à plat ventre.

Un Ban-ali armé d'une lance se rua vers le groupe, mais il fut pratiquement coupé en deux par une salve d'arme automatique.

Effarouché par les tirs, le jaguar fit un bond en avant.

— Tor-tor ! siffla Manny en s'agenouillant pour le rattraper.

Le grand félin apparut en pleine lumière, face à l'ennemi.

Un type aboya en espagnol et pointa le doigt. Tout sourire, son collègue leva sa mitrailleuse et ajusta l'animal.

Manny brandit son pistolet mais, sans lui laisser le temps de tirer, Kostos épaula son M-16 et tira trois coups de feu, trois pressions sur la détente. *Poum ! Poum ! Poum !*

Les hommes tombèrent en arrière, la tête explosée comme un melon.

Tétanisé, le biologiste n'en croyait pas ses yeux.

— Vite, il faut rejoindre l'arbre ! rugit le sergent en lançant un regard noir vers la jungle. Putain ! Pourquoi les autres ne répondent-ils pas ?

8 h 22

Caché derrière un buisson de fougère, Kouwe faisait rempart de son corps pour protéger Anna. Dakii, leur guide, était accroupi à ses côtés. Six mètres plus loin, les quatre mercenaires ne se doutaient pas un instant qu'ils étaient observés. Le professeur avait bien entendu l'ordre du sergent de revenir au QG, mais leurs adversaires étaient si proches qu'il n'avait pas osé répondre. Le trio était pris au piège. Les quatre maraudeurs s'étaient postés entre l'arbre et eux. Impossible de passer sans se faire repérer !

Dakii restait aussi immobile qu'une pierre, mais il émanait de lui une tension farouche. Depuis sa cachette, il avait en effet vu l'ennemi massacrer plus d'une dizaine de ses semblables – hommes, femmes, enfants.

Au cœur de la jungle, les explosions continuaient de tonner et, entre deux hurlements, on entendait les cabanes dégringoler des cimes avec fracas. Les salauds étaient en train de ravager le village. Les Indiens assiégés n'avaient plus qu'une solution : se réfugier dans un recoin protégé du plateau forestier en espérant se faire oublier.

Un soldat grogna dans sa radio en espagnol :

— Équipe Tango en position. Zone de guerre n° 14 sécurisée.

Kouwe sentit quelque chose lui frôler le genou. D'un bref coup d'œil, il vit Dakii lui signifier de ne surtout pas bouger. Message reçu.

Plus vite que l'éclair, le Ban-ali roula sans bruit sur le côté. Pas une brindille ne craqua. Dakii faisait partie des *teshari-rin*, c'est-à-dire des éclaireurs fantômes de la tribu. Même sans ses peintures de camouflage, il se fondait dans les ténèbres et courait d'un abri à l'autre, telle une ombre indistincte. Kouwe avait conscience d'assister à une démonstration des facultés hors norme des protégés du Yagga. Dakii contourna le groupe et, tout à coup, même le professeur perdit sa trace.

Anna lui pressa la main. *Vient-il de nous abandonner à notre sort ?* sembla-t-elle demander en silence.

Kouwe se posa aussi la question jusqu'à ce que le petit malin resurgisse, tapi de l'autre côté du chemin. Les quatre gardes, en revanche, ne pouvaient toujours pas le voir.

Dakii s'allongea sur le dos et tendit son petit arc vers le ciel. Kouwe suivit la direction de la flèche, puis contempla de nouveau les mercenaires.

Il saisit la manœuvre et fit signe à Anna de se tenir prête à se défendre. L'anthropologue leva les yeux un instant, puis confirma discrètement qu'elle avait aussi compris.

Kouwe donna le feu vert à Dakii.

L'Indien banda son arc et tira une flèche. Un léger *chtac* retentit, puis un sifflement plus net traversa le feuillage. Arme au poing, les mercenaires firent volte-face vers Dakii.

Kouwe, lui, regardait ailleurs. Au sommet d'un arbre, une maison était en ruine, mais son ingénieux ascenseur de fortune paraissait encore intact. La flèche sectionna la corde qui retenait le bloc de granit servant de contrepoids et, *vlan !* le gros caillou s'abattit droit sur le groupe.

Un mercenaire mourut aplati comme une crêpe, le visage écrabouillé pour s'être redressé une fraction de seconde trop tard.

Déjà debout, Kouwe et Anna vidèrent leurs chargeurs à bout portant sur les rescapés, qu'ils touchèrent au torse, aux bras et au ventre. Les trois hommes s'effondrèrent. Muni d'un poignard en obsidienne, Dakii bondit de sa cachette et trancha la gorge de ceux qui bougeaient encore. Du travail rapide et sanglant.

La main tendue, Kouwe aida Anna, toute blême, à se remettre d'un tel déchaînement de violence :

— Maintenant, il faut retrouver les autres.

9 h 05

Du haut du canyon, Louis jouissait d'une vue panoramique sur la vallée isolée. Il en avait même oublié les jumelles qui pendaient à son cou. Au fond de la jungle, d'innombrables incendies et autres fusées de signalisation produisaient des panaches de fumée. En un peu plus d'une heure, son équipe avait cerné le village et s'approchait désormais du centre névralgique, là où se trouvait le but ultime, la récompense.

Promu lieutenant en chef depuis la disparition de Jacques, Brail était agenouillé devant une carte, qu'il marquait de petites croix chaque fois qu'un bataillon venait au rapport :

— La zone est sécurisée, *Herr Doktor*. Il ne reste plus qu'à faire le grand ménage.

Louis le sentit pressé de s'approprier les lieux :

— Et les Rangers ? Les Américains ?

— Repoussés vers le milieu, comme vous l'aviez ordonné.

— Excellent.

Il hocha la tête vers sa maîtresse. Tshui, en tenue d'Ève, n'était armée que d'une modeste sarbacane. Entre ses seins ballottait la tête réduite du caporal DeMartini, au bout de ses propres plaques d'identification militaires.

— Allons donc rejoindre la fête.

Louis brandit deux mini-Uzi qui, entre ses mains, dégageaient une belle impression de puissance.

— Il est grand temps que je fasse la connaissance de Nathan Rand.

9 h 12

Pour Nate, ce n'était plus le moment de tergiverser :

— Surveille ton frère et le chaman. Moi, je vais chercher Zane.

— Mais tu n'es même pas armé ! protesta Kelly au chevet du sorcier.

Nathan l'avait aidée à le hisser dans un hamac, puis elle avait administré au pauvre homme une bonne dose de morphine pour soulager ses convulsions. Sur l'échelle de la souffrance, il n'y avait presque rien de pire qu'une blessure au ventre. Sans meilleure solution à portée de main, le médecin enduisait désormais de sève de Yagga les plaies d'entrée et de sortie.

— Tu feras quoi si tu l'attrapes ?

Nate sentit une boule de feu aussi douloureuse qu'une plaie par balle lui dévorer les tripes :

— D'abord, il a trahi mon père. Maintenant, nous.

Sa voix s'étrangla de colère. De Richard Zane, il ne voulait qu'une seule chose. *Se venger.*

— Qu'allez-vous faire ? lança Frank depuis son hamac.

— Aucune idée, mais il faut que j'essaie.

Il sortit. Si, au loin, les explosions s'étaient tues, des tirs sporadiques résonnaient encore. Moins il y avait de coups de feu, plus il devenait évident que le village était en train d'être rayé de la carte. Les Indiens ne s'en sortiraient pas, du moins tant que personne n'interviendrait. Mais pour faire quoi ?

En longeant le tunnel en colimaçon d'abord prudemment, puis de plus en plus vite, Nate se rappela l'emblème serpentiforme des Ban-ali, qui dessinait une espèce de spirale infinie. La galerie avait-elle inspiré le symbole ou était-ce, comme Kelly l'avait insinué, une représentation sommaire du modèle de protéine torsadé, du prion mutagène ? Si le tatouage figurait le tunnel du Yagga, que signifiaient les hélices de part et d'autre de la spirale ? L'une d'elles désignait-elle la salle de soins ? Si oui, qu'évoquait l'autre ? Et la paume bleue ? Au souvenir des mystérieuses empreintes qui jalonnaient l'entrée du couloir, Nate secoua la tête. Quel sac de nœuds !

Dans un virage, il trébucha sur le corps d'un Indien. Il plongea aussitôt à terre, continua d'avancer à quatre pattes et constata que le malheureux avait reçu non seulement une balle en pleine poitrine mais une autre à la nuque.

Un peu plus loin, Nate aperçut un autre cadavre. Enfin, rien que ses jambes. Encore un Indien.

Zane.

Fou furieux, il se remit debout. Pressé de se frayer un chemin sanglant vers la sortie, le traître abattait tous les infirmiers et assistants sans défense du chaman. *Saleté de lâche !*

Au fil de sa course, Nate compta les ouvertures sur sa gauche. Lorsqu'il eut atteint la dernière, il quitta le corridor, traversa une petite cabane vide et se retrouva sur une branche d'au moins un mètre cinquante d'épaisseur. Avant de poursuivre sa route, il avait besoin de savoir ce qui se passait en contrebas. Des tourbillons de fumée s'échappaient du village à ciel ouvert.

Une poignée d'Indiens s'étaient réfugiés près de la clairière autour du Yagga.

Depuis l'assaut, un silence inquiétant avait envahi les lieux.

Impossible de bien distinguer l'*Eidothea* au sommet duquel la troupe avait établi leur QG provisoire. La branche pointait dans la mauvaise direction ! Nate ne voyait même pas l'entrée du Yagga. *Merde.*

Un coup de feu retentit d'en bas. Zane ! Un glapissement jaillit du champ situé derrière l'arbre. Le poltron devait se cacher au bout du tunnel et tuer tous les Ban-ali qui osaient s'approcher. D'ailleurs, l'ordure possédait assez de munitions pour les tenir à distance un bon moment.

Tandis que les villageois fonçaient se cacher dans les buissons épais de la forêt, Nate scruta le fond de la clairière. Aucune trace de ses amis.

Soudain, son pied heurta une corde enroulée sur la branche. À y regarder de plus près, ce n'était pas un câble mais une longue échelle de liane.

— Une issue de secours...

Une idée lui traversa l'esprit – un plan commença à germer.

Avant de perdre son sang-froid, le jeune homme poussa le tas de liane dans le vide.

L'échelle se déroula en bruissant et, une fois dépliée complètement, elle arriva à peine à un mètre du sol. La descente s'annonçait longue mais, à supposer que Zane était en bas, Nate pourrait peut-être l'attaquer par surprise.

Sans un plan plus élaboré que cela, il empoigna l'échelle et la dévala jusqu'au dernier barreau. En battant en retraite là-bas, son équipe et le reste des Indiens pourraient mieux se défendre mais, auparavant, il fallait éliminer Zane.

Il sauta à terre. Cerné par de hautes racines, il mit un moment à reprendre ses marques. La rivière coulait derrière lui et bifurquait à gauche. Autrement dit, sur le cadran d'une montre, il se trouvait environ à quatre heures de l'entrée du tunnel. Il commença à rebrousser chemin autour du tronc.

Trois heures... deux heures...

Une rafale d'arme automatique crépita au fond de la jungle. Une autre grenade explosa. Une chose était sûre : dans certains recoins du hameau, les combats n'avaient pas entièrement cessé.

Couvert par le fracas des tirs, Nate rampa autour de l'arbre. Enfin, il repéra une des énormes racines contreforts qui encadraient l'entrée. *Une heure.*

Il s'adossa au tronc. Le fourbe se trouvait juste derrière, mais la suite des opérations allait être beaucoup plus épineuse. Un coup de feu jaillit du bunker de Zane. Nate contempla ses mains vides d'un air perplexe.

Et maintenant tu fais quoi, gros malin ?

9 h 34

Un genou à terre, Zane était prêt à tirer sur tout ce qui bougeait. Comme il commençait à fatiguer, il soutenait du bras gauche la main qui tenait son pistolet, mais il refusait de baisser la garde. Pas si près de la victoire. Encore quelques minutes d'effort, et sa mission serait terminée.

Du coin de l'œil, il lorgna la noix remplie de sève miraculeuse. Il y en avait pour des milliards de dollars ! Bien que St Savin ait déjà déposé une coquette somme sur son compte suisse en échange de sa coopération, c'était la promesse d'une rallonge de 0,25 % sur le chiffre d'affaires brut qui l'avait convaincu de passer à l'ennemi. Vu le potentiel de la sève de Yagga, il s'assurait ainsi une inépuisable manne financière.

Zane se pourlécha les lèvres. Son rôle touchait à sa fin. Quelques jours auparavant, il avait introduit le virus informatique dans le matériel de communication. Il ne restait plus qu'à assener le coup de grâce.

La veille au soir, Favre lui avait demandé de se procurer un échantillon de sève et de le protéger au péril de sa vie.

— Si ces abrutis d'Indiens font la connerie d'incendier leur précieux arbre pour conserver leur secret, vous serez notre roue de secours.

Bien sûr, Zane avait accepté mais, en cachette de son effroyable complice, il avait élaboré son propre plan B : une fois à l'abri, il avait versé une petite quantité de sève dans un préservatif en latex, qu'il avait ensuite noué et avalé. Petite précaution supplémentaire de sa part. Il suffisait de la moindre trahison et une entreprise pharmaceutique concurrente comme Tellux déposséderait St Savin du prodigieux liquide nourricier.

Des coups de fusil résonnèrent dans la jungle. Il aperçut les éclairs des détonations. Les hommes de Favre étaient en train de resserrer leur étau. Il n'y en aurait plus pour très longtemps.

À titre de confirmation, une grenade éclata aux confins de la clairière. Le souffle de l'explosion détruisit une cabane haut perchée, projetant des feuilles et des éclats de branches à la ronde. Zane sourit, puis il entendit une voix toute proche :

— *Attention ! Grenade !*

Une masse heurta le tronc juste au-dessus de lui et ricocha contre une racine voisine.

Hanté par le mot « *Grenade !* », il poussa un cri d'effroi et plongea à l'intérieur du tunnel en se protégeant la tête. Il attendit quelques secondes angoissantes, puis quelques autres encore. D'avoir échappé de si près à la mort, il avait le souffle court. Pourtant, l'explosion tant redoutée n'eut pas lieu. Après s'être prudemment découvert le crâne, il serra les dents. Toujours pas de déflagration.

Il se rassit, rampa en douce vers l'entrée et, d'un coup d'œil dehors, il aperçut le projectile en forme de noix de coco qui gisait dans la terre. Ce n'était qu'un jeune fruit de cette saleté d'arbre ! Il avait simplement dû tomber d'une branche.

— Putain de merde !

Zane se sentit stupide de s'être ainsi affolé.

Il se releva, brandit son arme et se remit en garde. *Tu deviens trop émotif, mon vieux...*

Une ombre passa.

Un objet contondant lui frappa le poignet. Tandis que le pistolet lui échappait de la main, Zane sentit ses os exploser de douleur. Il vacilla en arrière. Un individu surgi de l'angle mort lui attrapa le bras et le traître fut éjecté du tunnel *manu militari*.

Son épaule heurta le sol. Il roula par terre, regarda à la ronde et ce qu'il vit alors lui parut impossible.

— Rand ? Comment ?

Armé d'une grosse branche, Nathan le toisait sur le seuil d'un air menaçant.

Zane recula en crabe.

— Comment ? Une petite leçon de nos amis indiens. Le pouvoir de la suggestion.

Du pied, son adversaire envoya le fruit valser près de Zane.

— Si on croit à quelque chose de toutes ses forces, les autres y croiront aussi.

Zane se releva tant bien que mal.

D'un bon coup de batte sur la clavicule, Nate le renvoya illico au tapis :

— Ça, c'est pour le chaman que vous avez abattu comme un chien !

Il brandit de nouveau sa branche.

— Et ça, c'est pour...

Zane regarda par-dessus l'épaule de son assaillant :

— Kelly ! Dieu merci !

Nate se retourna à moitié.

Profitant de sa brève inattention, l'autre détala d'un bond et, en trois enjambées, il échappa au traquenard.

Lorsqu'il entendit jurer derrière lui, il esquissa un sourire.

... con ! Couillonné par son propre stratagème ! Personne ne se trouvait à l'entrée du tunnel. Kelly n'était pas là.

Nate regarda Zane galoper le long de l'épais contrefort.

— Oh ! Tu ne m'auras pas, enfoiré !

Bâton en main, il se lança à ses trousses.

Toujours fulminant de rage, il contourna l'arbre et vit le fuyard se diriger vers un amas de racines enchevêtrées. Une fois là-dedans, le félon n'aurait aucun mal à le semer. Nate serait bien parti récupérer le pistolet abandonné, mais il n'en avait plus le temps. Pas question de perdre l'autre de vue !

Devant lui, Zane s'engouffra sous une racine voûtée et s'y coula avec agilité. Quel fil de fer, ce salaud ! Vu la course-poursuite qui s'annonçait, sa carrure poids plume constituerait un atout redoutable.

Conscient que le combat se déroulerait désormais à mains nues, Nathan jeta son bâton et continua à talonner son adversaire. Pour se dépêtrer de l'incroyable labyrinthe, les deux hommes devaient ramper, grimper, sauter ou se tortiller comme des beaux diables et, au bout du compte, le fugitif accroissait peu à peu son avance.

Soudain, le fouillis de racines s'élargit et ils débouchèrent sur une espèce de sentier. Zane se mit à galoper de plus belle, coursé par un Nate fou furieux.

Une étendue d'eau scintilla devant eux. Hors d'haleine, Nate s'aperçut que le chemin menait à un vaste étang. Un cul-de-sac.

Il sourit. *Fin de cavale, salopard !*

À l'approche du plan d'eau, l'autre comprit aussi qu'il s'était engagé dans une impasse et il ralentit... mais, au lieu de s'avouer vaincu, il ricana de joie.

Le jeune chercheur le rattrapa au moment où il plongeait sur le côté et, lorsqu'il fit volte-face, le traître brandissait un Beretta 9 mm.

D'abord interloqué par un tel miracle, le botaniste aperçut ensuite son propre fusil, pendu par la bandoulière à une racine voisine. Zane avait récupéré le pistolet de Kelly ! Une des armes qu'il les avait obligés à jeter du haut de l'arbre.

Nate gémit. Les dieux n'étaient pas avec lui. Il esquissa un pas vers son fusil, mais son adversaire gloussa :

— Avancez encore d'un centimètre et je vous fais un troisième œil !

9 h 46

Kouwe poussa Anna vers l'avant. Au bruit, les tirs de fusil se rapprochaient. C'était Dakii, toujours aussi impassible, qui ouvrait le chemin en mode éclaireur. Serpentant avec une assurance sereine à travers sa forêt, il les ramenait au QG. Objectif : rejoindre les Rangers et échafauder un semblant de plan.

Kouwe avait réussi à contacter le sergent Kostos par radio et à l'informer de leur position. Il avait appris qu'Olin, resté au chaud là-haut, avait aussi répondu présent. Pour le Russe, pas question de quitter sa cachette providentielle. En revanche, l'équipe de Nate n'avait toujours pas donné signe de vie. Le professeur pria pour qu'il ne leur soit rien arrivé.

Enfin, la lumière du jour apparut. La clairière centrale ! Ils avaient contourné la zone par le sud en restant à l'abri de la jungle. D'après Kostos, les Rangers débarqueraient, eux, par le nord.

Dakii ralentit et, le dos voûté, il pointa le doigt devant lui.

Anna et Kouwe le rattrapèrent. À travers une brèche du feuillage, le professeur repéra le petit chalet en rondins et, de là, il put s'orienter. Il suivit du regard la direction indiquée par l'Indien. L'*Eidothea*, leur but, ne se dressait qu'à une cinquantaine de mètres, mais ce n'était pas ce que Dakii leur montrait. Par-delà l'arbre gigantesque, Tor-tor courait à la lisière de la clairière. Attiré par le mouvement, Kouwe vit alors d'autres silhouettes cavaler dans les ténèbres de la jungle.

L'équipe des Rangers et Manny ! Ils avaient réussi à rentrer !

Toujours aussi véloce, Dakii conduisit adroitement ses protégés hors de la forêt et, bientôt, les deux groupes furent réunis au pied de l'arbre. Kostos flanqua une tape sur l'épaule de Kouwe. Anna et Manny s'enlacèrent.

— Des nouvelles de Nate ?

— Non, professeur, répondit le sergent. Au fait, j'ai demandé à Olin de remballer son GPS et de nous rejoindre.

— Pourquoi ? Je croyais qu'on avait décidé de se retrouver là-haut.

— On n'en est pas très loin et, pour autant que je sache, nous sommes coincés. L'arbre ne nous offrira aucune protection.

Kouwe fronça les sourcils mais comprit : l'ennemi détruisait chaque habitation de façon systématique. En remontant dans la cabane, ils seraient pris au piège.

— Alors on fait quoi ?

— On fiche le camp d'ici. On trouve un moyen de traverser les lignes adverses le plus discrètement possible et, une fois de l'autre côté, on se cherche un lieu sûr où ils ne pourront pas nous trouver.

Manny s'approcha d'eux, le nez sur sa montre :

— Le sergent a posé, en pleine jungle, une bombe au napalm qui devrait exploser d'ici quinze minutes.

— Il s'agit d'une diversion, expliqua Kostos en hissant son paquetage sur l'épaule. Au cas où, on en a d'autres en stock.

Manny lut dans les yeux de son vieil ami et renchérit :

— Voilà pourquoi on ne peut pas attendre Nate.

Kouwe contempla le Yagga. Le crépitement des tirs s'étiolait, tout comme le temps qui leur restait. S'ils voulaient avoir une chance, il fallait la saisir sans tarder. Le professeur se résigna donc à contrecœur.

Au-dessus d'eux, l'échelle de liane trembla. Il leva la tête. C'était Olin qui les rejoignait, son matériel radio sur le dos.

Kostos agita son M-16 :

— Préparons-nous à…

La détonation les précipita tous à genoux. Kouwe fit volte-face et vit le toit de leur cabane s'envoler. Les débris furent projetés avec une force terrible. Tel un bélier volant, un rondin siffla au-dessus de leurs têtes et fila s'écraser dans la jungle. Bientôt, un tourbillon de fumée s'échappa des arbres.

Ce n'était pas une grenade.

Un groupe resserré de militaires surgit de l'écran de fumée, arme au poing, prêts à tirer.

D'emblée, Kouwe remarqua deux détails. Déjà, ils étaient précédés par une femme nue qui marchait, main dans la main, avec un grand monsieur vêtu de blanc.

Mais, surtout, un danger beaucoup plus immédiat se trouvait entre les mains d'un soldat. L'homme mit un genou à terre et hissa un long tube noir sur son épaule.

Kouwe avait vu assez de films américains pour reconnaître l'arme.

— Un lance-roquettes ! rugit Carrera derrière lui. Tout le monde à terre !

10 h 03

À la première explosion, Nate et Zane restèrent tétanisés. Nate ne quittait pas du regard l'arme de son adversaire : un pistolet braqué sur son torse à bout portant. Il n'osait pas bouger et retenait son souffle.

Que se passait-il là-bas ?

Lorsqu'une autre déflagration retentit, les yeux de Zane papillotèrent un instant en direction du bruit. Nate sut qu'il n'aurait pas de seconde chance : il était mort s'il ne tentait pas quelque chose... même un truc stupide.

Il s'élança d'un bond, non pas vers son agresseur mais vers le fusil accroché à une racine. Son geste ne passa pas inaperçu. Un coup de feu claqua. Nate ressentit une douleur aiguë à la cuisse, mais il ne s'arrêta pas pour autant.

Au moment d'atterrir sur la racine, il attrapa son fusil. Comme il n'avait pas le temps de détacher la bandoulière, il se contenta de diriger le canon à l'aveuglette vers Zane et de presser la détente. Le recul lui arracha l'arme des mains.

Nate se baissa et fit demi-tour.

De son côté, Zane fut rejeté en arrière, le ventre en sang, les bras au ciel. Il s'écrasa dans la mare située au bout de l'impasse. Lorsqu'il remonta à la surface en crachotant (même près de la berge, les eaux étaient étonnamment profondes), il poussa un cri d'angoisse mêlée de douleur.

À son tour, il apprenait la leçon qu'il avait enseignée à l'inoffensif chaman ban-ali : il n'existait pas de pire supplice qu'une plaie au ventre.

Nate se releva et décrocha le fusil, qu'il braqua sur son adversaire en fâcheuse posture. Il n'avait pas vu où le pistolet avait disparu et, cette fois-là, il ne courrait aucun risque.

Zane, qui souffrait le martyre, voulut rejoindre la rive mais, tout à coup, son corps se crispa, ses yeux s'écarquillèrent et ses lamentations se transformèrent en mugissements affolés :

— Nate ! Aidez-moi !

D'instinct, le jeune homme avança d'un pas.

Zane tendit le bras, la mine implorante, terrifié, puis, autour de lui, les eaux se mirent à bouillonner farouchement.

Nate aperçut quelques éclats argentés. *Des piranhas.* Il eut un mouvement de recul et comprit qu'il se trouvait devant le bassin d'élevage, la nursery dont Manny avait parlé.

Pris de convulsions, Zane avait beau se débattre en hurlant comme un damné, il commença à sombrer dans l'écume mousseuse. Épouvanté, il s'efforça de garder la bouche hors de l'eau. Peine perdue. Sa tête s'enfonça à son tour. Seul un bras restait à la surface, mais lui aussi finit englouti par les eaux tumultueuses.

Nate quitta l'étang et remonta le sentier sans éprouver une once de pitié. D'un bref coup d'œil, il vérifia sa cuisse meurtrie : une balle avait traversé son pantalon et un filet de sang coulait de la plaie. Une simple égratignure, rien de plus. Il avait eu une chance du tonnerre !

Les doigts serrés autour de son fusil, il reprit sa route en espérant que sa bonne étoile ne s'éteigne pas de sitôt.

10 h 12

D'un coup d'épaule, Manny tenta d'émerger des gravats. La fumée le faisait suffoquer. L'explosion de la roquette au sommet de l'arbre résonnait encore dans son crâne. La mâchoire endolorie, il s'extirpa des débris sous les cris et les mugissements autoritaires :

— Jetez vos armes !

— Montrez vos mains !

— Remue-toi, sinon je te flanque une balle !

Comment refuser ? Le biologiste cracha du sang en gémissant et leva les yeux vers le chaos. À genoux, la tête enfouie entre les mains, Anna Fong paraissait presque indemne. À ses côtés, le professeur Kouwe souffrait d'une belle écorchure au cuir chevelu qui saignait le long de sa joue. Le pauvre Dakii était là aussi, hébété et incrédule.

En se retournant, Manny vit la gueule tachetée de Tor-tor l'observer derrière un buisson. Il fit signe au jaguar de ne pas bouger. Tout près de là, Carrera fourra discrètement son Bailey sous un toit de chaume dégringolé d'une maison.

— Toi ! aboya quelqu'un. Debout !

Manny ne savait pas à qui on s'adressait jusqu'à ce qu'il sente le canon chaud d'un revolver sur sa tempe. Il se raidit.

— Debout ! répéta l'homme avec un accent prononcé, peut-être allemand.

Le Brésilien se remit péniblement à genoux, puis se redressa. Il vacillait un peu, mais le mercenaire sembla s'en contenter :

— Ton arme !

Manny regarda autour de lui comme s'il cherchait une chaussure ou une chaussette égarée et, dès qu'il aperçut son pistolet par terre, il le poussa du bout du pied :

— Là.

Un deuxième soldat surgit de nulle part et le lui confisqua.

— Rejoins les *anderen* !

Tandis qu'il trébuchait vers ses amis, Manny vit Carrera et Kostos escortés par d'autres gardes. Leurs holsters étaient vides, leur paquetage avait disparu. On força tout le monde à s'agenouiller, les mains sur la tête. Le sergent avait l'œil gauche enflé, le nez tordu et en sang, cassé. En voilà un qui avait dû se montrer plus récalcitrant !

Soudain, un coin reculé de la forêt se transforma en grosse boule de feu. L'écho étouffé de l'explosion parvint jusqu'à eux, assorti d'une odeur de napalm.

Tant pis pour la « diversion » de Kostos ! Trop modeste, trop tardive.

— Celui-là ne bouge pas, *Herr* Brail ! lança un mercenaire dans un mélange d'espagnol et d'allemand.

D'un coup d'œil par-dessus son épaule, Manny vit qu'Olin gisait en tas informe au pied de l'*Eidothea*. Un éclat de bois lui avait transpercé l'épaule, des flots de sang coulaient abondamment sur sa chemise kaki clair, mais il respirait toujours.

Le dénommé Brail détacha son regard de la jungle en feu et alla vérifier l'état de santé du Russe :

— *Hundefleisch.*

De la viande pour les chiens.

Il brandit son pistolet et abattit l'informaticien d'une balle dans la nuque.

Anna lâcha un sanglot.

De leur côté, les deux chefs du commando contournaient tranquillement les ruines du chalet en rondins. Bien qu'elle soit nue, la petite Indienne avançait d'un pas chaloupé, tout en jambes et courbes douces. On aurait dit qu'elle allait à une garden-party. La demoiselle arborait un talisman entre ses seins. Manny crut d'abord qu'il s'agissait d'une petite bourse en cuir mais, à mesure qu'elle approchait, il reconnut une tête réduite. Les cheveux surmontant l'écœurant colifichet étaient rasés.

Vêtu d'un costume en toile blanc et d'un panama porté de guingois, l'homme svelte qui l'accompagnait remarqua son intérêt. Il souleva le collier à l'attention des autres.

Manny remarqua les plaques d'identification militaires.

— Je vous présente le nouveau caporal DeMartini.

Il émit un petit rire, comme s'il venait de faire une blague ou de lâcher un bon mot à une fête, puis laissa retomber la tête profanée du Ranger sur la poitrine de la jeune femme.

Kostos grommela une menace, mais la kalachnikov pointée sur sa nuque le dissuada de se relever.

Louis sourit devant la rangée de prisonniers à terre :

— Quel plaisir de vous revoir tous réunis !

Manny reconnut un clair accent français. *Qui était ce type ?*

Ce fut Kouwe qui, sans le vouloir, lui répondit en marmonnant d'un air dégoûté :

— Louis Favre.

— C'est *docteur* Favre, *professeur* Kouwe, rectifia l'intéressé. Veuillez rester courtois et nous pourrons expédier ce léger désagrément au plus vite.

Le chaman se contenta de lui jeter un regard noir.

Manny connaissait le nom de leur interlocuteur. C'était un biologiste expulsé du Brésil pour avoir réalisé des bénéfices excessifs au marché noir et commis de nombreux crimes contre les peuples indigènes. Par le passé, Kouwe et le père de Nate avaient déjà eu maille à partir avec le triste individu.

— Bon, nous avons compté les têtes et j'ai l'impression qu'il en manque quelques-unes, annonça Favre. Où sont passés les derniers membres de votre petite troupe ?

Personne ne broncha.

— Allons, ne nous fâchons pas. La journée démarre si bien.

Le scélérat commença à faire les cent pas.

— Vous ne voudriez quand même pas qu'elle tourne au vinaigre ? Je vous ai posé une simple question.

Toujours aucune réaction. Les explorateurs regardaient tous devant eux d'un air absent.

— Bon, tant pis… Tshui, *ma chérie**, fais ton choix.

Apparemment débarrassé du problème, il se frotta les mains d'un air pincé.

La femme nue longea les détenus d'un air digne, hésita devant le soldat Carrera, pencha la tête, puis bondit de deux places pour s'agenouiller devant Anna, le nez à quelques centimètres d'elle.

L'anthropologue regimba, mais l'arme pointée derrière elle l'obligea à rester en place.

— Ma princesse flaire tout de suite les belles plantes.

Aussi vive qu'un serpent, Tshui sortit un long couteau en os d'un fourreau dissimulé au creux de ses longues nattes. Pour Manny, ce genre d'étui tressé dans les cheveux des guerriers n'existait que chez une seule tribu amérindienne : les Shuar, chasseurs de têtes d'Équateur.

La pointe acérée de la dague s'enfonça dans la chair délicate du cou d'Anna. L'Asiatique frissonna et, lorsqu'un filet de sang écarlate coula sur la lame blanche, elle eut le souffle coupé.

Ça suffit, songea Manny. Sa main droite glissa vers le manche du fouet attaché à sa ceinture. Lui aussi, fort de ses réflexes acquis au cours de longues années passées à dompter un jaguar, il pouvait réagir vite quand il le voulait. D'un mouvement sec du poignet, il fit claquer son fouet.

L'extrémité de la lanière en cuir s'abattit sur le couteau, le projeta à quelques mètres et entailla la pommette de l'Indienne Shuar.

Tel un chat effarouché, elle siffla et roula sur le côté. Un autre poignard apparut dans sa main comme par magie. C'était qu'elle avait un paquet de griffes, la petite chatte !

— Laissez Anna tranquille ! vociféra Manny. Je vais vous dire où sont les autres !

Avant de pouvoir ajouter quoi que ce soit, il reçut un coup de crosse par-derrière et tomba la tête la première sur le sol jonché de feuilles. Un pied écarta son fouet, puis s'abattit sur la main responsable de l'offense et lui cassa un doigt.

— Relevez-le ! aboya Favre, dont les dernières traces de maniérisme raffiné venaient de s'évanouir.

Sa main blessée collée contre le torse, le rebelle se sentit hissé par les cheveux.

Favre essuya la pommette éraflée de sa maîtresse, se tourna vers Manny et lécha le sang qu'il avait sur l'index :

— Était-ce bien nécessaire ?

Il tendit le bras derrière lui. Un soldat lui remit un fusil à canon raccourci. *A priori*, une espèce de mini-Uzi.

Le poing qui retenait le Brésilien par les cheveux se tordit violemment.

— Lâche-le, Brail !

Obéissant au patron, le mercenaire desserra son étreinte. Sa victime, qui n'était plus retenue, faillit retomber le nez par terre.

— Où sont-ils ?

Manny se mordit pour faire passer la douleur :

— Dans l'arbre… la dernière fois qu'on les a vus… ils ne répondent plus à nos messages radio.

— C'est ce que j'ai entendu dire, opina Favre.

De sa main libre, il sortit un talkie-walkie.

— Le caporal DeMartini a eu la gentillesse de me prêter son matériel SABER et de me fournir les bonnes fréquences radio.

Incrédule, le biologiste jeta un coup d'œil à Anna :

— Si vous étiez au courant… pourquoi… ?

S'ensuivit un long soupir exaspéré :

— Je voulais seulement vérifier que personne ne tentait de m'entourlouper. J'ai perdu contact avec mon agent infiltré dans votre groupe, ce qui a le don d'exacerber mon naturel déjà suspicieux.

— Un agent ? répéta Manny.

— Un espion, expliqua Kouwe au bout de la rangée. Richard Zane.

— En effet, confirma Favre avant de se tourner vers l'arbre en portant le talkie-walkie à sa bouche. Nate, si vous m'entendez, ne bougez pas. Nous allons bientôt vous rejoindre.

Pas de réponse.

Manny espéra que son ami se soit enfui avec Kelly mais, au fond de lui, il savait que la jeune femme ne quitterait jamais le chevet de son frère. Tous les trois devaient encore se cacher dans l'arbre préhistorique.

Les yeux rivés au géant bardé d'écorce blanche, le Français réfléchit longuement, puis se retourna vers Manny :

— Il ne me reste qu'à laver l'affront fait à ma chère et tendre.

L'Uzi se redressa dans sa direction.

— Le geste n'était pas très galant de votre part, *monsieur** Azevedo.

Favre pressa la détente. Une salve de tirs crépita de tous côtés.

Manny vacilla, mais aucun projectile ne l'atteignit.

Un borborygme résonna derrière lui. Le soldat chargé de le surveiller s'effondra, le torse criblé de balles. Haletant comme un poisson échoué sur le sable, il saignait de la bouche et du nez.

Favre baissa son arme et, devant la mine interloquée du Brésilien, il haussa le sourcil :

— Ce n'est pas à vous que j'en veux. Brail s'est montré trop laxiste. Il n'aurait jamais dû vous laisser cette saleté de fouet à portée de main. Du travail de sagouin, tout ça.

Louis secoua la tête.

— Deux lieutenants partis en quelques heures.

Il s'écarta et agita son arme.

— Amenez les prisonniers.

Il se dirigea ensuite vers le Yagga d'un pas décidé.

— La traque du fils de Carl est terminée. Voyons maintenant si nous pouvons convaincre ce grand timide de nous rejoindre.

Dans le village envahi de fumée, Nate s'était retranché à l'ombre d'une grosse racine. Des coups de feu et des cris étouffés retentirent au niveau de l'*Eidothea*. *Que se passait-il ?*

Seul élément visible au sein de la clairière : le cratère arrondi de la cabane de son père. Un mélange d'effroi et de désespoir s'abattit sur le jeune homme comme un linceul, puis, tels des fantômes sortis d'une tombe, des silhouettes émergèrent du brouillard, sombres et indistinctes.

Blotti contre la racine, il brandit son fusil dans leur direction. Lentement, pas après pas, les spectres prirent forme et substance. Il reconnut Manny et Kouwe en tête, encadrant la douce Anna. Kostos et Carrera suivaient de près. Même leur guide indien Dakii était là.

Maculés de sang, ils marchaient les mains dans le dos et, dès qu'ils chancelaient, de mystérieux cerbères les forçaient à continuer. À mesure qu'ils approchèrent, les autres devinrent plus nets : vêtus de treillis militaires ou de tenues spécialement adaptées à la jungle, ils braquaient des armes de toutes sortes vers ses amis.

Nate baissa le canon de son fusil. Vu les circonstances et les risques, tirer ne servait à rien. Il devait trouver un autre plan mais, pour l'instant, il n'avait que des ombres et des formes dérobées à se mettre sous la dent.

Soudain, les étranges soldats forcèrent ses équipiers à s'arrêter.

Un homme en blanc s'empara d'un petit porte-voix et mugit vers la cime du Yagga :

— Nathan Rand ! Montrez-vous ! Ne vous faites pas prier pour descendre, sinon vos amis le paieront cher. Je vous donne deux minutes !

Il obligea les otages à s'agenouiller.

Nate se terra de plus belle dans son trou. Une chose était sûre : ce type-là était le chef des mercenaires, un Français à en juger par son accent. Le misérable consulta sa montre, puis redressa la tête vers le sommet de l'arbre en tapant impatiemment du pied. De toute évidence, il se fiait aux dernières informations de son espion défunt et croyait sa proie encore là-haut.

Nate hésita. Se montrer ou s'enfuir ? Devait-il tenter sa chance à travers la jungle ? Essayer de contourner l'ennemi ? Non, impossible. Ce n'était pas un professionnel de la guérilla.

— Trente secondes, Rand ! rugit l'homme au mégaphone.

Une voix fluette émergea d'entre les feuilles :

— Nate n'est pas ici ! Il est parti !

Kelly !

— Foutaises, marmonna le Français dans sa barbe.

Toujours à genoux, Kouwe osa intervenir :

— Docteur Favre… puis-je vous toucher un mot ?

Dès qu'il reconnut le nom, Nate sentit ses doigts se crisper sur le fusil. Son père lui avait raconté les atrocités imputées à Louis Favre. C'était le croquemitaine de l'Amazone, le démon dont les tribus parlaient à voix basse, un monstre banni de la région par Carl Rand en personne. Et voilà qu'il refaisait son apparition !

— Qu'y a-t-il, professeur ? demanda le type, agacé.

— C'était Kelly O'Brien. Elle veille son frère blessé. Si elle dit que Nate n'est pas avec eux, vous pouvez la croire.

Perplexe, Favre consulta sa montre :

— On verra.

Il reprit son porte-voix.

— Dix secondes !

Il tendit la main, dans laquelle on déposa une arme diabolique : une machette recourbée aussi longue qu'une faux. Malgré l'atmosphère enfumée, elle étincelait de mille feux.

Le sadique se pencha vers Anna Fong, lui posa la lame récemment aiguisée sous le cou et reprit :

— Le temps file vite, Nathan ! Dans ma grande générosité, je vous ai accordé un délai initial de deux minutes. Après quoi, chaque minute écoulée coûtera la vie à un de vos camarades. Sortez maintenant et ils seront tous épargnés ! Vous avez ma parole de gentleman et de Français.

Il égrena les dernières secondes.

— *Cinq... quatre...*

Nate se creusa les méninges pour trouver un plan, n'importe quoi. Il savait que le serment de Louis Favre n'était d'aucune valeur.

— *Trois... deux...*

Il n'avait que quelques secondes pour éviter de se rendre.

— *Un...*

Peine perdue.

— *Zéro !*

Nathan bondit de sa cachette, le fusil au-dessus de la tête :

— Vous avez gagné !

Favre se redressa, intrigué :

— Eh bien, *mon petit homme**, vous m'en bouchez un coin ! Que fabriquiez-vous en bas pendant tout ce temps ?

De grosses larmes roulèrent sur le visage apeuré d'Anna.

Nate jeta son arme et répéta :

— Vous avez gagné.

Des soldats vinrent le cerner au petit trot.

— Comme toujours, jubila Favre.

Son sourire, d'abord amusé, devint carnassier.

Avant que quiconque puisse réagir, le fumier effectua une rotation éclair du bassin et lança sa machette de toutes ses forces.

Une giclée de sang jaillit.

Sa victime eut la tête tranchée à la base du cou.

— Manny ! mugit Nate en s'effondrant à genoux, puis à quatre pattes.

Le corps de son ami s'avachit en arrière.

Anna hurla et s'évanouit dans les bras de Kouwe.

Le dos tourné à Nate, Favre observa la stupeur et la consternation des autres détenus :

— Oh, je vous en prie ! Vous n'avez pas cru sincèrement que je laisserais *Monsieur** Azevedo agresser ma chérie sans le lui faire payer ? *Mon Dieu !** Où est passé votre sens de la chevalerie ?

Derrière eux, l'Indienne caressa son estafilade à la joue.

Favre avait désormais son costume blanc barré d'un long aplat cramoisi du sang du Brésilien. Il tapota sa montre et agita l'index :

— Je vous ferai remarquer, Nathan, que le compte à rebours était bien arrivé à zéro. Vous *étiez* en retard. Ce n'est que justice.

Tête basse, le jeune homme fixa le sol :

— Manny…

Quelque part au loin, un hurlement félin perfora le silence et résonna dans toute la vallée.

Chapitre 17

Le remède

17 août, 16 h 16
Jungle amazonienne

Louis surveilla les derniers préparatifs dans la vallée. Ses manches de chemise retroussées, il portait sur le bras sa veste souillée de sang. L'après-midi était caniculaire mais, bientôt, le thermomètre allait encore grimper. Et de quelle manière ! Satisfait, le chef du commando admira les ruines du village avec un sourire amer.

Dès qu'il le vit approcher, un certain Mask se mit au garde-à-vous. Le Colombien, qui dépassait allègrement le mètre quatre-vingts, était aussi sanguinaire qu'imposant. Ancien gorille d'un baron de la drogue, il avait reçu une giclée d'acide en voulant protéger son patron. Sur un pan du visage, sa peau basanée n'était plus qu'une masse informe de tissus cicatriciels. Le narcotrafiquant, ingrat, l'avait aussitôt renvoyé, car son homme de main était devenu hideux et lui rappelait trop la mort qui l'avait frôlé de si près. Louis, au contraire, respectait sa loyauté exemplaire. Une certitude : le soldat remplacerait Brail avec brio.

— Quand les charges seront-elles toutes installées dans la vallée ?

— D'ici à une demi-heure, répondit son nouveau lieutenant sur un ton assez sec.

Louis regarda sa montre. Il n'y avait pas une seconde à perdre, mais le programme se déroulait comme prévu. Dommage que le Ruskov ait réparé sa saleté de GPS et transmis un signal ! Il le privait du loisir de savourer son triomphe amazonien.

Soupir aux lèvres, le Français balaya le site du regard. En tout, ils avaient dix-huit prisonniers, à genoux, pieds et poings liés dans le dos. Une corde fixée à leurs entraves leur entourait le cou. Un nœud coulant. Dès qu'ils voulaient se débattre, il se resserrait et les étranglait.

Meurtris dans leur chair par le perfide lasso, certains détenus avaient déjà du mal à respirer. Les autres, en sang, restaient assis à transpirer sous un soleil de brute.

Comme Mask n'avait pas bougé d'un millimètre, Louis reprit :

— On a bien fouillé les maisons ? Il n'y a plus d'Indiens ?

— Rien que des cadavres, chef.

Le village avait compté plus d'une centaine d'habitants. À présent, les Ban-ali n'étaient plus qu'une énième tribu disparue.

— Et la vallée a bien été passée au peigne fin ?

— Oui, chef. Le seul moyen d'accéder au plateau ou d'en sortir, c'est le canyon.

— Excellent.

Après avoir torturé le patrouilleur indien la veille, Louis était déjà au courant, mais il préférait en avoir la certitude.

— Qu'on réinspecte tous les postes de garde ! Je veux avoir quitté les lieux à 17 heures, dernier carat.

Mask acquiesça en silence, tourna les talons et s'éloigna d'un pas pressé vers l'arbre central.

Louis le suivit du regard. Des soldats étaient en train de sortir deux petits fûts en acier du tunnel. Une fois la vallée sécurisée, ils avaient grimpé à l'intérieur du tronc armés de haches et de poinçons, percé les parois de trous profonds et recueilli une quantité impressionnante de sève. Tandis que les hommes poussaient leurs précieux tonneaux dans la clairière, une autre équipe s'affaira au pied du colossal Yagga.

Tout se déroulait avec une précision d'horloger mais, pour l'odieux Favre, comment aurait-il pu en être autrement ?

Ravi, il s'approcha des explorateurs, qui commençaient à rôtir au soleil. Ces prisonniers-là avaient été alignés à l'écart des derniers rescapés ban-ali.

Un poil frustré que ses adversaires ne lui aient pas donné plus de fil à retordre, Louis contempla sa prise. Les deux Rangers le fusillèrent du regard. La petite anthropologue asiatique s'était calmée, les paupières closes, résignée, et ses lèvres articulaient une prière silencieuse. Quant à Kouwe, il restait stoïque.

Louis se planta devant le dernier prisonnier de la rangée. Le regard dur de Nathan Rand n'avait rien à envier à celui des Rangers, mais il étincelait d'une lueur supplémentaire. Un air de détermination féroce.

Favre eut du mal à maintenir le contact visuel, mais il refusa de détourner la tête. Les traits de Nate reflétaient l'ombre de son père : cheveux blond-roux, pommettes hautes, forme du nez. Sauf qu'il ne s'agissait pas de *Carl* Rand. Le cruel personnage s'étonna d'être déçu. La joie qu'il se faisait d'avoir le fils de son ennemi à ses pieds sonnait creux.

À vrai dire, il éprouvait même un certain respect pour le jeune homme. Tout au long de son expédition amazonienne, Nathan avait déployé des trésors de bravoure et d'ingéniosité, allant jusqu'à liquider l'espion Zane, et finalement, comme preuve de sa loyauté, il avait accepté de sacrifier sa vie pour sauver son équipe. Autant de qualités admirables, même si elles allaient à l'encontre des propres plans du Français.

Quoi qu'il en soit, ses prunelles aussi dures que de la pierre polie ne trompaient pas : Nate avait, d'une manière ou d'une autre, survécu aux affres d'un chagrin insondable. Louis se rappela son vieil ami au bar de l'hôtel guyanais, l'ancien bagnard revenu de l'Île du Diable. Il le revit siroter ses bourbons sans glace. Eh bien, le garçon avait le même regard. Ce n'étaient pas les yeux de *Carl* Rand, les yeux du père. Non, il avait devant lui un homme différent.

— Qu'allez-vous faire de nous ?

Loin de supplier, Nate posait une simple question.

Favre sortit un mouchoir de sa poche et s'épongea le front :

— Je vous ai donné ma parole de gentleman que je vous tuerais pas, ni vos amis ni vous, et je tiendrai ma promesse.

Devant la mine perplexe de son interlocuteur, il ajouta avec une pointe de tristesse étonnamment sincère :

— Je laisse l'armée américaine s'en charger.

— Comment ça ?

Louis avança de deux pas vers Kostos :

— Votre acolyte devrait pouvoir répondre.

— Je ne vois pas de quoi vous parlez, gronda l'intéressé.

Le Français se plia en deux et le fixa droit dans les yeux :

— Vraiment ? Insinuez-vous que le capitaine Waxman ne se confiait pas à son sergent ?

Le Ranger détourna la tête.

— Qu'est-ce qu'il raconte ? insista Nate. Ce n'est plus le moment de faire des cachotteries, Kostos. Si vous savez quelque chose...

Honteux, le militaire finit par bredouiller :

— Les mini-bombes au napalm... On avait reçu l'ordre de trouver la source du composé miraculeux et, après en avoir mis un échantillon en lieu sûr, on devait tout détruire. Anéantissement complet.

Ravi de la stupeur manifeste des prisonniers, Louis se redressa. Même Carrera paraissait surprise. Apparemment, les soldats aimaient garder leurs petits secrets pour eux.

Louis pointa le bras vers les quelques hommes réunis autour de l'arbre géant. Sa propre équipe de démolition. Accolées à l'écorce blanche, les neuf dernières bombes des Rangers ressemblaient à de petits yeux noirs inquisiteurs.

— Grâce au gouvernement américain, mes chers amis, nous avons ici assez d'explosifs pour balayer ce monstre de la nature.

Kostos baissa la tête... et il avait raison.

— Vous voyez donc que nos deux missions ne sont pas si différentes, conclut Louis. Seul le bénéficiaire de l'opération change : le complexe militaire américain ou une société pharmaceutique française. Voilà qui soulève maintenant une autre question : qui fera le meilleur usage d'une telle connaissance ?

Il haussa les épaules.

— Impossible à dire. À l'inverse, on peut aussi se demander qui causerait le plus grand tort ?

Louis dévisagea le sergent.

— Là, je crois que nous pouvons tous répondre.

Alors qu'un silence pesant s'était abattu sur le groupe, Nate reprit :

— Où sont passés Kelly et Frank ?

Ah, les derniers absents de l'équipe... Louis ne s'étonnait pas que le jeune homme soit le premier à aborder le sujet.

— Ne vous inquiétez pas de leur santé, Rand. Ils vont partir avec moi. J'ai contacté mes financiers. *Monsieur** O'Brien fera un excellent cobaye pour étudier le processus de régénération. Les chercheurs de St Savin ont hâte de poser sur lui leurs mains et leurs instruments.

— Et Kelly ?

— *Mademoiselle** O'Brien nous accompagne, histoire de nous assurer la coopération de son frère.

Nathan pâlit.

Pendant ses explications, Louis l'avait vu lorgner le Yagga. Il désigna l'arbre géant :

— Les minuteries sont réglées sur trois heures. Pour être précis, la mise à feu aura donc lieu à 20 heures.

Les détenus connaissaient la puissance d'une *seule* bombe au napalm. Alors multipliée par neuf ! Un profond désespoir se lut sur leurs visages.

Louis enchaîna :

— Nous avons semé d'autres engins incendiaires le long du défilé, y compris dans la crevasse qui mène ici, et, dès que nous aurons quitté les lieux, nous ferons tout exploser : nous ne pouvions pas courir le risque qu'un Indien ait échappé à notre vigilance et vous délivre. Je crains donc fort que, ligotés ou pas, vous ne soyez condamnés. Cette vallée isolée va être la proie de flammes colossales qui détruiront jusqu'aux dernières gouttes de la sève miraculeuse. Au cœur de la nuit, le monstrueux feu de joie attirera aussitôt d'éventuels hélicoptères venus vous secourir. Une diversion flamboyante pour couvrir notre fuite.

Un sentiment de défaite luisait tristement dans les yeux des détenus.

Louis sourit :

— Comme vous le constatez, rien n'a été laissé au hasard.

Son nouveau lieutenant le rejoignit d'un pas raide, sans prêter aucune attention aux prisonniers, comme s'il s'agissait d'un simple troupeau de moutons.

— Oui, Mask ?

— Tout est en ordre. Nous n'attendons plus que votre feu vert pour évacuer.

— Vous l'avez.

Favre jeta un dernier coup d'œil à la rangée d'hommes et de femmes entravés.

— Je suis navré, mais le devoir m'appelle. Je vous fais à tous mes tendres *adieux**.

Il pivota sur ses talons, heureux de savoir que Carl Rand avait finalement mené son fier rejeton à sa perte. *À vouloir suivre les traces de son père...*

Il espéra que, de l'enfer où il croupissait, le vieux bougre observait la scène.

16 h 55

Agenouillé avec les autres, Nate était accablé, détruit par la nouvelle. D'un air morne, il regarda le reste du camp organiser le grand départ.

Kouwe lui souffla à l'oreille :

— Favre se fie entièrement à la sève du Yagga.

Le jeune homme tourna la tête en prenant garde de ne pas resserrer la corde autour de son cou :

— Quelle importance maintenant ?

— Il espère qu'elle enrayera la contagion comme elle répare les plaies physiques, mais on n'a aucune preuve de son efficacité.

— Bah, que voulez-vous qu'on fasse ?

— Il faut le lui dire.

— Et l'aider ? Pourquoi ?

— Ce n'est pas lui que j'essaie de sauver mais les centaines de malades qui sont en train d'agoniser à travers le monde. Le remède à l'épidémie se trouve ici. Je le sens. Et Favre va tout démolir, balayer notre dernière chance d'endiguer la malédiction des Ban-ali. Nous devons tenter de l'avertir.

Nate fronça les sourcils. Il revit Manny se faire tuer comme un chien… le corps de son ami s'écrouler à terre. Au fond de lui, il comprenait l'idée de Kouwe, mais son cœur ne l'acceptait pas.

Soucieux de trouver un compromis entre la raison et les sentiments, une excuse pour garder le silence, il objecta :

— De toute façon, Favre fera la sourde oreille. Il suit son planning à la seconde près. Au mieux, il lui reste six à huit heures avant que les militaires ne rappliquent. Son dernier objectif, c'est d'amasser un maximum de butin et de s'enfuir.

— Eh bien, il faudra le forcer à écouter, insista Kouwe.

Des éclats de voix près du Yagga les incitèrent à relever la tête vers le tunnel. Deux mercenaires émergèrent du tronc en portant une civière. D'emblée, Nate reconnut Frank attaché sur leur propre travois de fortune. Le pauvre était saucissonné comme un porc prêt à être embroché.

Surgit ensuite sa sœur, qui avançait seule, les mains liées dans le dos. Elle traînait les pieds entre Favre et sa maîtresse indienne nue. D'autres soldats armés fermaient la marche.

— Vous ne savez pas ce que vous faites ! protesta Kelly d'une voix forte. On ignore si la sève peut guérir quoi que ce soit !

Nate croyait entendre la discussion qu'il venait d'avoir avec son ami Kouwe.

Louis haussa les épaules :

— Les chercheurs de St Savin m'auront payé depuis belle lurette quand on découvrira si, oui ou non, vous aviez raison. Ils vont examiner les jambes de votre frère – ou plutôt ce qu'il en reste – et me verser directement les millions de dollars du contrat sur mon compte.

— Et tous les malheureux en train de crever ? Les enfants, les personnes âgées ?

— Je m'en contrefiche ! Mes grands-parents sont morts et je n'ai pas de gosses.

Kelly bouillonnait de rage quand, soudain, elle aperçut ses camarades. Interloquée, elle observa la trentaine de soldats quitter la vallée, puis son regard se posa de nouveau sur les prisonniers :

— Que se passe-t-il ?

— Oh, vos petits copains… ils restent ici.

Elle avisa l'arbre bardé d'explosifs, puis s'attarda sur Nate :

— Vous… vous ne pouvez pas les laisser là.

— Bien sûr que si ! Je ne vois pas ce qui m'en empêcherait.

La jeune femme se figea, la voix étranglée de larmes :

— Permettez-moi au moins de leur dire au revoir.

Louis poussa un soupir exaspéré :

— Très bien, mais dépêchez-vous.

Il l'empoigna par le bras, puis, accompagné de sa maîtresse et de quatre gardes armés, il la sortit du rang pour la planter sous le nez des autres.

À la vue de sa bien-aimée, Nate sentit son cœur saigner. Il aurait mieux valu qu'elle continue son chemin.

Les joues baignées de larmes, Kelly passa devant chacun en murmurant à quel point elle était navrée, comme si elle était la seule fautive dans l'histoire. Conscient de la voir pour la toute dernière fois, Nate écouta à peine et préféra la dévorer des yeux. Elle se pencha, frôla de sa joue le visage de Kouwe et s'approcha ensuite de son amant, en bout de rangée.

Après l'avoir fixé dans les yeux, elle tomba à genoux :

— Nate...

— Chut, sourit-il tristement en lui rappelant, d'un mot discret et emblématique, le souvenir de leur nuit ensemble. Chut...

Elle sanglota de plus belle :

— J'ai appris pour Manny. Je suis vraiment désolée.

Les paupières closes, il baissa la tête et chuchota :

— Si tu en as l'occasion, tue ce salaud de Français.

Elle caressa sa joue avec la sienne et, comme s'il s'agissait de confier un secret d'amour, elle répondit à voix basse :

— Promis.

Il tourna la tête, effleura sa bouche et, sans se soucier du qu'en-dira-t-on, l'embrassa une dernière fois. Haletant un bref instant entre leurs lèvres jointes, elle lui rendit son baiser.

Sans crier gare, Favre la tira en arrière et la releva d'un coup sec. Tandis qu'il la tenait toujours fermement par le bras, il ricana :

— Eh bien, j'ai l'impression que vous partagiez plus qu'une simple relation *professionnelle*.

Il fit pivoter Kelly sur elle-même et l'embrassa brutalement sur la bouche. Prise de court, elle laissa échapper un cri. Louis desserra son étreinte et la repoussa vers l'Indienne. Il avait la lèvre en sang.

Sa jeune proie l'avait mordu.

Il s'essuya le menton :

— Ne vous inquiétez pas, Nathan. Je prendrai grand soin de votre femme.

Il lorgna Kelly et sa maîtresse.

— Nous veillerons à ce qu'elle apprécie son séjour chez nous, n'est-ce pas, Tshui ?

La sorcière enroula une boucle auburn de Kelly autour de son index et la renifla.

— Vous voyez, mon cher ? Tshui est déjà intriguée.

Nate lutta contre ses liens pour lui sauter à la gorge.

— Espèce d'enfoiré ! hoqueta-t-il d'une voix étranglée par le nœud coulant.

— Du calme, petit.

Louis recula d'un pas et prit Kelly par l'épaule.

— Elle est entre de bonnes mains.

Des larmes de frustration roulèrent sur le visage du jeune Américain. Plus le nœud s'enfonçait dans la chair de son cou, plus il s'étouffait. Pourtant, il continua à se débattre. De toute façon, ses heures étaient comptées. Quelle importance s'il mourait asphyxié ou brûlé vif ?

Louis lui jeta un regard affligé, puis emmena Kelly en marmonnant dans sa barbe :

— Quel dommage… Un si gentil garçon mais, franchement, la vie ne l'a pas gâté.

Nate commença à voir des étoiles danser devant ses yeux.

— Cesse de te démener, le houspilla Kouwe.

— Pourquoi ? haleta-t-il.

— Là où il y a de la vie, il y a de l'espoir.

Son ami se laissa retomber à terre, moins parce qu'il avait compris le professeur que par simple aveu de défaite. Peu à peu, il reprit son souffle. À mesure que les mercenaires s'éloignaient, ses yeux restèrent rivés à Kelly. Elle se retourna une dernière fois, juste avant de disparaître dans la jungle.

Hormis la discrète prière d'Anna, le groupe se tut. Quelques Indiens avaient entonné une triste mélopée entre les pleurs des autres. Désespérés, ils restaient assis là, à cuire sous un soleil qui déclinait lentement à l'horizon. À chaque respiration, chaque sanglot, la mort était plus proche.

— Pourquoi ne s'est-il pas contenté de nous abattre ? maugréa Kostos.

— Ce n'est pas son genre, répondit Kouwe. L'abject Favre veut qu'on savoure chaque instant de notre mort. Les tortures lentes, voilà ce qui l'excite.

Vaincu, Nate ferma les yeux.

Au bout d'une heure, une puissante détonation secoua le sud de la région. Il rouvrit les paupières pour voir une colonne de fumée et de poussière de roche jaillir dans le ciel.

— Ils ont fait sauter le ravin, lâcha Carrera à l'autre bout du rang.

Le botaniste détourna la tête. L'écho de la déflagration retentit quelques secondes, puis s'éteignit. Tous attendaient désormais l'ultime explosion qui les tuerait et anéantirait la vallée.

Alors que le silence envahissait de nouveau le village, Nate entendit renâcler à l'orée de la jungle. Un toussotement de *jaguar*.

Sous le regard interrogateur de Kouwe, il retrouva une lueur d'espoir et hasarda :

— Tor-tor ?

Un jaguar émergea en effet de la forêt et foula le sol de la clairière, mais il n'avait pas la gueule tachetée du protégé de Manny.

Le monstrueux félin noir se faufila jusqu'à eux en reniflant, les babines retroussées par un grognement silencieux et affamé.

17 h 35

Kelly marchait à côté de la civière. Les deux porteurs semblaient infatigables et traversaient la jungle comme des robots bourrés de muscles. La jeune femme n'avait aucune charge à traîner, si ce n'était son cœur trop lourd, mais elle trébuchait quand même sur chaque branche, chaque racine.

Favre imposait une cadence soutenue. Il voulait traverser le marais et disparaître au sud dans la forêt avant que le chapelet de bombes ne déchiquette la partie supérieure des gorges.

— Après l'explosion, les soldats vont foncer là-bas comme des mouches sur de la merde, avait-il prévenu. Il faut qu'on dégage le plus loin d'ici.

L'air de rien, Kelly avait aussi écouté les mercenaires bavarder dans un patois de portugais et d'espagnol. Par radio, Favre s'était arrangé pour que des bateaux à moteur les attendent sur une rivière située à une petite journée de marche de la vallée. Une fois sur place, les bandits pourraient vite semer leurs éventuels poursuivants.

D'abord, ils devaient néanmoins rallier le lieu de rendez-vous sans se faire prendre et, par conséquent, il fallait se dépêcher. L'ignoble Favre ne tolérait aucun tire-au-flanc, y compris Kelly. Il avait récupéré le fouet de Manny, dont il se servait régulièrement dans ses rangs, tel un négrier surveillant ses esclaves. L'Américaine en avait déjà tâté, car elle était tombée à genoux au moment où la faille avait explosé derrière eux. Alors qu'elle n'arrivait plus à avancer, accablée de désespoir, elle avait senti une douleur cuisante à l'épaule. Le fouet lui avait déchiré son chemisier, éraflé la peau et fait passer l'envie de faiblir à nouveau.

— Kelly…, murmura Frank.

Elle se pencha vers le brancard.

— On va s'en sortir, balbutia-t-il d'une voix pâteuse.

Malgré les protestations de son frère, elle lui avait administré une bonne dose de Demerol avant de quitter la clinique du Yagga. Hors de question qu'il souffre d'être malmené pendant le transfert !

— On va y arriver.

Elle hocha la tête en regrettant de ne pas pouvoir lui tenir la main mais, sous sa couverture, même Frank avait les bras et les jambes solidement attachés à la civière.

Il poursuivit sa vague tentative de lui remonter le moral :

— Nate… et les autres… ils vont trouver un moyen de se libérer… nous sauver…

Ses mots se perdirent dans les vapeurs de morphine.

Kelly regarda par-dessus son épaule. Le ciel était presque entièrement bouché par la canopée, mais on distinguait encore la fumée de l'explosion qui venait d'isoler la vallée supérieure du reste du monde. Elle n'avait pas parlé à son frère des bombes disséminées à travers la forêt primitive. Ils ne pouvaient escompter aucun secours de la part de leurs anciens équipiers.

La jeune femme fixa le dos de Favre devant elle.

Son seul espoir était désormais de *se venger*.

Elle avait la ferme intention d'honorer sa promesse faite à Nate.

Elle tuerait Louis Favre... ou mourrait d'avoir essayé.

17 h 58

Sous le regard de Nate, l'immense jaguar noir sortit au grand jour, seul. C'était le chef de la meute, la femelle sournoise. Après avoir survécu à l'empoisonnement collectif de Louis, elle avait dû, d'instinct, avoir eu envie de revoir sa vallée natale.

— De mieux en mieux, grogna Kostos à voix basse.

La bête contempla la rangée de prisonniers ligotés comme s'il s'agissait de repas prêts à emporter. Sans la poudre noire répulsive, même les Ban-ali étaient en danger. Leur déesse féline, créée par le Yagga pour les protéger, venait de retourner à l'état sauvage.

Au ras du sol, elle rampa vers eux en donnant de petits coups de queue.

Soudain, un éclat flamboyant attira l'attention de Nate par-dessus le corps musclé de l'animal. Tor-tor bondit de la jungle et, sans avoir peur de l'énorme fauve, il se rua vers le groupe d'explorateurs.

Nate fut renversé sur le côté par sa démonstration exubérante d'affection. Affecté par la mort de son maître, le jeune jaguar en quête de réconfort était visiblement soulagé de les retrouver.

Étranglé par le nœud coulant qui s'était encore resserré d'un cran, Nate bredouilla :

— G... gentil, Tor-tor.

Le grand félin noir sembla intrigué par le spectacle et resta en retrait.

Tor-tor se pelotonna contre le botaniste, histoire de recevoir une caresse, un signe que tout allait bien. Pieds et poings liés, ce dernier ne pouvait le satisfaire, mais une idée germa dans son esprit.

Au prix d'une énième constriction du nœud coulant, il roula sur le flanc et tendit ses entraves. L'animal renifla le bout de corde.

— Mords dedans, insista Nate en agitant ses poignets ligotés. Après, je pourrai te faire un câlin, mon gros chat plein de poils.

Tor-tor lui lécha la main, puis fourra son museau contre son épaule.

Frustré, Nate vit la chef de la meute avancer à pas feutrés et pousser le petit jaguar de son chemin avec un petit feulement.

Le prisonnier se raidit.

La monstrueuse femelle flaira la main que Tor-tor avait léchée, puis sonda sa proie de ses yeux noirs et perçants. Nate était persuadé qu'elle devinait la terreur de l'homme recroquevillé devant elle.

Il se rappela comment la bête puissante avait fondu sur Frank pour le mutiler d'un coup de dent.

Le jaguar baissa la tête vers les bras et les jambes de Nate. Un grondement résonna entre ses mâchoires. Le garçon se sentit alors violemment soulevé de terre, étranglé par son nœud de pendu. Pendant une fraction de seconde, il se demanda s'il allait mourir étouffé avant d'être dévoré. Il pria pour la première solution.

Au lieu de quoi, il retomba lourdement. Il frémit un instant, puis constata qu'il avait les mains libres. Profitant de l'occasion, il tapa du pied, pivota sur lui-même de manière à s'éloigner de la grande prédatrice et se redressa, les yeux rivés aux cordes qui pendaient à ses poignets. Elle l'avait délivré !

Il tira sur le nœud coulant.

Tor-tor se lova contre le pelage du grand jaguar noir en signe d'affection, puis il s'approcha de Nate.

L'homme se débarrassa vite de son mortel licou. Ses chevilles étaient encore entravées mais, avant de libérer ses jambes, il avait un ami à remercier.

Tor-tor se blottit contre lui et frotta sa grosse tête poilue sur son torse.

Nate le grattouilla entre les oreilles, ce qui lui valut un ronronnement d'aise :

— Ça, c'est une bonne bête… tu as fait du beau travail.

Un petit gémissement triste s'échappa de l'animal.

Nate redressa la tête de Tor-tor, fixa ses pupilles dorées et chuchota :

— Moi aussi, j'aimais Manny.

Lorsque l'orphelin frotta sa truffe contre lui en renâclant, il le laissa faire et tenta de l'apaiser. Au bout d'un moment, Tor-tor s'écarta enfin et Nate put se détacher les jambes.

De son côté, l'énorme femelle noire s'était assise sur son arrière-train. Tor-tor avait dû la rencontrer après la mort de Manny et c'est lui qui l'avait sans doute conduite au village. La théorie énoncée par le biologiste brésilien deux nuits plus tôt se confirmait : un lien s'était noué entre les deux jeunes félins. Une connivence qui avait peut-être été renforcée par le chagrin qu'ils partageaient : Tor-tor pour son maître, la femelle pour sa meute.

Nate se releva et délivra Kouwe. Ensemble, ils libérèrent les autres. Le hasard voulut que Nate s'occupe de Dakii. L'éclaireur ban-ali avait joué un rôle-clé dans les assauts de piranhas et de sauterelles qui avaient décimé l'équipe d'explorateurs, mais il n'était plus question de vieilles rancœurs. L'homme avait simplement voulu protéger sa tribu – et, en l'occurrence, à juste titre. Tandis qu'il l'aidait à se remettre debout, Nate contempla les ruines fumantes du village. Au fond, qui étaient les véritables monstres de la jungle ?

Dakii l'enlaça de toutes ses forces.

— Ne me remercie pas encore, souffla le jeune Blanc.

Dans la clairière, les autres Indiens recouvraient un à un la liberté, mais Nate ne pensait qu'à une chose : l'arbre piégé, avec son collier de neuf bombes au napalm autour du tronc.

Kostos passa devant lui en frictionnant ses poignets meurtris :

— Je vais tenter de désamorcer les charges explosives. Carrera est déjà partie chercher l'arme qu'elle a tenté de cacher.

Nate approuva en silence. À deux pas de là, les Banali se rassemblèrent auprès des jaguars, qui se prélassaient désormais à l'ombre, *a priori* indifférents à la curiosité du public. On voyait néanmoins qu'entre ses paupières mi-closes, l'imposante femelle surveillait les alentours. Bref, elle ne baissait pas la garde.

Anna et Kouwe le rejoignirent.

— On est libres mais, maintenant, on fait quoi ? demanda le professeur.

Nate secoua la tête, puis remarqua la mine soucieuse de l'anthropologue :

— Qu'est-ce qui ne va pas ?

— Richard Zane. Si jamais on arrive à se sortir du pétrin, je quitte Tellux.

Malgré la gravité de la situation, il sourit :

— Je vous suivrai de près en apportant ma propre lettre de démission.

Quelques minutes plus tard, Kostos revint les voir avec son éternel air grincheux :

— Les bombes sont toutes reliées entre elles et piégées. Je ne peux ni arrêter la minuterie ni retirer les engins.

— Il n'y a rien à faire ?

— Non, professeur Kouwe. Je dois reconnaître un certain mérite aux hommes de l'abominable Favre : ses enfoirés ont accompli un boulot remarquable.

— Combien de temps ? se renseigna Anna.

— Un peu moins de deux heures. Les compteurs à affichage numérique sont réglés pour une explosion à 20 heures précises.

Nate observa l'arbre, perplexe :

— On doit donc trouver un autre moyen de quitter la vallée ou se chercher un bon abri.

— Oubliez l'abri. Quand ces petites choses péteront, il faudra avoir fiché le camp le plus loin possible. Sans même parler des charges supplémentaires placées par les mercenaires de Favre, les neuf bombes au napalm suffiront à faire frire l'ensemble du plateau.

Nate prit le Ranger au mot :

— Où est passé Dakii ? Il connaît peut-être une autre issue.

Kouwe indiqua l'entrée du Yagga :

— Il est allé vérifier la santé du chaman.

Nate se souvint du sorcier qui avait reçu une balle de Zane en plein ventre :

— Allons voir si Dakii peut nous aider.

Kouwe et Anna lui emboîtèrent le pas.

Le sergent leur fit signe d'avancer :

— De mon côté, je vais continuer à étudier les bombes. Je trouverai peut-être une solution miracle.

De retour à l'intérieur du tronc, Nate fut encore frappé par le parfum suave et musqué qui s'en dégageait. Ils suivirent les empreintes bleues le long du tunnel.

— Je sais, tout le monde ne pense qu'à fuir, lâcha Kouwe, mais on va faire quoi pour la maladie contagieuse ?

— S'il existe un moyen de sortir, on récoltera un maximum de plantes différentes dans le temps imparti. C'est la seule solution. Espérons juste qu'on tombera sur le bon spécimen.

Pensif, le professeur ne sembla guère rassuré par la réponse de son ami, mais il ne trouva rien à redire : si eux-mêmes n'arrivaient pas à survivre, un remède découvert au fin fond de la vallée ne serait d'aucune utilité au reste du globe.

Alors qu'ils continuaient leur longue ascension, des pas résonnèrent. Nate jeta un coup d'œil à Kouwe. Quelqu'un descendait.

Ce fut Dakii qui sortit d'un virage, essoufflé, les yeux ronds. Surpris de tomber nez à nez avec eux, il se mit à parler à toute vitesse dans sa langue natale. Même Kouwe avait du mal à suivre.

— Ralentis, dit Nate.

L'Indien l'empoigna par le bras :

— Fils de *wishwa*, toi venir.

Il le tira par la manche vers le haut du tunnel.

— Ton chaman va bien ?

— Lui vivant. Mais malade... très beaucoup malade.

— Conduis-nous jusqu'à lui.

Dakii parut soulagé. Ils accélérèrent le pas et franchirent bientôt la porte de la clinique.

Le sorcier était allongé dans son hamac. Il respirait encore mais n'avait pas l'air bien. Fébrile, le teint jaunâtre, il luisait de sueur. *Très beaucoup malade, en effet*.

En les voyant arriver, il se redressa au prix d'une douleur accablante. D'un signe, il appela Dakii, l'envoya chercher quelque chose au bout de la pièce, puis fixa Nate. En dépit de son regard vitreux, il avait gardé sa lucidité.

Des cordes gisaient sous le hamac. Même grièvement blessé, l'homme avait été ligoté par Favre.

Il pointa le doigt vers Nate :

— Toi *wishwa*... comme ton père.

Le jeune homme ouvrit la bouche pour s'en défendre (il n'avait rien d'un chaman), mais Kouwe l'interrompit :

— Réponds oui.

Suivant l'instinct de son vieil ami, il hocha la tête, ce qui rassura manifestement le sorcier agonisant.

— Bien.

Dakii rapporta une besace en cuir et deux roseaux de trente centimètres. Il tendit le matériel au chef des Ban-ali, mais ce dernier, trop faible, préféra superviser les opérations depuis sa couche.

Obéissant, Dakii brandit la gibecière.

— Un scrotum de jaguar séché, reconnut Kouwe.

— Ça ferait fureur à Paris, maugréa Nate.

Dakii l'ouvrit du bout du doigt. À l'intérieur se trouvait une poudre rouge foncé. Le chaman continua à donner ses instructions.

Même si son jeune comparse saisissait un mot de temps à autre, le professeur traduisit :

— Il décrit la poudre comme *ali ne Yagga*.

— Le sang de la Mère, comprit Nate.

Dakii tassa un peu de poudre à l'intérieur des pailles.

— Bon, tu sais ce qui t'attend, fiston ?

— Oui, on dirait de l'*epena*, la drogue des Yanomami.

Lors de ses travaux sur les tribus amazoniennes, Nate avait déjà été convié à une telle cérémonie.

L'*epena*, ou « semence du soleil », était un puissant hallucinogène dont les Yanomami se servaient pour franchir les portes du monde spirituel. Il avait la réputation de faire surgir les *hekura*, ou petits hommes de la forêt, qui enseignaient la médecine aux chamans. Lorsqu'il avait essayé, l'Américain, lui, n'avait récolté qu'une migraine carabinée suivie de vertiges en Technicolor. De plus, il n'était pas très friand du mode d'absorption de la drogue, qui se prisait.

Dakii tendit la première paille remplie à Nate et l'autre à son chef, qui fit signe au jeune Blanc de s'agenouiller près du hamac.

Nate s'exécuta.

Kouwe le mit en garde :

— Le sorcier sait qu'il va mourir. Ce qu'il t'offre dépasse le cadre du simple rituel. Selon moi, il veut te transmettre ses lourdes attributions de chef. Pour la tribu, pour le village, pour l'arbre.

— Je ne peux pas endosser une telle responsabilité !

— Tu n'as pas le choix. Une fois chaman, tu auras accès aux secrets de la tribu. Tu comprends ce que ça signifie ?

— Oui. Le remède.

— Exactement.

Nate s'approcha du hamac.

Le petit chaman lui montra comment procéder, mais la cérémonie ressemblait beaucoup au rite yanomami. Il se plaça dans le nez l'extrémité bourrée de drogue de sa paille, puis fit signe à Nate de porter l'autre bout à sa bouche. Le garçon était censé lui souffler le produit au fond des sinus. À son tour, le chaman inséra son propre roseau dans la narine gauche de Nate et posa les lèvres de l'autre côté. La prise de drogue serait donc simultanée et réciproque.

L'Indien leva le bras. Ils prirent tous deux une grande inspiration.

Allez, c'est parti...

Le vieux sorcier baissa le bras.

Tandis qu'il soufflait d'un coup sec dans son roseau, Nate s'apprêta à en recevoir aussi plein les narines et, avant même qu'il ait fini d'expirer, ce fut chose faite.

Il vacilla en arrière. Une flamme incandescente lui déchira le crâne, suivie d'une terrible explosion de douleur, comme si quelqu'un lui avait fracassé la nuque. Le souffle court, il sentit la pièce tourner autour de lui. Un puissant vertige l'envahit. Dans son esprit s'ouvrit un puits, où il tomba la tête la première et, ballotté de tous côtés, il se vit précipité vers des ténèbres étrangement brillantes.

Il entendit prononcer son nom au loin, mais impossible d'articuler le moindre son.

Soudain, son corps en pleine chute traversa une masse solide du nouveau monde parallèle. Autour de lui, l'obscurité se brisa comme du verre. Les éclats de nuit dégringolèrent et disparurent, ne laissant derrière eux qu'une ombre en forme d'arbre stylisé posé sur une morne colline.

Sous le regard halluciné de Nate, des détails se précisèrent peu à peu. L'arbre développa lentement une structure en 3D, de minuscules feuilles très foncées, des branches sur plusieurs niveaux et des grappes de grosses noix.

Le Yagga.

Après quoi, de petites silhouettes émergèrent à la queue leu leu de derrière la colline et gravirent la pente vers l'arbre.

Les *hekura*, devina-t-il en plein rêve.

Eux aussi devinrent plus nets et, tandis qu'il continuait à flotter près d'eux, il prit conscience de son erreur. Au lieu de petits êtres humains, le cortège se composait d'animaux de toutes sortes : singes, paresseux, rats, crocodiles, jaguars et d'autres non identifiés. Quelques humains étaient disséminés çà et là, entre les sombres animaux, mais Nate savait que ce n'étaient pas les *hekura*. Le groupe entra à l'intérieur de l'arbre, puis les silhouettes embrumées se fondirent dans son imposante masse noire.

Où étaient-ils tous partis ? Était-il censé les suivre ?

La procession resurgit de l'autre côté du tronc, mais elle avait radicalement changé. Oubliées, les ténèbres ! Ses membres brillaient à présent de mille feux. La troupe étincelante s'étira de manière à encercler l'arbre. Hommes et animaux. Protégeant la Mère.

Tandis qu'il planait toujours près d'eux, Nate sentit le temps s'accélérer. Dès que leur aura commençait à se ternir, les hommes et les femmes de sa vision revenaient vers l'arbre. Il leur suffisait alors d'en manger un fruit pour retrouver leur éclat et, une fois revigorés, ils réintégraient le cercle des enfants du Yagga. Le même rituel se reproduisit des dizaines de fois.

Tel un vieux disque usé, l'image commença à faiblir et, au fur et à mesure des répétitions, elle devint de plus en plus sombre, jusqu'à redisparaître dans la nuit.

— Nate ? lança une voix.

Qui ? Il chercha qui parlait mais se heurta à un mur opaque.

— Tu m'entends, Nate ?

Oui, mais où êtes-vous ?

— Serre ma main si tu m'entends.

Il se pencha vers la voix afin de distinguer d'où elle venait.

— Bien. Maintenant, ouvre les yeux.

Il s'efforça d'obéir.

— Ne lutte pas… contente-toi d'ouvrir les yeux.

L'obscurité explosa de nouveau en mille morceaux et Nate fut aveuglé par une lumière vive. Haletant, il aspira de grandes bouffées d'air. Son crâne cognait de douleur. Entre les larmes, il aperçut son ami, qui lui tenait délicatement la tête entre les mains.

— Nate ?

Le jeune homme toussa et acquiesça en silence.

— Comment te sens-tu ?

— Comment croyez-vous que je me sente ?

Il se redressa en chancelant.

— Quel genre d'expérience as-tu vécu, fiston ? Tu marmonnais.

— Et vous baviez, renchérit Anna, agenouillée près de lui.

Nate s'essuya la bouche :

— Hypersalivation… un alcaloïde hallucinogène.

— Qu'as-tu vu ? insista Kouwe.

Le chaman en herbe secoua la tête. Grossière erreur ! Sa migraine ne fit qu'empirer.

— Combien de temps suis-je resté inconscient ?

— Une dizaine de minutes.

— Dix minutes ?

J'aurais cru des heures, voire des jours.

— Que s'est-il passé ?

— Je pense qu'on vient de me montrer comment soigner la maladie.

— Quoi ? bredouilla le professeur, incrédule.

— Si j'en crois mon rêve, les noix du Yagga sont essentielles à la survie de la tribu. Les animaux n'en ont pas besoin, mais les humains, si.

Le temps de digérer la nouvelle, Kouwe plissa les yeux :

— Ce sont donc les fruits.

Il réfléchit encore quelques instants, puis reprit lentement :

— Grâce aux travaux de ton père, nous savons que la sève est gorgée de protéines mutagènes – de prions capables d'améliorer chaque espèce qui croise leur chemin et d'en faire de meilleurs protecteurs de l'arbre. Hélas, une telle aubaine se paie le prix fort. Refusant d'être abandonné par ses enfants, l'arbre a pourvu ses améliorations génétiques d'un mécanisme de sûreté intégré. Les animaux ont sans doute été dotés d'un instinct territorial qui les dissuade de s'éloigner, quelque chose qui peut être manipulé si nécessaire, comme les poudres utilisées avec les sauterelles ou les piranhas. En revanche, les humains, dotés d'une intelligence supérieure, ont besoin de liens plus forts pour rester auprès du Yagga. S'ils veulent juguler l'action des prions, ils doivent régulièrement se nourrir de ses fruits. Le lait de cette noix doit contenir un genre d'*antiprion* capable d'enrayer les formes les plus virulentes de la maladie.

Anna parut écœurée :

— Les Ban-ali ne sont donc pas restés ici par devoir de reconnaissance mais par asservissement.

Kouwe se massa les tempes :

— *Ban-yi*. Esclave. Le terme n'avait rien d'exagéré. Une fois exposé aux prions, on ne peut plus partir, sinon on meurt. Sans le fruit miraculeux, la protéine redevient dangereuse et attaque le système immunitaire, causant des fièvres fatales ou des cancers ultra-agressifs.

— Dr Jekyll et Mister Hyde, murmura Nate.

Kouwe et Anna le dévisagèrent.

— Rappelez-vous les explications de Kelly sur la nature des prions. Sous une certaine forme, ils sont salutaires, mais ils peuvent aussi muter et devenir méchants, comme avec la maladie de la vache folle.

Son vieil ami hocha la tête :

— Le lait de cette noix doit maintenir le prion sous sa forme inoffensive mais, dès qu'on cesse d'en boire, la protéine attaque, tue l'individu qu'il parasite et contamine l'entourage, ce qui sert encore les fins de l'arbre. À l'évidence, le colosse végétal veut préserver son intimité. Si quelqu'un s'enfuit, ceux qui l'ont côtoyé de près ou de loin tombent malades et succombent, laissant derrière eux une longue traînée mortelle.

— Et personne ne peut plus raconter l'histoire.

— Tout juste, fiston.

Nate se sentit suffisamment ragaillardi pour tenter de se relever. Kouwe lui donna un coup de main.

— Reste à savoir pourquoi la réponse m'est apparue en rêve. Désinhibé par la drogue hallucinogène, mon propre subconscient a-t-il résolu lui-même le problème ? Ou le sorcier ban-ali m'a-t-il communiqué la solution... par une espèce de télépathie artificielle ?

Le visage du professeur se crispa :

— Non, ce n'était pas le chaman.

L'Indien gisait dans son hamac, les pupilles fixes. Un filet de sang coulait de ses narines. Il ne respirait plus. Tête baissée, Dakii était agenouillé au chevet de son chef.

— Il est mort sur le coup, apparemment terrassé par une attaque, expliqua Kouwe. Ce n'est donc pas lui qui a déclenché ta vision.

Nate avait du mal à réfléchir, comme si son cerveau était devenu deux fois plus gros que sa boîte crânienne :

— Alors, elle doit venir de mon subconscient. La première fois que j'ai vu les noix, je me suis dit qu'elles ressemblaient aux fruits de l'*Uncaria tomentosa*, plus communément appelé « griffe de chat ». Les Indiens s'en servent pour lutter contre les virus, les bactéries, voire les tumeurs. Or, jusqu'à maintenant, je n'avais pas fait le rapprochement. Et si la drogue m'avait aidé à franchir le pas décisif ?

— Tu as peut-être raison, lâcha Kouwe, dubitatif.

— Qu'est-ce que ça pourrait être d'autre ?

— J'ai discuté avec Dakii pendant que tu étais dans les vapes. L'*ali ne Yagga* provient de la racine de l'arbre. Une fois desséchées, les fibres sont réduites en poudre.

— Donc ?

— Donc ton rêve n'a pas forcément été provoqué par ton subconscient. Il s'agissait peut-être d'un message préenregistré par le Yagga lui-même. Un mode d'emploi, en quelque sorte : *Consommez mes fruits et vous resterez en bonne santé.* Un simple message.

— Vous plaisantez ?

— Étant donné ce qui se passe dans la vallée – faune mutante, régénération des membres, humains asservis à une plante – je le pense maintenant capable de tout.

Nate n'en croyait pas ses oreilles.

— Le professeur a peut-être vu juste, intervint Anna. Je n'arrive même pas à concevoir comment le Yagga peut produire des prions spécifiques à l'ADN de tant d'espèces animales. Ça tient du miracle ! Comment l'a-t-il appris ? Et, d'ailleurs, d'où vient le matériau génétique qui lui a permis de progresser ?

D'un geste, Kouwe balaya l'ensemble de la pièce :

— Le Yagga remonte au paléozoïque, époque à laquelle notre planète n'était habitée que par des plantes. Ses ancêtres devaient être là quand les premiers animaux terrestres sont apparus et, plutôt que d'engager une compétition acharnée, ils ont intégré les nouvelles espèces à leur propre cycle de vie, comme l'arbre à fourmis le fait aujourd'hui en Amazonie.

L'expert continua à développer ses théories, mais Nate ne tarda pas à décrocher et se rappela les derniers mots d'Anna. *D'où venait le matériau génétique qui avait permis à l'arbre de progresser ?* Son excellente question prenait un malin plaisir à le tenailler. Comment le Yagga avait-il *pu* apprendre à fabriquer son large éventail de prions propres à chaque espèce ?

Nate se remémora son rêve : la procession d'animaux et d'êtres humains disparaissait à l'intérieur du tronc. Où étaient-ils partis ? Y avait-il autre chose à y voir qu'un simple symbole ? Étaient-ils allés *quelque part* ? Le jeune homme observa Dakii agenouillé près du hamac. Peut-être était-ce un autre saut intuitif, ou un effet résiduel de la drogue, mais il commença à avoir des soupçons sur l'emplacement géographique du fameux *quelque part.*

Ali ne rah. Le sang du Yagga. Issu de la racine de l'arbre.

Il se rappela la description ravie que leur guide avait faite du sort de son père. *Il est parti nourrir la racine.*

Le jeune homme sentit ses pas le conduire vers l'Indien.

Kouwe interrompit ses élucubrations :

— Nate… ?

— Il nous manque une pièce du puzzle… et je sais à qui la demander.

Il se dirigea droit vers Dakii. En larmes, le Ban-ali redressa la tête. La mort du chaman l'avait durement éprouvé. Il se leva à grand-peine au moment où Nate se postait devant lui.

— *Wishwa*, murmura-t-il humblement, signe qu'il acceptait la passation de pouvoir.

— Je suis désolé que tu aies perdu ton chef mais, là, il faut qu'on parle.

Kouwe les rejoignit et joua de nouveau les interprètes même si, usant d'un savant mélange d'anglais et de yanomami, Nate commençait à bien se faire comprendre.

Le doigt pointé vers le lit, Dakii s'essuya le coin de l'œil :

— Lui son nom Dakoo.

Il posa la main sur le torse du défunt.

— Lui père à moi.

Nate se mordit la lèvre. Il aurait dû le deviner : à présent que Dakii en parlait, la ressemblance était frappante. Connaissant la douleur de perdre un père, il posa la main sur l'épaule de l'Indien et répéta, encore plus ému :

— Je suis vraiment désolé.

— Merci.

— Ton père était un homme incroyable. Nous le regretterons tous mais, pour l'instant, nous courons un grave danger. Tu dois nous aider.

Dakii inclina la tête :

— Toi *wishwa*. Toi dire… moi faire.

— Emmène-moi à la racine de l'arbre, là où il se nourrit.

Le Ban-ali se redressa d'un coup sec, le visage empreint d'inquiétude et d'effroi.

— Doucement, murmura Kouwe. Tu es en train de fouler un terrain sacré.

Inébranlable, Nate posa la main sur sa propre poitrine :

— Je suis *wishwa* maintenant. Il faut que je voie la racine.

— Je vais montrer, accepta l'indigène.

Après un dernier coup d'œil à son père défunt, il se dirigea vers la sortie.

Le quatuor commença à redescendre le long du tunnel. Anna et Kouwe chuchotaient à l'arrière. Plongé dans ses pensées, Nate se rappela sa comparaison entre le symbole ban-ali et la galerie qui serpentait à l'intérieur du Yagga, mais fallait-il y voir autre chose ? Était-ce une représentation de la structure moléculaire essentielle du prion mutagène, comme Kelly l'avait suggéré ? Existait-il une réelle communication entre l'humain et le végétal ? Une sorte de mémoire partagée ? Après son expérience sous hallucinogènes, Nate n'était plus certain de rejeter la dernière hypothèse. Le symbole incarnait peut-être, en effet, les deux. Le véritable cœur du Yagga.

Alors que le groupe continuait son long périple, Dakii ralentit :

— Quelqu'un venir.

Deux secondes plus tard, Nate entendit des pas pressés et, au détour d'un énième méandre, une silhouette familière apparut.

— Soldat Carrera, lâcha Kouwe.

À peine essoufflée de sa course dans l'escalier, la Ranger acquiesça en silence. Nate constata qu'elle avait retrouvé son arme.

— On m'a envoyée vous chercher pour savoir si vous aviez trouvé un moyen de quitter le plateau. Le sergent Kostos n'a pas réussi à désamorcer les bombes.

Ébranlé par l'avalanche de révélations, Nate en avait oublié de poser la question cruciale : y avait-il une autre issue ?

— Dakii, on a besoin de savoir s'il existe un itinéraire secret vers la vallée inférieure. Tu en connais un ?

Sa demande nécessita moult gestes et l'intervention de Kouwe.

Pendant que le professeur traduisait, Carrera dévisagea Nate d'un air perplexe :

— Vous ne l'aviez pas encore interrogé ? Qu'est-ce que vous avez fabriqué là-haut ?

— On a pris de la drogue, répondit-il distraitement, absorbé par la conversation avec leur guide indigène.

Enfin, Dakii parut comprendre :

— Partir ? Pourquoi ? Rester ici.

Il montra ses pieds.

— Impossible ! s'exclama Nate, exaspéré.

— Il ne saisit pas l'histoire des bombes, annonça Anna. Il ignore que la vallée va être détruite. Ce concept le dépasse.

— Eh bien, il faudra arriver à l'en convaincre. En attendant, soldat Carrera, j'ai besoin que le sergent et vous ramassiez un maximum de noix du Yagga.

— Les noix ?

— Je vous expliquerai plus tard. Contentez-vous de le faire... s'il vous plaît.

— D'accord, mais souvenez-vous, les gars... *Tic-tac, tic-tac.*

Après leur avoir jeté un regard lourd de sens, elle repartit.

Nate observa leur éclaireur. *Comment lui annoncer que son pays natal allait être rayé de la carte ?* Ce ne serait pas facile.

— Continuons à descendre vers la racine, soupirat-il.

En chemin, Nate et Kouwe décidèrent de lui faire prendre lentement conscience du danger et, à mesure qu'il intégrait le message, la mine incrédule de Dakii se transforma en expression d'horreur absolue. Il se mit à trébucher, comme accablé par le poids de l'information.

À ce moment-là, ils avaient rejoint la sortie du tunnel, cernée par une galerie de paumes de main bleues.

Dehors, la clairière baignait dans une douce lumière dorée, signe que le crépuscule allait bientôt tomber. Le temps pressait.

— Y a-t-il un autre moyen de quitter la vallée ? insista Nate.

L'Indien indiqua, au bout du tunnel, un mur légèrement cintré couvert d'empreintes bleues :

— À travers la racine. Nous aller à travers la racine.

— Oui, j'ai aussi envie de la voir, mais pour l'autre chemin ?

— À travers la racine, répéta-t-il.

L'Américain comprit alors que les deux missions ne faisaient désormais plus qu'une.

— D'accord, montre-nous.

Dakii s'approcha du mur, examina brièvement les empreintes et, après en avoir sélectionné une au fond, il posa la paume dessus et donna un coup d'épaule. La paroi entière pivota sur un axe central, révélant un nouveau couloir qui s'enfonçait sous terre.

Nate se souvint qu'à cet endroit-là, les canaux d'écoulement ne lui avaient pas semblé coïncider exactement. Une porte dérobée ! Il avait la réponse sous le nez depuis le début. Même les empreintes aux murs ressemblaient à celle du symbole ban-ali, veillant sur la double hélice qui représentait la racine.

Anna sortit une torche. Nate tapota sa veste mais resta les mains vides : il avait dû perdre la sienne. L'anthropologue lui tendit donc sa lampe et lui fit signe de passer le premier.

Il s'approcha de la porte. Aussitôt, l'odeur musquée de l'arbre lui envahit les narines, lourde, froide et humide, comme le souffle d'une tombe entrouverte. Il prit son courage à deux mains et s'engouffra dans les ténèbres.

Chapitre 18

La dernière heure

19 h 01
Jungle amazonienne

Pendant que ses troupes faisaient une pause, Louis consulta sa montre. D'ici une heure, l'explosion transformerait le haut de la vallée en océan de feu. Il s'attarda sur le lac qui, au soleil couchant, s'était paré de reflets d'argent terni.

Les mercenaires progressaient à un bon rythme. En longeant le marais par le sud, là où la jungle était la plus touffue et le réseau fluvial le plus dense, ils n'auraient aucun mal à passer inaperçus. C'était gagné d'avance.

À présent que le plus dur était derrière eux, Louis poussa un soupir de satisfaction mêlé d'une pointe de déception. Chaque fois qu'il remplissait une mission, il éprouvait le même sentiment. Une espèce de dépression postcoïtale, présumait-il. Il allait rentrer en Guyane les poches pleines, mais aucune somme d'argent ne vaudrait jamais l'excitation des deux derniers jours.

— *C'est la vie**, se raisonna-t-il.

Il y aura toujours d'autres missions.

Un petit chahut le ramena à la réalité.

Deux hommes forcèrent Kelly à s'agenouiller. Plus loin, un troisième se roulait au sol en jurant, la main sur l'entrejambe.

Louis rejoignit Mask, déjà arrivé :

— Que s'est-il passé ?

Son lieutenant défiguré aida le soldat gémissant à se redresser :

— Pedro l'a caressée sous son chemisier et elle lui a flanqué un coup de genou dans les parties.

Favre sourit, impressionné. Sa main se posa sur le fouet de Manny qu'il avait accroché à son ceinturon.

D'un pas nonchalant, il rejoignit Kelly toujours à terre. Un ravisseur lui avait entortillé les cheveux dans son poing et renversé la tête en arrière, histoire d'exposer la peau tendre de son cou, mais elle répondait encore avec hargne aux deux types qui l'abreuvaient d'allusions salaces.

— Relevez-la, ordonna le patron.

Les mercenaires se gardèrent bien de désobéir. Dès que Kelly fut remise debout, Louis ôta son couvre-chef :

— Veuillez accepter mes excuses pour leur impolitesse. Cela ne se reproduira plus, je vous le promets.

D'autres hommes arrivèrent.

— La prochaine fois, je lui fais remonter les roustons direct dans le ventre à ce gros dégueulasse, vitupéra Kelly.

— Peut-être, répondit-il en intimant à ses soldats de se disperser, mais le châtiment, c'est mon domaine.

Il tapota le fouet sur sa hanche.

Quelques heures plus tôt, il avait frappé le médecin pour lui donner une leçon. Il était temps d'en administrer une autre.

Il se retourna et, *clac !* déchira le crépuscule d'un puissant coup de fouet.

Pedro hurla en se couvrant l'œil gauche. Du sang coula entre ses doigts.

— Personne ne fera de mal aux prisonniers, compris ?

Un murmure général d'approbation parcourut l'assistance.

— Bien. Que quelqu'un aille soigner l'œil de Pedro.

Il fit volte-face et vit sa maîtresse effleurer la joue de Kelly.

En fait, elle avait enroulé une boucle auburn flamboyante autour de ses doigts.

Ah, songea Louis, *les cheveux roux. Un trophée exceptionnel pour la collection de Tshui.*

19 h 05

À la lueur de la torche, le nouveau couloir ressemblait fort au tunnel principal, mais le bois y était plus granuleux. Les effluves musqués de l'arbre devinrent aussi plus capiteux et plus fétides.

Aux côtés de Dakii, les trois explorateurs s'aventurèrent à l'intérieur. La galerie se rétrécit rapidement et les virages, de plus en plus raides, obligèrent le groupe à serrer les rangs.

— On doit être dans le pivot de l'arbre, marmonna Nate.

— Et, là, on plonge droit sous terre, renchérit Kouwe.

Le botaniste confirma en silence. Quelques lacets plus tard, ils émergèrent de la racine et le bois laissa place à un sol en pierre émaillé de carrés de terre meuble. Comme le tunnel descendait toujours, ils se retrouvèrent à longer le système racinaire.

Dakii tendit l'index devant lui et poursuivit sa route.

Nate hésita. D'étranges lichens luminescents poussaient sur les parois. Saturée d'odeurs fécondes, l'atmosphère était presque devenue irrespirable, mais l'Indien insista.

Nate jeta un coup d'œil à Kouwe, qui haussa les épaules. Une réponse suffisante pour l'encourager à continuer.

Peu à peu, la grosse racine qui courait au-dessus d'eux se divisa et mena à plusieurs autres couloirs. Les rideaux de radicelles qui pendaient du plafond frémissaient en rythme, comme caressés par une brise légère. Sauf qu'il n'y avait pas un souffle de vent.

Quand la voûte s'abaissa encore, Nate commença à frôler la galerie de la tête. De minuscules fibrilles végétales s'agrippèrent à ses cheveux et s'y emmêlèrent. Surpris, il chercha à s'en défaire et braqua sa torche au plafond d'un air méfiant.

— Qu'y a-t-il ? demanda Kouwe.

— Je suis coincé.

Dès que le professeur leva sa paume ouverte vers la grosse racine, les filaments s'enroulèrent fermement autour de ses doigts. Répugné, il s'empressa de retirer sa main.

Nate avait déjà vu des spécimens de la flore amazonienne réagir à la stimulation : dès qu'on les dérangeait, les feuilles se recourbaient, les fruits explosaient, les fleurs se refermaient. Néanmoins, cette plante-là paraissait étrangement plus perverse.

Il balaya le faisceau de sa lampe à travers le couloir et, comme Dakii avait pris plusieurs mètres d'avance, il fit signe à ses camarades de se dépêcher. Une fois revenu à hauteur du guide, il examina les racines qui se ramifiaient désormais de manière beaucoup plus anarchique et partaient dans tous les sens. Les multiples galeries étaient bordées de cagibis aveugles, étranglés ou bouchés par un fouillis de racines et de radicelles. Les petits renfoncements n'étaient pas sans rappeler les poches d'azote qui, posées sur le pain racinaire de nombreuses plantes, servaient de réserve d'engrais.

Dakii s'arrêta devant une alcôve, que Nate éclaira à la torche. Quelque chose était prisonnier du fatras de branches volubiles et de fibrilles surexcitées. Dès que le botaniste se baissa, des filaments s'agitèrent vers lui, pareils à de petites antennes avides.

Il préféra ne pas s'approcher.

La grosse roussette empêtrée dans les racines ressemblait à une mouche sur une toile d'araignée. Nate se redressa, écœuré.

Kouwe se pencha à son tour et fit la moue :

— L'arbre se nourrit-il de la chauve-souris ?

— Je ne crois pas, lâcha Anna derrière eux. Venez voir.

Agenouillée devant une niche plus vaste mais aussi encombrée, elle pointa l'index tout au fond.

Nate braqua de nouveau sa torche à l'intérieur : un grand félin brun y était enseveli sous les branches.

— Un puma, souffla Kouwe.

— Regardez, insista l'anthropologue.

Ils ne savaient pas à quoi s'attendre. Soudain, l'animal frémit, respira. Ses poumons se gonflèrent et se vidèrent dans un soupir, même si le mouvement paraissait plus mécanique que naturel.

Anna se retourna vers ses compagnons de route :

— Il est vivant.

— Je ne comprends pas, bredouilla Nate.

— Vous me donnez la torche ?

D'un geste ample, elle éclaira plusieurs autres niches qui jalonnaient le dédale de galeries. La diversité animale y était impressionnante : ocelot, toucan, ouistiti, tamarin, fourmilier... On trouvait même des serpents, des lézards et, plus étrange encore, une truite de jungle. Chaque spécimen semblait respirer ou montrer des signes de vie, y compris le poisson, dont les ouïes se dilataient faiblement.

— Ils sont tous uniques en leur genre, lâcha Anna, les yeux brillants. Et vivants. Comme en état d'hibernation.

— Où voulez-vous en venir ?

— Nous nous trouvons dans un conservatoire biologique. Une bibliothèque de codes génétiques, en somme. Je parie que c'est ici la source de la production de prions.

Fasciné par le labyrinthe, Nate pivota lentement sur lui-même. Incroyable ! L'arbre étudiait les animaux qu'il stockait sous terre pour fabriquer des prions et ainsi modifier les espèces. Bref, on avait affaire à un vrai laboratoire génétique *in vivo* !

Kouwe le saisit par l'épaule :

— Ton père.

— Quoi mon... ?

Soudain, la vérité le percuta de plein fouet. Il haleta. Son père était parti nourrir la racine. *Pas comme engrais*, prit-il conscience, atterré, *mais pour rejoindre l'épouvantable bestiaire !*

— Avec sa peau blanche et ses curieuses manières, Carl était unique, murmura Kouwe. Ni les Ban-ali ni le Yagga n'auraient voulu perdre son héritage génétique.

Nate se tourna vers Dakii, la voix brisée par l'émotion :

557

— Mon… mon père. Sais-tu où il est ?

L'Indien hocha la tête et leva les bras :

— Lui avec racine.

— Oui, mais où ?

Il montra le box le plus proche, qui abritait un paresseux noir.

— Quelle niche ?

Dakii réfléchit et scruta l'immense réseau de galeries.

Nate retint son souffle. Il devait y avoir des centaines de couloirs et un nombre incalculable d'alcôves. Vu l'imminence de l'explosion, il n'avait pas le temps de les fouiller une par une, mais comment pouvait-il s'en aller en sachant que son père était là, quelque part ?

Soudain, leur guide se dirigea d'un pas décidé vers un tunnel et les invita à suivre.

Sans perdre une seconde, ils s'enfoncèrent encore davantage dans les méandres du labyrinthe souterrain. Nate avait un mal fou à respirer, moins à cause de l'odeur écœurante que de sa grosse boule d'angoisse. Depuis le début de l'expédition, il n'avait jamais vraiment cru retrouver son père vivant. Or là, sur des charbons ardents, il hésita entre fol espoir et abattement. *Qu'allait-il découvrir ?*

L'Indien s'arrêta à un carrefour, emprunta la galerie de gauche mais, après deux enjambées, il secoua la tête et rebroussa chemin vers la droite.

Nate se retint de hurler.

Dakii continua sa route en marmonnant à voix basse. Au bout de longues secondes, il s'arrêta enfin devant un imposant renfoncement et indiqua :

— Père.

Nate reprit la torche des mains d'Anna, tomba à genoux et scruta la cavité, indifférent aux radicelles voraces qui lui attrapaient le poignet.

Une silhouette grisâtre gisait dans l'entrelacs de racines. Nate orienta sa lampe dessus. Un homme pâle, nu et décharné y était recroquevillé en position fœtale sur la terre meuble. Le visage mangé par une barbe hirsute, il avait les cheveux emmêlés de racines. Le jeune Rand se concentra sur la figure cachée par la barbe. Il n'était pas sûr à 100 % qu'il s'agisse de son père.

L'homme inspira brièvement, machinalement, puis son souffle fit frissonner les minces filaments autour de ses lèvres. Il était encore vivant !

— Il faut que je le sorte d'ici.

— C'est votre père ? demanda Anna.

— Je… je n'en suis pas certain.

D'un geste, il demanda à Kouwe le couteau en os qui pendait à sa ceinture, puis il commença à tailler dans le bloc compact de racines.

Affolé, leur guide ban-ali voulut l'en empêcher, mais le professeur s'interposa :

— Dakii, non ! Laisse-le faire.

Nate se débattit contre la première couche de lianes. On aurait dit qu'une épaisse coquille enveloppait la précieuse noix. Après quoi, il se heurta à une toile plus fine de radicelles et de poils fibreux.

Les racines avaient infiltré le corps du malheureux comme si elles s'étaient enfoncées dans la terre. Voilà sans doute comment le Yagga maintenait ses spécimens en vie, les ravitaillait, alimentait leur système organique et apportait les nutriments.

Nate hésita. Y avait-il un risque – mortel peut-être – à arracher l'homme à ses racines avides ? En cas d'hibernation, un réveil brutal ne causerait-il pas une défaillance massive du système ?

Eh bien, tant pis ! Il valait mieux tenter de trancher les racines d'un coup sec. De toute manière, abandonné à son triste sort, le cobaye mourrait sans doute brûlé vif.

Une fois le corps libéré de sa prison végétale, Nate jeta son couteau, empoigna le type par les épaules et le traîna au milieu du tunnel. Les dernières racines se détachèrent de leur proie.

Le jeune Américain s'écroula à côté. La silhouette nue s'étrangla et suffoqua. Une ribambelle d'infimes radicelles se ratatinèrent et tombèrent comme des sangsues. Un filet de sang coula des orifices laissés par les plus grosses racines. Soudain, l'inconnu se raidit, le dos cambré, la tête renversée en arrière.

Impuissant, Nate le prit dans ses bras. Les convulsions durèrent une longue minute. Kouwe l'aida à le maîtriser de sorte qu'il ne se blesse pas davantage.

Après un ultime spasme, l'individu s'effondra en haletant bruyamment.

Au grand soulagement de son sauveur, sa poitrine continua de se soulever, puis ses paupières clignèrent et il le regarda. Le botaniste connaissait ces yeux-là. C'étaient *les siens* !

— Nate ? balbutia l'homme d'une voix rauque.

— Papa !

— Est-ce que… est-ce que je suis en train de rêver ?

Trop bouleversé pour parler, il aida son père à s'asseoir. Aussi léger qu'une plume, le pauvre n'avait plus que la peau sur les os. En fait, l'arbre ne fournissait que le strict minimum vital.

Kouwe donna un coup de main :

— Comment te sens-tu, Carl ?

D'abord intrigué, le miraculé reconnut son visage basané :

— Kouwe ? Seigneur, que se passe-t-il ?

— C'est une longue histoire, mon vieux.

Il aida Nate à remettre son père debout. Trop frêle pour avancer seul, Carl Rand s'appuyait sur eux deux.

— Pour l'instant, il faut te sortir de ce merdier, ajouta le professeur.

Nate était en larmes :

— Papa...

— Je sais, fiston, marmonna-t-il d'une voix enrouée avant d'être pris d'une quinte de toux.

L'heure n'était pas aux grandes fêtes de retrouvailles, mais Nate refusa d'attendre une seconde de plus pour prononcer les mots qu'il avait regretté d'avoir gardés au fond de lui le jour où Carl était parti en expédition :

— Je t'aime, papa.

En signe d'amour et d'affection, le bras autour de son épaule se resserra. Un geste familier. La famille.

— On devrait aller chercher les autres, intervint Anna. Et ficher le camp d'ici.

— Pourquoi ne restes-tu pas ici avec ton père, Nate ? suggéra Kouwe. Reposez-vous. On vous prendra en repassant.

— Non, objecta Dakii. Nous pas revenir ici. Autre chemin pour sortir.

— De toute façon, il vaut mieux rester groupés, renchérit Nate.

— Quant à moi, je peux me débrouiller, insista Carl avant de lorgner vers son ancienne cellule. D'ailleurs, je me suis reposé assez longtemps.

Le professeur se rallia donc à l'avis général.

Une fois le problème réglé, ils remontèrent vers la surface. Kouwe dressa un rapide résumé de la situation à Carl Rand qui, s'appuyant de plus en plus lourdement sur eux, se contenta d'écouter. Les seuls mots qu'il prononça concernèrent Louis Favre et ses horribles méfaits :

— Le salaud !

Nate sourit. Au moins, son père n'avait rien perdu de sa fougue.

Dès leur sortie, ils s'aperçurent que les deux Rangers n'avaient pas chômé. Tous les Ban-ali patientaient devant l'arbre et les paquetages étaient bourrés d'armes ou de noix.

Tandis que Nate et son père restaient à l'entrée du tunnel, Kouwe expliqua que leur équipe comptait désormais un membre supplémentaire et raconta ce qu'ils avaient trouvé sous terre :

— D'après Dakii, on peut s'enfuir par un tunnel creusé dans les racines.

— Eh bien, grouillons-nous ! s'exclama Kostos. Il nous reste moins d'une demi-heure et j'aimerais avoir dégagé le plus loin possible d'ici.

Carrera les rejoignit, son Bailey à l'épaule :

— De notre côté, tout est prêt. On a récolté deux douzaines de noix et quatre bidons de sève.

— Alors, en route !

19 h 32

Au milieu du dédale souterrain, Kouwe, qui marchait en tête avec Dakii, jetait régulièrement un coup d'œil à la cohorte d'Indiens et d'Américains derrière eux. En voyant le sergent aider Nate à soutenir son père, il regretta de ne pas avoir eu le temps de bricoler une civière. Hélas, chaque minute valait désormais de l'or.

Kostos avait beau penser qu'au fond du tunnel, ils éviteraient le plus gros du souffle incendiaire au napalm, le sergent doutait aussi de la solidité du labyrinthe :

— La roche est truffée de racines qui la rendent friable. À la première déflagration, on risque de recevoir le plafond sur la tête ou d'être pris au piège. Il faut qu'on soit sortis des galeries bien avant que les bombes n'explosent.

Ils pressaient donc le pas, non seulement pour avoir la vie sauve mais aussi pour le bien du monde entier. Dans leurs sacs, ils transportaient le sort de milliers, voire de millions de gens : les noix du Yagga, capables d'enrayer le développement du terrible prion humain. Le remède à l'épidémie.

Ils ne pouvaient pas rester coincés là-bas.

D'un bref regard, Kouwe vérifia de nouveau l'avancée du groupe. Les galeries sombres, les lichens luminescents, les animaux prisonniers de leurs effroyables niches… tout rendait le professeur nerveux. Plus ils pénétraient au cœur du système, plus les parois se couvraient de racines qui zigzaguaient, se croisaient, se ramifiaient et se ressoudaient sans cesse. D'abondantes touffes de radicelles palpitaient et cherchaient à attraper les traînards, si bien que les murs paraissaient tout poilus, tel un être vivant en mouvement permanent.

Derrière Kouwe, les autres étaient sur le qui-vive, même les Indiens. Le long cortège disparaissait au détour d'un lacet. Comme d'habitude, c'était le soldat Carrera qui fermait la marche et surveillait les arrières, notamment la progression de Tor-tor et du monstrueux fauve noir. Il avait fallu ruser pour que les deux félins acceptent d'entrer dans le tunnel, mais Nate avait réussi à amadouer Tor-tor :

— Je ne vais pas abandonner le jaguar de Manny à une mort certaine. Je dois à mon ami de le sauver.

Une fois Tor-tor décidé, l'autre avait suivi.

Arme au poing, Carrera restait néanmoins sur ses gardes, au cas où l'énorme femelle aurait eu envie d'un casse-croûte.

Dakii s'arrêta à un croisement. Le sergent Kostos grommela à voix basse, mais il n'était pas question de le houspiller pour aller plus vite. Se perdre là-bas était un jeu d'enfant et leur survie dépendait entièrement de la mémoire de leur guide.

L'Indien choisit un sentier et fit signe aux autres d'approcher. Le tunnel, très bas de plafond, était en pente raide. Kouwe leva les yeux. Sans doute arrivés à cent mètres sous terre, ils continuaient de descendre mais, bizarrement, l'atmosphère, au lieu de devenir plus humide, sembla se rafraîchir.

Au bout de quelques minutes, le chemin redevint plat et, après un énième virage en épingle à cheveux, ils débouchèrent sur une immense grotte. L'orifice du tunnel se trouvait à mi-hauteur du mur. La piste étroite, qui continuait le long de la paroi, formait une langue rocheuse à plusieurs mètres du sol en cuvette. Dakii posa un pied sur la corniche.

Ébahi, Kouwe lui emboîta le pas. La caverne mesurait bien huit cents mètres de diamètre. Au centre, une racine de la taille d'un tronc de séquoia géant jaillissait du plafond et s'enfonçait dans le sol, à l'image d'un immense pilier.

— Encore le pivot du Yagga, annonça Nate. J'imagine qu'on doit tourner autour.

Des milliers de branches partaient de la racine principale et s'étendaient, tels les rameaux d'un arbre, vers les autres galeries.

— Il doit y avoir des kilomètres et des kilomètres de tunnels, fit remarquer Kouwe.

Il étudia le pivot. En réalité, l'arbre gigantesque qui poussait à la surface n'était qu'une infime partie de la plante elle-même.

— Vous imaginez la quantité d'espèces animales retenues ici ? Suspendues dans le temps ?

— Le Yagga collecte sûrement ses spécimens depuis des siècles, murmura Carl Rand.

— Voire plus longtemps. Il n'est pas impossible que le processus remonte à l'époque où ces terres se sont formées.

— Au paléozoïque, souffla Nate. Que pourrait alors renfermer cette incroyable réserve biologique ?

— Et quelles bêtes y vivent peut-être encore ? renchérit Anna.

Ébranlé par une hypothèse aussi extraordinaire que terrifiante, Kouwe encouragea Dakii à avancer. Le spectacle était insoutenable. De toute façon, le temps pressait, que ce soit pour eux ou pour le monde.

Ils empruntèrent la corniche sinueuse qui longeait la grotte. Dakii les conduisit vers une autre ouverture qui donnait, à nouveau, dans le labyrinthe de galeries. Bien qu'ils aient laissé la caverne derrière eux, l'esprit de Kouwe s'attarda sur le grand mystère qu'elle représentait et, à force de ralentir, le professeur finit par marcher auprès de Nate et Carl. Kostos était à l'autre bout.

— Durant mes études d'anthropologie, j'ai lu de nombreux mythes sur les arbres, raconta Kouwe. Symbole de protection maternelle, gardien, détenteur de la sagesse universelle... Cela me conduit à m'interroger sur le Yagga. L'homme n'aurait-il pas croisé sa route auparavant ?

— Que voulez-vous dire ? s'étonna Nate.

— Il va de soi que notre spécimen n'a pas été le seul de son espèce. Autrefois, il devait en exister d'autres. Tu ne penses pas que les mythes pourraient constituer la mémoire collective des précédentes rencontres entre le genre humain et cet arbre ?

Devant la mine sceptique du botaniste, il poursuivit :

— Prenons, par exemple, l'Arbre de la connaissance du jardin d'Éden. Ses fruits détiennent toute la science du monde mais maudissent ceux qui ont l'audace de les goûter. Il y aurait de quoi établir un parallèle avec le Yagga. D'ailleurs, quand j'ai vu Carl emberlificoté dans ses racines, il m'a rappelé un autre épisode de la Bible. Au XIIIe siècle, un moine qui s'était affamé en quête d'apparitions divines a raconté qu'il avait vu Seth, fils d'Adam, revenir au paradis terrestre. Le jeune homme y a retrouvé un Arbre de la connaissance devenu tout blanc et son frère, Caïn, prisonnier des racines, dont certaines lui avaient carrément transpercé la chair.

Son jeune ami fronça les sourcils.

— Pour ma part, je trouve ces rapprochements très pertinents, conclut Kouwe.

Particulièrement silencieux depuis quelques mètres, Nate digéra l'incroyable révélation, puis reprit :

— Vous avez peut-être mis le doigt sur un truc. Le tunnel qui serpente dans le tronc du Yagga n'a pas été creusé par quelqu'un : il relève d'une évolution naturelle. Les différentes galeries sont apparues pendant la croissance de l'arbre, mais pourquoi en serait-il ainsi si les ancêtres de cette plante n'avaient pas croisé l'homme par le passé et ajusté leur développement en conséquence ?

— Comme l'arbre à fourmis s'est adapté à ses petits soldats à six pattes, confirma le professeur.

Sortant de sa torpeur, Carl bredouilla d'une voix râpeuse :

— Vous avez pensé aux Ban-ali ? À leurs améliorations génétiques ? D'autres progrès auraient-ils déjà eu lieu auparavant ? L'arbre pourrait-il avoir joué un rôle déterminant dans l'évolution de l'espèce humaine ? Est-ce la raison pour laquelle nos mythes lui accordent tant d'importance ?

Kouwe plissa le front : il n'avait pas poussé ses théories aussi loin. Il se retourna vers le reste du groupe accompagné de l'énorme jaguar. Si le Yagga était capable de doper l'intelligence des félins, avait-il agi de même avec nos très lointains aïeux ? L'homme devait-il ses capacités intellectuelles supérieures à un ancêtre de l'arbre ? L'idée faisait froid dans le dos.

Tandis qu'un lourd silence s'était abattu sur les troupes, Kouwe se remémora l'histoire de la vallée. Le Yagga avait dû pousser là-bas et collectionner les spécimens d'animaux depuis des siècles : il les attirait par son odeur musquée, leur offrait un abri, puis les capturait et les stockait dans les multiples renfoncements de ses racines creuses. Un beau jour, des hommes – sans doute une tribu errante de Yanomami – s'étaient aventurés dans la vallée, où ils avaient découvert les tunnels de l'arbre et les vertus curatives de sa sève miraculeuse. Bernés à leur tour, les malheureux s'étaient retrouvés pris au piège aussi sûrement que n'importe quelle autre espèce et s'étaient peu à peu transformés en Ban-ali, serviteurs humains du Yagga. Depuis cette époque-là, ils lui avaient sans doute apporté d'autres animaux, ce qui avait permis à la racine d'enrichir sa base de données biologiques.

Si rien n'avait entravé les choses, que serait-il advenu ? Une nouvelle race d'être humain, comme Carl l'avait redoutée après la naissance du bébé mort-né de Gerald Clark ? Ou, pire encore, une chimère digne des piranhas et des sauterelles hybrides ?

Tout à coup, le professeur se réjouit de voir l'immense labyrinthe partir bientôt en fumée.

À l'avant, Dakii les héla et indiqua un tunnel secondaire. Une faible lueur brillait à l'intérieur. Un grondement étouffé résonna jusqu'à eux.

— On arrive à la sortie, annonça Kouwe.

19 h 49

Nate se hâtait du mieux qu'il pouvait avec son père.

De son côté, Kostos continuait à marmonner tout bas, décomptant les minutes qui les séparaient du cataclysme.

Cela allait être juste.

À mesure que le groupe galopait vers la lune scintillante, le grondement s'intensifia jusqu'à devenir tonitruant. Au détour d'un virage, le bout du tunnel apparut enfin et ils comprirent d'où venait le bruit.

Juste derrière tombait une cascade qui, éclairée par la lune et les étoiles, chatoyait de mille feux.

— La galerie doit déboucher sur un pan de falaise qui mène à la gorge inférieure, précisa Kouwe.

Ils suivirent Dakii vers la sortie. Des torrents d'eau rugissaient devant le seuil. Le Ban-ali pointa l'index vers le bas. *Des marches*. Malgré l'espace exigu, un escalier abrupt avait été taillé à même la roche et, détrempé, il serpentait en lacets serrés vers le fond de la vallée.

— Tout le monde descend ! mugit le sergent. Magnez-vous mais, à mon signal, jetez-vous à terre et accrochez-vous fermement.

Près de lui, Dakii traduisit les consignes à son peuple.

Aidés du professeur, Nate et son père dévalèrent les marches tant bien que mal, tiraillés entre le sentiment d'urgence et la prudence. Ils étaient les premiers mais, très vite, les autres suivirent.

Kostos fit signe à Carrera d'y aller, puis s'engagea à son tour.

Derrière eux, les deux jaguars, ravis de retrouver l'air libre, bondirent du tunnel sur l'escalier. *Ah ! Si seulement j'avais leurs griffes !* regretta Nate.

Kouwe, qui clopinait sous le poids de Carl, annonça :

— Une minute.

Ils accélérèrent encore. Le sol se situait encore quatre étages plus bas. Une dégringolade mortelle.

Soudain, un hurlement couvrit le fracas de l'eau :

— Maintenant ! À terre ! À terre !

Nate aida son père à se baisser, puis s'aplatit aussi. D'un bref coup d'œil, il vit l'ensemble du groupe plaqué contre la roche. Il rentra de nouveau la tête et pria.

L'explosion tant redoutée donna l'impression d'un enfer sur terre. Il n'y eut pas beaucoup de bruit (à peine plus qu'au bouquet final d'un beau feu d'artifice), mais les répercussions furent loin d'être anodines.

Par-delà la falaise, un mur de flammes jaillit à huit cents mètres de haut sur deux kilomètres et demi de large. Des rafales brûlantes projetèrent vers eux des tourbillons de feu et, si la cascade ne les avait pas isolés du brasier, ils auraient rôti sur place. Revers de la médaille, ils furent copieusement arrosés par des trombes d'eau, mais tout le monde tint bon.

Bientôt, des débris enflammés s'abattirent en pagaille. Par chance, le courant rapide déviait de l'étroit perchoir la majorité des troncs arrachés et des grosses branches. Néanmoins, il restait très effrayant de voir des arbres entiers en feu, ballottés par les flots comme de vulgaires fétus de paille.

Quand la vague de chaleur prit de l'altitude et s'éloigna enfin, Kostos s'écria :

— Vous pouvez recommencer à descendre, mais faites gaffe aux trucs qui tombent !

Nate s'accroupit. Peu à peu, les autres se relevèrent, abasourdis.

Ils avaient réussi !

— Allez, papa. Sortons vite d'ici.

Alors qu'il venait de lui prendre la main, le jeune homme sentit les marches vibrer sourdement. D'emblée, il comprit que c'était mauvais signe. *Oh, merde...*

Il plongea sur le corps de son père en braillant :

— À terre ! Tout le monde à terre !

L'explosion fut si assourdissante que Nate hurla de douleur. Vu la puissance phénoménale de la déflagration, il crut même que la falaise allait s'effondrer sur eux.

Une gerbe enflammée jaillit du tunnel et, lorsqu'elle traversa la cascade, des bouffées de vapeur bouillante enveloppèrent le groupe.

Sous le regard effaré de Nate, un autre feu-torche sortit de la galerie, puis un troisième. Des centaines de flammes, plus modestes mais toutes d'un bleu sinistre, s'échappèrent des lézardes de la falaise, telles de petites langues avides.

Pendant ce temps-là, le sol continuait de trembler.

Nate se plaqua sur son père pour le protéger.

Un ouragan de poussière et de pierres balaya le secteur. Véritables missiles en feu, des arbres déracinés fendirent le ciel et s'écrasèrent au fond de la vallée.

Puis la tempête se calma.

Personne ne bougea quand ils se firent mitrailler par une nouvelle pluie de cailloux. Une fois encore, la cascade leur permit d'éviter le pire : elle dévia la majeure partie des débris meurtriers ou freina leur chute de manière à ne causer que de simples hématomes.

Quelques minutes plus tard, Nate redressa suffisamment la tête pour contempler les dégâts.

Il aperçut Kouwe une marche au-dessus de son père. Hébété, le visage blême, le professeur bredouilla sur un ton écœuré :

— Anna… quand tu as crié… je n'ai pas réagi assez vite… l'explosion… je n'ai pas pu la rattraper à temps.

Son regard plongea vers le précipice.

— Elle est tombée.

— Oh, Seigneur…

Des hurlements de désespoir fusèrent autour d'eux. La petite anthropologue n'était pas la seule à avoir fait une chute mortelle. Nate se mit à genoux. Son père toussa et roula sur le flanc, livide.

Au bout d'un moment, les rescapés, meurtris, choqués et en sang, reprirent leur longue descente de l'escalier.

Une fois en bas, ils se réunirent sous les embruns frais de la cascade. Trois Ban-ali avaient aussi péri sur les marches.

— Qu'est-ce qui a causé la seconde explosion ? s'étonna Kostos.

Nate se rappela l'étrange flamme bleue. Il réclama un bidon de sève de Yagga, en versa une cuillerée par terre et prit le briquet de Carrera pour l'allumer. Résultat : un grand éclair bleu.

— Comme le copal, sa résine est combustible, expliqua-t-il. L'arbre entier s'est embrasé comme une chandelle romaine. Les racines et tout le reste, à en juger par la puissance du séisme.

Une chape de plomb s'abattit sur les rescapés.

— Et maintenant ? lâcha enfin Carrera.

— On va faire payer ce salaud ! gronda Nate, plus virulent que jamais. Pour Manny, Olin, Anna et toute la tribu des Ban-ali.

— Ils sont armés jusqu'aux dents, objecta Kostos. De notre côté, on n'a qu'un Bailey et on est deux fois moins nombreux.

— Je m'en contrefiche, riposta le jeune homme sur un ton glacial. On a un atout décisif dans notre manche.

— Lequel ?

— Ils nous croient morts.

Chapitre 19

Raid nocturne

23 h 48
Jungle amazonienne

Les yeux de Kelly brûlaient encore de larmes mais, les mains liées dans le dos, elle ne pouvait même pas s'essuyer. Attachée à un poteau, elle patientait sous un appentis en feuilles de palme tressées qui la protégeait de la bruine. À la nuit tombée, les nuages qui s'étaient amoncelés avaient réjoui ses ravisseurs.

— Plus il fait noir, mieux c'est, avait jubilé Favre.

Ils avançaient à un bon rythme et se trouvaient désormais bien au sud du marais, abrités par une jungle touffue.

Pourtant, malgré l'obscurité et la distance, l'horizon rougeoyait au nord, comme si le soleil essayait de s'y lever. Les terribles explosions qui avaient illuminé la nuit avaient projeté une boule de feu très haut dans le ciel, suivie d'un déluge de débris enflammés.

À la vue d'un tel spectacle, Kelly avait perdu tout espoir. Les autres étaient morts.

Persuadé que les hélicoptères du gouvernement fonceraient vers les incendies, Favre avait imprimé une cadence encore plus soutenue mais, jusqu'à présent, aucun mouvement suspect n'était à signaler. On n'entendait pas le *flip-flap* typique de la flotte aérienne militaire. Le Français gardait les yeux rivés au ciel. *Rien.*

Le signal d'Olin n'avait peut-être pas traversé la jungle. Ou alors les hélicoptères étaient toujours en route.

Quoi qu'il en soit, Favre ne voulait pas courir de risque. Aucune lampe, juste des lunettes de vision nocturne. Kelly, bien sûr, devait se débrouiller sans et, à force de tomber ou de trébucher dans le noir, elle avait les tibias couverts d'ecchymoses et d'égratignures. Ses déboires avaient beaucoup amusé les gardes. Comme elle ne pouvait pas se rattraper avec les mains, chaque chute lui avait écorché les genoux. Elle avait mal aux jambes. Quant aux moustiques et aux moucherons attirés par ses blessures, ils lui bourdonnaient autour sans qu'elle puisse les repousser.

La pluie fut un réel soulagement, de même que la pause accordée par le chef des opérations. Une heure entière ! Kelly contempla le ciel embrasé au nord et espéra que ses amis n'avaient pas souffert.

Plus près, les mercenaires célébraient la victoire. Les flasques d'alcool passaient de main en main. On portait des toasts, on bombait le torse et on se confiait gaiement sur la façon dont on allait dépenser son argent (souvent, il était question de putains). Favre avait permis à ses hommes de s'amuser, mais il circulait entre eux et veillait à ce que la situation ne dérape pas : le groupe avait encore plusieurs kilomètres à parcourir avant de rejoindre les canots automobiles au point de ralliement.

Pour l'instant, Kelly profitait donc d'une relative intimité. Frank ayant été installé au milieu du camp sous un autre auvent de fortune, elle n'avait que son garde-chiourme en guise de compagnie : le lieutenant défiguré de Favre, Mask, qui trinquait joyeusement avec un collègue.

Une silhouette avança sous le crachin. C'était Tshui, la maîtresse indienne. Toujours nue comme un ver, elle ne semblait guère gênée par la pluie mais, au moins, elle n'arborait plus la tête réduite du caporal DeMartini autour du cou.

Elle n'a sans doute pas voulu mouiller son atroce pendentif, songea amèrement Kelly.

Le comparse de Mask s'éclipsa aussitôt. L'étrange femme faisait le même effet à tous les mercenaires : on voyait bien qu'ils avaient peur d'elle. Même Mask recula de quelques pas et s'abrita sous une palme voisine.

L'Indienne s'agenouilla près de Kelly. Elle avait apporté une grosse besace, qu'elle posa à terre et fouilla en silence. Au bout d'un moment, elle sortit un minuscule pot en argile qui, une fois le couvercle ouvert, se révéla contenir une pommade cireuse. Elle plongea le doigt à l'intérieur et s'approcha de Kelly.

L'Américaine tressaillit mais, d'une main de fer, la sorcière lui attrapa la cheville. Dès qu'elle appliqua la crème sur ses genoux abîmés, les démangeaisons et les brûlures se calmèrent. Kelly cessa alors de résister et se laissa soigner.

— Merci.

Elle ne savait pas trop si le but était de la soulager ou plutôt de s'assurer qu'elle continue à marcher mais, en tout cas, cela lui faisait le plus grand bien.

Tshui sortit ensuite une bande de lin tissé, qu'elle déroula avec soin sur le sol détrempé. Y étaient méticuleusement alignés, dans de petites bourses en toile, des instruments en inox ou en os jauni. Elle sélectionna une longue faucille, qui faisait partie d'une série de cinq outils analogues, et se pencha vers Kelly.

Cette dernière vacilla de nouveau, mais l'Indienne lui attrapa les cheveux de la nuque et l'obligea à garder la tête en arrière. Quelle force de titan !

— Qu'est-ce que vous faites ?

Sans répondre, Tshui approcha la lame incurvée du front de Kelly, à la base du cuir chevelu, puis elle la reposa et réitéra l'opération avec un autre couteau.

La jeune Occidentale prit conscience, horrifiée, du but de son manège. *Elle prend mes mesures !* Tshui évaluait en effet quels étaient les meilleurs outils pour lui dépiauter le crâne. Elle continua son étalonnage et testa divers instruments effilés sur le menton, les joues et le nez de son futur trophée.

Elle commença à aligner les bonnes lames par terre, près de son genou, et la liste d'outils s'allongea doucement : grands couteaux, pointes acérées, fragments d'os taillés en tire-bouchon.

Dehors, un raclement de gorge attira l'attention des deux femmes.

Kelly sentit qu'on lui relâchait la tête et, dès qu'elle fut libre de ses mouvements, elle pivota en donnant des coups de pied pour s'éloigner de la sorcière. D'une ruade, elle lui éparpilla ses différents instruments de torture.

Favre se dressa sur le seuil :

— Je vois que Tshui se charge de vous distraire, *mademoiselle** O'Brien.

Il entra.

— J'essaie de recueillir des informations sur la CIA auprès de votre frère. Des renseignements qui nous aideront à nous échapper aujourd'hui, puis à organiser nos missions futures. Une denrée précieuse que, j'en suis sûr, les chercheurs de St Savin ne m'en voudront pas d'avoir glanée à leur patient. Hélas, je ne peux lui infliger la moindre souffrance. Mes bienfaiteurs n'apprécieraient guère. Ils me paient grassement pour que je leur livre un petit cobaye *en pleine santé*.

Favre se baissa.

— Avec vous, ma chère, c'est différent. Je crains fort de devoir apporter à votre frère la preuve des talents de Tshui. Ne soyez pas timide. Laissez Frank entendre vos hurlements, ne les gardez pas pour vous. Quand elle nous rejoindra ensuite et lui tendra votre oreille, je suis convaincu qu'il se montrera d'emblée plus coopératif.

Il se releva.

— Je vous prie maintenant de m'excuser. Ce genre de spectacle ne m'intéresse pas.

Après s'être fendu d'une demi-révérence, le cynique Favre disparut dans la nuit pluvieuse.

Kelly sentit son sang se figer d'horreur. Il n'y avait pas un instant à perdre. Ses doigts serrèrent le petit couteau dont elle s'était emparée, quelques secondes plus tôt, parmi les instruments qu'elle avait envoyé promener, puis elle entreprit de trancher les cordes dans son dos.

Devant elle, Tshui sortit de quoi bander le futur moignon d'oreille. Une chose était sûre : ils tortureraient Kelly jusqu'à ce que son frère ait avoué tout ce qu'il savait. Après quoi, ils s'en débarrasseraient comme d'un bagage superflu.

Eh bien, elle ne se laisserait pas faire ! Elle préférait mourir vite plutôt que d'agoniser en souffrant le martyre. De plus, si Favre avait dit juste, ils ne s'acharneraient pas sur Frank – du moins, pas avant de l'avoir remis aux experts de St Savin.

Le temps de taillader férocement ses liens, elle dissimula ses efforts derrière des contorsions saccadées et des lamentations qui n'étaient qu'à moitié feintes.

Tshui se retourna vers elle, une lame recourbée à la main.

Kelly était toujours attachée.

L'Indienne l'empoigna de nouveau par les cheveux et, après lui avoir renversé la tête, elle brandit son couteau.

En larmes, le médecin se débattit avec sa propre dague.

Tout à coup, un gémissement inquiétant déchira la nuit. Aigu et félin. Rempli de rage.

Intriguée, Tshui se raidit, le couteau posé sur l'oreille de sa victime, et sonda les ténèbres de la jungle.

Kelly ne pouvait pas laisser passer sa chance. D'un coup d'épaule, elle arracha les dernières fibres de corde.

Quand la sorcière revint vers elle, la jeune femme n'hésita pas à lui planter son couteau sous la clavicule. Tshui hurla et, de surprise, trébucha en arrière.

Galvanisée par l'adrénaline, Kelly se redressa d'un bond et se précipita vers la forêt. Elle courut aussi vite que ses jambes le lui permettaient mais, au détour d'un arbre, elle percuta quelqu'un de plein fouet.

Des bras la saisirent. Elle leva les yeux et tomba nez à nez avec le visage grimaçant du perfide Mask. Dans l'affolement, elle avait complètement oublié son cerbère. Elle se débattit mais n'était pas armée. Il la fit pivoter sur elle-même, la souleva de terre, un bras autour de sa gorge, et la ramena, gesticulante, sous l'appentis.

Agenouillée dans la poussière, Tshui utilisait les pansements destinés à l'oreille de Kelly pour soigner son épaule. Le regard qu'elle lança à la jeune Blanche fulminait de colère.

Kelly cessa de donner des coups de pied.

Soudain, par le plus étrange des phénomènes, Mask se crispa et la lâcha. La chute fut rude et, en se retournant, elle vit le colosse s'étaler de tout son long, face contre terre.

Un objet scintillant dépassait de sa nuque.

Un disque gris argenté.

Kelly le reconnut aussitôt. Tandis qu'elle scrutait les bois, des hurlements fusèrent des quatre coins du camp. Des hommes commencèrent à tomber net ou à dégringoler de leur siège, une flèche empennée plantée dans le cou ou le torse. Plusieurs bandits convulsaient. *Empoisonnés.*

La jeune femme contempla de nouveau le corps avachi de l'ex-lieutenant de Favre… et le disque argenté.

Une lueur d'espoir resurgit.

Mon Dieu, les autres doivent être encore en vie !

Quand elle fit volte-face, Tshui s'était volatilisée, sans doute partie rejoindre Favre et l'endroit où Frank était toujours retenu prisonnier. Le camp était en plein chaos. On tirait des coups de feu, on vociférait des ordres mais, pour l'instant, personne n'avait vu l'ombre d'un assaillant.

On aurait dit qu'ils étaient attaqués par des fantômes.

Les mercenaires continuaient de tomber comme des mouches.

Kelly ramassa le pistolet de Mask. Elle ne pouvait pas miser sur le fait que les autres rejoindraient son frère à temps et décida de foncer vers le champ de massacre.

Nate vit Kelly détaler arme au poing. *Partie chercher son frère*, songea-t-il sans hésiter. Impossible d'attendre plus longtemps. Il donna le feu vert à Carrera. Après un bref coup de sifflet, un étrange hululement monta d'une vingtaine de gorges indiennes dispersées à travers le camp. Un son à vous glacer le sang !

Nate était déjà debout.

Ils s'étaient peint tout le corps en noir.

D'un même élan, ils se ruèrent à l'assaut du bivouac, seulement équipés de flèches, de sarbacanes et de poignards en os. Ceux qui savaient se servir d'armes modernes les confisquèrent aux cadavres.

Kostos tira une rafale de kalachnikov sur sa gauche. À droite, Carrera mit son Bailey en mode automatique et sema la mort autour d'elle. Une fois à court de munitions, elle le troqua contre un M-16 abandonné, qui, à l'origine, avait sans doute été dérobé aux Rangers.

Nate arracha un pistolet à des doigts inertes et se rua vers le camp principal. Les mercenaires, déboussolés, commençaient à peine à organiser une ligne défensive. Pressé de se faufiler derrière eux avant qu'ils resserrent les rangs, il cavala entre les ombres détrempées.

À un moment donné, il croisa un adversaire tapi sous un buisson et manifestement pas armé. En voyant son pistolet, le type affolé se laissa tomber à genoux, les mains sur la tête, en signe de reddition.

Nate ne ralentit même pas. Il n'avait qu'un but en tête : retrouver Kelly et son frère avant qu'il leur arrive malheur.

À l'autre bout du camp, Kouwe courait avec Dakii et une poignée d'Indiens. Il s'arrêta, le temps de ramasser une machette sur un mort, la lança à son guide ban-ali et garda le fusil pour lui.

Il fallait se dépêcher, car la ligne des combats s'était déplacée vers le centre du campement.

Averti par un mystérieux instinct du danger, le professeur pila pourtant net et, derrière lui, il vit une Indienne émerger subrepticement d'un buisson. Comme eux, elle était peinte en noir des pieds à la tête.

Kouwe, qui avait grandi chez les tribus amazoniennes, ne se laissa pas berner. Elle avait beau porter le même costume de guerre, ses traits shuar n'échappèrent pas à un œil expert.

Il braqua son fusil vers elle :

— Ne bouge pas, sorcière !

La maîtresse de Favre avait tenté de franchir les lignes adverses pour se sauver dans la forêt. Kouwe n'allait pas lui permettre de s'en tirer. Il se rappelait trop bien le sort funeste du caporal DeMartini.

Elle se figea et pivota lentement vers lui. Dakii resta en retrait, mais le professeur lui fit signe de continuer sa route. Il y avait encore des combats à mener.

L'Indien détala donc avec ses hommes… et Kouwe se retrouva seul face à Tshui, au milieu des cadavres. Il approcha d'un pas prudent. Certes, il aurait dû l'abattre sans sommation (la beauté de la garce n'avait sûrement d'égale que sa perversité), mais il rechignait à devenir un meurtrier.

— À genoux ! préféra-t-il ordonner en espagnol. Les mains en l'air !

Elle obéit, se laissant descendre avec la grâce subtile et les ondulations lentes d'un serpent. Elle lui jeta ensuite un regard en coin sous ses lourdes paupières. Aguicheuse, séductrice...

Lorsqu'elle passa à l'attaque, Kouwe mit une seconde de trop à réagir. Il pressa la détente, mais son arme cliqueta dans le vide. Plus de munitions.

L'Indienne lui sauta à la gorge, un couteau – certainement empoisonné – dans chaque main.

Kelly fixa les deux mini-Uzi de Favre. L'un était pointé contre la tempe de son frère, l'autre vers elle.

— Lâchez votre pistolet, *mademoiselle**. Ou je vous tue tous les deux !

— Sauve-toi, Kelly, articula Frank en silence.

Accroupi sous l'auvent, le Français se servait du jeune blessé comme bouclier.

Elle n'avait pas le choix. Pas question de laisser son jumeau aux mains d'un cinglé pareil ! Elle baissa son arme et la jeta sur le côté.

Aussitôt, Favre la rejoignit, lâcha un Uzi et, pressant le canon de l'autre contre les reins de Kelly, il siffla :

— Maintenant, on va sortir d'ici.

Il s'empara d'un sac.

— Au cas où, j'avais mis de côté une réserve de sève.

Une fois le précieux bien en bandoulière, il empoigna son otage par le dos du chemisier.

— *Laissez-la partir !* aboya-t-on derrière eux.

Ils firent volte-face et, d'une pirouette, Favre se cacha derrière Kelly.

Nate se dressait sur le seuil, torse nu, en caleçon, le corps entièrement badigeonné de noir.

— On s'amuse à jouer les indigènes, *monsieur** Rand ?

— Vous ne pourrez pas vous enfuir. Rendez-vous et vous aurez la vie sauve.

Kelly observa Nate : son pistolet pointé sur eux, il affichait une détermination féroce.

En écho aux tirs qui résonnaient à la ronde, on entendait des cris, des hurlements.

— J'aurai la vie sauve ? ironisa Favre. Quoi ? En prison ? Votre offre ne m'intéresse pas. Je préfère la liberté.

Le coup de feu tiré à bout portant la fit sursauter – plus à cause de la détonation que de la douleur. Nate chancela, blessé à la hanche, et perdit son arme. Puis elle se sentit tomber à genoux, choquée. Elle baissa les yeux vers son estomac. Sous son corsage déjà souillé, des flots d'hémoglobine jaillissaient du trou fumant.

En lui tirant dans le ventre, Favre avait aussi touché Nate.

La brutalité absolue de l'acte l'horrifia plus que le fait d'avoir reçu une balle, plus que le sang.

Kelly releva la tête vers Nate. Leurs regards se croisèrent un instant. Ni l'un ni l'autre n'avaient la force de parler. Puis elle s'effondra doucement au sol et sombra dans les ténèbres.

D'un coup de crosse, Kouwe se débarrassa du premier couteau. Hélas, Tshui était rapide : elle lui bondit dessus et le fit tomber sous son poids.

En heurtant le sol, il se cogna la tête mais réussit à lui attraper l'autre poignet. Elle agita la seconde dague sous son nez et plus il la repoussait, plus elle s'accrochait à lui, les jambes enroulées autour de sa taille comme lors d'une folle étreinte passionnée.

De sa main libre, elle lui griffa la joue et voulut lui arracher les yeux. Il tourna la tête sur le côté. Le poignard s'approcha dangereusement de sa gorge, tandis qu'elle lui enfonçait son épaule dans le torse. La diablesse était jeune et forte !

Par chance, le professeur connaissait les Shuar et leur arsenal d'armes secrètes : tressées dans les cheveux, dissimulées sous les pagnes, portées en décoration… Il savait aussi que les guerrières de la tribu ne sortaient jamais sans un fourreau supplémentaire pour se défendre contre le viol – pratique très répandue lors des conflits entre clans.

Alors qu'elle était sur lui à califourchon, Kouwe lui fourra la main dans l'entrejambe, sentit la minuscule crosse qu'elle y cachait bien au chaud et sortit la lame de sa gaine en cuir.

Quand elle comprit qu'on lui venait de lui voler son arme la plus intime, Tshui hurla, toutes dents dehors.

Elle voulut se dégager, mais le professeur lui tenait toujours solidement le poignet. Il l'accompagna dans sa volte-face et, sans lâcher prise, utilisa la force de son adversaire pour se remettre sur ses pieds.

Lorsqu'ils se retrouvèrent accroupis à quelques centimètres l'un de l'autre, Kouwe continua de lui serrer le poignet.

Elle croisa son regard. Il vit sa peur.

— Pitié, murmura-t-elle. S'il vous plaît.

Il songea aux nombreuses victimes qui avaient demandé grâce à l'Indienne, mais il n'était pas un monstre :

— Je vais t'accorder ma clémence.

Il profita d'un infime relâchement de Tshui pour l'attirer contre son torse et lui planter son couteau entre les seins, jusqu'à la crosse.

Elle haleta de douleur et de surprise.

— La clémence d'une mort rapide, siffla-t-il.

Le poison fit effet sur-le-champ. Elle frémit, puis se raidit, comme électrocutée. Il la repoussa au moment où un cri étranglé s'échappait de ses lèvres. Elle mourut avant d'avoir touché le sol.

Kouwe jeta l'arme empoisonnée et tourna les talons :

— C'est déjà plus que tu ne mérites.

Autour du camp, les tirs s'étaient espacés et Favre voulait déguerpir avec son trésor avant que ses dernières lignes de défense s'effondrent complètement.

Tandis que le chef des mercenaires ramassait son autre Uzi, Nate tenta de se hisser sur les coudes en grimaçant de douleur.

Le Français le gratifia d'un salut militaire, s'apprêta à sortir... et se figea net.

À quelques mètres de lui, il eut une vision insensée. Une silhouette frêle et pâle était adossée à un arbre.

— Louis...

Il chancela d'effroi. *Un fantôme...*

— Recule, papa ! glapit Nate.

Favre reprit ses esprits avec un frisson d'étonnement. Bien sûr qu'il ne s'agissait pas d'un fantôme. *Carl Rand ! Vivant ! Par quel miracle ? Et quel hasard ?*

Il braqua un Uzi vers le spectre.

La faible créature montra quelque chose à gauche.

Du regard, il suivit la direction indiquée.

Un jaguar au pelage doré et tacheté était tapi sous un buisson, les muscles saillants. Il lui bondit dessus.

Louis brandit sa mitrailleuse, tira et avala un peu de poussière au moment où le félin plongea sur lui.

Soudain, il fut attaqué par la droite, hors de son champ visuel, malmené, traîné sur plusieurs mètres et plaqué à terre la tête la première. Le souffle coupé, il grogna et s'étrangla. Un poids énorme le clouait au sol.

Qui... quoi... ? Il tordit le cou pour voir son assaillant et eut la surprise de découvrir un fauve noir qui lui grondait dessus de toutes ses dents. Des griffes lui transpercèrent le dos comme autant de douloureuses lances.

Oh, mon Dieu !

Le premier jaguar réapparut et avança vers lui d'un air menaçant. Louis se débrouilla pour récupérer son Uzi mais, avant de pouvoir tirer, il sentit son bras exploser de douleur. Des crocs s'enfoncèrent jusqu'à l'os et le démembrèrent au niveau de l'épaule dans un craquement écœurant.

L'homme hurla.

— *Bon appétit**, murmura Nate aux deux félins.

Il ne se préoccupa pas de la suite du carnage. Un jour, il avait regardé un documentaire sur des orques qui s'amusaient avec un bébé phoque avant de le manger : ils le jetaient en l'air, le rattrapaient, le déchiquetaient et le lançaient de nouveau. Cruel et sauvage. La nature à l'état pur. Eh bien là, il se produisit la même chose. Prenant un plaisir sadique à tuer Louis Favre, les deux jaguars ne se contentèrent pas de le dévorer : ils assouvirent leur terrible vengeance.

De son côté, Nate s'attacha à un problème autrement plus urgent. Il se traîna vers Kelly en s'aidant des mains et de sa jambe valide. Sa hanche lui faisait un mal de chien, sa vue se brouillait, mais il fallait qu'il la rejoigne.

La pauvre était avachie par terre, dans une mare de sang.

Enfin, il réussit à ramper jusqu'à elle :

— Kelly…

Au son de sa voix, elle frémit.

Il s'approcha encore et se blottit contre elle.

— On a réussi… hein ? murmura-t-elle. Le remède ?

— On va le rapporter au monde entier… À Jessie.

Clopin-clopant, Carl Rand vint les rassurer :

— Les secours arrivent. Tenez bon… tous les deux.

Au grand étonnement de Nate, Carrera surgit juste derrière :

— Le sergent Kostos a trouvé la radio des mercenaires. Les hélicos ne sont plus qu'à une demi-heure d'ici.

Le jeune homme acquiesça en silence. Tout contre lui, Kelly avait fermé les yeux et, à son tour, il sentit sa propre vision s'assombrir. Quelque part au loin, il entendit Frank crier :

— Kelly ! Est-ce que Kelly va bien ?

Chapitre 20

Huit mois plus tard

16 h 45
Langley, Virginie

Nate sonna chez les O'Brien. Comme Frank devait rentrer de l'hôpital ce jour-là, son ami lui avait apporté un cadeau : une nouvelle casquette des Red Sox de Boston dédicacée par toute l'équipe. Il patienta sur le perron en contemplant la pelouse soigneusement entretenue.

Vu les gros nuages noirs qui s'entassaient à l'horizon, un orage allait bientôt éclater.

Nate rappuya sur la sonnette. Huit jours plus tôt, il était allé voir Frank à l'Institut Instar. Les nouvelles jambes du rescapé étaient pâles et faibles mais, debout sur des béquilles, il se débrouillait plutôt bien.

— La kiné, c'est l'horreur ! avait-il néanmoins maugréé. D'autant que je suis une vraie pelote à épingles pour tous ces vampires en blouse blanche.

Nate avait souri. Au cours des derniers mois, chercheurs et médecins avaient observé à la loupe le processus de régénération. D'après la mère de Frank,

Lauren, le mécanisme exact d'une telle repousse alimentée par les prions restait une énigme. Une seule chose était sûre : alors que les prions causaient des fièvres hémorragiques mortelles chez les enfants et les personnes âgées (c'est-à-dire des sujets au système immunitaire immature ou défaillant), les adultes en bonne santé expérimentaient l'effet inverse. En l'occurrence, les prions semblaient capables de modifier temporairement le système immunitaire humain afin de permettre la croissance proliférante nécessaire à la régénération du corps et à sa guérison rapide.

Le miracle s'était produit chez Frank, mais il n'était pas sans risque à l'égard du patient. Le jeune homme avait dû absorber régulièrement une solution diluée de lait de noix de Yagga pour empêcher la maladie de devenir endémique et bloquer les tumeurs cancéreuses dévastatrices qui avaient tué l'agent Clark. À présent que la repousse était terminée, il était passé sous traitement lacté plus concentré, de manière à débarrasser son corps des prions et à retrouver des défenses immunitaires normales. Quoi qu'il en soit, malgré son statut de cobaye, on ne savait toujours pas grand-chose des prions et de leur fonctionnement.

— Nous sommes loin de trouver une réponse… et encore plus loin de pouvoir reproduire les prouesses de l'arbre, avait admis tristement Lauren. Si l'histoire du Yagga remonte à l'ère paléozoïque, il a cent millions d'années d'avance sur nous. Un jour, on comprendra peut-être, mais ce n'est pas pour tout de suite. Bien que nous nous glorifiions de nos talents scientifiques, nous ne sommes que des enfants barbotant dans l'une des expériences biologiques les plus élaborées au monde.

— Des enfants qui, cette fois, ont été à un cheveu de réduire leur propre maison en cendres, avait ajouté Nate.

Par chance, les fruits du Yagga avaient bien permis d'enrayer l'épidémie. Le composé « antiprion » de la noix, un type d'alcaloïde, s'était révélé facile à dupliquer et à fabriquer en masse. Grâce aux efforts de tous, le remède avait donc été vite distribué sur le continent américain et le reste du globe. On avait ensuite découvert qu'un mois de traitement suffisait à éradiquer *totalement* la maladie, sans qu'il reste aucune trace de prions contagieux dans le corps. Une solution toute simple dont les Ban-ali ignoraient l'existence et qui les avait asservis pendant des générations. Heureusement, le lait de synthèse était le médicament ultra-rapide dont la planète avait besoin. La terrifiante peste d'Amazonie n'était presque plus qu'un mauvais souvenir.

En revanche, aucun spécialiste n'avait réussi à cultiver ou à dupliquer le prion lui-même. Classés *Biorisque de niveau 4*, tous les échantillons de sève étaient confinés dans une poignée de laboratoires triés sur le volet. Quant à la source première de la sève, la vallée des Ban-ali, ce n'était plus qu'un champ de ruines. Du grand Yagga, il ne restait qu'un tas de cendres et de squelettes ensevelis.

Ce qui me convient très bien, songea Nate.

Planté sur le perron, il contempla le soleil couchant de mars et l'orage qui grondait au loin.

De retour en Amérique du Sud, Kouwe et Dakii aidaient les Ban-ali à s'adapter à leur nouvelle vie. Les rescapés – une petite douzaine au total – étaient en effet devenus les Indiens les plus riches d'Amazonie. Grâce au père de Nate, ils avaient gagné leur procès contre St Savin, qu'ils accusaient d'avoir détruit leurs terres et massacré leur peuple. Apparemment, Louis Favre avait laissé de nombreuses traces écrites de sa collaboration avec la société pharmaceutique française. Même si les recours en appel allaient sans doute faire traîner les choses pendant des années, l'entreprise se retrouvait presque en faillite. Cerise sur le gâteau : l'ensemble du directoire était traduit en justice pour crimes.

En attendant, Carl Rand s'était installé en Amérique du Sud afin d'aider lui aussi les Ban-ali à se réorganiser. Nate le rejoindrait d'ici quelques semaines, mais il ne serait pas le seul à faire le voyage. De nombreux généticiens voulaient étudier la tribu et enquêter sur les modifications de leur ADN, non seulement pour comprendre comment elles s'étaient produites mais aussi pour chercher le moyen d'inverser les effets du Yagga. De l'avis de Nate, si jamais il existait une explication au mystérieux phénomène, ils n'auraient pas de réponse avant plusieurs générations.

Son père pouvait compter sur le soutien des Rangers Kostos et Carrera, récemment promus et décorés. Les deux militaires avaient aussi supervisé le rapatriement des corps. Une tâche difficile et poignante.

Nate soupira. Tant de vies perdues... mais tant d'autres sauvées par le remède que l'équipe avait payé de son sang. Il n'empêche que le prix restait encore beaucoup trop élevé.

Un bruit de pas le ramena à la réalité. La porte s'ouvrit.

Le jeune homme retrouva le sourire :

— Qu'est-ce qui t'a pris si longtemps ? Je poireaute ici depuis cinq bonnes minutes.

La main posée au creux des reins, Kelly fit les gros yeux :

— Essaie un peu de trimballer un bidon pareil.

Nate caressa le ventre rebondi de sa fiancée. Plus que deux semaines avant l'accouchement ! Kelly avait appris qu'elle était enceinte au moment où elle se rétablissait de sa plaie par balle. Apparemment, elle avait été contaminée par les prions le jour où elle avait autopsié le corps de Gerald Clark à Manaus. Pendant les quinze jours d'expédition en Amazonie – et à son insu –, les prions l'avaient guérie de sa stérilité *postpartum* et avaient réparé les dégâts. Le diagnostic était tombé à point nommé. Encore quelques semaines sans traitement, et les épouvantables tumeurs cancéreuses auraient fait leur apparition. Comme pour son frère, le lait du Yagga lui avait heureusement été administré à temps et les prions avaient été éradiqués avant de causer le moindre mal.

Ravis de la nouvelle, Nate et Kelly avaient alors reçu le plus beau des cadeaux. Pendant leur nuit d'amour amazonienne la veille de l'assaut de Favre, ils avaient, sans le vouloir, conçu un bébé – un petit frère pour Jessie.

Son prénom était déjà choisi : *Manny*.

Nate embrassa sa fiancée.

Un roulement de tonnerre résonna au loin.

— Les autres nous attendent, murmura-t-elle entre deux baisers.

— Qu'ils attendent, susurra-t-il en prenant tout son temps.

De grosses gouttes commencèrent à crépiter sur le toit et le trottoir. Le tonnerre gronda encore et, très vite, la petite averse se mua en pluie battante.

— Mais on ne devrait pas… ?

Nate l'enlaça et attira de nouveau ses lèvres contre les siennes :

— Chut.

ÉPILOGUE

Au fin fond de la jungle amazonienne, la nature suit son cours sans être dérangée, loin des regards indiscrets.

Le jaguar tacheté s'occupe de ses petits, qui geignent et vagissent dans la tanière. Sa compagne au pelage noir est partie depuis longtemps. Il hume l'air. Une odeur de musc. Impatient, il fait les cent pas.

Une silhouette émerge de la forêt obscure et s'avance vers lui. D'un faible râle, il salue son imposante femelle, puis ils se frottent l'un contre l'autre. Elle sent mauvais. *Flammes, incendies, hurlements.* Un sentiment de méfiance lui hérisse l'échine jusqu'à la nuque. Il grogne.

Sa compagne part creuser un trou au fond de la clairière. Elle y dépose une graine noueuse, puis remblaie le tout avec ses pattes arrière.

Une fois qu'elle a terminé, elle rejoint ses petits : certains sont noirs, d'autres tachetés. Elle les renifle. Ils réclament du lait en se roulant les uns sur les autres.

Elle se frotte de nouveau contre son mâle, puis tourne le dos au trou qu'elle vient de creuser. Elle a déjà oublié la graine qu'elle y a semée. Ce n'est plus son problème. Il est temps de passer à autre chose.

Elle rassemble sa portée, son mâle... et la petite famille s'enfonce dans les profondeurs insoupçonnées de la jungle.

Derrière eux, la terre fraîchement retournée sèche au soleil.

Sans être dérangée, à l'abri des regards indiscrets.

Oubliée.

REMERCIEMENTS

Je tiens à remercier tous ceux qui m'ont aidé à me documenter pour ce roman, en particulier Leslie Taylor, de Raintree Nutrition, Inc., qui m'a laissé utiliser ses splendides schémas botaniques et m'a apporté sa précieuse expertise sur les propriétés médicinales des plantes tropicales. Je m'en voudrais aussi de ne pas citer deux ouvrages qui m'ont été d'une extrême utilité : *Help ! Ma Croisière en Amazonie*[1] de Redmond O'Hanlon et ma source principale d'inspiration, *Tales of a Shaman's Apprentice*[2] du Dr Mark Plotkin. En ce qui concerne les conseils plus spécifiques, je remercie de tout cœur mes amis et ma famille, qui m'ont permis de donner au manuscrit sa forme actuelle : Chris Crowe, Michael Gallowglas, Lee Garrett, Dennis Grayson, Susan Tunis, Penny Hill, Debbie Nelson, Dave Meek, Jane O'Riva, Chris « The Little » Smith, Judy et Steve Prey ainsi que Caroline Williams. Merci à mon amie canadienne Dianne Daigle pour son aide sur les expressions françaises, à Steve Winter pour ses coups de pouce sur Internet et à Carolyn McCray pour

1. Publié aux Éditions Payot.
2. Littéralement, *Contes de l'élève d'un chaman*. À consulter en anglais.

son appui moral indéfectible. Les cartes utilisées ci-après sont extraites de *The CIA World Factbook 2000*[1]. Quant aux trois personnes suivantes, elles restent mes meilleurs critiques et mes soutiens les plus fidèles : mon éditrice Lyssa Keusch, mon agent Russ Galen et mon expert en relations publiques Jim Davis. Ultime précision et non des moindres : je me dois de souligner que toute erreur éventuelle de fait ou de détail m'incombe entièrement.

---

1. Publication annuelle de la CIA détaillant chaque pays du monde en matière de géographie, de démographie, de politique, d'économie, de communications et d'organisation militaire.

Composé par Nord Compo
à Villeneuve-d'Ascq (Nord)

Imprimé par GGP Media GmbH
en août 2012

POCKET – 12, avenue d'Italie – 75627 Paris cedex 13

Dépôt légal : avril 2012
Suite du premier tirage: août 2012
S22037/02